歯内治療学

第6版

Endodontics

編集

興地隆史

石井信之

前田英史

鈴木規元

執筆（執筆順）

日本歯科大学名誉教授
勝海一郎

新潟大学大学院医歯学総合研究科教授
野杁由一郎

大阪大学歯学部附属病院講師
大嶋　淳

東京科学大学大学院医歯学総合研究科教授
興地隆史

日本歯科大学名誉教授
五十嵐　勝

大阪大学大学院歯学研究科教授
林　美加子

福岡歯科大学教授
松﨑英津子

北海道医療大学歯学部教授
伊藤修一

九州歯科大学教授
北村知昭

徳島大学大学院医歯薬学研究部教授
湯本浩通

北海道医療大学歯学部講師
森　真理

九州歯科大学准教授
鷲尾絢子

明海大学歯学部教授
横瀬敏志

神奈川歯科大学特任教授
石井信之

岩手医科大学歯学部教授
野田　守

松本歯科大学教授
増田宜子

日本歯科大学附属病院教授
北村和夫

広島大学大学院医系科学研究科教授
柴　秀樹

奥羽大学歯学部教授
木村裕一

日本歯科大学生命歯学部准教授
前田宗宏

広島大学病院講師
武田克浩

愛知学院大学歯学部教授
諸冨孝彦

朝日大学歯学部教授
河野　哲

徳島大学大学院医歯薬学研究部准教授
中西　正

大阪歯科大学講師
辻　則正

日本大学歯学部教授
武市　収

徳島大学名誉教授
松尾敬志

大阪歯科大学教授
前田博史

九州大学大学院歯学研究院教授
前田英史

鹿児島大学大学院医歯学総合研究科教授
西谷佳浩

昭和大学歯学部教授
鈴木規元

東京歯科大学客員教授
古澤成博

鹿児島大学大学院医歯学総合研究科教授
南　弘之

新潟大学医歯学総合病院講師
大倉直人

北海道大学大学院歯学研究院教授
菅谷　勉

鶴見大学名誉教授
細矢哲康

医歯薬出版株式会社

This book is originally published in Japanese
under the title of :

SHINAICHIRYOUGAKU
(Endodontics)

Editors :

OKIJI, Takashi et al.
OKIJI, Takashi
Professor, Institute of Science Tokyo

ISHIYAKU PUBLISHERS, INC.
7-10, Honkomagome 1 chome, Bunkyo-ku,
Tokyo 113-8612, Japan

第6版の序

歯内治療は絶え間なく進化を続けており，2018年の第5版刊行から6年以上が経過した今，新しい時代に即した「歯内治療学」を編纂する時期が訪れました．この間，実体顕微鏡や歯科用コーンビームCTについては普及が進み，臨床の現場に定着した基盤的な診断・治療用機器として扱う必要が生じております．また，MTA，Ni-Ti製ロータリーファイルに代表される機器・材料の改良の動向も見逃すことができません．さらに超高齢社会の現在では，歯内治療は天然歯の保存の「最後の砦」としてますます重要視される一方で，患者の高齢化に伴い，患歯だけでなく患者の心身両面への対応が求められるなど，治療の複雑化が進んでいます．また，歯内治療の経過不良の原因の1つとして，無髄歯の歯根破折がクローズアップされています．これらの近年の動向を踏まえつつ，最新の歯内治療を読者に解りやすくお伝えできる教科書として記述のアップデートを図る必要性が，今回の改訂の原動力となっています．

今回の改訂にあたり，本書第1版刊行（1982年）以来の基本方針を踏襲し，平易な文章やわかりやすい図表を用いながら，学生が読みやすく理解しやすい内容にすることを第一の方針としました．また，最新の国家試験出題基準やモデル・コア・カリキュラムに準拠した内容とし，学習者の利便性を高めるのみならず，教員が教育現場で活用しやすい「標準的な」教科書を引き続き目指しています．さらに，新知見を取り上げることで時代の流れに沿った内容の充実を図りましたが，この際は専門的な内容に終始することのないよう配慮するとともに，一部については「Topic」として解説を加える形としました．加えて，今回の改訂ではこれまで本書の執筆に尽力された先生方のご退職に伴い，多くの気鋭の執筆者をお迎えすることができ，各所で内容の刷新が図られることとなりました．

結びにあたり，今回の改訂に際して多大なご尽力をいただきました執筆者の皆様，ならびに一貫して多大なるご支援をいただきました医歯薬出版の編集スタッフの皆様に，心より深く感謝申し上げます．

2025年1月

編集委員　興地隆史
石井信之
前田英史
鈴木規元

第５版の序

歯内治療の変革の波はとどまるところを知らぬかの感があります．すなわち，歯科用実体顕微鏡，Ni-Ti ロータリーファイル，歯科用コーンビーム CT（CBCT），MTA（mineral trioxide aggregate）などのさまざまな新機器や材料が次々と開発され，改良が繰り返されながら臨床の現場に定着しつつあることは周知のとおりです．さらに超高齢社会の現在では，かけがえのない天然歯を保存し機能させる努力が従前にも増して求められており，歯の保存の砦として歯内治療がますます重要視されているといっても過言でありません．ところが患者の高齢化は，患歯自体の状態のみならず，患者への心身両面からの対応という意味でも歯内治療の複雑化につながっており，知識・技術に裏付けられた確実な歯内治療がこれまで以上に必要な時代が到来しているようにも思われます．

本書「歯内治療学」は，長田　保教授，砂田今男教授を編者として 1982 年に第 1 版が発行され，以来多くの先生方に編集，執筆をご担当頂きながら第 4 版まで改訂が行われました．この間今日まで，歯科学生の教科書として，また一般臨床家の参考書として好評のもとに活用されてきております．このように永きにわたり各方面で愛読されてきましたのは，本書の読みやすさに加えて，最近の話題を包含した新鮮さ，さらには臨床に即した内容によるものと考えます．

しかしながら，2012 年の第 4 版刊行以来 6 年が経過し，歯内治療におけるさまざまな変革を取り入れつつ，時代に即した新たな「歯内治療学」を編纂すべき時期が参りました．また，第 4 版の編集委員を務められた中村　洋教授，須田英明教授をはじめ，この間にご退職された多くの先生方がおられる一方で，新しい教授も誕生しています．そこで，新進気鋭の先生方にも新たに執筆をお願いし，ここに改訂版を刊行する運びとなりました．

今回の改訂の基本方針として，新知見の充実を図ることはもちろんですが，学生が読みやすく理解しやすい，さらには教員にとっても教育の場で活用しやすい「標準的な」教科書を引き続き目指すこととしました．また，歯学教育モデル・コア・カリキュラム（平成 28 年度改訂版）や平成 30 年版歯科医師国家試験出題基準に準拠した内容とし，学習者の便宜を図ることとしました．従いまして，大幅な目次の変更は行われておりませんが，各章ごとに新知見を取り入れつつ，また旧来の知見の割愛も行いつつ，さらに平易な記述と分かりやすい図表を用いながら，時代の流れに沿った内容の充実・網羅を図ることができたと考えております．

結びに，今回の改訂にあたり多大なご尽力を賜りました執筆者各位，ならびに終始絶大なご支援を賜りました医歯薬出版編集スタッフの方々に，深甚なる謝意を表します．

2018 年 8 月

編者一同

第４版の序

『歯内治療学』は，福地芳則教授，長田　保教授，砂田今男教授の編集により，1982 年に第１版が発行され，それ以降，第３版まで改訂が行われました．この間，28 年にわたり，歯学生の歯内治療学の教科書として，また一般臨床家の参考書として活用され，好評を得ています．本書がこのように永きにわたり，各方面で活用されてきましたのは，読みやすさに加え，最近の話題を包含した新鮮さ，臨床に即した成書であるためと考えます．

愛知県歯科医師会の平成 20 年度の 8020 表彰者追跡調査報告によれば，8020 達成者は，未達成者よりも，明らかに自立・健康者が多いと報告されています．これは，歯の健康維持・延命化すなわち歯の保存が，全身の健康維持に重要であることを示しており，学術的にもそれが明らかにされつつあります．

そうした歯の保存を試みるときの最後の砦が歯内治療である，ということは誰しもが思うことでしょう．そして，それを考えるときの拠り所となるのがこの『歯内治療学』です．それだけに本書の持つ意義は大変に重く，重要と考えます．

第３版が発行されてから４年以上が経過し，ご執筆された先生方の多くの方が大学を退職され，新しい教授も誕生しています．そこで，新進気鋭の先生方に新たにご執筆をお願いし，時代に即した新しい『歯内治療学』に改訂したいとの提案が，医歯薬出版株式会社からありました．

このような要請を受けて，編集委員会が設置され，第４版発刊のための改訂作業にはいりました．前回の改訂では，かなり多くの新知見が導入されましたので，今回はその新知見のいっそうの充実を図るとともに，学生にも理解しやすく，読みやすく，さらに本書を教科書として使う先生方がより授業で使いやすいような教科書とすることが，編集委員会で確認されました．従いまして，今回はなるべく平易な表現に改めていただくなど，読者がより理解しやすい教科書をめざしました．

本書が，歯科学生および一般臨床家にとって，最新の歯内治療の基本的な理論と技術の修得に役立ち，ひいては口腔の健康維持・増進に寄与することを願っております．

なお，2011 年３月 11 日に東日本大震災が発生しました．本書編集中の出来事でした．被災されました皆様には心からお見舞い申し上げます．

最後に，お忙しいなかご執筆いただいた全国歯科大学，歯学部の歯内治療ご担当の先生方に深甚なる謝意を表します．また，本書を発刊するに当たり，絶大なるご協力，ご支援を頂きました医歯薬出版株式会社の編集部の皆様に心中から御礼申し上げます．

2012 年１月

編者一同

第３版の序

本書『歯内治療学』の第２版が出版されてから，すでに９年が経過した．また，初版が世に出てから四半世紀，25年の歳月を経ている．この間に，多くの学生諸君や一般臨床家の方々にも座右の書としてお役立ていただいたものと信じている．

しかし，学問の進歩やそれに伴っての技術革新には目覚しいものがあり，20世紀末から21世紀初頭にかけては，歯内治療学の分野においても，非常に多くの新知見や新技術が展開されてきた．したがって，これらの知識と技術とを兼ね備えた歯科医師の養成は急務であり，基礎から臨床の実際へと系統的に著した適切な教科書・指南書の出現が待望されてきた．時機を得た本書の編集方針としては，「科学的，かつEBMに基づいた歯内治療臨床」を目指し，卒前の歯科学生や卒後の歯科医師はもとより，広く一般臨床家にも役立つことを大きな目標とした．

時あたかも，歯学教育においては，「歯学教育モデル・コア・カリキュラム―教育内容ガイドライン―」が提示され，臨床実習前にCBT（Computer Based Testing）による知識の確認とOSCE（Objective Structured Clinical Examination：客観的臨床能力試験）による技能水準の確認が行われている．これらの施行により，学生諸君は一定水準以上の知識と技能とを確実に習得していなければ臨床実習に参加することができなくなっている．また，「歯科医師資質向上検討会」（厚生労働省）の報告（平成15年２月）に基づき，歯科医師国家試験のあり方も大きく変わろうとしている．さらに，卒後の生涯研修においても，各専門学会が既存の認定医・指導医制度を基盤にして，専門医制度の導入を模索している．

以上のような現状に鑑み，本書においては最新の知見と技術とをできるだけ簡明にしかも多くを網羅することを心がけたが，実際に本書をお使い頂いた方々からのご意見を頂き，ぜひ次に生かしていきたい．

最後に，本書の刊行にあたり，誠心誠意，辛抱強くご協力いただいた医歯薬出版株式会社の編集部に心より感謝を申し上げる．

平成19年４月

編者一同

第２版の序

本書が初めて出版されてから，すでに 16 年経過した．この間，学生諸君はもとより，少なからず一般臨床家の方々のお役にも立てたと信じている．昨年までに 18 刷を重ね，多くの読者の方々に好評をもって迎えられたことは，著者として望外の喜びである．

しかし，内容がいささか古くなってきたことは否めず，改訂第２版の編集に着手したものの，時の流れるのは早く，諸般の事情で約５年の歳月が過ぎてしまった．そして，ようやくここに第２版を出版する運びとなった．

初版発行以来このたびの改訂までの期間，歯内治療学の分野においても多くの面にわたり，発展・改良等がなされてきた．これらについても過不足なく本書に取り入れられている．

また，この間に著者の引退も多く，そのため改めて各歯科大学・歯学部で現在教育に携わっておられる先生方を中心にして分担執筆をお願いし，本書に歯内治療学のこれまでの進歩・発展等も，十分に盛り込んでいただいた．

編集にあたって，用語についてはそれぞれに歴史的な背景もあって，必ずしも同一の用語がすべての歯科大学・歯学部で用いられてはいないが，本書では現時点で一般に広く用いられている用語に統一することを心がけるとともに，各分担執筆の内容の整合をできるかぎり図ったつもりである．今後読者各位の御叱正を賜わり，さらに改善したいと考えている．

終わりに，分担執筆に御協力くださった執筆者各位，ならびに本書の編集にあたり終始絶大なる努力をはらわれた医歯薬出版株式会社に，感謝の意を表する．

平成 10 年８月

安田英一
戸田忠夫

序

わが国においては，患者の多くの歯が保存され機能を営んでいる事実が，WHO の調査によって明らかにされている．これは欧米諸国に比べ，わが国の臨床家が，歯内治療に関し不断の努力を重ねてきた結果であり，臨床家の方々に敬意を表するものである．

しかしながら，歯は健康な状態に保存されていることが大切であり，歯髄，歯周組織全体が健康な状態であるか否かは，その後の補綴処置に対してはもちろん，生体の健康に及ぼす影響がきわめて大きい．最近，歯内治療が特に見直されるようになってきた所以であり，歯の保存の見地から好ましいことである．

近年，欧米においても，新たに出版された“Endodontics”が散見されるが，このたび，わが国独自の“歯内治療学”の出版が計画されたことは，まことに時宜を得たものであろう．

故福地芳則先生を中心に私共２人が加わり，企画・編集に当たり，多くの歯科大学あるいは歯学部において歯内治療学を担当しておられる教授の方々に，それぞれ得意とする分野について執筆をお願いし，ここにその集大成である“歯内治療学”を出版する運びとなった．

ご執筆いただいた先生方には，お忙しい中をかなり御無理な注文を申し上げた．心から感謝申し上げる次第である．早期にお送りいただいた原稿については，福地芳則先生が中心となって精力的に校閲が進められていたのであるが，昭和 55 年 7 月 2 日，突如，福地芳則先生の急逝という不幸に遭遇し，編集者一同茫然となって日を送り，編集に手間どり，出版が大幅に遅れてしまったことを深くお詫び申し上げる．

本書は，学生諸君はもとより，一般臨床家の方々に役立てばと願いつつ出版されたものであるが，特に新たに歯内治療学を学ばれる学生諸君にとって入門書としても好適であろう．多くの方々に利用され，歯内治療の臨床に役立てば，執筆者一同の喜びこれに過ぎるものはない．

本書の出版に当たり，医歯薬出版株式会社の絶大な御尽力に厚く，感謝の意を表するものである．

なお，本書を故福地芳則先生の霊前に捧げる．

昭和 57 年 3 月末日

長田　保
砂田今男

歯内治療学 第6版

目　次

第4章　歯内治療における基本術式の概要 31

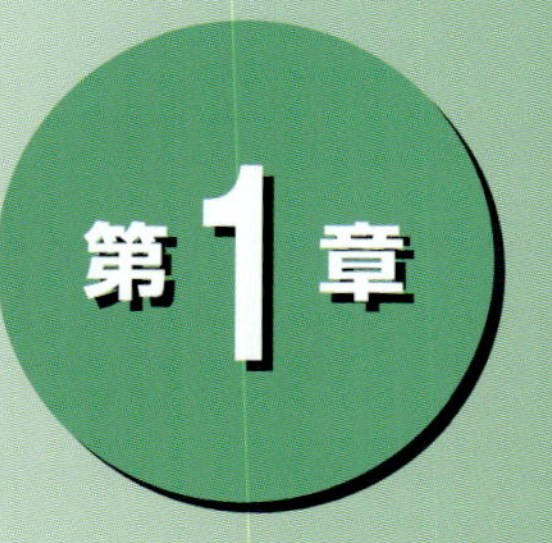

歯内治療学の目的と意義，歴史

Ⅰ 歯内治療学の定義，目的と意義

歯内治療学は，歯の硬組織や歯髄，根尖歯周組織などの疾患に対し，診断と治療，予防のための研究を行い，歯の保存をはかることを目的とした臨床歯科医学の一分野であると定義される．

すなわち，硬組織疾患歯に対しては歯髄疾患の発現防止を目的として治療を行い，歯髄疾患歯に対しては歯髄の健康回復をはかり，回復が不可能な歯髄は除去して根尖性歯周疾患の発現を防止し，また根尖性歯周疾患歯に対しては原因となっている根管の治療を行うことにより根尖歯周組織の健康を回復させ，歯を口腔内で健康に維持し機能させることを目的とする．なお，根管を介しての通常の治療では治癒が困難な歯には外科的歯内治療を行い，さらには歯の破折や脱落などの外傷歯の治療や，変色歯の漂白など，歯の保存を目的として行われる歯内治療は広範にわたる．

歯髄や根尖歯周組織が健康か否かを診断し，必要に応じて治療，予防的処置を行うことにより，以後の修復処置や補綴処置などを成功させ，歯を長く機能させることに歯内治療の意義がある．

Ⅱ 歯内治療の歴史的概要と経緯

歯内治療の歴史は古く，18 世紀までは，歯の痛みに対して各種の薬草やチョウジ油などの貼付のほかに，原因歯の髄室開放や赤熱した金属線による歯髄の焼灼などが行われていた．19 世紀に至ると，科学技術の進展による器材の開発により根管への直接的な治療が可能になり，19 世紀末には，原因となる根管内容物を除去して根管を拡大，清掃し，根管充填を行うという歯内治療の基本概念はほぼ構築されていたといえる．1895 年の Röntgen によるエックス線の発見は，経験と勘により行われていた治療を科学的な根拠をもった治療へと変革し，近年の科学技術の進展は，治療の確実さと効率を向上し歯内治療を大きく変遷させている．

❶ 歯髄の除去と根管の清掃拡大

歯髄腔という狭小な空間での治療操作を可能とする器具が存在しなかった 19 世紀初頭ま

歯内治療の歴史

18 世紀中頃まで		疼痛の原因歯に対する髄室開放や赤熱した金属線による歯髄の焼灼のほかに，各種の薬草やカナダバルサム，アルコール類，ケイ皮油，チョウジ油などを痛み止めとして貼付
1757	Bourdet	根管の封鎖に金箔を使用
1809	Hudson E（米国）	歯髄焼灼後の歯髄腔に金箔を充填，1825 年時の 25 ドルの治療費の請求書が残存
1818	Thenardin	根管清掃薬として過酸化水素水を紹介
1824	Delmond	抜髄用器具（fine hooked instrument）の考案
1826	Koecher L（米国）	歯髄創面を焼灼後，鉛板で被覆し窩洞を金で修復 以後，各種の金属やパラフィン，オキシ塩化亜鉛，アマルガムなどを根管充填に使用
1830	Reichenbach	クレオソートの紹介 これ以降，露髄面をクレオソートなどの薬剤で貼薬後に金属や石膏などで被覆する歯髄の保存的治療が実施
1834	Runge	フェノールの紹介，その後，研究者により各種の合剤が考案
1836	Spooner S	亜ヒ酸を歯髄失活に推奨
1838	Maynard EC（米国）	抜髄針（barbed broach），リーマーの製作
1847	Hill A（米国）	ストッピングの紹介
1852	Arthur R（米国）	根管用ファイルの製作
1864	Barnum SC（米国）	ラバーダム防湿法の紹介
1867	Bowman GA（米国）	根管充填材としてガッタパーチャ材を紹介
1874	Witzel A（ドイツ）	歯髄の防腐治療法として失活断髄法を紹介
1883	Perry	ローリング法によりガッタパーチャポイントを製作
1891	Walkhoff FO	モノクロロフェノール，CMCP の紹介
1893	Callahan JS（米国）	硫酸で根管を拡大後にクロロホルムで軟化したガッタパーチャ材を充填する方法を紹介
1894		相次ぐホルムクレゾールの考案 1904 年には Buckley JP による同剤の有用性の紹介
1895	Röntgen WC（ドイツ）	エックス線の発見
1896	Rollins WH（米国）	最初の歯科用エックス線撮影装置を製作
1896	Kells CE（米国）	根管に鉛線を入れエックス線撮影
1910	Hunter W（英国）	歯性病巣感染説を提議
第一次世界大戦頃		根管の洗浄に次亜塩素酸ナトリウム液を使用
1928	Johnston HB（米国）	歯内治療に限定した最初の開業と，endodontics の創語
1930	Jasper E	銀ポイントを考案
1930	Herman BW	生活断髄に水酸化カルシウムを使用
1943	Grossman LI（米国）ら	American Association of Endodontists の設立
1955		日本歯科保存学会の設立
1957	Nygaard-Østby B（ノルウェー）	EDTA を紹介
1961	Ingle J（米国）	リーマー，ファイルの規格統一
1962	砂田今男（日本）	電気的根管長測定器の開発
1988	Walia HM（米国）	ニッケルチタン製ファイルの考案 以後，エンジン用のニッケルチタン製器具の相次ぐ開発
1990 年代		歯内治療への手術用顕微鏡の応用が活発となる
1993	Torabinejad M（米国）	MTA セメントの開発

では，熱した金属線による歯髄の焼灼が唯一の有効な治療手段であったといえる．1824 年に Delmond は，抜髄用器具（fine hooked instrument）を考案し，これにより歯髄そのものの根管からの除去が初めて可能となった．また，1838 年に Maynard は現在の抜髄針の原形となる barbed broach を考案し，さらに抜髄後の残遺内容物の除去や根管を拡げることの必要性からピアノ線を加工してリーマーを製作，1852 年には Arthur が根管用ファイルを考案し

た．その後，メーカー独自の規格で製作され使い勝手が悪かったリーマー，ファイルは，1961年にIngleにより規格が統一され治療の利便性が向上した．器具の素材もカーボン鋼からステンレス鋼へと変遷し，1988年にはWaliaらにより複雑な形態の根管にも適合する超弾性の性質を有するニッケルチタン製のファイルが考案された．以後，エンジン用のニッケルチタン製器具（ニッケルチタン製ロータリーファイル）の開発が相次ぎ，根管の拡大形成の効率は大きく改善した．

また，1962年に砂田が開発した電気的根管長測定器は，わが国を中心に改良が進められた結果，根管作業長を正確・簡便に決定できる機器として世界的に普及している．

根管の化学的な清掃については，1818年にThenardinが根管の洗浄に過酸化水素水を使用し，また第一次世界大戦頃には強い有機質溶解性を有する次亜塩素酸ナトリウム液が応用されるようになった．次亜塩素酸ナトリウム液は，現在でも最も優れた根管の化学的な清掃薬として活用されている．なお，酸類による化学的な根管の拡大（脱灰）は，1957年にNygaard-Østbyにより開発された危険性の低いEDTA剤に置き換わり，現在では根管壁のスミヤー層の除去などに使用されている．

❷ 根管充填

歯髄焼灼後の根管を閉鎖する必要があることは，経験的に先人も理解しており，根管の封鎖に金箔などが使用されていた．その後，多くの材料が根管充填材として試みられてきたが，1867年にBowmanが紹介したガッタパーチャ材は，その優れた性質により現在でも根管充填材の主流として使用され続けている．

充填方法については，1883年にPerryにより根管への挿入が容易なガッタパーチャポイントが製作されたが，1893年にCallahanは根管に適合しやすいようガッタパーチャ材をクロロホルムで軟化し充填する方法を推奨した．その後，さまざまな充填法が考案されてきたが，近年ではより緊密な根管の封鎖を得るため，ガッタパーチャ材を根管壁に圧接する加圧根管充填法が一般的に行われている．さらに，効率的に確実に根管を封鎖するための各種の根管充填装置の開発が相次いでいる．

❸ その他

根管内の細菌を抹殺するため，クレオソートやフェノール系薬剤，ホルマリン系薬剤が根管の消毒に長らく使用されてきたが，近年では，組織刺激性の強い根管消毒薬の使用は推奨されず，作用が穏やかな水酸化カルシウム製剤などの使用が好まれている．

無痛的な治療は，1836年にSpoonerが亜ヒ酸（三酸化ヒ素）を歯髄の失活に用いたことにより初めて可能となった．また，1847年のHillによるストッピングの考案は毒性の強い亜ヒ酸をある程度，安全に口腔内で使用することを可能とした．1874年にドイツのWitzelは，亜ヒ酸により失活させた歯髄の歯冠歯髄を除去したのち防腐的な薬剤により歯根歯髄を被覆する失活断髄法を紹介し，この治療法は最近まで行われていた．治療の難しい根管に対し当時はやむをえない治療法であったともいえるが，失活断髄法は毒性の強い危険な亜ヒ酸を口腔内へ使用することと，治療の予後が不良なことから，現在では否定された治療法である．

1895年のエックス線の発見は，歯や骨の内部を知るうえで画期的な出来事で，翌年にはRollinsにより歯科用のエックス線撮影装置が考案された．また，発見からまもなくKellsは根管に鉛線を入れて撮影を行ったが，これはエックス線による根管長測定の原点といえる．エックス線の発見により，歯内治療は経験と勘の治療から科学的な裏付けをもった治療への変革の第一歩を踏み出したといえる．

しかし，順調に発展していた歯内治療にも，不幸な時代があった．すなわち，1910年に英国の外科医Hunterが歯性病巣感染説を提議したことにより，保存が可能な歯もさかんに抜歯されるようになった．その中で，必要以上に抜歯を行うことに疑問がもたれるようになり，歯内治療の父と称される米国のGrossmanを中心にAmerican Association of Endodontists（米国歯内療法学会）が1943年に設立され，歯内治療の科学性が追究されて今日の歯内治療の隆盛の基礎が築かれた．わが国では，歯内治療学，保存修復学，歯周病学の3分野から構成される日本歯科保存学会が1955年に設立され現在に至っている．

また，1970年頃より，北欧では外傷歯の診断，治療法の研究が進み，従来では保存が困難とされた歯根破折や脱臼などの外傷歯の治療法も進展した．

1990年代には実体顕微鏡の応用により，歯内治療は「盲目的」治療から拡大明視野下の治療へと大きく変貌を遂げた．当初は外科的歯内治療（歯根尖切除法・逆根管充填法）に用いられたが，現在では非外科的歯内治療にも広く活用されている．

また，1990年代初頭に開発されたmineral trioxide aggregate（MTA）セメントは，優れた生体親和性，封鎖性，硬組織形成誘導能を備えており，直接覆髄，逆根管充填，穿孔封鎖などの用途で普及が進んでいる．

2000年代初頭からは，歯科用コーンビームCTの応用により根管や周囲組織の三次元エックス線画像の解析が可能となり，歯内治療の画像診断は大きく進歩した．

さらに，2000年代より歯髄組織再生の試みが活発になった．中でも岩屋ら（2001）の症例報告に始まる「再生歯内療法」は，根未完成失活歯の根管内に，根尖部の組織幹細胞を出血とともに流入させ組織再生をはかるものであり，臨床的有用性が証明されつつある．

なお，1864年にBarnumにより紹介されたラバーダム防湿法は，唾液により湿潤した口腔内における治療を無菌的に行うことを可能にし，歯内治療の発展に大きく貢献している．

また，歯内治療を意味する英語のendodonticsは，1928年に初めての歯内治療専門医として開業したJohnstonが，内部を意味するギリシャ語のenと歯のodousとを組み合わせた造語として定着している．学術的な意味合いで使用する際にはendodontologyが，歯内治療専門医に対する呼称としてはendodontistが用いられている．

（勝海一郎，興地隆史）

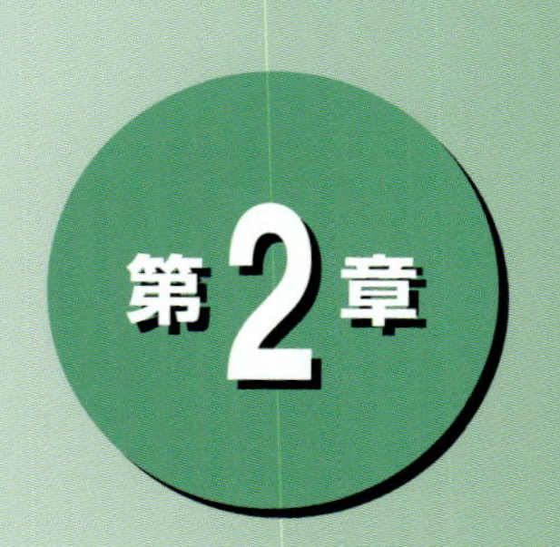

第2章 歯・歯周組織の構造と機能

I 歯の硬組織の構造と発生

❶ 歯の硬組織の構造

歯は硬組織であるエナメル質 enamel，象牙質 dentin，セメント質 cementum ならびに軟組織である歯髄 dental pulp により構成され，歯頸線を境に歯冠と歯根とに分かれる（**図 2-1A**）．セメント質については，歯周組織の構成成分として後述する．歯冠，歯根とも象牙質が歯の形態を形づくり，歯髄を内包している．歯冠は口腔内に露出しており，表層をエナメル質が覆っている．歯根はその大部分が歯槽骨 alveolar bone 内に埋入しており，歯周組織により支持されている．歯根の先端部分は根尖 root apex とよばれ，根尖に開口する小孔を根尖孔 apical foramen という．

根尖孔は歯根膜から歯髄に進入する血管や神経の通路となっている．根尖付近の歯根形態は臨床上重要である．根尖部の象牙-セメント境の最狭窄部を生理学的根尖孔 physiologic apical foramen といい，歯根表面と歯髄との移行部に位置する解剖学的根尖孔 anatomical apical foramen よりも歯冠寄りに存在する（**図 2-1B，C**）．解剖学的根尖孔の位置は根の尖端（解剖学的根尖）と一致しないことが多い．一方，歯根形成終了後にもセメント質は根尖孔外に形成・添加されるため，生理学的根尖孔が解剖学的根尖孔より 2.0〜3.0 mm も歯冠側

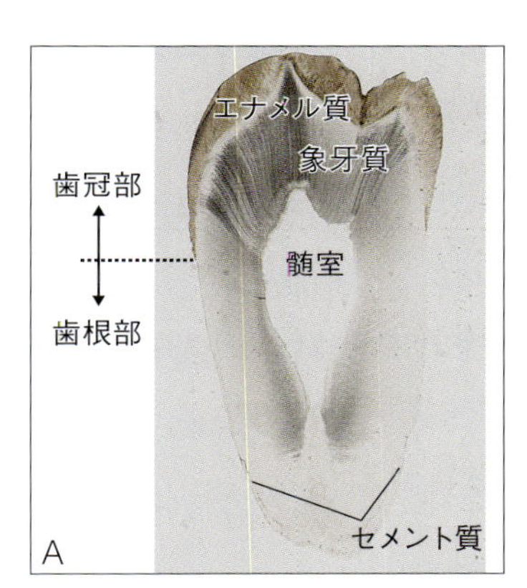

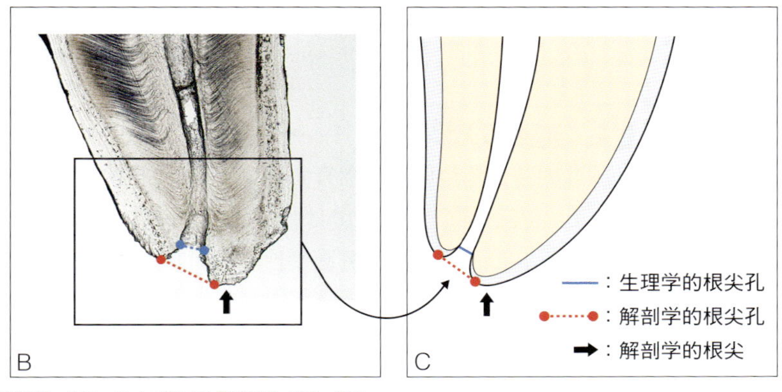

図 2-1 歯の縦断像（A），根尖部の縦断像（B）および根尖部の模式図（C）
（A，B は福岡歯科大学　岡村和彦准教授，吉本尚平講師のご厚意による）

に存在する場合や，根管が分岐し根尖孔が複数存在することもある．このように，根尖孔の形態や部位は個体差が大きく，加齢によって変化することもあるため，歯内治療で根尖孔を探索する際には注意を要する．

1）エナメル質

歯冠の外側に位置するエナメル質は人体で最も高度に石灰化した上皮由来の組織であり，きわめて硬い反面，もろい．無細胞性組織であるため自己再生は不可能であり，知覚はない．重量比で96％以上の無機質と，わずかな有機質および水よりなる．厚さは切縁や咬合面で最も厚く，歯頸部へと向かうにつれて薄くなる．エナメル質の無機質の主体はリン酸カルシウムの結晶であるハイドロキシアパタイトであり，規則的に配列して円筒様のエナメル小柱を形成する．エナメル小柱は象牙質表層面からほぼ放射状に走行する．

2）象牙質

象牙質は歯の構造の主たる組織で，弾力性をもち，硬くてもろいエナメル質を裏打ちして支持している．石灰化度はエナメル質より低く，約70％の無機質と約20％の有機質，そして水よりなる．無機質の主体はハイドロキシアパタイトであり，有機質の大部分は歯乳頭細胞から分化した象牙芽細胞 odontoblast が分泌するⅠ型コラーゲンにより構成されるコラーゲン線維 collagen fiber である．

象牙質は密に配列する多数の象牙細管 dentinal tubule に貫かれている．象牙細管の直径は歯髄側で約3～4 μm でエナメル質側へ近づくにつれ細くなり（表層で約1 μm），多くの側枝で相互に交通している．象牙細管内には歯髄側に象牙芽細胞の突起が存在し，象牙質の恒常性維持に加えて齲蝕や外傷などの侵襲に気づくセンサーとしての役割も果たしている．象牙質は歯根の完成までに形成される原生象牙質 primary dentin，歯根完成以降加齢とともに生理的刺激により形成される第二象牙質 secondary dentin，および齲蝕や窩洞形成など種々の刺激に対する反応として形成される修復象牙質 reparative dentin（第三象牙質 teritary dentin）に分類される．象牙芽細胞の本体は歯髄に存在し，それにより形成，維持されているため，歯髄組織が壊死に陥ったり抜髄により除去されないかぎりは自己修復能が維持される．

一方，象牙質とエナメル質はエナメル象牙境で強固に結合している．

❷ 歯冠の形成

歯は四肢や他の多くの器官と同様，上皮–間葉間の相互作用により形成される．乳歯では胎生6～8週の間，永久歯では胎生20週以降に将来歯が形成される部位の口腔粘膜上皮が肥厚し，下層の神経堤由来外胚葉性間葉組織内に陥入することで歯胚 tooth germ の形成が始まる．陥入した上皮は先端が膨隆し，その周囲に間葉細胞が密集する．この時期を蕾状期 bud stage とよぶ．

歯胚の形成が進行すると，エナメル器の下縁は深く間葉組織内へと陥入し，鐘状期 bell stage となる．鐘状期前期には歯冠形態が決定される．鐘状期後期になると，エナメル質形成が開始される．咬頭頂および切縁側より開始された硬組織形成は，歯頸部へと向かって進行し，しだいに厚みを増していく．

❸ 歯根の形成

歯冠の形成を終えたエナメル器では，内・外エナメル上皮細胞が接して2層の細胞層であるヘルトウィッヒ上皮鞘 Hertwig's epithelial sheath が形成される．ヘルトウィッヒ上皮鞘は歯乳頭と歯小嚢の間で歯乳頭を取り囲むように増殖し，この上皮鞘と基底膜を介して接する歯乳頭最表層に配列する間葉系細胞が象牙芽細胞に分化して，歯根象牙質が形成される．

歯根形成の開始とともにヘルトウィッヒ上皮鞘は断裂し，歯小嚢の細胞が歯根象牙質の表面に配列する．これらの細胞がやがて歯周組織の形成を開始する．その後もヘルトウィッヒ上皮鞘は分断して網状化し，一部はマラッセの上皮遺残 epithelial cell rest of Malassez とよばれる小塊を形成する．これは歯根膜中に存在し続け，歯根嚢胞の嚢胞上皮となることがある．

歯根の形成が始まると，歯の萌出が開始される．歯冠が口腔の方向へと移動するに従い，歯冠を覆っていたエナメル上皮の細胞群は口腔上皮と癒合し，やがてこの上皮細胞塊を貫通して歯が萌出する．そのため，歯冠表面の上皮細胞は消失することとなり，エナメル質は無細胞性の組織となる．歯の萌出後2〜3年で象牙質は根尖部まで形成され，歯根形成は終了する．

Ⅱ 歯髄の構造と機能

❶ 歯　髄

歯髄は歯の中央部の歯髄腔 pulp cavity 内に存在する軟組織である．咬頭の下方では髄角（髄室角）として咬合面の方向へと伸びており，根尖付近の最狭窄部である生理学的根尖孔で歯根膜と連続する．歯髄は細胞と細胞外基質からなり，歯髄表層は組織学的に3層構造をなしている．最外側は象牙前質に接して象牙芽細胞が存在する象牙芽細胞層であり，その内側に細胞の希薄な細胞希薄層，さらに内側には細胞が密に存在する細胞稠密層に区分される．

歯髄には象牙芽細胞のほかにも多種の細胞が存在する．歯髄中に最も多く存在する細胞は線維芽細胞 fibroblast であり，コラーゲン線維と線維間物質からなる細胞外基質を形成し，維持する．また，歯髄中にはマクロファージ macrophage や樹状細胞 dendritic cell，T細胞（Tリンパ球，T–lymphocyte）といった免疫担当細胞が存在する．なお正常歯髄においては，B細胞（Bリンパ球，B–lymphocyte）はみられない．マクロファージは歯髄内の死細胞の処理にも関わっており，主に歯髄の中心部に存在する．一方，樹状細胞は主に象牙芽細胞層の直下に存在する．そして複数の細胞突起を象牙芽細胞間に伸長させており，象牙細管を通して侵入する外来抗原を補捉し，抗原提示する働きを担う．歯髄の未分化間葉系細胞は細胞稠密層から歯髄中心部の血管周囲に存在するが，多分化能を有することが報告されており，

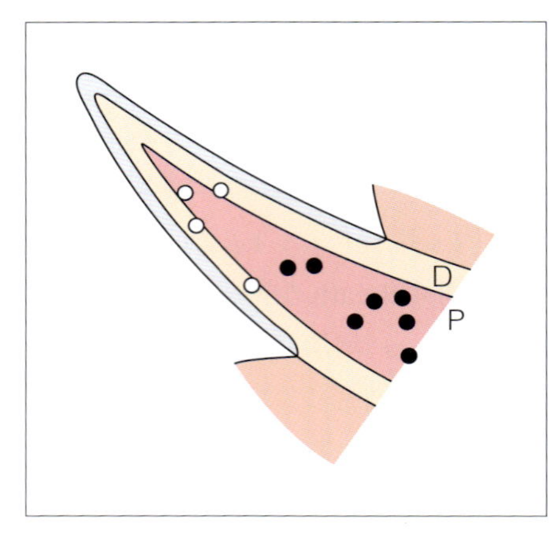

図 2-2 歯髄神経終末の分布様式
D：象牙質，P：歯髄，○：Aδ 線維，●：C 線維．
（Jyväsjärvi E，Kniffki KD，1987[5] より改変）

歯髄を構成する各種細胞を供給すると考えられている．なお，加齢に伴いその数は減少することが知られている．

歯髄内に分布する血管は根尖孔を通して歯周組織と交通するが，根管側枝より出入りする細い血管も存在する．歯髄に入った細動脈は歯髄の中心部を切縁・咬合面方向へと走行しながら頻繁に枝分かれしている．そのため，歯髄の血管は，歯根歯髄に比べて歯冠歯髄でより発達している．それらは象牙芽細胞下層へと伸び，広範囲な毛細血管網をつくる．毛細血管の終末は象牙芽細胞間を通り象牙前質に達するものもある．細静脈は細動脈と同様に走行する．

歯髄の神経線維は輸入血管とともに根尖孔より歯髄内部へ入り，神経血管束を形成して血管に沿って走行し，歯髄周辺部で樹枝状に分岐する．そして，歯冠部の象牙芽細胞層の下層部周囲に，ラシュコフの神経叢 plexus of Raschkow とよばれる広範囲な神経叢を形成する．歯髄に入る神経線維には，痛覚を伝達する三叉神経の感覚枝と，血管収縮などを支配する上頸神経節からの交感神経線維がある．痛覚を伝達する神経線維として無髄の C 線維，有髄の Aδ 線維が存在する．C 線維は固有歯髄全体に自由神経終末の形で終止する．一方，Aδ 線維の終末は象牙芽細胞層付近に位置しており，分枝は象牙細管内へも伸展している．（**図 2-2**）．

歯髄は周囲を硬組織に囲まれた特殊な環境にあり，歯髄腔の容積を増加させることは不可能であるため，浮腫形成や腫脹が制限される．また，血流はわずかな径の根尖孔と側枝の血管に制限されており，側副循環も十分ではない．そのため，歯髄の炎症は歯髄内の組織圧を上昇させ血管を圧迫して血流障害を招きやすく，歯髄を壊死に陥らせる危険性を高める．

❷ 象牙質・歯髄複合体

硬組織である象牙質と軟組織である歯髄は，解剖学的には容易に区別できるが，両者はともに歯乳頭を発生起源としており，構造的・機能的にも密接な関連が認められる．そのため，これらを象牙質・歯髄複合体 dentin-pulp complex として，一体の組織として取り扱う概念が確立されている．象牙細管を通じて侵入する外来抗原に対しては，歯髄に存在する免疫担当細胞が重要な役割を果たす．また，回転切削器具による切削も含め，機械的・物理的・細菌学的な各種の刺激が象牙質に加わると，象牙細管を通して下層の象牙芽細胞に傷害を引き起こし，象牙細管末端部の象牙質と歯髄との境界部において防御反応として修復象牙質の形成が誘導される．このように，象牙質への侵襲の影響は象牙質にとどまらず歯髄にも波及する．

Ⅲ 歯周組織の構造と機能

歯周組織は歯肉 gingiva，歯根膜 periodontal ligament，セメント質および歯槽骨から構成されており，歯の支持組織としての機能を果たしている（**図 2-3**）．また，歯が萌出し，対合歯と咬合機能を営むようになると，歯周組織は主に機械的刺激に対応した特徴的な機能構造を形成する．そのため，歯根膜やセメント質および歯槽骨表層では，硬組織形成細胞の指標であるアルカリホスファターゼ活性を示す細胞が豊富に認められる（**図 2-4**）．

❶ 歯 肉

歯肉は歯槽縁と歯頸部を被覆する口腔粘膜で，大部分の歯肉は歯槽骨に接合している．

歯肉の結合組織は線維が機能的に密に走る組織で，この線維を歯肉線維とよび，主成分はコラーゲンである．歯肉線維はその走行により，①付着歯肉の歯面への緊密な固定，②接合上皮の歯面への密着，③歯の支持安定といった機能を果たしている．

❷ 歯根膜

歯根膜は，セメント質と歯槽骨との間に存在する線維性結合組織で，歯小嚢の間葉系細胞から分化した線維芽細胞によって形成される．両者を連結して歯を支持する機能を有している．主線維はコラーゲン線維で，セメント質や歯槽骨に埋入した両端はシャーピー線維

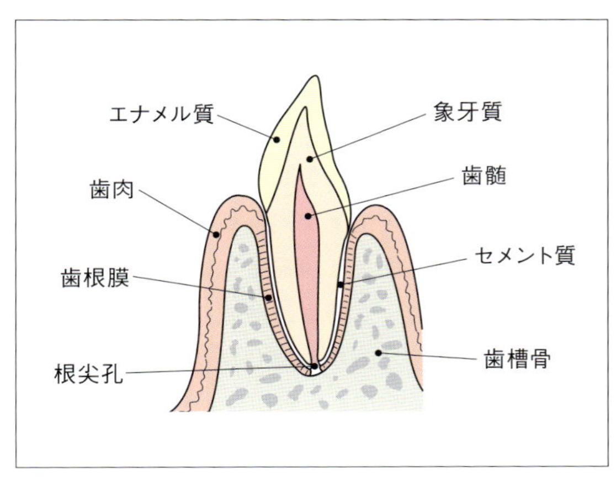

図 2-3 歯と歯周組織の構造

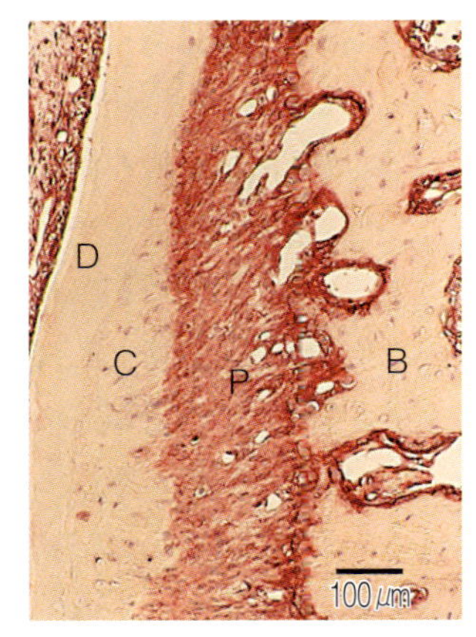

図 2-4 歯周組織の組織像（アルカリホスファターゼ染色）
D：象牙質，C：セメント質，P：歯根膜，B：歯槽骨．

Sharpey's fiber とよばれている．コラーゲン線維のほか，フィブリリンが多数束を形成した弾性線維の幼若型であるオキシタラン線維（直径 0.1〜1.5 μm）が歯軸と平行に走行する．

また，歯根膜には触覚および圧覚のレセプターが豊富に存在することにより，咬合時に加わる圧力を受容する感覚装置として機能するため，生理学的にも重要である．歯根膜の感覚神経は有髄の Aβ 線維，Aδ 線維，無髄の C 線維であるが，根尖歯周組織に炎症が波及すると，Aδ 線維および C 線維の興奮閾値の低下により打診痛や咬合痛が出現する．

歯根膜には多種類の細胞の局在が認められ，歯根膜線維を形成する線維芽細胞，歯槽骨周辺に骨芽細胞と破骨細胞，セメント質表面にセメント芽細胞 cementoblast，セメント質近傍にマラッセの上皮遺残がみられる．また，血管系の発達も認められ，歯槽骨中の血管と連絡している．神経線維は三叉神経の上・下顎神経に由来し，最も神経分布が多いのは根尖部付近である．

❸ セメント質

セメント質は歯根象牙質を被覆する石灰化組織で，歯小嚢の間葉系細胞から分化したセメント芽細胞によって形成される．シャーピー線維を包含し，歯根を歯根膜や歯肉と連結することにより，歯の支持装置として重要な役割を担っている．セメント質の厚さは部位により異なり，歯頸部では 20〜50 μm と薄く，根尖部では 150〜200 μm と厚くなる傾向を示す．セメント質は歯根形成期に形成される原生セメント質と歯根形成後も加齢や種々の刺激により形成される第二セメント質に分類される．根尖部におけるセメント質肥厚は，根尖孔の狭窄，位置移動などを引き起こすこともあるため歯内治療では注意を要する．

また，セメント質はエナメル質，象牙質と比較して軟らかく，骨組織と類似した構成成分（無機質含量 60〜65%）を示すが，血管と神経が存在しない点において骨組織とは異なる．

❹ 歯槽骨

歯槽骨は歯根周囲を取り囲む骨であり，そのほとんどは歯小嚢由来の骨芽細胞から形成されている．機能的に固有歯槽骨と支持歯槽骨に分けられる．固有歯槽骨は歯槽窩の内壁を形成し歯根を取り囲む皮質骨の部分で，シャーピー線維が豊富に埋入されており，歯を支持する重要な機能を果たしている．シャーピー線維が挿入した領域は束状骨 bundle bone を形成する．周囲の組織に比較して緻密質で石灰化度が亢進しており，エックス線画像ではエックス線不透過像として観察され，歯槽硬線または白線とよばれる．支持歯槽骨は歯槽突起のうち固有歯槽骨以外の部分で，固有歯槽骨を支持する機能を担っている．歯槽骨では，他の骨組織と同様に吸収と添加により，たえず骨のリモデリング現象が繰り返されている．

（松﨑英津子）

Ⅳ 歯根と歯髄腔の形態と変化

❶ 歯根と根管の形態

歯根の形態は，一般的に遠心側に彎曲するため，根尖は遠心方向に曲がることが多い（**図2-5**）．しかし，上顎の前歯などでは近心側に彎曲するものもみられる．また，唇頬側・舌側へ彎曲する根も存在するが，これらはエックス線画像では確認しにくい．著しい彎曲を示す二重屈曲根は，下顎第二大臼歯や上顎第二小臼歯に高頻度で出現する．

一方，歯根の断面形態は歯種において異なっている．上顎中切歯や上顎犬歯では円形に近い断面形状を示す．しかし，多くの歯種では歯根の断面形状は円形ではなく，近遠心的に圧平された板状の形態あるいは頬舌方向に楕円形を示す．特に，下顎切歯，上顎小臼歯，上顎第一大臼歯の近心頬側根および下顎大臼歯の近心根と遠心根では，近遠心的に圧平された扁平根が多くみられる．上顎大臼歯の口蓋根は頬舌的に圧平されている．また，下顎第二大臼歯では，歯根の癒（融）合傾向が強く，約30%に樋状根管が認められる．

根管は歯根の形態にほぼ一致しているため，歯根が彎曲している根管の拡大・形成には根管壁の過剰切削・穿孔などの危険が伴う．したがって，器具操作では十分な注意が必要である．また，歯根の形態や状態を知るためにエックス線撮影を行うが，このとき撮影方向も考慮して彎曲の度合，位置や方向を十分に確認することが重要である．

❷ 歯髄腔の形態

歯髄腔は，象牙質に囲まれた神経や脈管などの軟組織からなる歯髄組織が含まれる空間であり，髄室 pulp chamber と根管 root canal からなり，形態は歯の外形の縮小形であるが，その類似度は象牙質と歯の外形との類似度よりも低い．また歯根の圧平が強度な場合，根管の分岐が認められる場合が多い．歯髄腔はきわめて狭く，小さなものであることを念頭におく必要があり，口内法エックス線画像や歯科用コーンビーム CT（CBCT）などでその形態を観察することが重要である．また，歯髄腔の形態は保存治療，特に歯内治療においてきわめて重要なものであるため，正確な知識を備えていることが求められる．

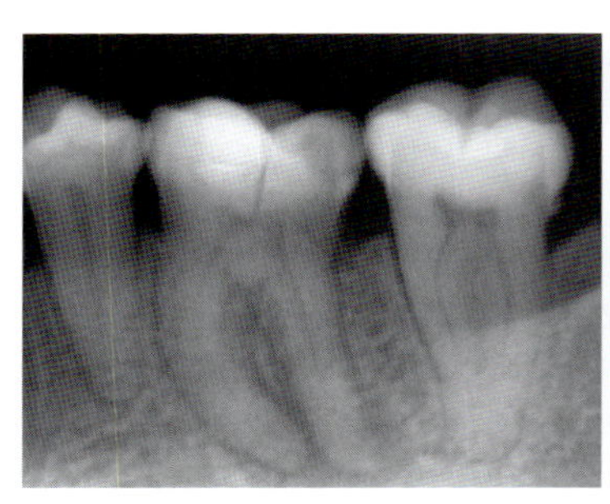
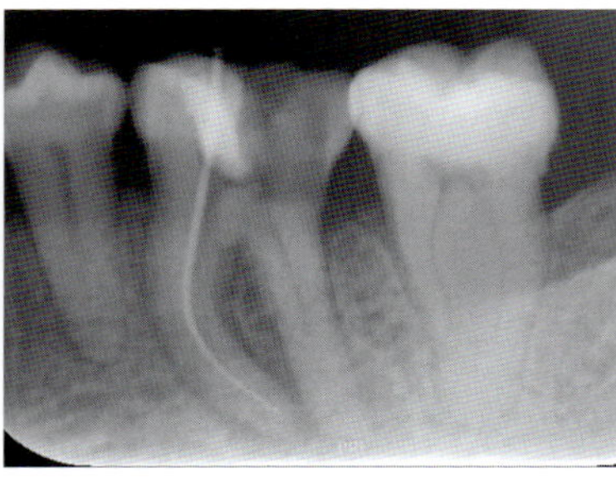

図2-5　彎曲根管
下顎左側第一大臼歯近心根．

1）髄　室

歯髄腔のうち歯冠側を占める広い部分で，歯冠形態に相当した歯髄腔の部分である．ただ，その位置は歯冠より少し根側にずれていて，その広い部分は歯頸部の高さに一致している．また，各咬頭にほぼ一致して突出した髄角がある．髄室を構成する象牙質壁には，唇（頬）側壁・舌側壁・近心壁・遠心壁・天蓋（髄室蓋）・髄床底（髄室床）がある．切歯や犬歯などの単根歯では髄床底は存在せず，髄室は自然に根管へ移行し，髄室と根管との境界は不明瞭である．上下顎大臼歯の髄床底の中央部に黒い線状構造物がみられることがあり，根管口探索の指標となる．その走行は，上顎ではY字状，下顎大臼歯で4根管の場合，H型の溝として認められる．

2）根　管

髄室の続きとして歯根内にある細長い管で，その形もだいたい歯根の外形に近似している．そのため，根管口の探索の際には，歯根断面の形態が参考となる．根管も歯根形態に相似して彎曲・屈曲した形態を示し，一般的に遠心へ彎曲するが，近心，唇・頬側，舌・口蓋側，さらに銃剣状のように2重の彎曲（S字根管）を示す場合もあり，このような場合にはエックス線画像ではみえないため，偏心投影や歯科用CBCTでその形態を観察するなど，根管治療の際には十分な注意を払う必要がある．しかし，下顎大臼歯・上顎小臼歯などのように歯根の形態に近似しないものもある．根管には主根管 main canal と副根管 accessory canal があり，主根管の形態から根管を分類できる（**図2-6**，**表2-1**，**図2-7**）．

(1) 主根管

主根管には単純根管と分岐根管があり，分岐の状態から完全分岐根管，不完全分岐根管，網状根管に分けられ，分岐位置が歯冠側のものを高位，根尖側のものを低位と区別できる．

① 単純根管：単一歯根で髄室から1本の根管が根尖まで続いているもの（**図2-6A**）
② 高位不完全分岐根管：髄室から2つに分かれ根尖手前で1つに融合するもの（**図2-6B**）
③ 低位不完全分岐根管：髄室から1つの根管が出て，途中で2つに分かれ，根尖手前で1つに融合するもの（**図2-6C**）
④ 高位完全分岐根管：髄室から2つの根管が根尖まで続いているもの（**図2-6D**）

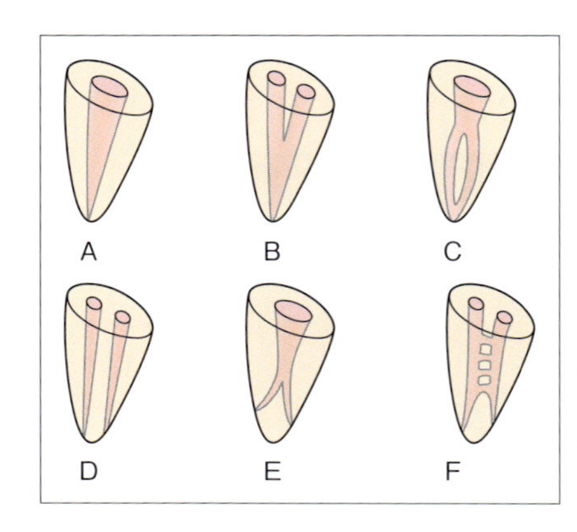

図2-6　主根管の形態からみた分類
A：単純根管，B：高位不完全分岐根管，C：低位不完全分岐根管，D：高位完全分岐根管，E：低位完全分岐根管，F：網状根管．

表 2-1　日本人永久歯の根管・根管数とおおよその発現率（田畑　純，2019[5] より一部改変）

顎	歯	根管数	根管	顎	歯	根管数	根管
上顎	1	1	単純根管	下顎	1	1（85%）	単純根管
						2（15%）	頬側根管 舌側根管
	2	1	単純根管		2	1（80%）	単純根管
						2（20%）	頬側根管 舌側根管
	3	1	単純根管		3	1（95%）	単純根管
						2　（5%）	頬側根管 舌側根管
	4	1（25%）	単純根管		4	1（85%）	単純根管
		2（75%）	頬側根管 口蓋根管			2（15%）	頬側根管 舌側根管
	5	1（70%）	単純根管		5	1（98%）	単純根管
		2（30%）	頬側根管 口蓋根管			2　（2%）	頬側根管 舌側根管
	6	3（50%）	近心頬側根管 遠心頬側根管 口蓋根管		6	3（80%）	近心頬側根管 近心舌側根管 遠心根管
		4（50%）	3 根管に加えて近心頬側第二根管（MB2）が存在する			4（20%）	近心 2 根管に加えて遠心頬側根管，遠心舌側根管が存在する
	7	2～4	近心頬側根管 遠心頬側根管 口蓋根管		7	2～4	近心頬側根管 近心舌側根管 遠心根管 樋状根管（30%）

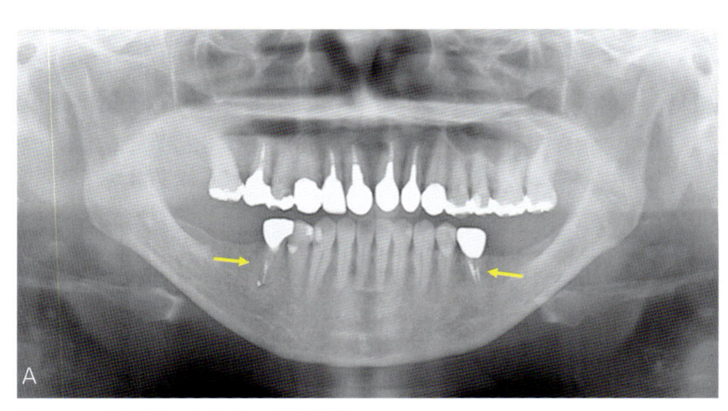

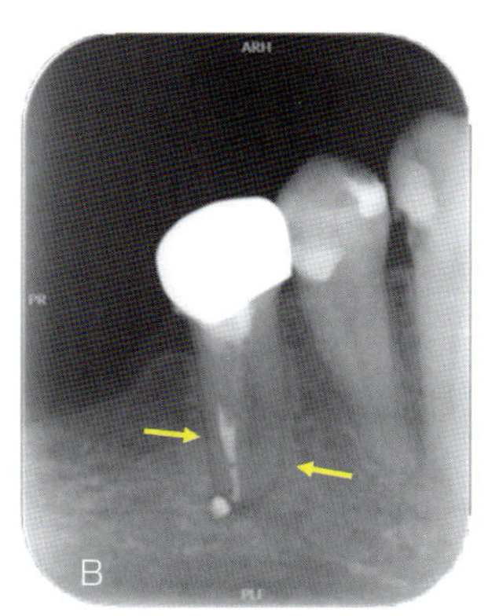

図 2-7　下顎第二小臼歯の分岐根管

A：51 歳女性．パノラマエックス線画像．下顎両側第二小臼歯に 2 根管が認められる．

B：A の下顎右側第二小臼歯の口内法エックス線画像．遠心根管は根管処置されているが，近心根管は未処置である．

⑤ 低位完全分岐根管：髄室から 1 つの根管が出て途中で 2 つに分かれるもの（**図 2-6E**）

⑥ 網状根管：単根内における複数の分岐根管が互いに多くの横走や斜走する管間側枝などで網状に交通しているもの（**図 2-6F**）

(2) 副根管

副根管は，主根管の枝であり，その多くは歯根の根尖側 1/3 や根分岐部にみられ，副根管孔 accessory foramen として歯根膜に開口するが，加齢変化に伴い，その数は減少する．根管側枝 lateral canal，根尖分岐 apical ramification，髄管 furcation canal などがある．これらは歯周疾患・歯髄疾患の炎症性病変，細菌感染の波及経路となる危険性がある．

① 根管側枝：主根管同士を結ぶ管間側枝と主根管から歯根膜を結ぶ管外側枝がある．管外側枝は，主根管に対しほぼ直角に分岐し歯根膜に通じるもので，歯根の根尖側 1/3 に多くみられ，象牙細管の走行と一致し，象牙質とセメント質を貫いて根側面に開口し，歯根膜腔に達するが，開口面は一定していないため，エックス線画像上で観察されない場合も多い．内部には脈管神経束を含む歯髄組織を有する（**図 2-8**）．

② 根尖分岐：1 本の主根管が根尖部 1/3 付近，特にセメント質の中で 2 本から数本に分岐し，Y 字形や河川の三角州状になっているもので，そのために根尖孔が複数個認められるものもある（**図 2-9**）．歯根形成時に太い血管や神経が残遺することで形成されるといわれている．

③ 髄管：臼歯など複根歯での髄床底と根分岐部歯根膜とを結ぶ細管で，歯髄疾患のみならず歯周疾患の炎症性病変，細菌感染の波及経路となる（**図 2-8**）．髄床底と根分岐部歯根膜が完全に交通していないものは，偽（不完全）髄管とよばれる．

(3) 根管イスムス

2 根管性の単一根で，根管間をつなぐ狭小な連絡路のことを根管イスムス root canal isthmus とよぶ（**図 2-10**）．イスムスの好発部位は上顎小臼歯，下顎大臼歯，上顎大臼歯近心頬側根とされ，高頻度にみられる．根管間を完全に連絡するものと不完全なものとがあり，根管の片側に認められる魚のヒレ状の狭窄部をフィン fin とよぶ（**図 2-11**）．イスムスやフィンの中には歯髄組織が含まれている．フィンやイスムスは，根尖近くまで続いている場合もあり，肉眼では観察が困難なことも多く，さらに器具が到達しづらく清掃が困難なので，異物・汚染物質・壊死組織・細菌などが残存しやすく，これらを機械的・化学的に除去することは歯内治療上きわめて大切であるため，歯科用実体顕微鏡（マイクロスコープ）下での処置が有効である．

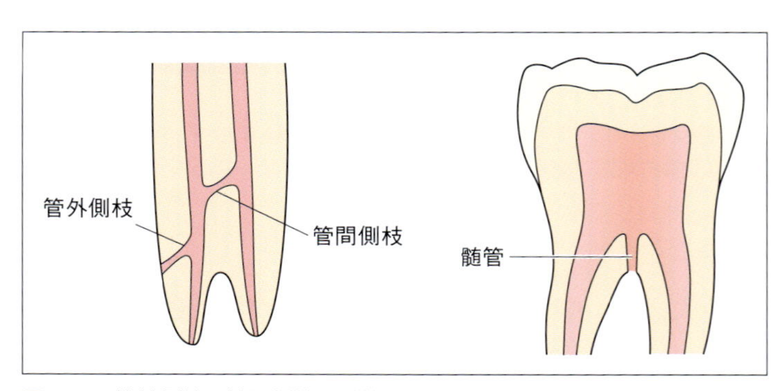

図 2-8　管外側枝・管間側枝と髄管

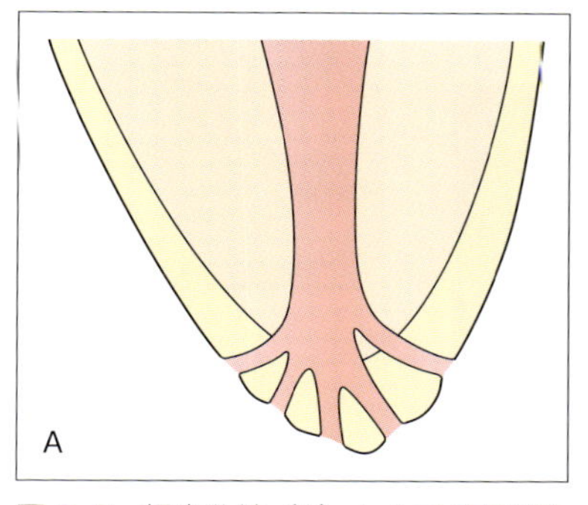

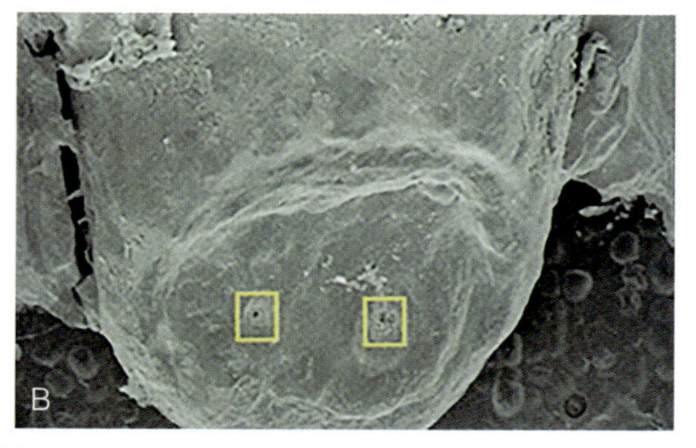

図 2-9　根尖分岐（A）と2つの根尖孔（B）
（Bは新潟大学大学院医歯学総合研究科　野杁由一郎教授のご厚意による）

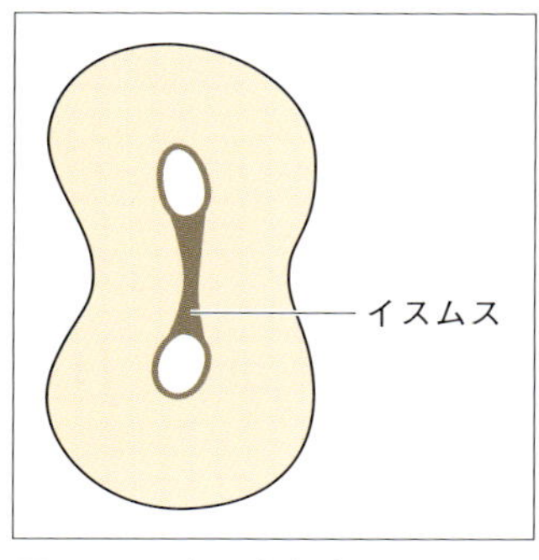

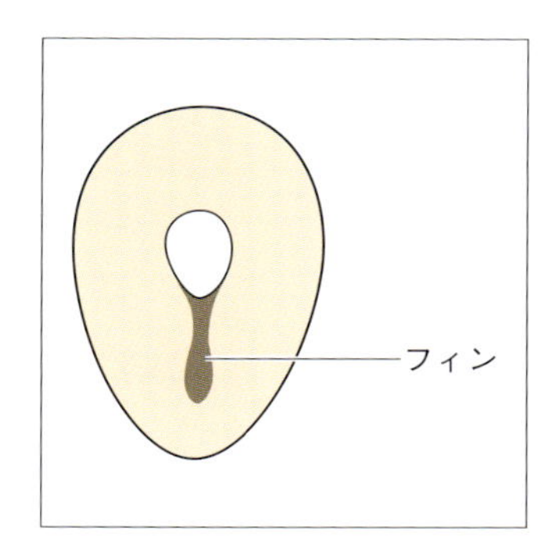

図 2-10　上顎小臼歯のイスムス　　**図 2-11**　フィン

(4) 根尖付近，根尖孔の形態

根尖孔は歯根尖付近に開口しており，歯髄の脈管神経束の通路となっており，骨様組織やセメント質の添加も生じる．生理学的根尖孔および解剖学的根尖孔については p.5，❶「歯の硬組織の構造」を参照．一般に根尖孔の外形の基本は，円形，卵形や不規則形に大別されるが，半月状，縦断面では砂時計状や鋸歯状の場合もある．また，根尖孔の大きさは，若年者では大きいが，根の成熟につれて細くなり，年齢とともに狭くなる．

(5) 樋状根管 C-shaped canal

下顎第二大臼歯では歯根の癒（融）合傾向が強いため，エックス線画像で2根性に観察されても，単根性のことも多く，根管口から根尖孔までの間の根管断面形態は変化に富む．樋状根管は，近遠心の両根が頬側部で癒（融）合して1根となり，舌側では縦溝が発達した形態を呈する．多くの場合，根管口が近心から遠心にかけて雨樋状または三日月状の馬蹄形（C字状）を示すが，単一で近遠心的に長い楕円形に近い根管口を示すこともある．樋状根管の根尖孔の多くは円形であるが，近遠心的に広がった楕円形や線状形を示す場合も多く，根尖孔の大きさは歯根の癒（融）合が進むと大きくなる．根尖孔は，1～複数個となり，根管全体は薄い膜状を呈する（**図 2-12**）．

(6) その他の形態

中心結節 central tubercle，歯内歯 dens-in-dente，タウロドント taurodont，癒着歯 con-

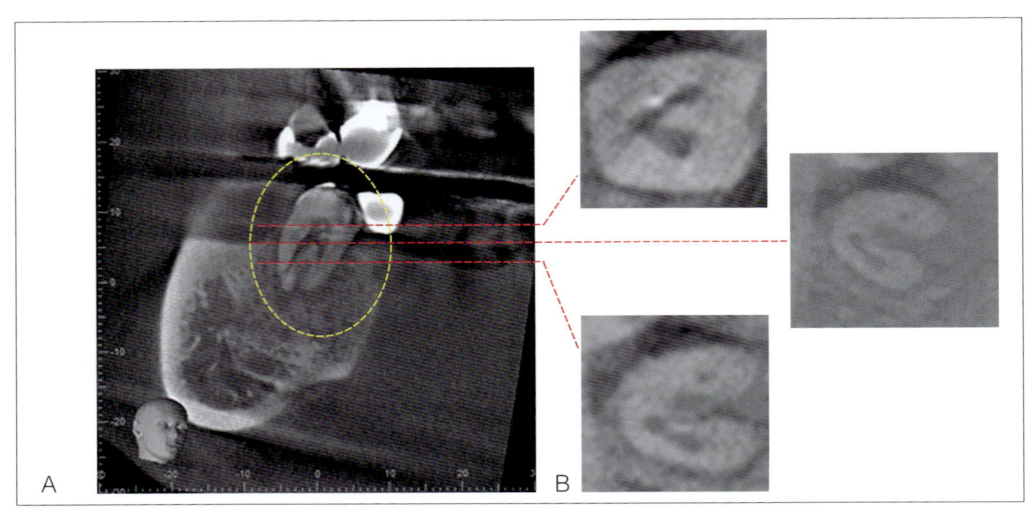

図 2-12 樋状根（下顎右側第二大臼歯）の歯科用コーンビーム CT（CBCT）
A：歯列直交断像，B：横断像.

crescent tooth，癒合歯 fused tooth，台状根 prismatic root などがある．詳細は第 3 章「歯の硬組織疾患」を参照.

❸ 根管の加齢的（生理的）変化

萌出したばかりの幼若永久歯は髄角の突出が鋭く，根管が広いのが特徴である（**図 2-13**）．歯髄腔は年齢の増加とともにさまざまな変化を示す．歯髄腔は 20 歳頃から狭窄化が生じ，70 歳頃にはもとの約半分の容量になるといわれており，これは加齢による歯髄腔側内面全体での象牙芽細胞による持続的な第二象牙質形成と象牙細管の狭窄・閉塞が進行した結果である．第二象牙質は，歯根完成後に形成される象牙質で，歯髄腔壁の全域に形成される．長年の咬合や治療時の刺激に対する修復象牙質形成も進む．大臼歯では主に天蓋・髄角や髄壁に，上顎前歯では歯髄腔の口蓋側壁に象牙質が多く形成・添加され歯髄腔は狭窄する．局所的に添加される修復象牙質は，象牙細管の走行も不明瞭であることから，第二象牙質とは区別できる．歯根歯髄においても，根管壁に不規則な第二象牙質の添加が生じる．こうした狭窄により根管口の発見が困難となることがある（**図 2-14**）.

歯髄は，加齢とともに象牙芽細胞や歯髄細胞を含む細胞，血管や神経が減少し，歯髄の構造がまばらになる（歯髄萎縮）．歯髄の生活力は低下する傾向にあり，再生能力も弱まる．歯髄内では，象牙質粒 denticle または歯髄結石 pulp stone とよばれる不定形の塊状の石灰化物などの出現頻度が高まる（**図 2-15**）.

象牙質粒は，歯髄組織中に遊離している遊離性，髄室壁に付着している付着性，髄室壁の象牙質に埋入している介在性に分けられる．組織学的構造は，表面に象牙芽細胞が存在し，内部に象牙細管の走行がみられる正常象牙質と同じ構造をもつもの（真性象牙質粒）から，きわめて不完全な構造のものまでさまざまである．象牙質粒の出現は，永久歯でしばしばみ

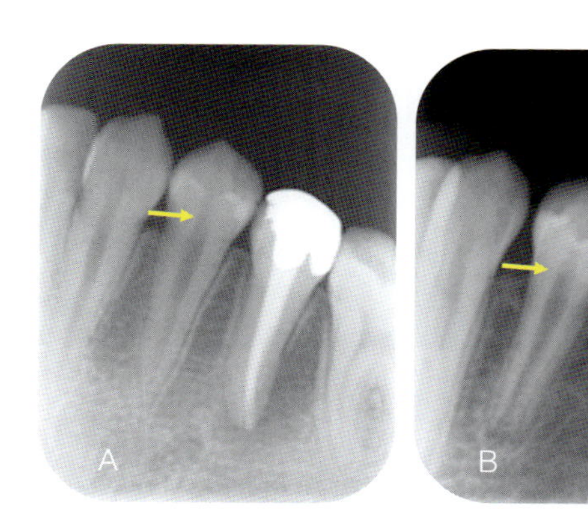

図 2-13　幼若永久歯の根管
A：14 歳男児．下顎左側第一小臼歯．
B：12 歳男児．下顎左側第一小臼歯．根尖は未完成．
突出した髄角と幅広い歯髄腔が認められる．

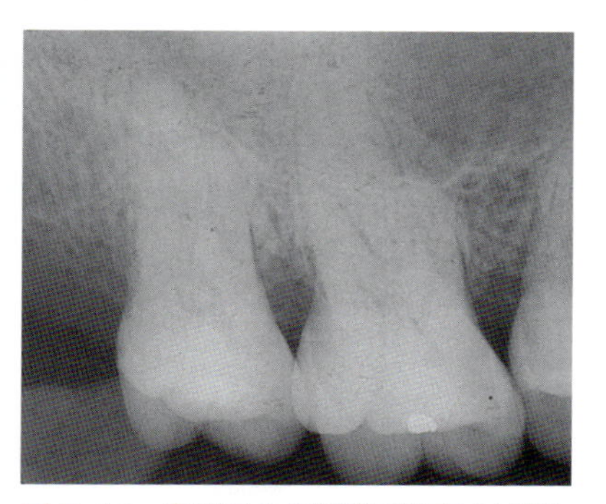

図 2-14　高齢者の歯髄腔の狭窄（上顎右側第二大臼歯）
歯髄腔は狭窄し著明な石灰化が認められる．

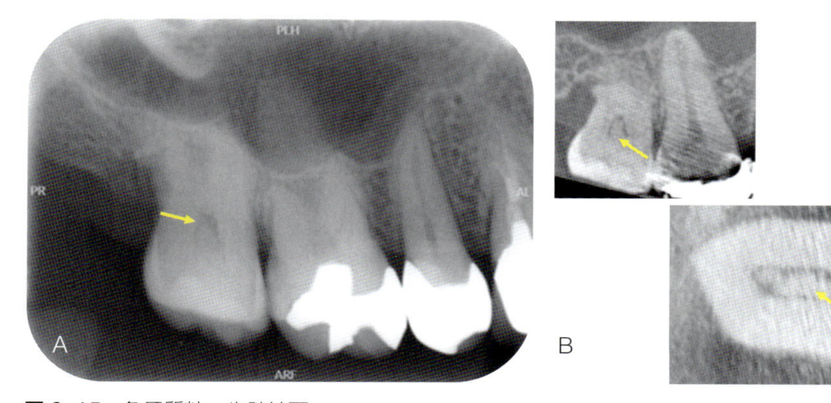

図 2-15　象牙質粒・歯髄結石
A：上顎右側第二大臼歯の口内法エックス線画像．B：歯科用 CBCT〔歯列平行断像（上）と横断像（下）〕．上顎右側第二大臼歯の髄室に象牙質粒・歯髄結石（矢印）を認める．

られ，特に高齢者の歯ほど多くなる．修復象牙質の添加に加えて象牙質粒が大きくなると髄室の大部分が石灰化物で満たされる場合があり，このような髄腔狭窄を生じている歯に対する歯内治療では，根管口の発見・見落としや根管の拡大操作に支障をきたすのみならず，髄室穿孔時の髄床底の損傷にも注意を払う必要がある．

象牙質は，加齢とともに象牙細管内に石灰塩が沈着して細管径の減少が生じ，さらには細管が完全に塞がれて研磨標本で透明な外観を示すようになる．これを透明象牙質 transparent dentin といい，しばしば根尖部付近で認められる．セメント質も生涯を通じて沈着し続ける石灰化組織であり，加齢とともに増加することに伴い，根尖孔は狭小化し，さらに根尖付近の根管では象牙質も添加されるため，根管治療時の根尖部へのアクセスには困難を伴うことも多い．

（湯本浩通）

第3章 歯の硬組織疾患

歯の硬組織疾患は，全身的原因による歯の形成不全，局所的原因によるトゥースウェア（歯の損耗），齲蝕症，象牙質知覚過敏症に大別できる．これらの硬組織疾患が進行すると，歯髄疾患や根尖性歯周疾患に移行することがある．また，歯根の形態異常などは根管処置が困難なことが多い．そのため，硬組織疾患を理解することは齲蝕予防や齲蝕処置・根管治療を正しく行うために重要である．

I 歯と歯髄腔の形態異常

❶ 歯の大きさ

一般に歯の大きさは身体の大きさと相関が認められるが，これらの範囲を越えたもので異常に大きな歯は巨大歯 macrodont，小さな歯は矮小歯 microdont とよばれている．

巨大歯は上顎中切歯に好発する．矮小歯は上顎側切歯（**図 3-1**），第三大臼歯および過剰歯などにみられる．

❷ 異常結節

異常結節に生じた齲蝕や破折を原因として，歯髄炎や根尖性歯周炎が生じる場合があるため，臨床上注意が必要である．

(1) 切歯結節および犬歯結節

上顎の切歯の基底結節が異常に発達したものを切歯結節 incisive tubercle といい，犬歯で

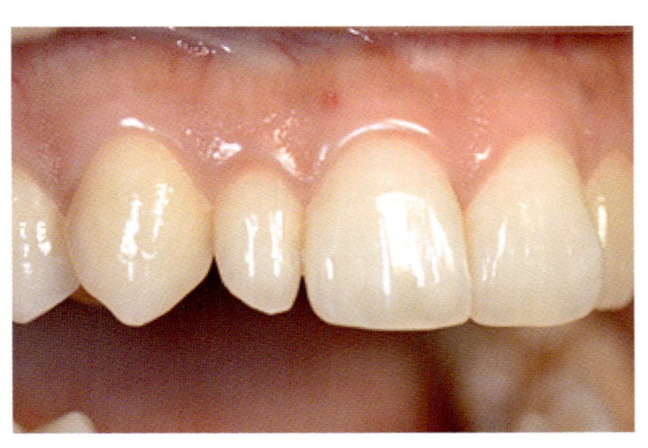

図 3-1 矮小歯（2|）

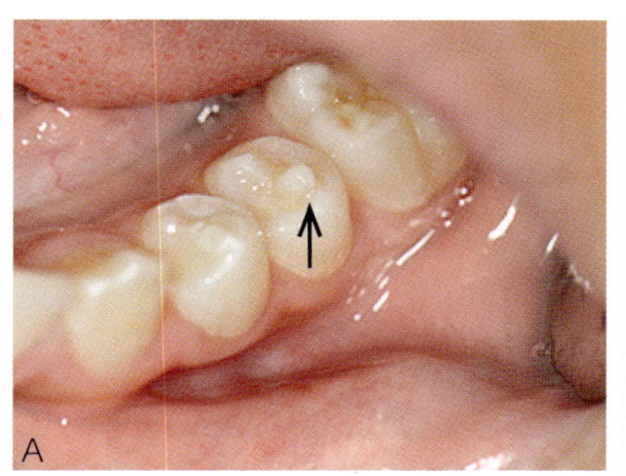

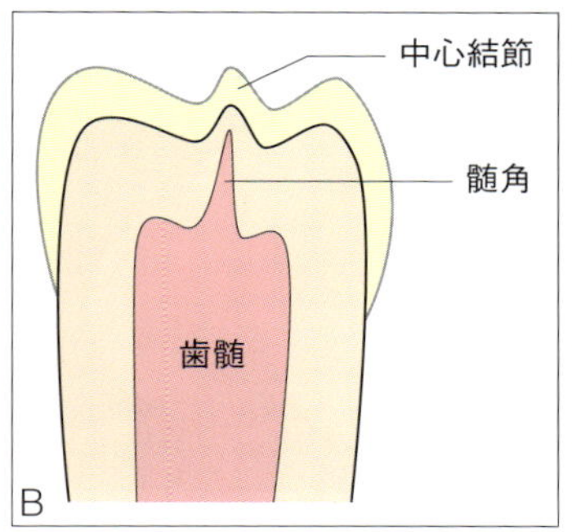

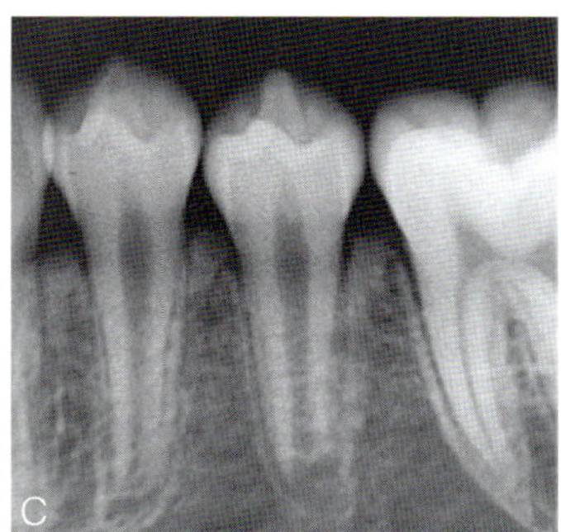

図 3–2　中心結節
A：中心結節（|5，矢印）．
B：中心結節の模式図．
C：A のエックス線画像．

図 3–3　カラベリー結節
（図 3–3〜6 は松本歯科大学解剖学講座　金銅英二先生のご厚意による）

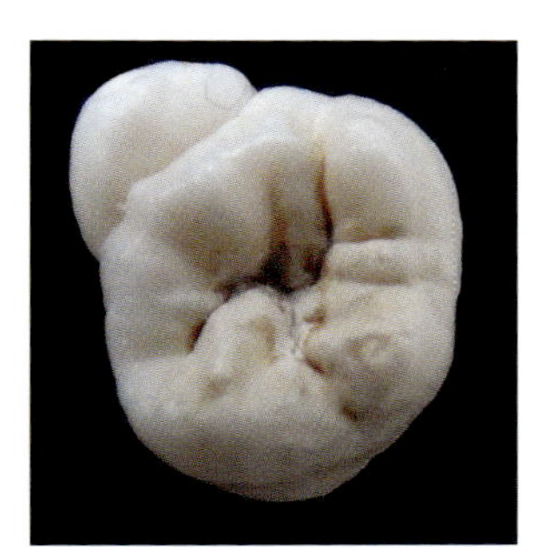

図 3–4　臼傍結節

は犬歯結節 canine tubercle という．

(2) 中心結節

臼歯の咬合面の中央にみられる円錐状や棒状の小突起を中心結節 central tubercle という．臼歯，特に下顎第二小臼歯に好発し，その発現率は 1〜4% といわれている．咬合時に突起が破折し歯髄が露出することがあり，歯髄炎や根尖性歯周炎の原因になることがあるため，臨床上注意が必要である（**図 3–2**，第 10 章Ⅲ「アペキソゲネーシスおよびアペキシフィケーションの適応症例」参照）．

(3) カラベリー結節

上顎大臼歯の近心舌側咬頭にみられる結節をカラベリー結節 Carabelli cusp という（**図 3–3**）．左右対称的に発現し，上顎第一大臼歯のほか，上顎第二大臼歯，上顎第二乳臼歯などにもみられる．

(4) 臼傍結節

臼歯の近心頬側咬頭の頬側面にみられる異常結節を臼傍結節 paramolar tubercle という[7]（**図 3–4**）．

図 3-5　臼後結節

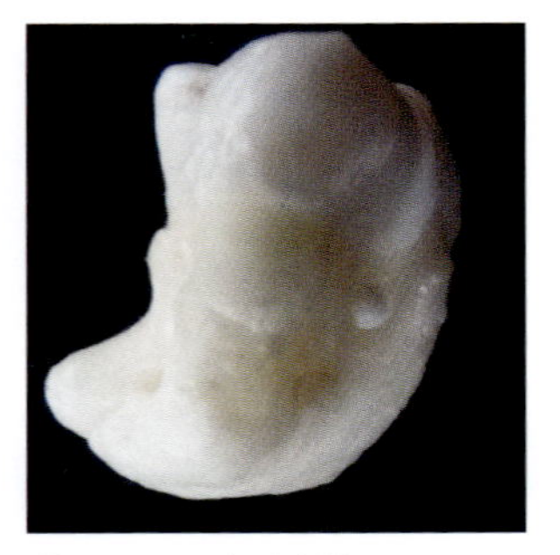

図 3-6　エナメル滴

(5) 臼後結節

第三大臼歯の遠心面にみられる結節を臼後結節 distomolor tubercle という（**図 3-5**）. 上顎の第三大臼歯，次いで第二大臼歯に好発する[7].

(6) エナメル滴（エナメル真珠）

歯根の表面にみられる1〜3 mmの小さな球状の隆起をエナメル滴enamel pearlという（**図 3-6**）. エナメル質のみでなく象牙質の核がある. 第三大臼歯の遠心と，大臼歯の頬側根分岐部周辺に最もよく存在する. エナメル質の表層は，通常の結合組織性付着が得られず付着不良となるため，臨床上注意が必要である.

③ 歯内歯

歯内歯 dens in dente, dens invaginatus は発生異常であり，エナメル質組織が歯冠内へ陥入した状態である. 臨床では，ほとんどの場合に切歯の基底結節付近の深い陥凹（盲孔）として観察される. エックス線画像では象牙質内にエナメル塊が陥入した像として現れ，エックス線検査で歯内歯が発見されることが多い. 好発部位は上顎側切歯が最も多く，歯内歯の過半数を占めている. 次いで上顎第三大臼歯，上顎過剰歯，上顎中切歯，上顎犬歯，その他の歯である. 小野寺は歯内歯を 4 形態に分類している（**図 3-7A**）.

① I 型：陥入が歯冠部に限局している
② II 型：陥入が歯根の 1/3 にまで達していない
③ III 型：陥入が歯根の 1/3 を越えて根尖に向かって延びているが歯根膜腔に達していない（**図 3-7B〜E**）
④ IV 型：陥入が歯根を貫通し，歯根膜と交通している

齲蝕予防処置として，陥入部をコンポジットレジンで充塡する. 陥入部からの歯髄や歯周組織への感染により歯内治療が必要となった場合は，根管形態が複雑なため臨床上注意が必要である. 通常の根管治療がうまくいかない場合は外科的な処置を行うことがある.

④ 異常根

歯根の形態形成にはヘルトウィッヒ上皮鞘が深く関係する. 歯根の形成過程でヘルトウィッヒ上皮鞘の増殖が影響を受けると，歯根の長さ，形態，数などに異常がみられるよう

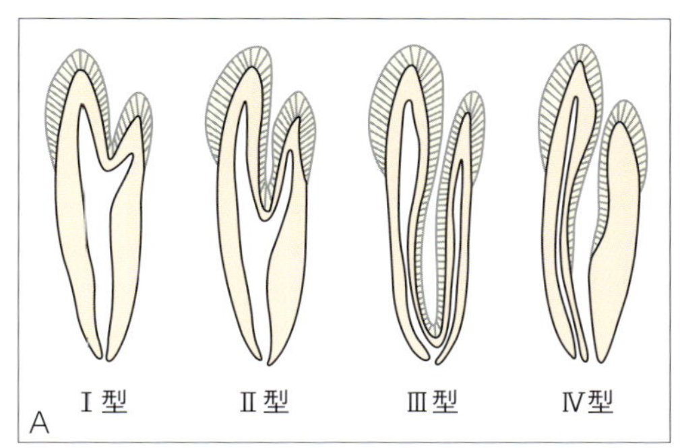

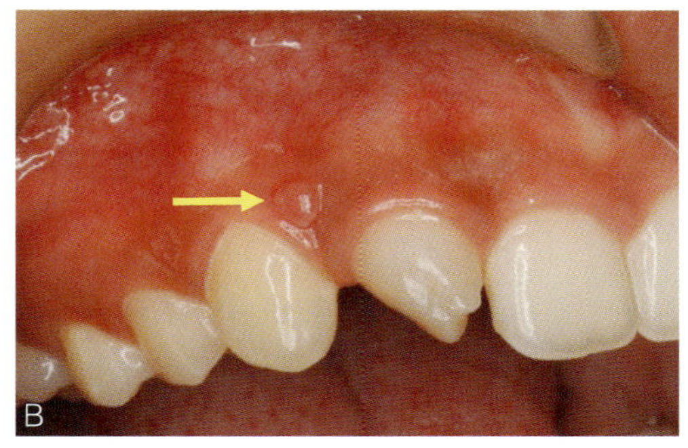

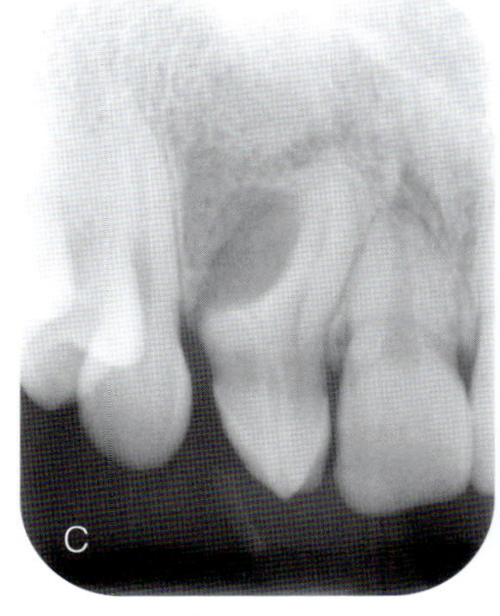

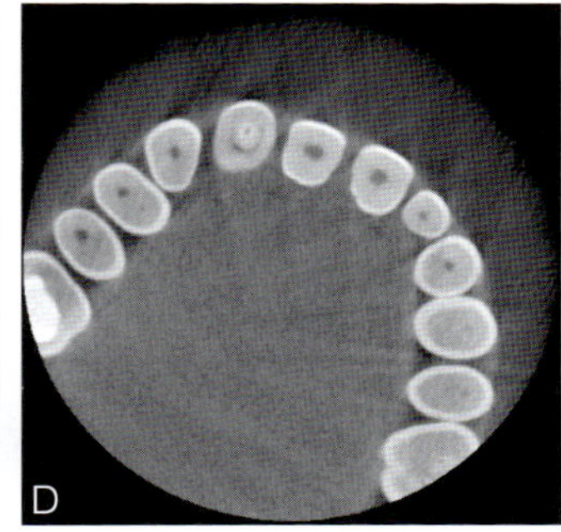

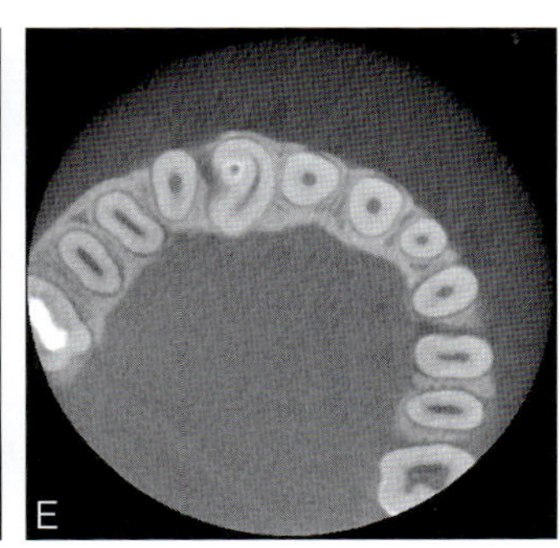

図 3-7 歯内歯
A：歯内歯の陥入度による小野寺の分類（小野寺章，1971[9]）．
B～E：歯内歯（2|，Ⅲ型）．B：初診時口腔内写真．矢印は瘻孔を示す．C：初診時口内法エックス線画像．
D，E：歯科用コーンビーム CT（CBCT）横断像．

になる．異常根 abnormal root は根管治療に影響を与えることから熟知する必要がある．

1）長さの異常

歯根が異常に長かったり，反対に異常に短い歯がみられることがある．特に第三大臼歯では短い歯根がときどきみられる．

2）形の異常

（1）歯根の彎曲と捻転

歯根の彎曲はさまざまであるが，強い彎曲，特に釣針状のもの，鉤状のもの，S 字状のものがある．また，歯の長軸を中心としたねじれのある歯根もみられる．好発部位は上顎中切歯，側切歯および犬歯である．上下顎大臼歯近心根にも彎曲は多くみられる．中切歯と側切歯では遠心方向に，犬歯は近心方向に彎曲することが多い．

（2）癒着歯

隣接する 2 つの歯が，それぞれ象牙質の形成後にセメント質によって結合したものを癒着歯 concrescent tooth という．歯髄は完全に独立している．

(3) 台状根

上顎第二大臼歯では，3 根が歯頸部から癒合し根尖部だけ歯根が離開した台状根 prism-shaped root がみられる．

3）数の異常

(1) 歯根の数が多い場合

基本形より過剰にみられる根で，一般に発育が悪く，細く小さい副根などがある．下顎乳犬歯，下顎第一乳臼歯，上顎第一乳臼歯に過剰根がみられる．永久歯では，2 根性の切歯，犬歯，下顎小臼歯などがみられるが，上顎中切歯ではまれである．下顎犬歯では約 1％に 2 根性がみられる．3 根性の上顎第一小臼歯，下顎小臼歯もあるがまれである．上顎大臼歯の 4 根性はまれであるが，第一（0.3％），第二（0.5％），第三（2％）すべてでみられる．下顎大臼歯では 3 根性がみられ，特に第一大臼歯に多く，女性よりも男性に多い．4 根性もまれにみられる．

(2) 歯根の数が少ない場合

大臼歯では退化傾向の 1 つとして，歯根の数の減少，すなわち歯根の癒合化がみられる．

上顎大臼歯では 3 根が基本であるが，2 根から単根へと退化がみられる．第一大臼歯では 3 根が 90％以上で大部分を占め，2 根は数％にすぎない．一方，第二大臼歯では 3 根は約 50％前後で半数にみられるが，2 根は約 20〜30％を占めて多くなり，単根も約 20％を占める．大臼歯では後方歯にいくにつれて単根化が強くなる．

下顎大臼歯では 2 根が基本であるが，上顎大臼歯と同様に単根への退化傾向がみられる．第一大臼歯では 2 根が約 70％，次いで 3 根が約 30％を占め，単根はわずかである．3 根では遠心舌側根 radix entomoralis がみられることがある．第二大臼歯では 2 根が約 60〜70％と多く，次に単根が約 30％〜 40％を占めて，3 根はまれである．下顎第二，第三大臼歯にみられる樋状根管もこれにあたる．

❺ 髄室の異常

(1) タウロドント（広髄歯）

上下に髄室が長く，セメント-エナメル境部の狭窄がない歯をタウロドント taurodont という（図 3-8）．

(2) 癒（融）合歯 fused tooth

隣接する 2 つの歯胚の癒合（結合）をいい，象牙質も必ず癒合している．癒合歯の歯冠は，幅が 2 倍ある 1 つの歯冠のようにみえるため口腔内では双生歯と同じようにみえるが，独立しながら癒合した 2 本の歯根が観察される．一般に歯根の一部の象牙質が癒合していて，この癒合部では歯髄腔が共通している場合が多い．

(3) 双生歯

双生歯 geminated tooth は，1 個の正常歯胚が隣接した過剰歯胚と結合して生じたもので，対になった歯冠は 1 本で 2 本分の幅をもつようにみえる．癒合歯と同様に 1 つの歯髄腔を形

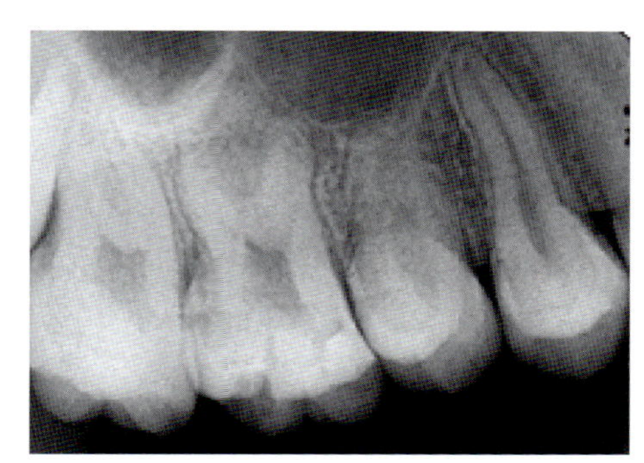

図 3-8 タウロドント（6|）

成している．歯根は1本で分割されておらず，根管は共有している．

6 根管の異常

1）癒合根管

歯根の癒合によって根管も癒合したものを癒合根管という．下顎第二大臼歯にみられる樋状根管や癒合歯の根管がこれにあたる．

2）過剰根管

下顎中切歯，第一・第二小臼歯が複根管であることがあり，臨床上注意が必要である．

3）根管の変化

(1) 加齢的変化

第2章「歯・歯周組織の構造と機能」，第17章「高齢者・有病者の歯内治療」を参照．

(2) 病理学的変化

第5章「歯髄疾患」を参照．

II 歯の形成不全

歯の形成不全 hypoplastic tooth は，遺伝的原因によるものと全身的原因によるもの，局所的原因によるものに分類される．その他，第一大臼歯と切歯に限局して発症する原因不明のエナメル質形成不全 Molar Incisor Hypomineralization がある[8]．

1 遺伝的原因

遺伝的原因による形成不全には，エナメル質形成不全症と象牙質形成不全症および象牙質異形成症がある．

❷ 全身的原因

全身的原因としては，栄養障害があり，ビタミン欠乏症，無機質欠乏（Ca，P）が考えられる．また，甲状腺，副甲状腺，下垂体などの内分泌障害，先天性梅毒，テトラサイクリン系抗菌薬やフッ化物の過剰摂取などがある．全身的原因による歯の形成障害は1歯のみにとどまらず，永久歯の発達・形成期に従って数歯以上に現れる．

歯の形成期に高濃度のフッ化物を含有する飲料水を長期間摂取することで歯のフッ素症 dental fluorosis（斑状歯）となる．歯のフッ素症は歯冠表面の白濁を主症状とする歯の石灰化不全で，特定の地域に集団的に現れることが多い．

先天性梅毒を原因とした，永久歯の上顎中切歯の切縁に半月状の欠損がみられ歯冠が正常歯よりも小さい歯をハッチンソン歯 Hutchinson's tooth という．ハッチンソンの三徴候（歯の形態異常，実質性角膜炎，内耳性難聴）が伴う場合に先天性梅毒と診断される．また，先天性梅毒のため臼歯の咬頭発育不全がみられる歯をフルニエ歯 Fournier's tooth という．

❸ 局所的原因

永久歯の発育期に外傷や炎症，放射線の影響を受けると，永久歯のエナメル質形成不全，歯根の彎曲，位置異常が局所的に現れる．また，乳歯の根尖性歯周炎が原因で後継永久歯の歯冠部に異常が起こることがある（ターナー歯 Turner's tooth）．

Ⅲ トゥースウェア（歯の損耗）

歯質が機械的刺激や化学物質などによって喪失していくことを歯の損耗（トゥースウェア tooth wear）といい，咬耗，摩耗，アブフラクションそして酸蝕症（侵蝕症）が含まれる．歯の機能を維持するためにもその成因と病態を理解することは大変重要である．

❶ 咬耗症

歯ぎしり，咀嚼などにより歯の咬頭部がすり減り，損耗することを咬耗症 attrition という（**図 3-9**）．ブラキシズム（歯ぎしり，くいしばり）や強い咬合力などが原因となる．

エナメル質に限局する場合は咬耗部が滑沢で臨床症状はないが，象牙質まで咬耗が進むと，象牙質が陥凹し，その部分は褐色になる．冷水痛や象牙質知覚過敏症を訴えることがある．歯髄側では刺激による第三象牙質の形成がみられる．

咬耗の防止のためにはマウスガードを製作するが，咬耗がエナメル質または象牙質に限局しなんらかの臨床症状があるときには修復材料で修復する．

❷ 摩耗症

歯に咬合力以外の機械的外力が加わることによって欠損が生じることを摩耗症 abrasion という．強いブラッシング圧，咬爪癖や義歯クラスプの不適合などが原因となる．特に，歯ブラシなどの外力によって歯頸部付近にくさび状の欠損 wedge shaped defect（WSD）がみ

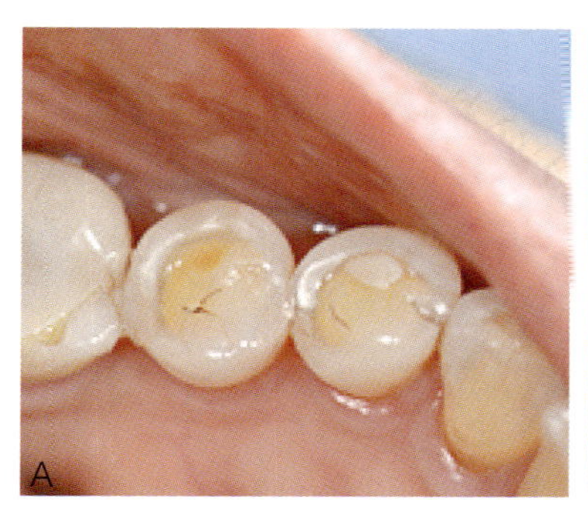
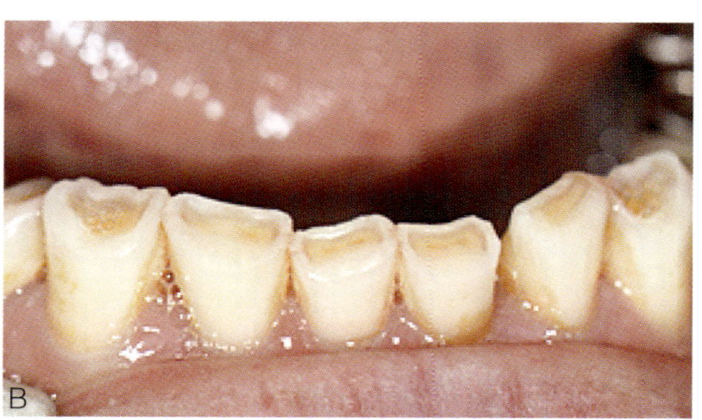

図 3-9　咬耗症
A：臼歯咬合面に生じた咬耗.
B：下顎前歯切縁端に生じた咬耗.

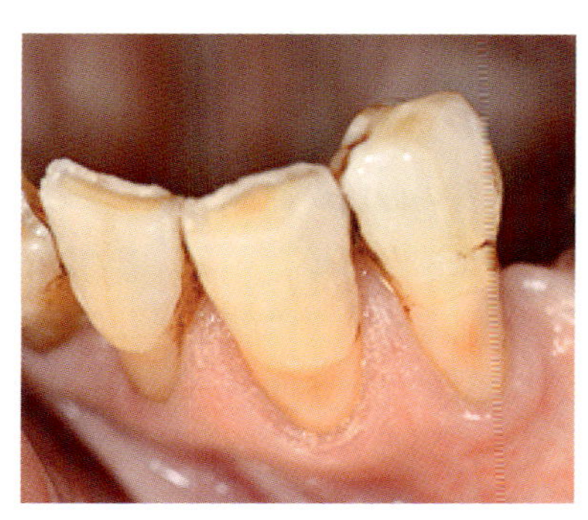

図 3-10　歯頸部に生じた摩耗症

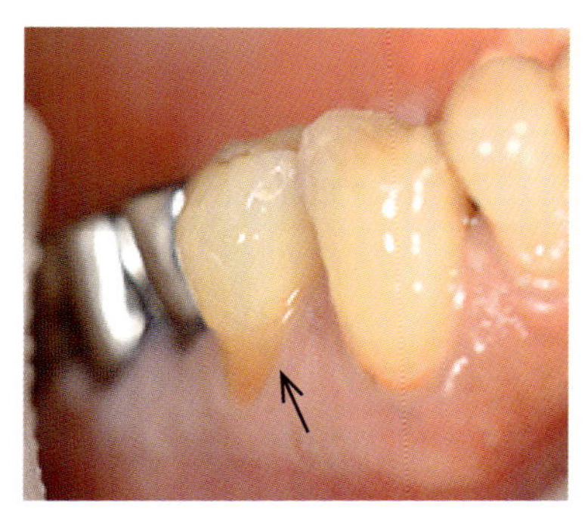

図 3-11　歯頸部にみられるくさび状欠損（5|，矢印）
咬頭の咬耗もみられる.

られることが多い（**図 3-10**）．表面は滑沢で光沢がある．臨床症状はないことが多いが，欠損部が歯髄に近接している場合は冷水痛や象牙質知覚過敏症を訴えることがある．

治療として，ブラッシング方法の改善やクラスプの再製作を行う．くさび状欠損部には修復処置を行う．

❸ アブフラクション

過度の咬合力が加わることによって，応力が歯頸部表層に集中し，エナメル質と象牙質が破壊されてくさび状の欠損を生じることをアブフラクション abfraction という．摩耗症とともにくさび状欠損の原因となるもので，ブラキシズムの患者に多くみられ，咬耗症を伴う場合が多い（**図 3-11**）．

治療として，くさび状欠損には修復処置を行う．さらに咬合調整，歯冠形態修正やナイトガードを製作し咬合負担を軽減させる．

❹ 歯の酸蝕症（侵蝕症）

化学物質によって歯の表面が脱灰され欠損を生じることをいう．特に酸類によって実質欠損が起こる場合を酸蝕症 tooth erosion という．

硫酸や硝酸，酢酸，ギ酸などの酸を職業的に扱う人の前歯部に発生しやすい．酸の蒸気で歯の脱灰が起こり，酸蝕症になる．また，酸性食品（ワイン，果汁，黒酢など）の継続的な摂取や逆流性食道炎・過食嘔吐（胃酸）などによっても生じる．進行によってエナメル質から象牙質まで達し，象牙質に達すると黄色または褐色を示す．

治療としては原因を取り除くことを考える．欠損部が広範囲にわたる場合は修復処置を行う．

Ⅳ 齲蝕症

齲蝕の病因は Miller の化学細菌説が現在でも支持されている．これは主に *Streptococcus mutans* が産生する乳酸によって歯が脱灰されるという考えである．*S. mutans* はショ糖を基質として菌体外多糖類である不溶性グルカンを形成し，歯面に強固に結合し，そこに高密度な多種の細菌集落であるプラークを形成する．プラーク中の細菌はショ糖を分解して乳酸，酢酸，プロピオン酸，ギ酸を産生し，歯質の脱灰が進行する．

齲蝕の発生には細菌以外の口腔環境が重要な因子となる．歯の齲蝕への感受性，口腔清掃の不良，唾液の性状および流量，歯列不正によって齲蝕に罹患しやすくなる．齲蝕にはエナメル質齲蝕，象牙質齲蝕そしてセメント質齲蝕（根面齲蝕）があり，好発部位は小窩裂溝，隣接面，歯頸部，露出セメント質である．高齢者は唾液の分泌量が減少し，歯肉退縮も生じるため根面齲蝕になりやすい．

Ⅴ 外　傷

自転車での転倒などの事故，スポーツ，暴力行為などによる歯の外傷は，歯に限局する亀裂，破折，脱臼だけでなく，陥入など歯槽骨に傷害が及ぶ場合がある．当該歯のみならず顎骨を含む歯全体を注意深く観察し，適切な処置を行う必要がある（詳細は第 12 章「外傷歯の診断と処置」参照）．

Ⅵ 象牙質知覚過敏症

エナメル質やセメント質の欠損もしくは歯肉の退縮によって象牙質が口腔内に露出して（**図 3-12A**），そこに外来刺激（機械的刺激，冷刺激，温刺激，化学的刺激，乾燥など）が加わると一過性の鋭い疼痛が生じる（**図 3-12B**）．これを象牙質知覚過敏症 dentin hypersensitibity という．好発部位は前歯部および小臼歯部である．辺縁性歯周炎による歯頸部象牙質露出や，咬耗症，摩耗症などを原因とした象牙質露出によって起こる．

1）発生機序

1900 年に Gysi が動水力学説を提唱し，その後，Brännström が実験的に証明した．生活

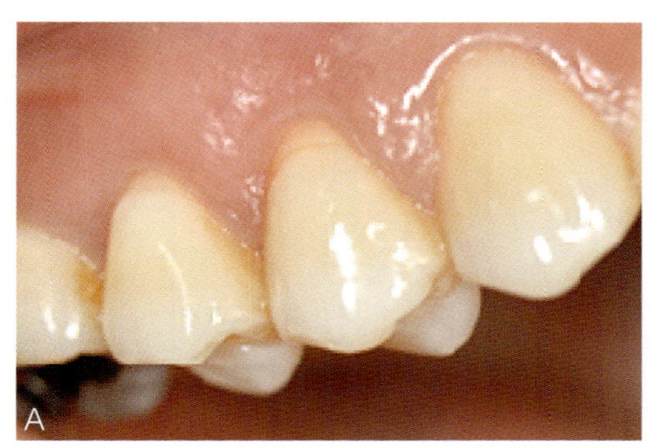

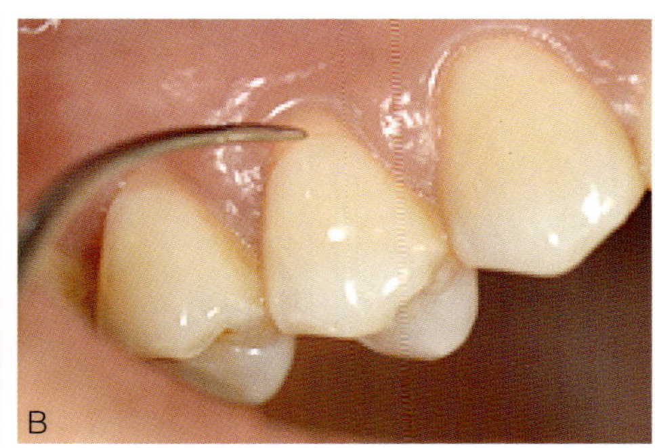

図 3-12　象牙質知覚過敏症
A：歯頸部象牙質の露出（4|）.
B：露出した歯頸部象牙質を擦過すると一過性の疼痛がある.

歯の露出象牙質にある刺激が加わると，その刺激に反応して象牙細管内の内容液が急速に移動して疼痛が生じるというものである（**図 3-13**）.

2）発症部位の組織変化

象牙質知覚過敏症を発症している部位の露出象牙細管開口部の大きさは，発症していない部位よりも大きい（**図 3-14～16**）．また，象牙質知覚過敏症の発症部位では開口した象牙細管数が多いこともわかっている.

3）原　因

① 辺縁性歯周炎などによる歯頸部象牙質の露出
② 咬耗症および摩耗症による象牙質の露出
③ 咬合力による歯頸部くさび状欠損
④ 窩洞形成による象牙質の露出
⑤ 神経質な患者や，神経衰弱，過労などで知覚が異常に亢進した人

4）検査と反応

(1) 問　診

冷水でうがいをした際や冷たい飲み物を飲んだとき，甘味刺激があったときに痛みがあったり，歯ブラシの使用で痛みを感じたりする．自発痛はない.

(2) 視　診

① 実質欠損を伴わない.
② 実質欠損を伴わないが，歯頸部象牙質が露出している.
③ 実質欠損があり，さらに歯頸部象牙質が露出している.

(3) 触　診

象牙質知覚過敏症の部位を探針で擦過すると痛みがある（**図 3-12B**）.

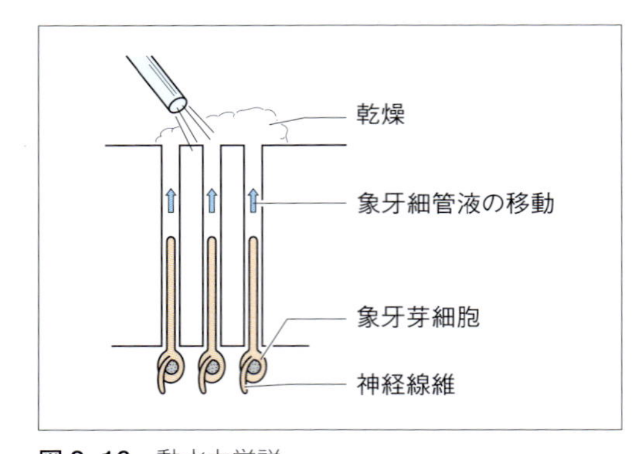

図 3-13　動水力学説
(Hargreaves KM, Berman LH, 2016[3] より改変)

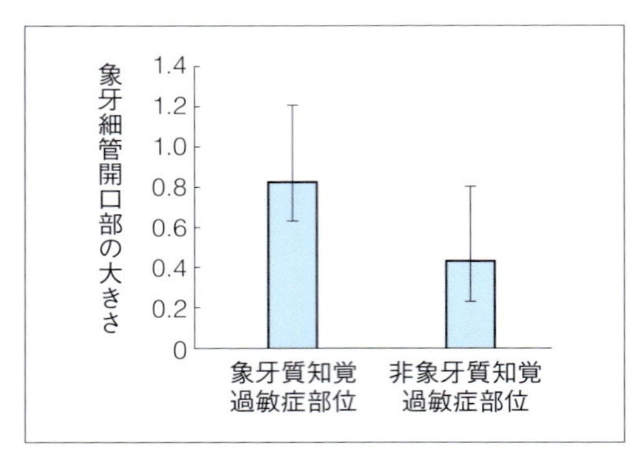

図 3-14　単位面積あたりの象牙質知覚過敏症部位と非象牙質知覚過敏症部位における象牙細管開口部の大きさ
象牙質知覚過敏症部の象牙細管の大きさは非象牙質知覚過敏症部よりも大きい（Adsi EG et al, 1987[10] より改変）

図 3-15　非象牙質知覚過敏症の部位では象牙細管開口部は小さい（SEM 像）

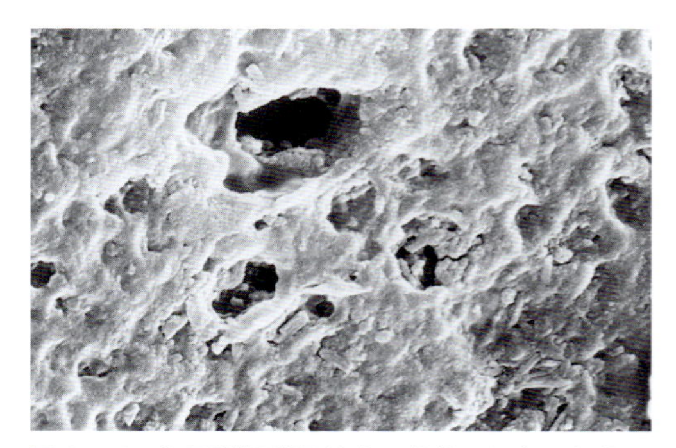

図 3-16　象牙質知覚過敏症の部位では象牙細管開口部は大きい（SEM 像）

(4) 温度診

冷水に対して一過性の痛みがある．誘発痛が持続するときには歯髄炎を疑う．

(5) 打診痛

垂直打診，水平打診ともに打診痛は認められない．

(6) エックス線検査

正常なエックス線所見を示す．

5）症　状

外来刺激による一過性の鋭い疼痛であり，自発痛，持続する誘発痛，打診痛などは認められない．

6）治療法

① 発症部位の象牙細管を閉鎖する．

② 発症部位の象牙細管を石灰化させる．
③ 発症部位の象牙細管内容物を変性させる．
④ 発症部位の神経を鈍麻させる．

7）治療用薬剤の所要性質

① 使用時に痛みがない．
② 歯髄を損傷させない．
③ すみやかに奏効する．
④ 効果が持続的である．
⑤ 再発しない．
⑥ 操作が簡便である．
⑦ 安価である．
⑧ 副作用がない．
⑨ 歯を変色させない．

8）象牙質知覚過敏症の処置方法

(1) 象牙細管の閉鎖

a. 歯磨剤の応用

フッ化ナトリウム，乳酸アルミニウム，硝酸カリウムを含む歯磨剤を用いたブラッシングを行う．乳酸アルミニウムは，象牙細管内のタンパク質を収斂させ変性させることで象牙細管の狭窄または閉鎖を生じ，刺激の伝達を遮断する．硝酸カリウムは，口腔内で硝酸イオンとカリウムイオンに分かれ，カリウムイオンが象牙細管を通じて歯髄神経まで達し歯髄神経を被覆する．これにより痛みの伝達を遮断する．

b. 薬物の塗布

シュウ酸カリウム，シュウ酸カルシウム，リン酸カルシウムを主剤とする薬物やフッ化物含有のバーニッシュの塗布を行う．

c. 露出した象牙質の被覆

レジンコーティング材，コンポジットレジン接着用ボンディング材，被覆用グラスアイオノマーセメントなどを用いて露出象牙質を薄膜で被覆する．

(2) レーザー照射

各種レーザーを用いて象牙質知覚過敏症の治療が行われている．レーザー照射による効果としては，①歯髄の興奮を抑え，痛覚を低下させたり，鈍麻させる，②歯質を容解し，象牙細管を閉鎖する，③象牙細管内溶液などを熱凝固する，などがあげられる．高出力レーザーや低出力レーザーがあり，それぞれのレーザーの性質をよく理解して適切な照射条件で使用することが望まれる．

(3) イオン導入法

塩化亜鉛を用いたイオン導入法によって象牙細管を閉鎖し象牙質知覚過敏症を抑制する．

現在ではあまり行われていない．

(4) ブラッシング指導

歯頸部にはプラークが溜まりやすく，象牙細管開口部を刺激して象牙質知覚過敏を起こしやすい．また，誤ったブラッシング方法によって過度の圧が付与され，歯頸部の象牙質が露出してしまう．正しいブラッシング方法によってプラークコントロールをすることが，象牙質知覚過敏症の予防につながる．

(5) 修復処置

症状が改善されないときは修復処置を行うこともある．

(6) 抜髄処置

さらに，どのような処置を行っても症状が改善しないときは，抜髄処置を行うこともある．

（横瀬敏志，増田宜子）

第4章 歯内治療における基本術式の概要

I 医療面接

医療面接 medical（dental）interview とは，歯科医師と患者の人間関係・信頼関係を良好なものとし，患者から必要な情報を聴き出し，患者に対して説明や指導を行うことである．

問診 inquiry は医療面接の一部であり，自覚症状などの医学的情報の収集を目的とする．患者から主訴を中心に，既往歴や現病歴から現症における自発痛の有無に至るまで，あらゆる必要な情報を十分に聴き出すことになる．誘導しすぎたり，緊張させすぎないようにして質問することが大切である．

❶ 主　訴

主訴 chief complaint とは，患者が来院した理由で，現在，最も気にしている疼痛や不快感などであり，それらを患者の言葉で記録する．主訴が複数の場合もあるが，いくつかの主たるものに限定するほうがよい．

❷ 既往歴

1）全身既往歴

① 既往歴 anamnesis とは，現在までにかかった疾患のことであり，既往のある疾患から現在も罹患している疾患や感染症について尋ねる．その他，入院・手術経験の有無，その際に輸血経験の有無，また出血傾向やアレルギー（薬物，食物，その他）の有無などもあわせて問診する．

② 禁忌薬剤がある場合や現在治療中の疾患で薬（常用薬）を服用している場合は薬剤名を記録し，投薬する場合の併用禁忌に対応する．女性の場合には妊娠や授乳についても確認する．

③ 家族歴，生活状態（習慣）についても尋ねる．

④ 歯科麻酔や抜歯をしたことがあるかどうか，その際の異常の有無についても尋ねる．

2）患歯（局所）の既往歴

患歯について，治療の有無，治療時期，治療内容（判明すれば）について尋ねる．

❸ 現病歴

現病歴 history of present illness とは，発症の時期，誘因の有無，初徴（発症時の状態，前駆症状の有無），経過（発症から現在まで），処置の有無（みずから薬を服用した，近医で治療を受けたなど）などである．

現症 present status の聴取においては，全身から局所，外から内，つまり顔貌から唇，頰，リンパ節，唾液腺，口腔粘膜，歯肉，患歯という順序で行う．

1）全身状態

体調，睡眠時間，発熱の有無などについて問診する．

2）局所状態（口腔領域）

疼痛の有無，腫脹感の有無，機能障害（口を開けたり，物を食べたり，発音したり，飲み込んだりしたときの異常）の有無などを尋ねる．また，排膿感（苦い味がする），歯の動揺感（歯がぐらぐら動く感じ），食片圧入（食物が歯に詰まる）などの有無も尋ねる．

疼痛 pain については，その様相，性状，程度（強さ），時間（持続性）を考えなければならない．

様相として，自発痛（外部からの刺激がなく，何もしなくても生じる痛み）と誘発痛（冷温熱や擦過などの外部から刺激を加えることによって生じる痛み）について尋ねる．さらに，誘発痛がある場合は，圧痛（指などで圧すると生じる痛み），咬合痛（物を噛んだときに生じる痛み），冷水痛（冷たい水や物に触れることによって生じる痛み），温熱痛（温かい飲食物などによって生じる痛み）についても尋ねる．

性状（性質）として，拍動痛（脈を打つようなずきずきとする痛み），鈍痛（重苦しいような鈍い痛み），鋭痛（鋭く，刺すような痛み）などを尋ねる．さらに放散痛（痛みが原因となる病変にとどまらず，周辺部あるいは遠隔部にまで及ぶような痛み），夜間痛（睡眠中に目が覚めてしまうほどの痛み），関連痛（病変部から離れた部位に生じる痛み）の有無を尋ねる．

程度（強さ）として，激痛（激しく我慢できない痛み），中程度の痛み（なんとか我慢できる痛み），軽度の痛み（弱くてまだ簡単に我慢できるような痛み）かを尋ねる．

時間（持続性）として，持続痛（瞬間的でなく，長く続く痛み）か間欠痛（ときどき，あるいはしばしば起こる痛み）かを尋ねる．

Ⅱ 検 査

正しい治療が行われるためには，まず正しい診断が下されなければならない．診断には，病理学的な立場からの診断（病理診断）と臨床的な立場からの診断（臨床診断）がある．病理診断は病気の本質を明らかにすることであり，臨床診断は治療を目的とする診断である．診断は病名をつけるという形で表現されるのが普通であるが，臨床診断は単に病名を決定することではなく，適切な治療方針を決めるためのものである．

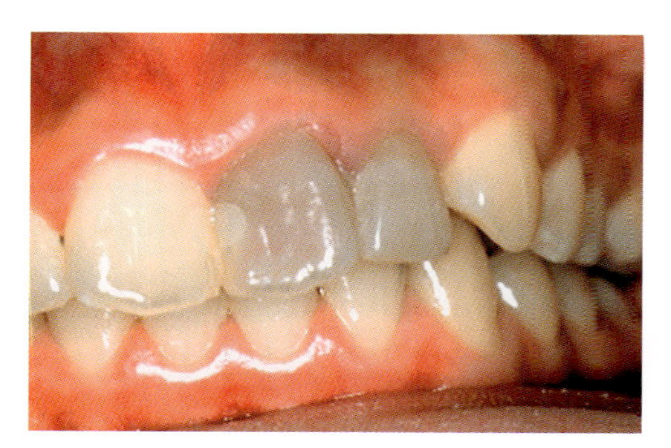

図 4-1　歯の変色
⌊12 が変色している．

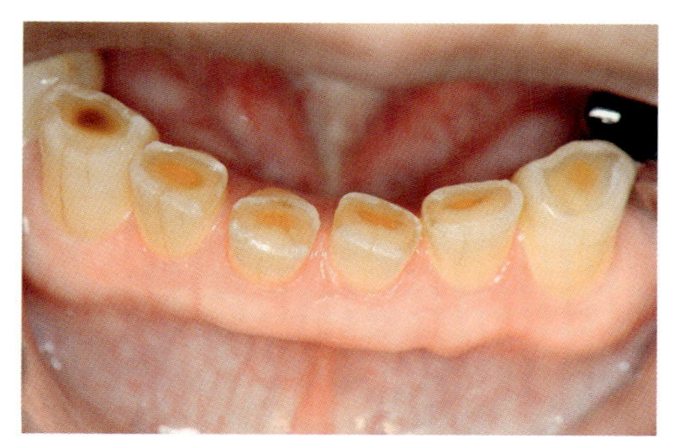

図 4-2　歯の咬耗
下顎前歯部に高度な咬耗がみられる．

診断は各種の診察・検査 examination・inspection の結果に基づいて決まるので，それぞれの診察・検査は正確に行う必要がある．診察・検査では他覚症状の有無を確認する．他覚症状とは歯科医師によって認められる所見で，各種の検査によって誘発されるものも含まれる．診断は，医療面接の結果と各種の他覚症状の診察・検査結果をすべて総合して下すことが重要である．

❶ 視　診

視診 inspection は最初に行う簡単な診察法ではあるが，大変重要な方法である．見落とすことがないように明るい照明下で注意深く行う必要がある．

1）口腔外所見

体格や栄養状態，皮膚の状態，顔貌が左右対称であるかどうか，所属リンパ節部が腫脹していないかどうかなどを診察する．

2）口腔内所見

口腔内は暗く，唾液の存在や，頬粘膜や舌が視界を妨げていることがあるので，唾液を吸引または拭き取り，頬粘膜や舌はデンタルミラーまたはロールワッテ（巻綿花）を利用して圧排し，照明を合わせて視界を確保するように努める．

項目として，歯では色調の変化（**図 4-1**），実質欠損の有無（咬耗，摩耗，くさび状欠損，外傷，亀裂，破折など）（**図 4-2，3**），修復物の有無（種類，大きさ，適合状態など），齲蝕の有無（大きさ，深さ，感染象牙質の性状）（**図 4-4**）を確認し，口腔粘膜においては，発赤，腫脹（**図 4-5**），瘻孔（内歯瘻）（**図 4-6**），出血，排膿，びらん，潰瘍の有無について注意深く診察する．

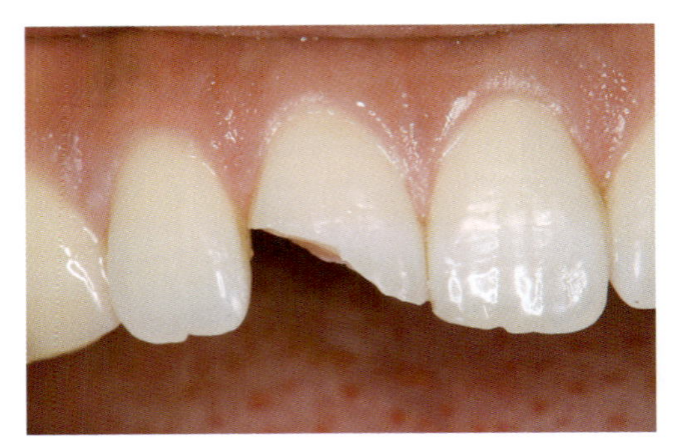

図 4-3　歯の破折
1|に外傷による歯冠破折がみられる.

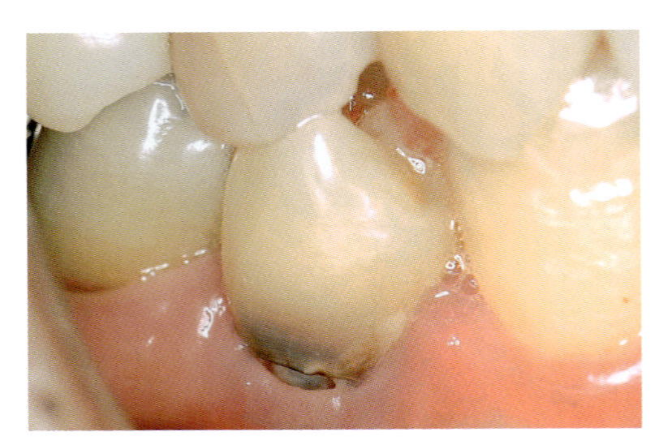

図 4-4　齲蝕
4|の頬側歯頸部に齲蝕がみられる.

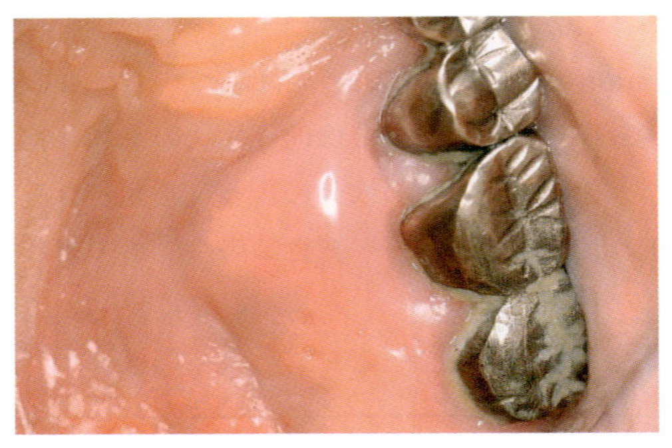

図 4-5　歯肉の腫脹
上顎左側臼歯部の口蓋側に歯肉腫脹がみられる.

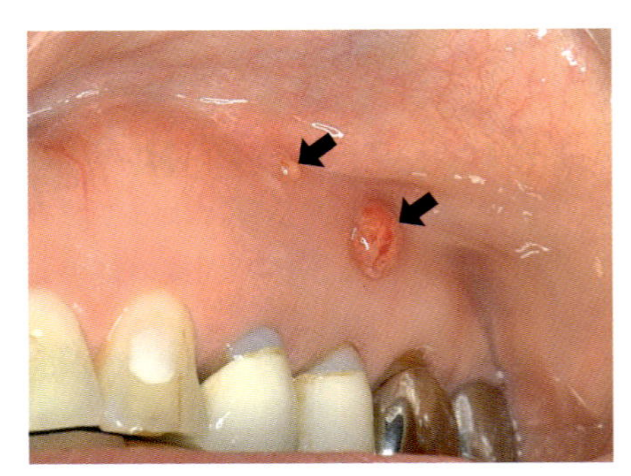

図 4-6　瘻孔（内歯瘻）
|45 の根尖相当部歯肉に瘻孔がみられる（矢印）.

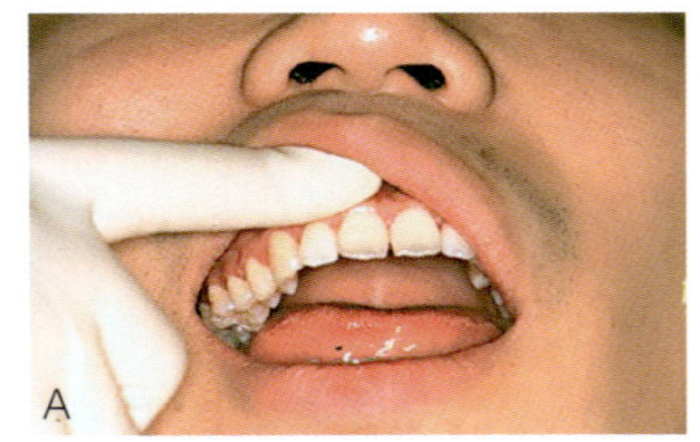

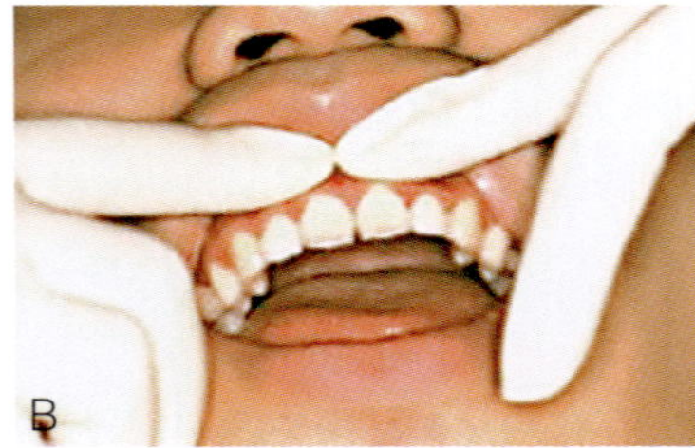

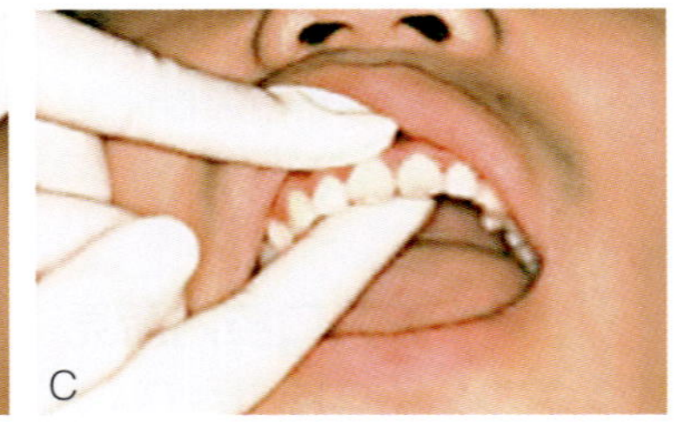

図 4-7　手指による触診
A：片方の指で行う触診，B：両手の指で行う触診（水平双指診），C：両手の指で行う触診（垂直双指診）.

❷ 触　診

広義の触診 palpation には，打診と歯の動揺度検査も含まれるが，ここでは狭義の触診について述べるため含めない．触診には手指による触診（主に軟組織）と器具による触診（主に硬組織）がある．

手指による触診は粘膜，根尖部，リンパ節を直接触り，指先で触れたり，軽く押したりした感じで組織の腫脹の有無，硬さ，形状，圧痛の有無などを知る診察法である．手指による触診には片方の手指で行う場合（**図 4-7A**）と両手の手指を用いて行う場合（双指診 biman-

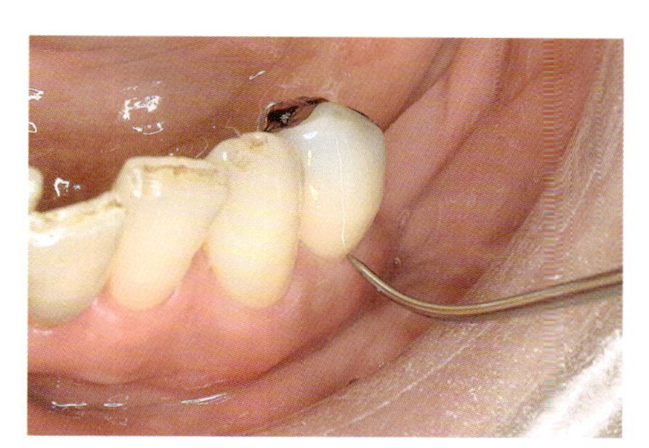

図 4-8　擦過診
探針で触診し，疼痛が生じるかどうかを診察する．

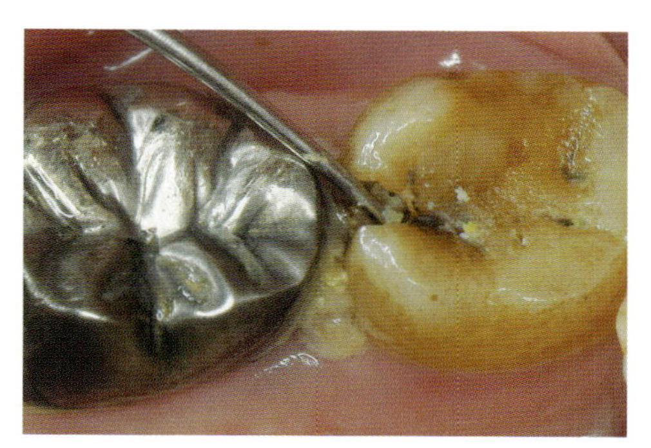

図 4-9　触診
7|の近心隣接面の齲蝕を探針で診察する．

ual examination）がある．また双指診には，左右対称に同一側から行う水平双指診（図 4-7B）と，患歯を唇（頰）舌両側から挟むようにして行う垂直双指診（図 4-7C）がある．歯内治療では根尖部の触診が特に重要である．

器具による触診では，探針またはエキスカベーターを使用し，齲窩の触診においては罹患象牙質の硬度（硬い，軟らかい）と広がりを調べる．探針で咬耗面，摩耗面，窩洞底面，露出歯根面など比較的硬い象牙質面を擦過したとき，象牙質知覚過敏があれば，一過性の電撃性疼痛（擦過痛）を引き起こす（図 4-8）．このほか，修復物があれば適合状態を，齲窩があれば深さや髄室との交通の有無を調べる（図 4-9）．また，不顕性の隣接面齲蝕の場合，デンタルフロスを歯間部に通して粗造感があれば，初期の隣接面齲蝕を発見できる．触診においては，特に有髄歯で露髄がある場合，できるだけ患者に苦痛を与えないように細心の注意を払う．

❸ 打　診

打診 percussion の目的は，打診したときの痛み（打診痛）の有無と程度や性状を調べること，打診したときの音色（打診音）を聴き取り，歯根周囲の歯周組織や歯髄の状態を調べること，および根尖部に指先をおいて歯を水平打診すると指に振動が感じられることがあり（歯根振盪），根尖部における歯槽骨の吸収破壊の有無やその程度を知ることである．打診の方法は，歯科用ピンセットまたはデンタルミラーの後端で叩打するのが一般的であるが，打診音を聴取しようとする場合には中空のデンタルミラーよりもピンセットのほうが聴き分けやすい．

打診には垂直打診（図 4-10A）と水平打診（図 4-10B）があり，垂直打診に敏感な場合は根尖部の炎症が疑われ，水平打診に敏感な場合は辺縁性歯周炎が疑われる．

打診音に関しては，健康な歯（有髄歯）なら清音，失活歯や根尖部に比較的大きな病変があると濁音がするといわれているが，打診音だけで判断するのは困難な場合が多い．骨性癒着（アンキローシス）を起こしている歯は，金属音（高い音）でしばしば診断可能である．

打診を行う際には，特に疼痛がある場合，患歯をいきなり強く叩打してはならない．最初

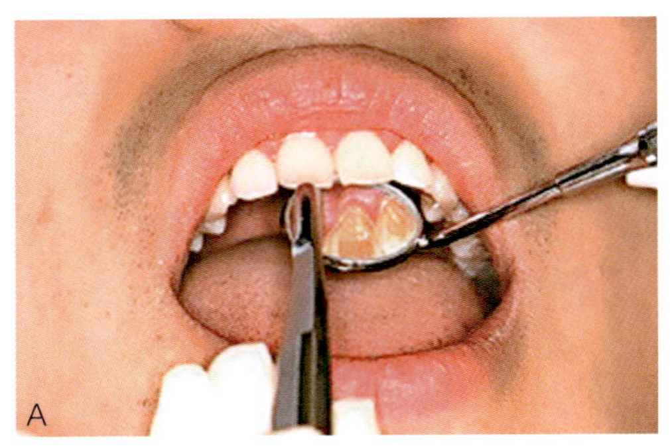

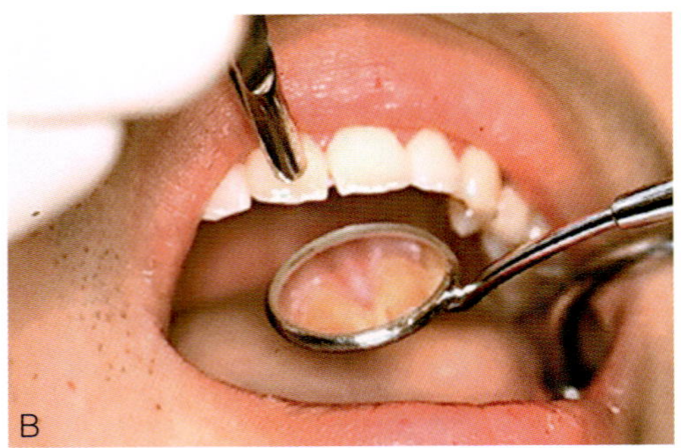

図 4-10　打診
A：垂直方向への打診，B：水平方向への打診.

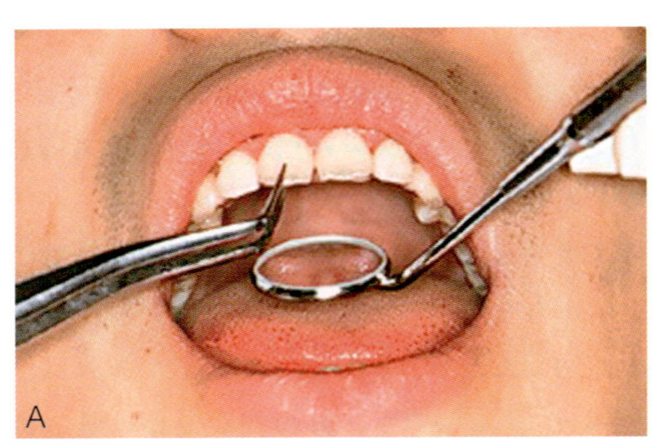

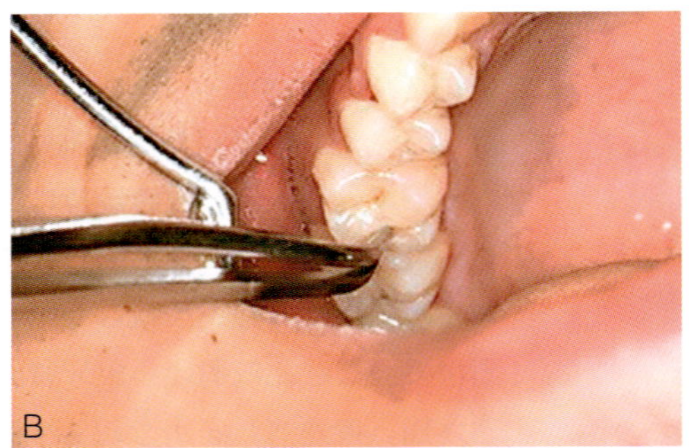

図 4-11　歯の動揺度検査
A：前歯部の場合は切縁を唇舌側からピンセットで挟む．B：臼歯部の場合はピンセットの先端を閉じて小窩裂溝におく.

は弱い力で打診を始め，徐々に強くして打診痛を感じるようになったら止める．そして患歯と考えられる歯からではなく，まず反対側同名歯または正常な隣接歯（対照歯）から始める．また，疼痛があまり強くない場合には，打診痛が弱くはっきり判明しないことがあるが，そのときには打診する歯の順序を変え，患者の先入観による誤診を防ぐようにする.

❹ 歯の動揺度検査とプロービング

歯の動揺度検査 mobility test は，前歯部はピンセットで切縁を唇舌側から挟み（**図 4-11A**），臼歯部では咬合面小窩裂溝にピンセットの先端を閉じて置き（**図 4-11B**），唇（頬）舌，近遠心および歯軸方向に歯を動かして行う．生理的な動揺は約 0.2 mm（歯根膜の平均的な厚さに相当）の範囲内とされる.

動揺度の評価には Miller の判定基準を改変したものが最も一般的に用いられている．その判定基準は，0 度は生理的な動揺でほとんど動くとは感じない（0.2 mm 以下），1 度は軽度の動揺で唇（頬）舌方向にわずかに動く（0.2 ～ 1.0 mm），2 度は中程度の動揺で近遠心方向にも動く（1.0 ～ 2.0 mm），3 度は高度の動揺で垂直方向にも動く（2.0 mm 以上），である.

プロービング periodontal probing には歯周プローブが用いられる（**図 4-12**）．歯周プロー

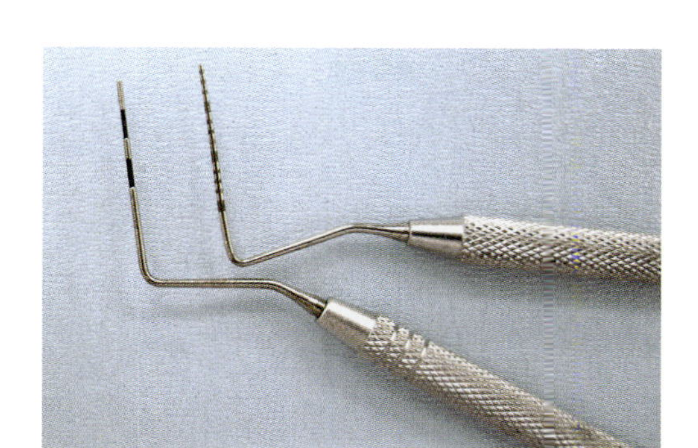

図 4-12　歯周プローブ
目盛とアングルが異なるものがある.

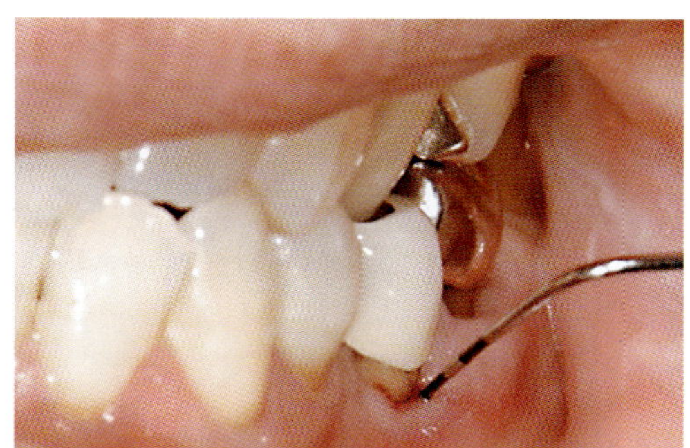

図 4-13　プロービング
ポケットデプスを測定している.

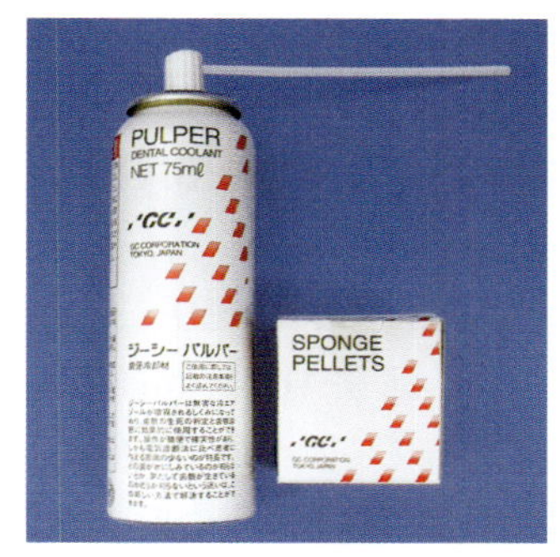

図 4-14　冷エアゾールの例
冷刺激（約−40℃）として使用する．ピンセットで挟んだスポンジに噴霧し，それを歯面におく.

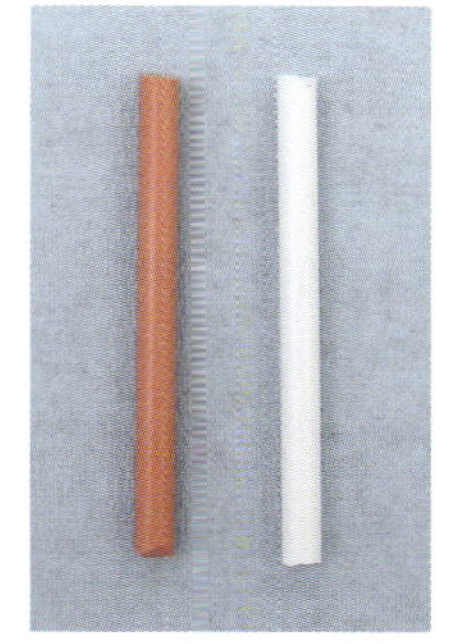

図 4-15　ストッピング
加熱して温刺激として使用する．先端を少し煙が出るくらいに加熱し，歯面におく.

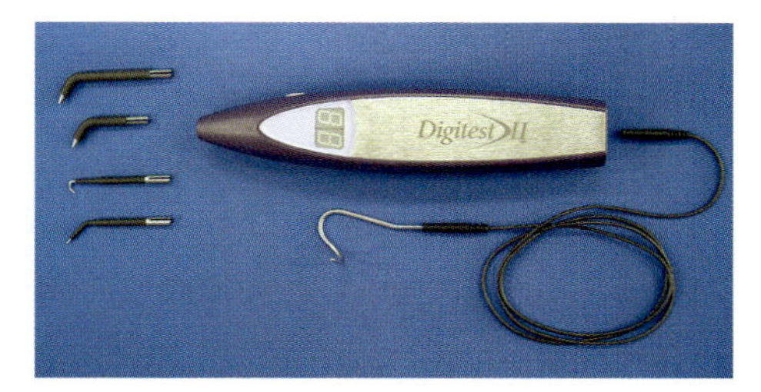

図 4-16　電気歯髄診断器（デジテスト）の例

ブには目盛が刻んであり，その目盛からポケットデプスを測定する．測定法としては，唇（頬）側3カ所（近心，中央，遠心）と舌側の3カ所（近心，中央，遠心）のあわせて6カ所を測定する6点法が代表的である（**図 4-13**）.

⑤ 温度診

温度診 thermal test は歯に温度刺激を与えて歯髄反応を検査する方法で，寒冷診と温熱診がある．冷刺激には冷水，冷風，氷片，冷エアゾールなどが用いられ（**図 4-14**），温熱刺激には温水，温熱風，加熱したストッピングなどが用いられる（**図 4-15**）．温度診における有髄歯の正常な反応とは，温度刺激によって引き起こされた痛みが刺激物を除去するとただちにまたは数秒以内（一過性）に消退することである．異常な反応とは，刺激物を除去した後でも痛みがすぐには消退しないでしばらく持続（持続性）することである．温度診では温度刺激への反応の有無で歯髄の生死を判定するが，それだけではなく，有髄歯の場合，刺激への反応の強さ，そして持続性の有無，持続する場合には持続時間を判定することが診断において重要である．ただし，慢性歯髄炎の場合，温度刺激に反応が鈍いことが多い.

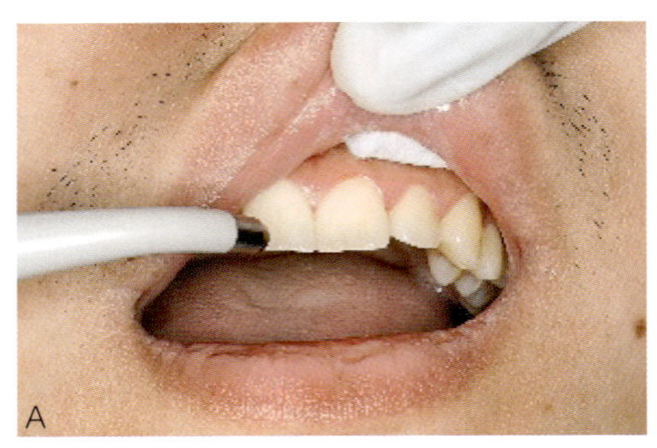

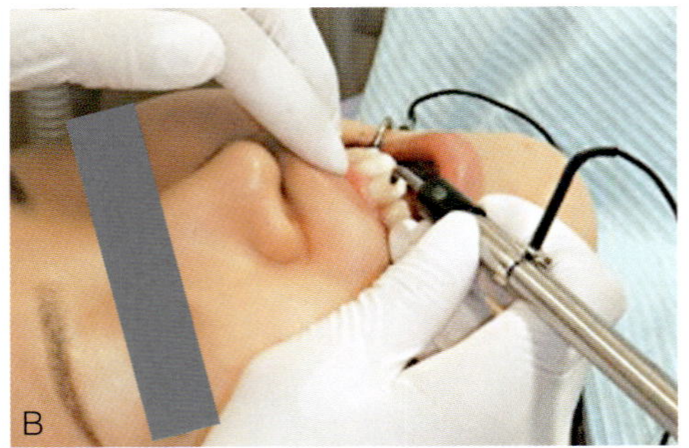

図 4-17 歯髄電気診の手順
A：患歯を簡易防湿し，乾燥させる．
B：プローブ先端を歯のエナメル質に接触させる．

❻ 歯髄電気診

歯髄電気診 electric pulp test とは，歯の表面から電流を流し，歯髄の感覚神経に刺激を与えて生じる違和感や痛みによって歯髄の状態や生死を判定する方法である．しかし，根未完成歯では反応が遅く，打撲直後などでは反応がないことがあり（歯髄振盪），また鎮痛薬や抗不安薬の服用および患者の精神状態により正確さが異なる．**図 4-16** に，電気歯髄診断器の例を示す．術者がグローブを着用して測定する場合，プローブの取っ手が電極となっているため，これを患者に握らせるか，専用の回線を利用して通電回路を確実に形成しなければ作動しない．

〔注意事項〕 以前はペースメーカー装着者には歯髄電気診は禁忌とされていた．最近のペースメーカーは電気歯髄診断器では影響を受けないものが製造されているので，必ずしも禁忌ではなくなったが，使用に際しては慎重に判断すべきである．

1）術　式

① 患者にはあらかじめ目的と術式を説明し，不安感を抱かせないようにする．

② じりじりする感じや熱感を感じたらすぐに手をあげて合図するように説明する．

③ 検査する歯（患歯）と反対側同名歯または隣接歯（対照歯）をよく乾燥させ，隔絶（防湿）し（**図 4-17A**），最初に対照歯から行う．

④ プローブを唇（頬）側の切縁または咬合頂より 1/3 ～ 1/2 のエナメル質面に接触させる（**図 4-17B**）．このときに通電をよくするため少量のペーストをプローブ先端または歯の表面におく．臼歯部は原則として咬合面からではなく頬側から行う．象牙質が露出している場合，その上から行うと，有髄歯ではすぐに反応が起こる．修復物や充填物の上からは不正確となるため行わない．

⑤ テストの値に多少のばらつきがあるので 2 回以上行い，平均値を採用するようにする．

〔注意事項〕 歯髄電気診の解釈として，歯髄充血または急性単純性歯髄炎では正常値より低い電流で痛みが起こり，急性化膿性歯髄炎の末期，慢性歯髄炎では正常値よりも高い電流で痛みが起こる傾向にある．しかし，歯髄疾患の鑑別診断はできないし，反応がないからといっ

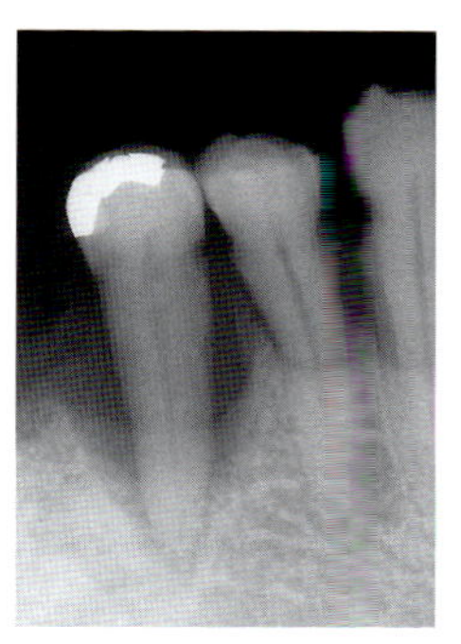

図 4-18　平行法によるエックス線画像
5|の歯槽骨吸収が著しい.

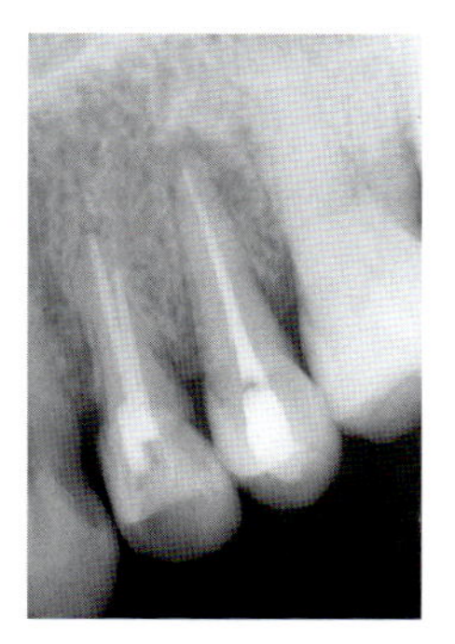

図 4-19　遠心側からの偏心投影法によるエックス線画像
|4 が 2 根管であることがわかる.

て失活歯であるとは必ずしも断定できない.

❼ 透照診

透照診 transillumination test とは，唇（頬）側または舌側から歯に強い光を当てて透過させる検査法である．唇（頬）舌間の厚みが薄い前歯部が主たる対象となるが，臼歯部でも隣接面など判別できる場合がある．健全なエナメル質では，光をよく透過させるので明るく見え，たとえば隣接面のエナメル質齲蝕などでは光が散乱するので暗く見える．主に隣接面齲蝕や歯冠部の破折，または亀裂の検査に有効である．また歯質の厚みが薄い場合，つまり比較的大きな歯髄腔を有する若年者の場合には，正常歯髄であれば明るくピンク色に透けて見え，反対に歯髄壊死であれば暗く不透明な暗影として観察されるので有用な場合がある．

❽ エックス線検査

エックス線検査 radiographic examination は，歯内治療においては必須の検査である．視診では確認できない歯根，根管，根尖歯周組織，歯槽骨の状態などが判明する．しかし，エックス線画像はもともと三次元的なものを二次元的に投影しているので，エックス線検査の限界を知っておくことも大切である．

歯のエックス線画像の撮影には，一般的には等長撮影法（二等分法）または平行法（**図 4-18**）を，そして隣接面齲蝕の有無を検査する場合は咬翼法を用いる．また，根管が重なるような場合には，近心または遠心側から撮影する偏心投影法（**図 4-19**）を用いる．

検査項目として，歯根膜腔の状態，歯槽硬線（白線）の状態，歯根および根管と髄室の状態，根尖部透過像または不透過像の有無，齲窩の有無および齲窩と歯髄腔との関係，歯根の長さと彎曲度，根管の太さと根尖部の完成度，歯槽骨の高さを含む歯周病の進行程度，石灰変性や象牙質粒の有無，生活断髄法後に形成されるデンティンブリッジの有無，内部または外部吸収の有無，根管充填の状態などを確認する．

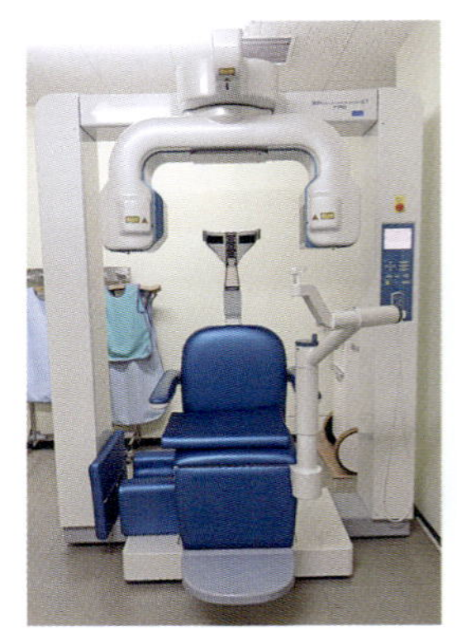

図 4-20　歯科用 CBCT 装置の例

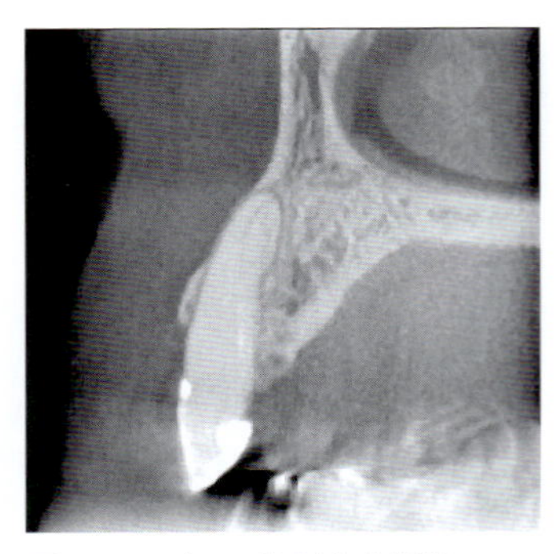

図 4-21　⌊1，歯列直交断像
唇側の根尖部には歯槽骨がほとんどない状態である（フェネストレーション）.

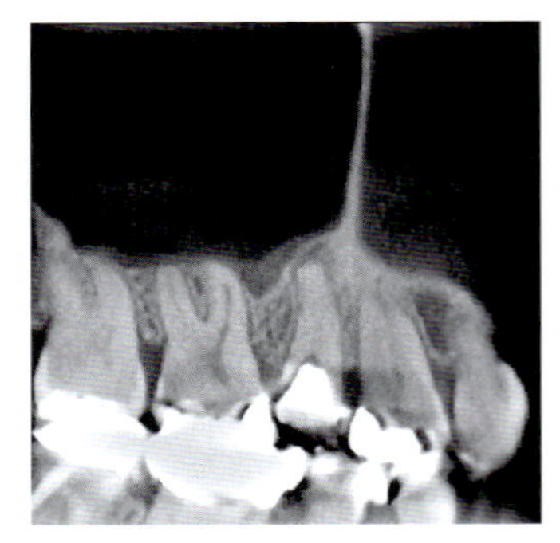

図 4-22　7654⌋，歯列平行断像
根尖と上顎洞底との位置関係がよくわかる.

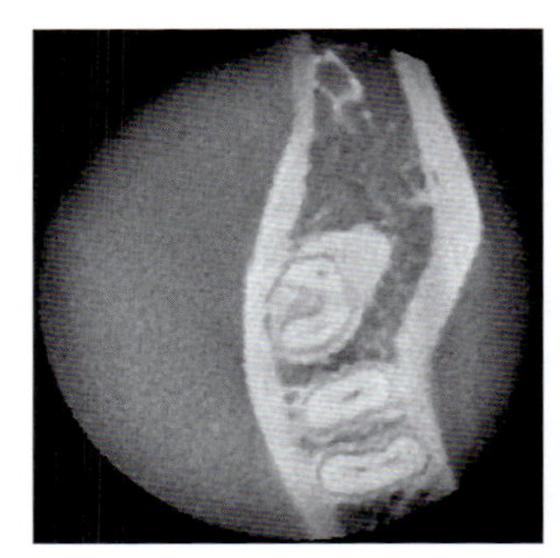

図 4-23　⌈67，横断像
⌈7 が樋状根であることがわかる.

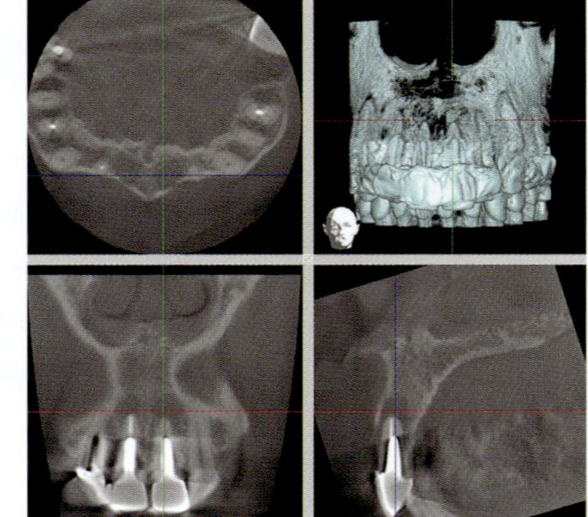

図 4-24　歯科用 CBCT の各断面

横断像	三次元像
歯列平行断像	歯列直交断像

近年，歯科用コーンビーム CT（CBCT）（**図 4-20**）が普及してきている．特長として，照射野を小さくすることで被曝線量を大幅に低減できる，解像度の高い小型の二次元検出器を使用することで高い空間分解能を得ることが可能となり，三次元的に診断できる，などがあげられる．パソコンなどで専用ソフトを使用することによって，歯列直交断像（**図 4-21**），歯列平行断像（**図 4-22**），横断像（**図 4-23**）を同時に連続的に変化させながら観察することができる．3 つの動画を同時に見ている感覚である．また，多断面再構成で三次元的に観察することもできる（**図 4-24**）．この三次元の画像もパソコン上では方向を自由に変更できる．しかしながら，歯科用金属や体動による偽像，撮影範囲と軟組織の診断が限定的であることなどの欠点があるとされる．

歯内治療への応用として，フェネストレーション fenestration（開窓）の診断，複根歯の各根における根尖病変の診断，歯根破折の診断，歯根尖切除法施行前における診断などに有用であり，特に根管の数や走行，根尖病変の広がりを三次元的に観察できる．

⑨ 麻酔診

放散性の自発痛を呈する急性歯髄炎においては，痛みの定位が悪いために患歯の同定が困難なことがある．そのような場合に疑わしい部位に局所麻酔を施し，患歯を診断する方法が麻酔診 anesthetic test である．麻酔により疼痛が消失すれば，麻酔が奏効している範囲内に患歯が含まれると推定される．通常の根尖部における粘膜下注射法や骨膜下注射法ではなく，患歯の歯根膜内注射法を行うと，麻酔の奏効範囲が狭まりさらに有用である．ただし，いったん麻酔を行うと，打診や温度診などの疼痛反応を調べる他の検査が麻酔の奏効がなくなるまではできなくなるので，できるだけ最後に行うようにする．なお，麻酔診は非歯原性疼痛の診断に用いることもある．

⑩ 切削診

切削診 test cavity とは，歯をバーで切削したときに生じる疼痛の有無により歯髄の生死を判定する検査法である．実際に歯を切削するため，非可逆的な侵襲を加えることになるので，歯髄電気診や温度診を行った後，最後の手段として行う検査法である．切削する部位は，失活歯であった場合に根管治療を行うことを想定して，前歯部なら舌側から，臼歯部なら咬合面から行う．

⑪ 楔応力検査

歯に亀裂や破折が疑われる場合に，木片などを咬ませて調べる検査法である．亀裂や破折がある場合，同部の離開により鋭い痛みが生じるので患歯を特定することが容易になる．

⑫ 嗅　診

歯髄の腐敗分解によって生じた硫化水素，アンモニア，メタン，メルカプタン，インドール，スカトールは悪臭，壊疽臭（腐敗臭）を発する．これらの揮発性物質の有無，程度，性状などを嗅ぎ分けて調べる検査法が嗅診 smelling test である．

⑬ 歯髄疾患に特有な検査

歯髄疾患では，歯髄壊死・壊疽を除いてその患歯は生活歯である．そのため，歯髄が生活しているのか，失活しているのかは大変重要である．歯髄の生死を判定する検査法には温度診，歯髄電気診，切削診がある．この3つをあわせて歯髄の生活試験とよぶ．このなかで温度診は単に歯髄の生死を判定するだけではなく，誘発痛の持続時間（おおむね1分以上）を測定することにより急性症状の有無も判定できる．このほかにも，探針を用いた触診では象牙質が露出している生活歯ならば知覚を感じることが多いので，判定できる場合がある．露髄を伴う歯髄炎では赤色の歯髄組織を視診で確認できる．前歯部で唇舌（口蓋）の厚みが薄い場合には，生活歯髄では歯髄が歯質を通してピンク色に見えるが，失活歯では不透明な暗色を呈するので透照診で判別できる場合がある．急性歯髄炎の初期の場合では打診に対して反応しないが，進行してくると，打診に対して敏感になる．慢性歯髄炎では打診に対して反

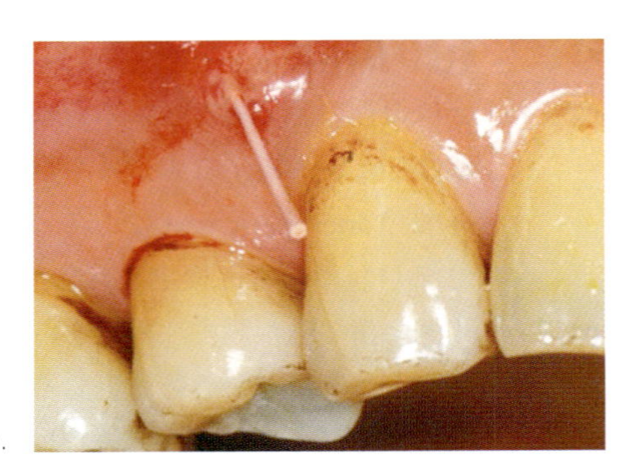

図 4-25　瘻孔のある症例
瘻孔からガッタパーチャポイントを挿入している.

応がないか，あっても違和感程度である.

歯髄の痛みは一般的に定位が悪い（患者が患歯を特定しにくい）とされ，患歯を特定する検査法（打診，麻酔診など）は重要である．歯冠部の変色により赤色を帯びている場合は内部吸収を疑う（ピンクスポット）．歯髄充血や急性歯髄炎では冷温刺激（一方または両方）に敏感に反応するが，慢性歯髄炎では反応が鈍い．歯髄電気診に対する反応は閾値が低下する場合（歯髄充血，急性単純性歯髄炎）や上昇する場合（急性化膿性歯髄炎の後期や慢性歯髄炎）があるが，確定診断をすることはできない．歯髄疾患では，急性壊疽性歯髄炎と歯髄壊疽では腐敗臭がするが，それ以外では腐敗臭はしない．腐敗臭がして急性症状があり生活歯であれば急性壊疽性歯髄炎で，腐敗臭があるが急性症状がなく失活歯ならば歯髄壊疽である.

⑭ 根尖性歯周疾患に特有な検査

根尖性歯周疾患では歯髄は失活しており，歯髄の生活試験には反応しない．しかしながら，温度診（特に温刺激の場合）を行う際に注意しなければならないことは，歯そのものは反応しないが，周囲の組織が反応する場合があることである．根尖性歯周炎の痛みは一般的に定位がよい（患者が患歯を特定しやすい）とされ，患歯を特定するのは容易な場合が多い.

視診では変色を伴うことが多いが，変色しているからといって失活歯とは限らない．根尖部に炎症を伴うため，根尖部相当歯肉に発赤，腫脹，または瘻孔がみられることが多いので，視診で見落とすことがないようにする．瘻孔がある場合には，患歯（部位まで含む）を特定するため瘻孔から造影性のあるガッタパーチャポイントなどを挿入してエックス線検査を行う（瘻管造影，**図 4-25**）.

触診では，根尖部相当歯肉の腫脹や圧痛，組織の性状を診察する．急性化膿性根尖性歯周炎では波動を触れるかどうかが，切開・排膿させる目安になるので大切である．また，羊皮紙様感があれば歯根嚢胞が疑われ，捻髪音がすれば皮下気腫が疑われる．根尖性歯周炎では，頸部，オトガイ部，顎下部のリンパ節の触診が重要で，急性炎症の場合には軟性で圧痛があり，慢性炎症の場合では硬性で圧痛がないことが多い.

根尖性歯周疾患が進行して根尖部の周囲組織の破壊がある程度進んだ場合，打診音が濁音になる場合がある．骨性癒着では金属音を呈する.

急性化膿性根尖性歯周炎では，歯根膜の炎症の程度により著明な動揺が発現することがある．その場合は，急性炎症がある程度治まってから改めて歯の動揺度検査を行う必要がある．

根尖性歯周疾患はエックス線検査で透過像として発見されることが多い．エックス線画像上の変化として，根尖部ではまず歯根膜腔の拡大がみられ，次に歯槽硬線の消失がみられる．そして化膿性炎の場合，境界が不明瞭な（びまん性）透過像になり，歯根肉芽腫や歯根嚢胞では境界が明瞭な透過像を呈する．

感染根管治療時には臭いがすることが多いので，嗅診は根尖性歯周疾患の検査では有用な場合が多い．根管（髄室）を開放したとき，また根管内に貼付したペーパーポイントの臭いで根管内の状態の変化を確認する場合に嗅診を行う．しかし，根管内には腐敗臭を出さない細菌もいるので，感染の有無を臭いだけで確実に判定することはできない．

その他の検査法として，根管滲出液を採取しギムザ染色して行う細胞診（細胞検査）や，急性化膿性根尖性歯周炎の骨内期から骨膜下期にかけては全身の倦怠感から発熱を伴うことがあるので，体温測定をして変動を検査する方法がある．

（木村裕一）

Ⅲ　無菌的処置法

歯内治療の対象となる疾患の大多数は，歯に存在する病原性微生物により引き起こされる．また歯髄壊死や抜髄後の根管内は，生体の有する免疫機構が及ばない空間となる．一方，口腔内には多種多様の微生物が存在しているため，歯内治療で目標とされる根管内の無菌化を達成するためには，無菌的処置が必須である．患歯を局所的な無菌的環境下において治療を行うために不可欠なのが，ラバーダム防湿と緊密な仮封，そして使用器具・器材の適切な滅菌・消毒である．また，本来医療を提供すべき病院・診療所において患者や医療従事者が感染することは，あってはならないことである．本項では局所的な無菌的処置法に加え，院内感染予防対策についても概説する．

❶　患歯の無菌的処置法

1）ラバーダム防湿

ラバーダム防湿 rubber dam isolation technique は歯内治療を無菌的に処置するうえで必須であり，唾液による窩洞や髄腔の汚染防止のみならず多岐にわたる効果が得られるが，注意を要する点もある（**表 4-1**）．患歯の汚染防止や周囲軟組織の保護のため，通常は治療開始時にラバーダムを装着する．しかし，歯冠崩壊が著しい際には隔壁形成の後に装着する．また，ラバーダム防湿後では歯軸方向の確認が困難となり，偶発的穿孔などの恐れがある場合には，先に髄腔穿孔を行った後，すみやかにラバーダム防湿を行い以降の処置へと進むこともある．ラテックスアレルギーを有する患者には，ノンラテックス製のラバーダムシートを用いる．口呼吸を妨げるため，鼻呼吸が困難な患者には使用できない．患者の不快感には配慮が必要だが，実際には歯科医師が懸念するほどではないことや，安心感からラバーダム

表 4-1　ラバーダム防湿の利点・欠点

利点	欠点
唾液内の微生物による窩洞や髄腔の汚染防止 治療対象歯の乾燥状態の保持 患歯の明示 治療に用いる薬液の漏洩防止 治療用小器具の誤飲・気管内吸引防止 周囲軟組織の保護	患歯の歯軸方向の不明確化 不快感をもつ患者には使用困難 ラバーダムシートによるアレルギー反応 鼻呼吸が困難な患者には使用困難

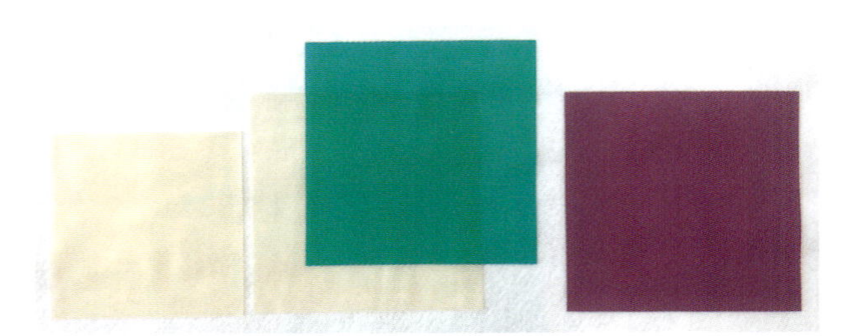

図 4-26　各種サイズ・色・素材のラバーダムシート

防湿下での処置を希望する患者も多いとの報告がある．ラバーダム防湿により根管治療の成績が向上することも報告されており，可能なかぎり使用すべきである．

(1) 使用器具・器材および材料

a. ラバーダムシート（図 4-26）

サイズは大（6×6 インチ）と小（5×5 インチ）があり，成人と小児で使い分ける．厚さも数種類（0.18 ～ 0.25 mm）ある．色調も無着色の他に数種あり，患歯の明示には濃色のものが有利である．香料によりラバー臭を軽減した製品もある．ラテックス（天然ゴム）製のほか，ノンラテックス（シリコーンラバー）製のものやパウダーフリーのものがある．

b. ラバーダムクランプ（図 4-27）

歯にラバーダムシートを保持させるための金属製の器具である．歯種別にさまざまな形状・大きさのものや有翼型と無翼型があり，装着する歯に応じて使い分ける．

c. ラバーダムフレーム（図 4-28A）

ラバーダムシートに張力をかけて患歯を明示する．金属製の Young のフレームが広く普及しているが，エックス線を透過するプラスチック製フレームも存在する．

d. クランプフォーセップス（図 4-28B）

ラバーダムクランプを歯に装着する際に使用する．

e. ラバーダムパンチ（図 4-28C）

ラバーダムシートに歯を通す小孔を開けるために使用する．先端のターレットを回転させ，装着する歯に適した孔径を選択する．

f. デンタルフロス

誤飲・気管内吸引防止のためラバーダムクランプに結紮する．また，歯に装着したラバー

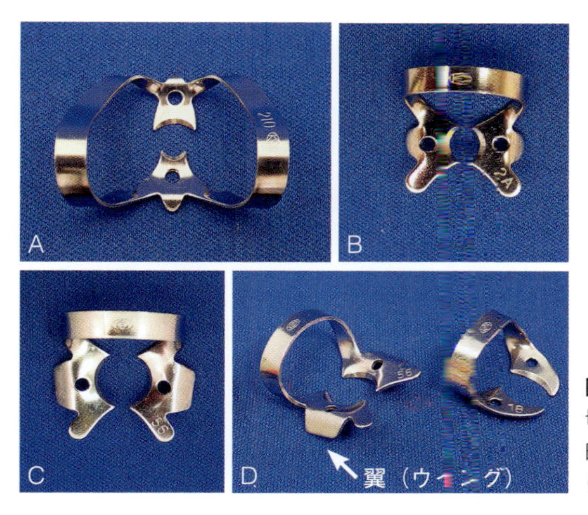

図 4-27　各種ラバーダムクランプ例
切歯用（A），小臼歯用（B），大臼歯用（C），大臼歯用クランプの有翼型（左）と無翼型（右）例（D）．

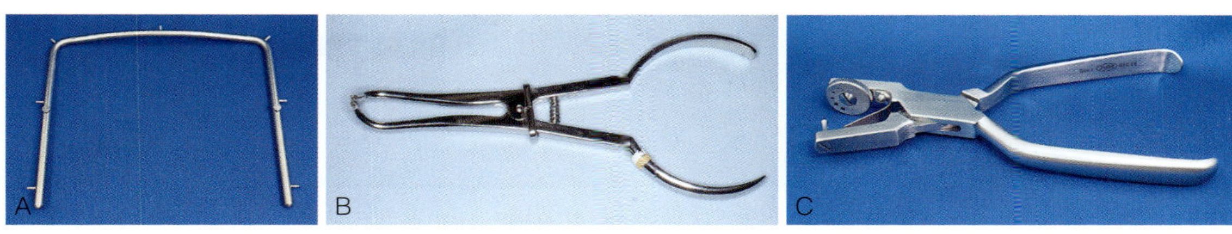

図 4-28　ラバーダムフレーム（Young 型）（A），クランプフォーセップス（B），ラバーダムパンチ（C）

ダムシートを，隣接面の接触点を通して密着させるために使用する．複数歯にラバーダム防湿を行う際には，ラバーダムクランプを装着しない歯に結紮してシートの脱離を防ぐ．

g. その他

① 空隙封鎖材（コーキング材）：患歯とクランプやラバーダムシート間の微少空隙を封鎖し，漏洩防止を確実にするために使用する．

② ラバーダムテンプレート：ラバーダムシートの標準的な穿孔位置が標記されており，シート穿孔位置の目安とする．

③ ラバーダムナプキン：ラバーダムシートにアレルギーがある患者や不快感を抱く患者に使用する．ラバーダムシートの下に装着し，シートが直接肌に触れないようにする．

④ 排唾管：患者の口腔内に溜まる唾液を排除するために，必要に応じて使用する．

(2) 装着手順（有翼型ラバーダムクランプ使用時）

① 装着対象の歯を清掃する．

② 適切なラバーダムクランプを選択し，フロスで結紮した後クランプフォーセップス先端をラバーダムクランプの穴に入れて保持し，クランプを開きながら対象歯に試適した後，安定性を確認する（図 4-29A）．

③ ラバーダムパンチのターレットを回転させて対象歯に適した大きさの孔径を選択し，ラバーダムシートを穿孔する（図 4-29B，C）．

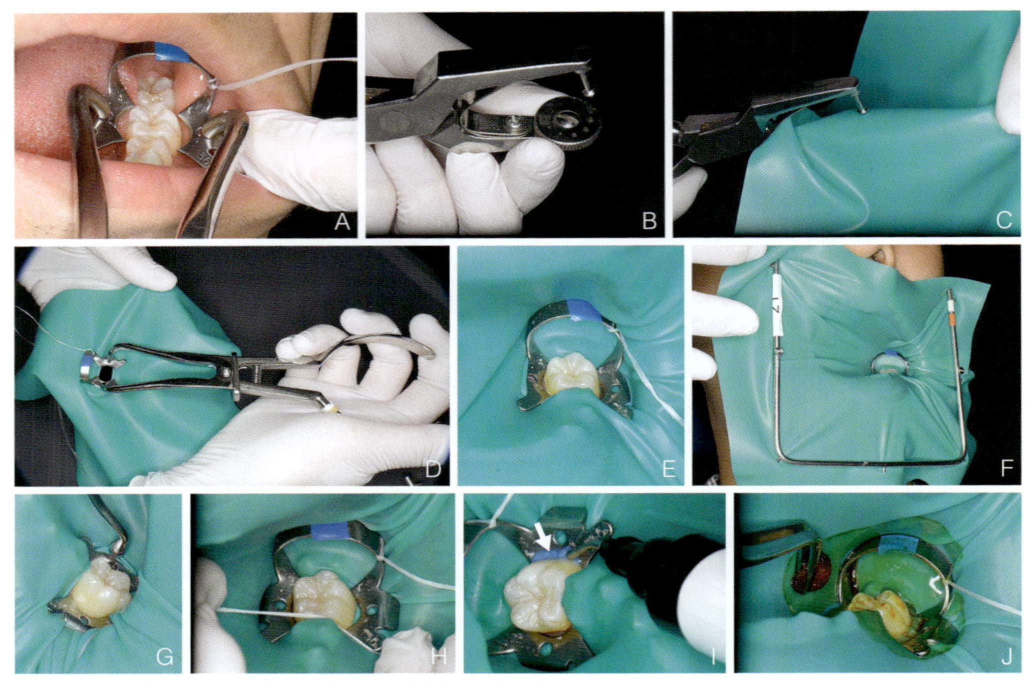

図 4-29　ラバーダム防湿法の手順（下顎左側第一大臼歯）

④ 穿孔部に②で試適したラバーダムクランプの翼部（ウイング）を挿入する（**図 4-29D**）.

⑤ ラバーダムシートを装着したラバーダムクランプを，②と同様にクランプフォーセップスを用いて対象歯に装着する．この際，歯肉を挟まないように注意する（**図 4-29D，E**）.

⑥ ラバーダムフレームをラバーダムシートに装着する（**図 4-29F**）.

⑦ ラバーダムクランプの翼部にかかるラバーダムシートを，錬成充塡器など先のとがっていない器具で外す（**図 4-29G**）.

⑧ デンタルフロスを用いて，ラバーダムシートを隣接面接触点下へ挿入する（**図 4-29H**）.

⑨ 歯とラバーダムシートの間に空隙がないか確認する．空隙があればコーキング材により封鎖する（**図 4-29I**）.

⑩ 装着歯と周囲のラバーダムシートを消毒薬（ポビドンヨード，エタノールなど）で清拭する（**図 4-29J**）.

⑪ 必要に応じて排唾管を口角部より挿入する.

2）隔壁形成（図 4-30）

患歯の歯冠が崩壊し残存する健全歯質が不十分であればラバーダムクランプが装着困難であり，装着可能であっても封鎖が不確実になる．このような症例ではラバーダムクランプ装着前に歯冠部に暫間的な修復を行い，歯冠周囲に壁を形成する（隔壁形成）．隔壁形成によりラバーダム防湿が可能となるだけではなく，仮封時の封鎖性の向上も期待できる．通常，コンポジットレジンを用いる.

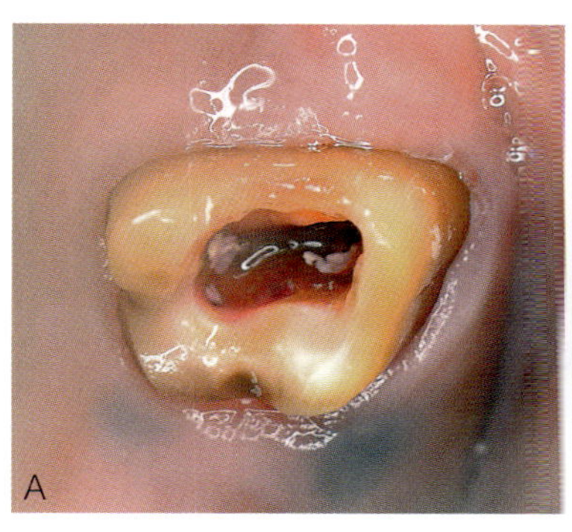

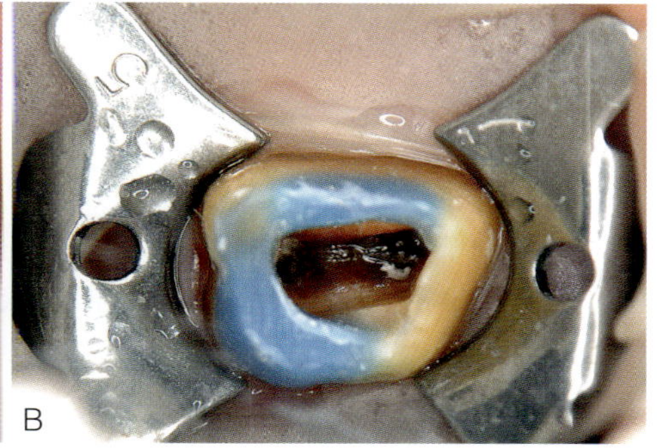

図 4-30　隔壁形成
近心および頬側から遠心にかけて歯質欠損（A），隔壁形成後にラバーダム防湿（B）．

(1) 隔壁形成の手順

① 修復物や補綴装置除去後，感染象牙質を完全に除去する．
② 根管にボンディング材やコンポジットレジンが侵入しないよう，根管口および髄室をテンポラリーストッピングや水硬性セメントなどで封鎖する．
③ 接着処理後，コンポジットレジンにより歯冠周囲に隔壁を築盛する．
④ 各種回転切削器具・機械にて形態修正および研磨を行う．

❷ 感染予防対策

1）スタンダードプリコーション

院内感染とは医療機関において，患者が原疾患とは異なる感染症に罹患することおよび医療従事者が感染症に罹患するものであり，患者—患者間や患者—医療従事者間で直接，または器具・器材や環境などを媒介して発生する．医療機関での感染予防対策として，米国疾病管理予防センター（CDC）が1997年に発表したスタンダードプリコーション standard precautions（標準予防策）が基本となっており，この概念を歯科臨床に応用した「歯科臨床における院内感染予防ガイドライン」が同じくCDCより2003年に発表された．これはすべての患者の汗を除く湿性生体物質を感染防止のため隔離することを主目的としており，バリアーテクニックや治療用器具・器材の取り扱いなどについて記載がなされ，歯科における院内感染対策の骨格となっている．歯科臨床の場では問診にて患者の感染症への罹患状態を把握することは困難であることが報告されており，すべての患者で一様にリスクがあるとみなし対策をとらねばならない．

2）バリアーテクニック

歯内治療では術者や介助者が血液や体液に直接触れ，またそれらが飛散する環境が不可避であるため，患者由来の湿性生体物質と医療従事者との接触を隔離するバリアーテクニックが必要である．

(1) 個人用防護具（PPE）の使用

治療の際に医療従事者は個人用防護具（PPE）の使用を徹底する．具体的には手袋，サージカルマスクおよびゴーグルを装着し，必要に応じてフェイスシールドやサージカルキャップ，さらに衣服汚染を防ぐためのディスポーザブルガウンを装着する．なお処置の前後には必ず衛生的手洗いを行い，アルコールベースの速乾性擦り込み式手指消毒剤を使用する．また，使用後の PPE は感染性廃棄物として適切に処理しなければならない．

(2) 機材のバリアーテクニック

治療の際に汚染しやすいが，患者ごとに交換することが不可能な機材（チェアユニットのブラケットテーブル，手指操作型のスイッチ類，各種ハンドピースのホース類，ヘッドレストおよび無影灯や歯科用実体顕微鏡の操作ハンドルなど）は，患者ごとに消毒薬で清拭する．バリアフィルムテープや専用シートを用いてラッピングを行うことが望ましい．治療中に術者および介助者は，患者の血液や体液に触れた手指で，これらの機材のラッピングされていない部位には触れない．治療後は患者ごとにラッピング材を破棄し，機材を消毒薬で清拭する．

3）エアロゾル対策

回転切削器具・機械による歯の切削や超音波振動装置の使用時，エアーシリンジの使用などによりエアロゾルが発生するため，吸入による感染の恐れがある．バリアーテクニックの徹底に加え，診療室の換気が推奨される．また，口腔外バキュームの使用はエアロゾルを吸引し減少させるため，有効である．ラバーダム防湿もエアロゾル対策として有効である．

4）歯内治療に用いる器具・器材の滅菌・消毒

治療に使用した器具・器材は，単回使用後廃棄するディスポーザブル製品を除いて感染リスク別に適切な滅菌・消毒処理を行う必要がある．感染リスクを考慮するうえでは Spaulding による 3 つの分類が有効である（**表 4-2**）．院内感染予防の観点のみならず，歯内治療では患者口腔内の常在微生物群の患歯への侵入防止のために無菌的処置が必要であることから，歯内治療に用いる器具・器材の多くは使用後に滅菌が必要となる（**表 4-3**）．器具・器材の滅菌・消毒にあたっては，処理の際の感染曝露による危険性の低減や，付着したタンパク質成分などによる処理効果の減少を防ぎ滅菌・消毒を効果的かつ効率的に行うため，使用直後のすみやかな洗浄が望ましい．ブラシやスポンジを使用する用手洗浄，酵素系洗浄剤などへ浸漬する浸漬洗浄，そして機械を使用し超音波，水圧，高温水や洗浄剤により器材を洗浄する機械洗浄を単独または組み合わせて用い，器具・器材に付着した血液や体液を分解・除去したうえで，滅菌・消毒処理を行う．

(1) 滅菌

滅菌 sterilization とは有害・無害を問わずすべての微生物（細菌，芽胞，真菌，ウイルスなど）を殺滅または除去する操作であり，日本薬局方では微生物の生存確率が 100 万分の 1 以下となることと定義されている．滅菌法は器具・器材の性質や構造，耐久性，また安全性

表 4-2　患者診療器具・器材の感染管理カテゴリー分類（Spaulding の分類）

リスク分類	定義	処理方法
クリティカル（危険器具）	軟組織を貫通し無菌の組織や血管に挿入もしくは接触するもの	滅菌
セミクリティカル（準危険器具）	粘膜あるいは損傷のある皮膚に接触するが，軟組織を貫通しないもの	滅菌 高水準消毒
ノンクリティカル（非危険器具）	損傷のない皮膚に接触するもの	中水準消毒 低水準消毒

表 4-3　歯内治療で用いる器具・器材の処理法

処理方法	対象器具・器材
滅菌	基本セット類，バキュームチップ，回転切削用バー・ポイント類，エアータービンおよびマイクロモーター用ハンドピース，根管切削器具，根管充填用器具類，ラバーダムクランプ，注射器，外科用手術器具類など
中水準消毒	ラバーダム用器具（クランプを除く），練和用スパチュラなど
低水準消毒	チェアユニット，無影灯，血圧計，パルス酸素濃度計など

や経済効率を考えて選択する．

a. オートクレーブ（高圧蒸気滅菌）

高圧蒸気滅菌器を用いて滅菌する方法で，熱に耐性をもつ器具・器材の滅菌方法として多用される．熱変成しない液体も滅菌可能である．密閉チャンバー内で通常 121 ～ 134℃の温度と 2 気圧以上の圧力の飽和水蒸気により 8 ～ 20 分間加熱し滅菌する．

b. エチレンオキサイドガス（EOG）滅菌

45 ～ 60℃の EOG によりタンパク質を変性させ，微生物を殺滅する．オートクレーブに耐えられない，耐熱性や耐湿性に劣るプラスチックやゴム製の器具・器材の滅菌に使用される．EOG は発癌性や催奇形性などの生体毒性があるため，作業環境評価基準を遵守し環境整備を要する．また滅菌処理後の残留 EOG 除去（エアレーション）を数日～ 1 週間程度かけて行う必要がある．

c. 過酸化水素低温プラズマ滅菌法

EOG 滅菌の代替法として，EOG 滅菌の対象であった器具・器材の滅菌に使用される．過酸化水素ガスに高真空下で高周波やマイクロ波のエネルギーを付与し，プラズマ化した過酸化水素により生じた反応性が高いラジカルにより微生物を殺滅する．滅菌処理後，ガスは水と酸素となるため器具・器材中に薬剤は残留せず，エアレーションは不要である．真空に耐えられないものや水分・空気を多く含むもの，セルロース製品などは適用外である．

d. その他

160 ～ 200℃の高温で 30 分～ 2 時間かけて滅菌する乾熱滅菌法，放射線滅菌・電子線滅菌など（主に産業用）がある．

(2) 消毒

消毒 disinfection とは，生存する微生物の数を減らすことで病原性微生物を害のない程度にまで減少させるか，感染力を失わせることで無害化させることである．滅菌とは異なり，すべての微生物を殺滅・除去するものではない．そのため芽胞や一部の細菌，ウイルスなど効果が及びづらい対象微生物もある．消毒法には消毒薬を用いる化学的消毒法と，熱や高圧，紫外線などを用いる物理的消毒法がある．

a. 化学的消毒法

消毒薬は抗微生物スペクトルにより高水準消毒薬，中水準消毒薬，低水準消毒薬に分類される．消毒薬ごとに性質や使用法が異なるため，適正な薬剤を選択し使用法を守らなければ期待する効果を得られないだけでなく，使用者の健康被害，さらには環境汚染を引き起こす可能性もある．なお，消毒薬の効果は薬液濃度，接触時間，温度に影響されるため，使用条件を満たしていなければならない．

歯科用器具・器材ならびに手指の消毒に用いられる消毒薬は，中水準消毒薬として次亜塩素酸ナトリウム，アルコール（エタノール，イソプロパノール），ヨード系薬剤（ポビドンヨードなど），また低水準消毒薬としてベンザルコニウム塩化物，クロルヘキシジングルコン酸塩などがある（根管の化学的清掃に用いられる消毒薬は第 7 章「根管処置」参照）．

b. 物理的消毒法

ウォッシャーディスインフェクターは強力な水圧と熱水により洗浄・消毒が可能な機材であり，80℃，10 分間以上の処理により消毒が可能である．紫外線消毒法は紫外線を照射することで細菌の核酸に損傷を与える効果が期待されるが，紫外線の影となる部位には効果がなく，主に滅菌物の保管庫に用いられる．煮沸消毒は沸騰水中で 15 分以上煮沸するものだが効果が不十分なため，現在医療機関では使用されない．

5）その他の感染予防対策

チェアユニットでは通常，水道水が使用される．治療が行われない夜間や休日に長期間滞留している水は，水道水にふくまれる塩素濃度が減少することで細菌が増殖する．これらの滞留水による汚染防止に，治療開始前準備としてタービンホースやコップ給水口などから水を一定時間排出すること（フラッシング）が推奨されている．

治療前の患者によるポビドンヨードなどの薬剤による洗口も，口腔内微生物を減少させ院内感染予防に有効である．また不適切な抗菌薬使用による薬剤耐性菌の増加による院内感染が問題視されており，必要性の薄い抗菌薬の使用や抗菌スペクトルを考慮しない薬剤選択を避ける必要がある．

（諸冨孝彦）

Ⅳ 麻酔法（除痛法）

歯髄保存療法において象牙質を切削する際や，抜髄法において歯髄に直接的な処置を行う際は，歯髄が強く反応し，疼痛を伴う場合が多く，除痛法 pain control が必要となる．根尖性歯周疾患においても，外科的歯内治療時，あるいは急性期の応急処置において，痛みへの対応が必要となる．

処置を受ける患者は痛みに対して強い不安感や恐怖心を抱いており，適切な除痛法によってそれらを取り除く必要がある．無痛的な治療を行うことは，患者との信頼関係の構築に重要であり，円滑な歯科治療に結びつく．これに対し，過度の疼痛ストレスは患者の体調不良につながる場合があり，高齢者や有病者に対しては特に注意が必要である．

歯内治療における麻酔法には，全身麻酔法 general anesthesia と局所麻酔法 local anesthesia の両法が応用されるが，局所麻酔法で対応できるケースがほとんどである．局所麻酔法には表面麻酔法，浸潤麻酔法，伝達麻酔法があり，疼痛の程度，治療範囲・部位などで選択，併用する．いずれを実施する場合においても，医療面接において麻酔の経験，局所麻酔薬（防腐剤）に対するアレルギーの有無，配合されている血管収縮薬によって影響を受ける全身疾患の有無，全身状態などを把握し，実施の可否と麻酔薬の選択について検討する必要がある．心血管疾患，あるいはアドレナリンの影響を受けやすい糖尿病，甲状腺疾患には特に注意が必要である．

1）表面麻酔法 surface topical anesthesia（図 4-31A）

乳歯抜歯などで応用される場合もあるが，歯内治療では，主に注射針の刺入時の疼痛に対する除痛法として応用する．軟膏，ゼリー，スプレー状の麻酔薬を，刺入点粘膜上に貼付，あるいは噴霧することで，注射針刺入時の疼痛緩和をはかる．急性根尖性歯周炎の応急処置として，切開・排膿を行う際に応用する場合もある．

2）浸潤麻酔法 infiltration anesthesia

麻酔薬を組織内に浸潤させて神経終末を麻痺させる方法である．局所麻酔薬はカートリッジにあらかじめ充填されており，麻酔薬の種類（表 4-4）や容量を選び，使用する．注射器は医科用のものと異なり，注射法によっては強圧を必要とするため，押し子（プランジャー）を人差し指と中指の間に押し込めるような金属製の注射器を使用する（図 4-32）．また，現在では，歯科用の電動注射筒も広く普及している（図 4-33）．これは，麻酔薬の注入速度と注入圧を一定に保ち，注入量もコントロールできる利点がある．これによって，過度な麻酔薬注入圧を避けることができ，麻酔時の疼痛を軽減できる．

浸潤麻酔法には以下の方法がある．

(1) 粘膜下注射法 submucous injection（図 4-31B）

根尖部の骨膜から離れた粘膜下組織内に注射針を入れ，麻酔薬を注入する．歯槽骨の薄い上顎や下顎前歯部に用いる．注射針のカット面は骨面に向くように刺入する．

(2) 傍骨膜注射法 paraperiosteal injection（図 4-31C）

根尖部の骨膜に沿わせるようにして注射針を入れ麻酔薬を注入する．歯槽骨の薄い上顎や下顎前歯部に用いる．

(3) 骨膜下注射法 subperiosteal injection（図 4-31D）

根尖部の骨膜下に注射針を入れ，歯槽骨外壁面にある骨小孔から歯槽骨内部へ麻酔薬を注入させる．歯槽骨の厚い下顎臼歯部に用いる．

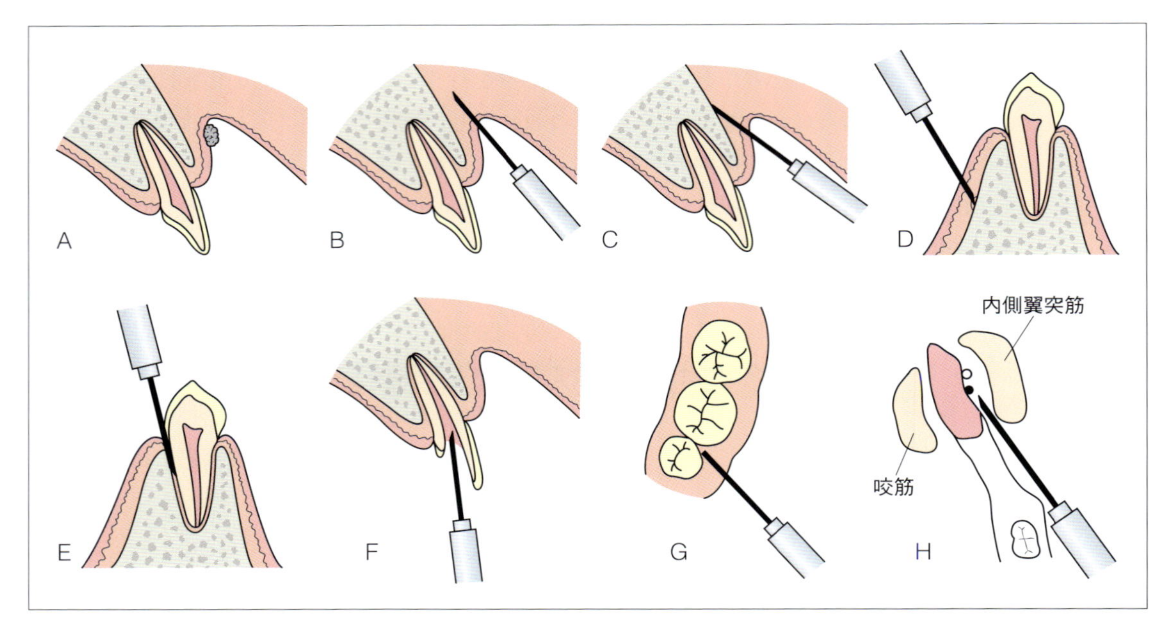

図 4-31　局所麻酔法
A：表面麻酔法，B：粘膜下注射法，C：傍骨膜注射法，D：骨膜下注射法，E：歯根膜内注射法，F：髄腔内注射法，G：歯間乳頭部への浸潤麻酔，H：下顎孔伝達麻酔法．

(4) 歯根膜内注射法 intraligamental injection（図 4-31E）

注射針を歯根膜内に直接挿入し麻酔薬を注入する．効果はすみやかだが，刺入時に強い痛みを伴う．歯肉溝が不潔な場合，感染が広がる可能性があるので注意を要する．また，麻酔薬の注入にはきわめて高い圧力が必要となるため，専用の歯根膜注射器がある．

歯根膜腔だけに薬剤が投与されるので目的とする歯だけに麻酔効果が得られることから，麻酔診に応用できる．通常より細い注射針を使用すると，効率的に麻酔薬を注入できる場合がある．

(5) 髄腔内注射法 intrapulpal injection（図 4-31F）

注射針を歯髄腔内に直接挿入し麻酔薬を注入する．効果はすみやかで確実だが，刺入時に一瞬の激痛を伴う．抜髄途中に麻酔効果が切れてきた場合などに，ラバーダム防湿下で行える．歯髄腔内の汚染がある症例では，麻酔薬が根尖孔より溢出すると，汚染が根尖孔外に押し出され，感染性の根尖性歯周炎を引き起こすことがある．

(6) 歯間乳頭部への浸潤麻酔（図 4-31G）

歯間乳頭部は骨の小孔が多く，根尖部に比べ，痛点の分布が少ない．このため，歯間乳頭部を浸潤麻酔の刺入点として選択する場合がある．根尖部への浸潤麻酔が奏効しない場合に，乳頭部へ麻酔を追加すると効果が得られるケースがある．一方で，乳頭部は浸潤麻酔に伴う血流障害から術後の潰瘍や炎症が起こりやすく，注意が必要である．また，刺入点が増えると，他の刺入点から注入した麻酔薬の漏出が起こりやすい．

浸潤麻酔法の一般的な注意点としては以下のとおりである．

① 刺入点は消毒し感染に留意すること

表 4-4　麻酔薬の種類

一般名	濃度	血管収縮薬	特徴
リドカイン塩酸塩製剤	2%	アドレナリン	最も頻用 高血圧，糖尿病患者には投与量，投与スピードを制限
プロピトカイン塩酸塩製剤	3%	フェリプレシン	高血圧患者には使用を検討 大量投与は冠動脈を収縮し心機能抑制の危険性
メピバカイン塩酸塩製剤	3%	無	血管収縮薬の投与を避けたい患者に使用を検討 効果持続時間短く，治療中に麻酔効果減弱の可能性

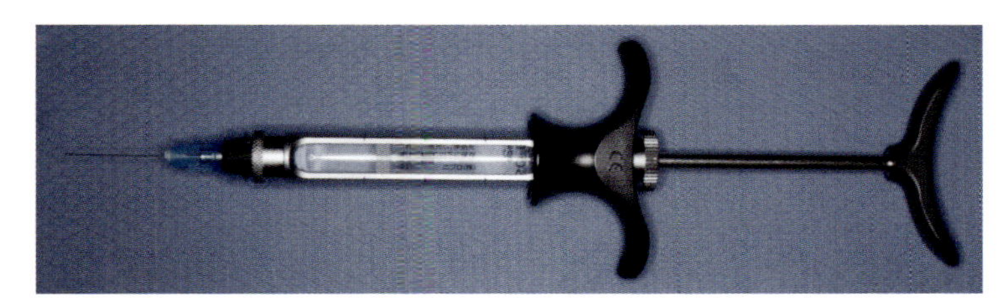

図 4-32　歯科用カートリッジ注射器の例

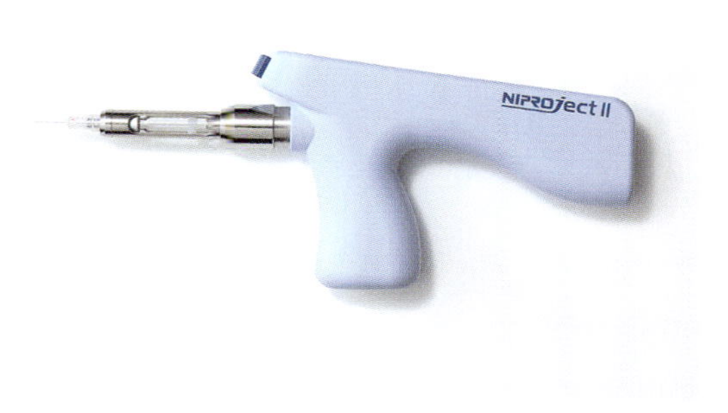

図 4-33　歯科麻酔用電動注射筒の例

② 麻酔薬の注入はゆっくりと行うこと
③ 麻酔薬が冷たくないこと（体温程度がよい）
④ 注入量が適量であること

3）下顎孔伝達麻酔法（図 4-31H）

伝達麻酔法とは，患歯より中枢側の神経幹または神経叢に麻酔を行い，末梢領域の神経を麻痺させようとする方法である．一度の麻酔で浸潤麻酔より広範囲の麻酔効果を得ることができる．伝達麻酔法には，下顎孔伝達麻酔法，オトガイ孔伝達麻酔法，上顎神経前上歯槽枝・中上歯槽枝伝達麻酔法，切歯孔伝達麻酔法などがあるが，最も頻用するのは下顎孔伝達麻酔法 inferior alveolar nerve block である．

下顎孔伝達麻酔法は，三叉神経第 3 枝下顎神経の下歯槽神経を治療部位より中枢側で麻痺させる方法である．下顎枝内面と内側翼突筋および外側翼突筋との間にある翼突下顎隙に麻酔薬を浸潤させ下歯槽神経を麻痺させる．複数歯治療時や，患歯の炎症が強く浸潤麻酔では効果が弱い場合，歯槽骨が緻密で麻酔薬が浸潤しにくい臼歯部の治療の際に用いる．

4）局所麻酔使用時の全身管理

疼痛閾値には個人差がある．また，緊張感や過去の経験といった心理状態，精神状態が麻酔の効果に少なからず影響を与える．内服薬や飲酒も影響する．全身疾患を有する患者，心理的・精神的要因をもつ患者に対しては，麻酔科医の協力を得て，鎮静下，あるいはバイタルサインのモニター下で局所麻酔を使用する必要がある．近年，歯科治療恐怖症患者の受診が増加しており，静脈内鎮静下で治療を行うことで，患者の不安を排除し，安静な状態で歯内治療を実施できる．また，重度の全身疾患，極度の歯科恐怖症患者に対しては，全身麻酔を応用する場合がある．

（辻　則正，前田博史）

第5章 歯髄疾患

I 歯髄疾患の概要

歯髄疾患は，歯髄へのさまざまな刺激によって生じる非特異的な防御機構がもたらす炎症（歯髄炎）が病態の主体である．細菌学的因子が歯髄炎の最も重要な病因であり，その代表的な原因は齲蝕である．

歯髄炎は，その原因となる細菌学的因子が歯冠歯髄に達すると，その部位で限局性の炎症性変化が起こり，臨床症状や組織像を変化させながら，やがて歯根歯髄に炎症が拡大していく．歯髄の急性炎症により，拡張した毛細血管から血液成分の滲出が生じるが，歯髄は周囲を象牙質で囲まれているため，他の組織とは異なり，滲出が進展しても腫脹が起こらないという特徴をもっている．そのため，歯髄内の組織圧は著しく上昇しやすく，その結果として強い痛みが生じ，さらに原因が除去されなければ，組織全体が破壊されて壊死に至る（**図 5-1**）．

歯髄炎は臨床上，可逆性歯髄炎と不可逆性歯髄炎の２つに大きく分類できる．可逆性歯髄炎は，原因を除去することにより歯髄が健康な状態に回復可能な病態であり，不可逆性歯髄炎は，原因を除去しても歯髄が健康な状態には回復不可能な病態である．可逆性歯髄炎では歯髄を保存できるが，不可逆性歯髄炎では歯髄の除去が必要となる．歯髄には，痛覚や免疫反応，栄養供給，象牙質形成といった重要な機能が備わっており，歯の長期間にわたる保存を目的とした歯内治療の観点からは，歯髄は極力保存することが望ましい．したがって，歯髄が可逆性か不可逆性かを正しく鑑別できることは，歯内治療における診断において，非常

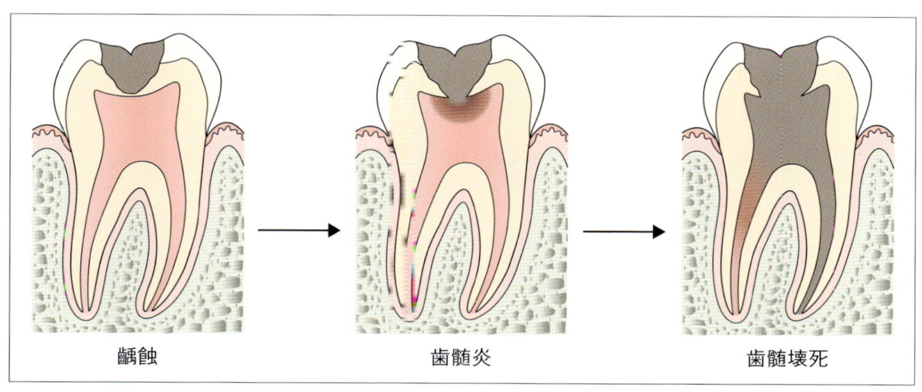

図 5-1 歯髄炎の進展

に重要である．

歯髄炎の主な臨床症状は疼痛であり，その性状や程度などは病態の進展に伴い変化する．現状で可逆性歯髄炎と不可逆性歯髄炎を正確に鑑別診断するためには，医療面接，各種の検査を的確に行い，できるだけ多くの情報を収集することにより，総合的に歯髄疾患の病態を判断することが求められる．しかし，疼痛は患者の主観的な情報であるため個人差が大きく，また病理組織像に一致した臨床症状が必ずしも認められないことから，鑑別診断はしばしば困難となる．

Ⅱ 歯髄疾患の原因

歯髄疾患は，細菌や外力など種々の外来刺激が，傷害性因子として歯髄に影響を及ぼすことによって発症する．傷害性因子が歯髄に到達する経路には，象牙質内の象牙細管を経由する間接的な経路と歯髄組織が口腔内に露出することによる直接的な経路がある．歯髄は外来刺激に対する防御機能を有しているため，刺激の性状や強さ，持続期間などにより，さまざまな病態を呈する．

❶ 細菌学的原因

齲蝕の病変部や非齲蝕性の硬組織欠損〔咬耗，摩耗，アブフラクション（くさび状欠損），破折，亀裂や切削処置など〕，コロナルリーケージ（歯冠漏洩）から生じた細菌性刺激は，歯髄疾患の原因として最も頻度が高い．口腔内常在菌が，象牙細管を経由してあるいは直接的に露髄部に到達して歯髄に影響を与える．細菌自体あるいは細菌が産生する毒素，酸，代謝産物などの細菌性刺激が，歯髄組織に生じる炎症性変化の主因となる．

歯髄への細菌侵入経路には，次の 4 つが考えられる（**図 5-2**）．

① 露髄

② 象牙細管

③ 根尖孔や側枝

歯周ポケット内の細菌が根尖孔や側枝を経由して上行性に歯髄に達する場合がある．

④ 血行性

まれに菌血症により血行性に歯髄への感染を生じる場合がある（アナコレーシス anachoresis）といわれていたが，現在，それを証明できる根拠は示されていない．

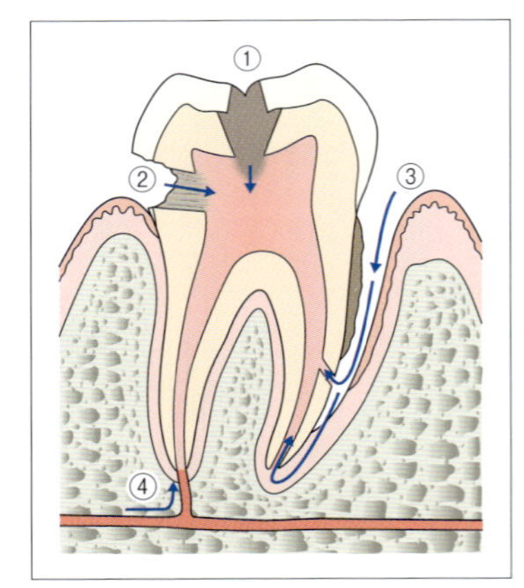

図 5-2 歯髄への細菌侵入経路
①露髄 ②象牙細管 ③根尖孔や側枝（歯周ポケット経由） ④血行性

❷ 物理的原因

エナメル質の欠損や歯根露出後のセメント質の欠損などにより象牙質が露出すると，機械的または温度的な刺激が象牙質を介して歯髄に達する．

1）機械的刺激

(1) 外傷，咬耗，摩耗，歯の破折，亀裂

転倒，スポーツ，交通事故などにより，歯の打撲，破折，亀裂，脱臼などが生じると，歯髄傷害を引き起こすことがある．また，咬耗や摩耗，アブフラクション（くさび状欠損），歯冠部の破折・亀裂などの歯質の病的損傷により，歯髄の傷害が継発することがある．象牙質や歯髄組織が露出した場合には，外力そのものの影響に加えて，象牙細管や露髄部からの細菌性刺激の影響も生じる．また，歯の脱臼では，根尖孔部で歯の栄養血管が損傷または断裂することにより，血流循環障害が起こり歯髄壊死に至ることがある．

(2) 象牙質の切削

象牙質の切削処置により，近傍の象牙芽細胞に損傷が起こり，さらに下層の歯髄組織でも炎症性変化（血管拡張，滲出，炎症性細胞浸潤など）が生じる．また，発熱，振動，象牙質の乾燥なども歯髄に影響を及ぼす．

2）温度的刺激

象牙質切削時の発熱，歯科材料の硬化反応熱，金属修復物の熱伝導などの温度的刺激により歯髄が傷害され，歯髄疾患の原因となることがある．

❸ 化学的原因

歯科材料中の化学物質（各種レジンの未反応モノマーなど）や酸（エッチング材などの歯面処理材など），あるいはフェノール製剤やフッ化ジアンミン銀などの刺激性消毒薬が，象牙細管経由で歯髄を刺激する可能性がある．

❹ その他

ガルバニー電流（異種金属組成の歯冠修復物同士の接触に起因）や気圧の変化（航空機搭乗や潜水などに由来）によっても，歯痛が生じることが知られている．しかし，いずれの場合も歯髄に傷害を引き起こすことは少ないとされている．

Ⅲ 歯髄疾患の分類と臨床症状

歯髄疾患はさまざまな分類が可能であるが，わが国では従来から病理組織学的所見に臨床症状を組み合わせた分類が一般的に用いられている．ただし，臨床の現場で治療に先立ち病理診断を行うことはできないため，歯髄疾患に対する各種の検査結果や自覚症状から，歯髄の病理組織学変化を推定して診断名を決定している．しかし，このような臨床診断と病理診断

表 5-1 歯髄保存の可否に基づく臨床的分類

疾患名	自発痛	誘発痛	露髄	治療法	病理学的所見に基づく臨床的分類
可逆性歯髄炎	なし(間欠性) 牽引性	冷刺激 一過性	なし	歯髄保存療法	歯髄充血 急性単純性（漿液性）歯髄炎の初期
症候性不可逆性歯髄炎	持続性 拍動性 放散性	冷温刺激 持続性	通常あり (不顕性)	抜髄法	急性単純性（漿液性）歯髄炎の後期 急性化膿性歯髄炎 急性壊疽性歯髄炎 上行性歯髄炎
無症候性不可逆性歯髄炎	なし	食片 圧入時	あり	抜髄法	慢性潰瘍性歯髄炎 慢性増殖性歯髄炎
歯髄壊死	なし	なし		感染根管治療	歯髄壊死 歯髄壊疽

とは必ずしも一致しないため，確定診断は困難であり，また臨床的にはあまり有用ではない．

歯髄疾患の診断名は，臨床的には治療方針の決定に大きく関わるものであり，その治療法は大きく歯髄保存と抜髄の２つに分類される．したがって，歯髄保存の可否に基づいた歯髄疾患の分類が，治療法の選択に直結する臨床的に合理的な分類であり，近年わが国でも推奨されている．ただし，可逆性歯髄炎から不可逆性歯髄炎への移行期にある病態を的確に鑑別診断することは，現在でも非常に困難であることは否めない．

本項では初めに，歯髄保存の可否に基づき臨床に即した分類について，診断名とそれぞれの臨床症状，検査所見を述べる．次に，これまでわが国で広く採用されてきた病理学的所見に基づく臨床的分類について同様に概説する．また，両分類を対比して表に示す（**表 5-1**）．

❶ 歯髄保存の可否に基づく臨床的分類

米国歯内療法学会（AAE）の分類による，治療法の選択を前提とした，歯髄保存の可否に基づく臨床的分類を述べる．

1）正常歯髄 normal pulp

臨床症状は認められず，各種歯髄検査に対して正常な反応を示す．歯髄の健全な状態を表す．

2）可逆性歯髄炎 reversible pulpitis

自覚症状と客観的所見から，歯髄の炎症は消退させることが可能であり，正常に回復できる病態を表す．

【臨床所見】

自発痛はなく，一過性の冷水痛，擦過痛，甘味痛などの誘発痛が生じる．痛みは牽引性（ツーンとした鋭い痛み）で，刺激を除去するとすみやかに消退する．通常，露髄はない．

【治療法】

歯髄保存療法が原則である．

3）不可逆性歯髄炎 irreversible pulpitis

自覚症状と客観的所見から，炎症が起こった生活歯髄で，正常歯髄に回復する見込みがない病態を表す．

(1) 症候性不可逆性歯髄炎 symptomatic irreversible pulpitis

【臨床所見】

持続性の冷温水痛，自発痛や関連痛 referred pain がみられる．痛みの性状はさまざまであるが，急性症状として拍動性（ズキンズキンとした痛み），放散性（原因歯の周囲まで痛みが波及する状態）の激しい痛みを伴うことが多く，夜間に疼痛が増悪する場合もある．冷刺激だけでなく温熱刺激で強い痛みが誘発され，刺激除去後も痛みは持続する．また，歯髄全体に炎症が波及した場合には，打診痛やエックス線検査で歯根膜腔の拡大が認められることがある．不顕性露髄の状態にあることが多い．

【治療法】

抜髄法が原則である．

(2) 無症候性不可逆性歯髄炎 asymptomatic irreversible pulpitis

【臨床所見】

齲蝕やその切削処置，外傷により炎症が起こっているが，強い自覚症状はない．歯髄は多くの場合露出しており，食片圧入により露髄部が刺激されると痛みが生じる．打診痛や歯根膜腔の拡大が認められることもある．

【治療法】

抜髄法が原則である．

4）歯髄壊死 pulp necrosis

歯髄が失活した状態を表す．各種の歯髄検査に対して無反応である．

【臨床所見】

通常は不可逆性歯髄炎から移行し，あるいは外傷などにより歯髄への血管が根尖部で断裂した場合にみられ，根尖性歯周炎を継発すると打診痛などの臨床症状が発現する．エックス線検査で根尖部は正常あるいは軽度の歯根膜腔拡大が認められる．

【治療法】

感染根管治療が適用される．

❷ 病理学的所見に基づく臨床的分類

1）歯髄充血

歯髄炎の前段階の病態として位置づけられており，可逆性歯髄炎の症状に該当する．

【臨床所見】

① 冷刺激によって誘発される数秒～1分未満の一過性の鋭い疼痛を特徴とする．

② 自発痛はみられない．

③ 露髄はみられない.
④ 歯髄電気診では正常な反応あるいは閾値がやや低下する.

【病理組織像】

歯髄が刺激を受けた部位に限局して象牙芽細胞の変性，萎縮や消失がみられ，血管の拡張と滲出などの急性炎症反応がごく軽度に生じている.

【治療法】

原因（齲蝕）の除去と必要に応じて歯髄保存療法を行う.

2）急性歯髄炎

急性症状（自発痛や持続時間の長い誘発痛など）がみられ，その程度はごく軽度から重度まで多様である．症状の軽重と露髄の有無によって，単純性歯髄炎（症状が軽度から中等度で露髄がない）と化膿性歯髄炎（症状が重度で露髄がある）に大別される.

(1) 急性単純性（漿液性）歯髄炎

露髄および歯髄への感染がなく，歯髄組織の炎症性変化がまだ局所的である場合，その臨床症状は歯髄充血とほぼ同様の可逆性であり，鑑別は困難である．炎症が歯髄全体に波及し，不可逆性歯髄炎に至ると，疼痛の程度，持続時間が長くなる.

【臨床所見】

① 初期には冷刺激によって牽引性で一過性の鋭い痛みが生じるが，進行すると痛みの程度は強くなり，持続時間も長くなる.
② 間欠的な自発痛がみられる．進行すると痛みの程度は強くなり，持続時間も長くなる.
③ 進行すると打診痛がみられる.
④ 深い齲窩があるが露髄はない.
⑤ 歯髄電気診では正常な反応あるいは閾値の低下がみられる.

【病理組織像】

前述の歯髄充血とほぼ同様に，象牙芽細胞の変性，萎縮や消失および毛細血管の充血など，漿液性の炎症性変化が認められる．齲蝕と歯髄との間には健全象牙質が介在しており，歯髄への細菌感染はみられない．初期の局所的な単純性歯髄炎では，齲蝕などによる傷害性因子の影響を受けた象牙質直下の歯髄組織内にリンパ球を主体とした軽度の炎症性細胞浸潤が観察される.

【治療法】

初期には歯髄保存療法を適用するが，不可逆性歯髄炎となった場合には，抜髄法を適用する.

(2) 急性化膿性歯髄炎

齲蝕などにより露髄が生じ，歯髄に感染が起こると化膿性炎症となり，不可逆性歯髄炎として以下のような典型的な臨床症状を示す.

【臨床所見】

① 拍動性，放散性の強い自発痛があり，歯痛錯誤が生じやすい.

② 温熱刺激により，持続時間の長い誘発痛が生じ，冷刺激では痛みが緩和する．
③ 夜間に激しい痛みが生じて眠れないことがある（夜間痛）．
④ 著しい打診痛がみられる．
⑤ 露髄がみられる（不顕性露髄の状態が多い）．
⑥ 歯髄電気診の閾値は上昇する場合がある．
⑦ 髄腔開拡時に嫌気性菌の混合感染による特有の強い腐敗臭を生じると急性壊疽性歯髄炎とよばれる．

【病理組織像】

歯髄に感染が起こった部位を中心に多数の好中球が浸潤し，細菌を貪食して崩壊した結果，膿瘍形成など化膿性の炎症性変化が観察される．その周囲にはリンパ球やマクロファージ主体の慢性炎症性細胞浸潤を伴う．

【治療法】

抜髄法を適用する．

3）慢性歯髄炎

歯髄に比較的弱い刺激が長期間にわたって加えられた場合，あるいは急性歯髄炎が慢性の炎症性変化に移行した場合にみられる．臨床的には急性症状（自発痛や持続時間の長い誘発痛など）を伴わない．

(1) 慢性潰瘍性歯髄炎

【臨床所見】

① 自発痛を伴わないが，食片圧入などにより露髄部が刺激されたり，歯髄内圧が上昇すると痛みを生じる．
② 歯髄腔に達する深在性の齲蝕がみられ，露髄している．
③ 歯根歯髄まで炎症が進展した場合には，軽度の打診痛がみられる．
④ 歯髄電気診では閾値が上昇する場合がある．

【病理組織像】

象牙質が失われて露髄しており，露髄部の表層には潰瘍の形成が観察される．潰瘍部は，その表層から壊死した多形核白血球（好中球）による膿汁の貯留層，リンパ球や形質細胞などの炎症性細胞の浸潤を伴う幼若な肉芽組織層，線維芽細胞の増生した線維性結合組織層の順に構成され，その周囲の健全な歯髄と接している．

【治療法】

抜髄法が原則であるが，根未完成歯の場合には生活断髄法を適用することもある．

(2) 慢性増殖性歯髄炎

歯髄の生活力が旺盛で，露髄部に歯髄ポリープ（息肉）が形成された場合，慢性増殖性歯髄炎の病名が用いられる．

【臨床所見】

臨床症状は慢性潰瘍性歯髄炎とほぼ同様で，視診で歯髄ポリープが認められる．主として歯髄の生活力の旺盛な若年者でみられる．

【病理組織像】

慢性潰瘍性歯髄炎から肉芽組織の増殖性変化が生じており，ポリープ状に増生した肉芽組織の表層には，重層扁平上皮による被覆がみられる．

【治療法】

抜髄法が原則であるが，根未完成歯の場合には生活断髄法を適用することもある．

4）上行性（上昇性，逆行性）歯髄炎

歯髄への感染が，齲蝕の場合とは逆に根尖部から歯冠部に向かって生じた炎症性変化である．歯周ポケット内の細菌が根尖孔や側枝などから歯髄に侵入して発症することが多い．

【臨床所見】

通常，重度の歯周病に罹患した生活歯に，症候性不可逆性歯髄炎（急性化膿性歯髄炎）と同様の強い疼痛が発現した場合に適用される診断名である．

【治療法】

抜髄法が適用される．

5）歯髄壊死および歯髄壊疽

歯髄炎が歯髄全体に波及し，歯髄組織の生活力が失われた病態である．外傷などにより歯髄への血管が根尖部で断裂した場合には，感染を伴わない歯髄壊死となる．齲蝕などにより歯髄腔内への感染が起こり，髄腔開拡時に腐敗臭を生じると，歯髄壊疽となる．なお，歯髄壊死には，乾性（凝固）壊死と湿性（液化）壊死がある．乾性壊死は分解された歯髄のタンパク質が凝固して乾屍状態になったもの，湿性壊死は歯髄組織が融解して液化状態となったものをいう．

【臨床所見】

① 自発痛，打診痛などの症状はみられない．

② 温度診や歯髄電気診には反応しない．

③ 歯の変色や透明度の低下が認められ，外傷や打撲などの既往があることも多い．

④ 打診で濁音を呈することがある．

⑤ 歯髄壊疽では，髄腔開拡時に嫌気性菌の感染による腐敗臭を生じる．

【病理組織像】

歯髄全体が変性し，破壊されている所見が観察される．

【治療法】

感染根管治療を適用する．

6）その他

（1）特発性歯髄炎

異常所見のみられない歯に突然に急性歯髄炎様の強い痛みが生じた場合に適用される診断

名である．原因は不明であるが，象牙質粒や石灰変性などによる神経の圧迫が関与している可能性が示唆されている．症状により経過観察あるいは抜髄法を適用する．

(2) 内部吸収（第 11 章「歯根の病的吸収」参照）

歯冠部および歯根部の象牙質が歯髄側から吸収されることをいう．通常は無症状に経過するため，エックス線画像で偶然発見されることが多い．原因は不明であるが，外傷や深在性齲蝕の治療などによる歯髄の慢性炎症との関連が推定されている．処置は抜髄が基本である．

Ⅳ 歯髄疾患の特徴と経過

歯髄は硬組織に囲まれた特殊な環境下に存在することから，歯髄疾患は特徴的な性質を有している．すなわち，歯髄組織はほとんど腫脹することができないため，炎症性滲出が起こると歯髄内圧が上昇しやすく，それが血管を圧迫して循環障害をきたし，壊死が生じやすいと考えられている．また，歯髄には主として狭い根尖孔を経由する血管から血液が供給されており，側副循環路が非常に乏しい．このことから，歯髄内に生じた異物を処理する能力は不十分であり，すみやかな創傷治癒が起こりにくい．つまり，歯髄組織内に炎症性変化が惹起されると，歯髄炎が局所から組織全体へすみやかに波及していくことになる．

歯髄炎は，歯髄に対する傷害性因子の種類とその影響の強さ，歯髄の治癒能力や免疫力などにより，症例ごとに多様な経過をとるが，一般的には以下のとおりである（**図 5-3**）．

外傷や齲蝕などにより象牙質が露出すると，細菌学的，機械的，温度的，あるいは化学的刺激が歯髄に達し，炎症性変化により歯髄充血の状態になる．傷害性因子の刺激が弱い場合，炎症性変化はやがて消退し，正常な状態に回復して治癒する．一方，傷害性因子の刺激が強い場合には，歯髄充血から急性単純性歯髄炎に進行するが，早期に適切な処置が行われると，

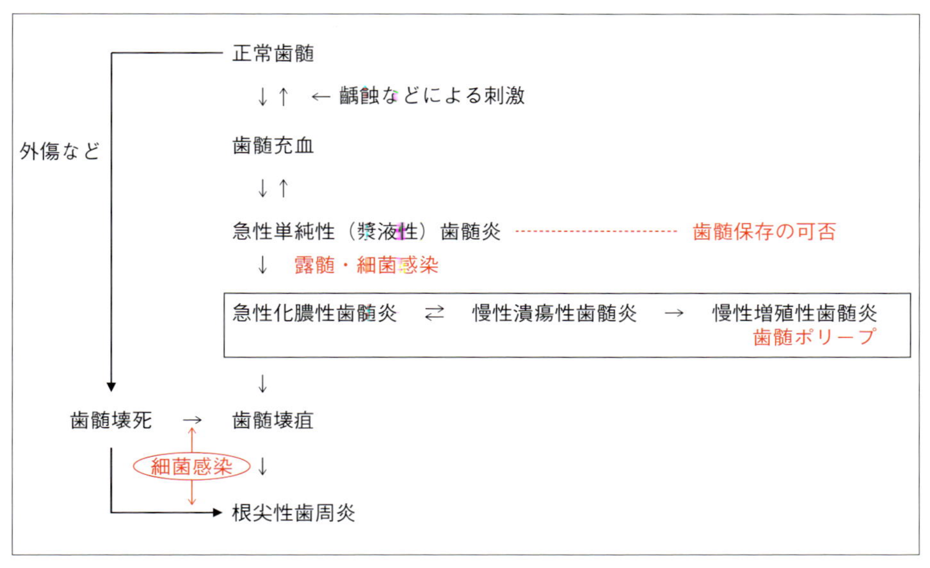

図 5-3 歯髄疾患の経過

歯髄充血と同様に治癒する．しかし，刺激の程度や持続期間などによって，局所的な歯髄炎が歯髄全体に進展することも少なくない．なお，急性単純性歯髄炎では，齲窩と歯髄との間に健全な象牙質が介在していることから，多くの場合，歯髄への細菌侵入は起こっていない．

齲蝕などにより露髄が生じ歯髄に感染が起こると，急性化膿性歯髄炎となる．歯髄腔が口腔と交通し歯髄内圧が低下すると強い痛みは軽減し，やがて露出した歯髄に限局性の組織欠損が生じると慢性潰瘍性歯髄炎となる．なお若年者の慢性潰瘍性歯髄炎では，歯髄ポリープ（息肉）が形成され，慢性増殖性歯髄炎となる場合がある．歯髄の開放部が食物などで再び閉鎖されると急性化することもある．

急性歯髄炎と慢性歯髄炎は，それぞれ炎症性変化が歯髄の局所から全体に進展すると組織破壊が著明となり，最終的には歯髄壊死や歯髄壊疽へと移行する．また，外傷などにより歯髄への血管が根尖部で断裂し，血流循環障害が起こった場合には，歯髄炎の臨床症状をほとんど発現しないまま，炎症性変化が進展して歯髄組織の全体が破壊され，歯髄壊死に至る場合も多い．このような歯髄壊死の病態に感染が起こると歯髄壊疽となる．さらに炎症性変化が根尖歯周組織へと進展すると，根尖性歯周炎を継発する．

V 歯髄疾患の診断

歯内治療においては，不可逆的な処置が多いため，臨床判断は慎重に行わなければならない．十分な医療面接に基づいて各種の検査を実施し，臨床診断，治療方針の決定，治療法の選択を行う．正しい臨床診断を行うためには，全身から局所に至る系統的な検査を的確に行い，患者の健康状態を把握したうえで，患歯を特定して歯髄の病態を判定することが重要である．

歯髄疾患の臨床症状の中では歯痛が多くを占めるため，医療面接により，痛みの部位，発現状況と経過，性状と程度，頻度や持続時間，時間的特徴（痛みの発症する時間帯など），増悪因子（悪化させる要因）や寛解因子（軽減できる要因），随伴症状（痛みと一緒に生じる症状），疼痛時に行った対処など，現症と現病歴を確実に把握して診断につなげることが大切である．しかし，歯痛は患者の主観的な訴えであり，自覚症状のみから歯髄の病態を正確に判定することはできない．しかも歯髄の病態はたえず変化していくことから，それに応じて診断も変わりうることに留意しなければならない．したがって，各種検査を効果的に組み合わせ，できるだけ多くの臨床所見ならびに検査結果に基づき，確定診断を行う必要がある．

歯髄疾患は，歯髄の生死により歯髄炎と歯髄壊死（あるいは歯髄壊疽）に大別できる．歯髄炎は歯髄保存の可否により，可逆性歯髄炎と不可逆性歯髄炎に分けられる．そのため，これらの歯髄疾患を鑑別診断するには，まずは①歯髄の生死（生活反応の有無），②急性症状の有無，③露髄の有無（歯髄への細菌感染の有無）を判断することが重要である．さらに，確定診断が困難な場合には，待機的診断や，歯痛錯誤と関連痛についても検討する必要がある．

❶ 歯髄の生死（生活反応の有無）

歯髄が生活している歯髄炎と失活している歯髄壊死・壊疽（あるいは継発する根尖性歯周炎）では治療方針や処置内容が異なるため，治療を始める前に歯髄の生死を正しく判定して両者を鑑別診断しておく必要がある．歯髄生活反応の有無を判定するには，歯髄電気診と温度診が有効である．

❷ 急性症状の有無

歯髄の生活反応が認められる場合には，歯髄炎の病態が可逆性か不可逆性かを正しく診断することが重要であるが，その際に急性症状の有無は大きな指標となる．

歯髄疾患における急性症状とは，24 時間以内の自発痛あるいは持続時間の長い誘発痛の発現を表している．症候性不可逆性歯髄炎では，拍動性や放散性の自発痛，あるいは温度刺激による持続痛（1 分以上持続する誘発痛）がみられ，これらの急性症状が重要な診断基準となる．

不可逆性歯髄炎の場合，診断時のみならず，急性症状の既往も重要な症候である．問診により痛みの既往をできるだけ詳細に聴取することで患歯の診断精度が上がり，鑑別もしやすくなる．

❸ 露髄の有無（歯髄への細菌感染の有無）

不可逆性歯髄炎は，齲蝕などの原因によって，歯髄への細菌感染が起こることで発症することが多い．したがって，患歯について露髄の有無を確認することは，歯髄保存の可否を判定するうえで非常に重要である．また，外傷などに伴う歯の破折による偶発的な露髄については，受傷時の状況やその後の対処と時間経過によって，歯髄に生じた炎症性変化が不可逆的になるか否かが異なってくる．

露髄すなわち歯髄腔との交通の有無に，臨床上，視診，触診，エックス線検査などによって判定する．

1）視診

齲窩内の感染象牙質を除去した後，露髄の有無を慎重に検査する．臨床症状から不顕性露髄が疑われる場合には，拡大鏡あるいは歯科用実体顕微鏡を用いて，齲窩と歯髄との間に健全象牙質が残っているかどうか注意深く確認する．

2）触診

感染象牙質除去後の残存象牙質について，探針を用いてその表層の硬さを触知することにより，健全象牙質の存在を確認しながら歯髄腔との交通の有無を検査する，その際，探針を不用意に歯髄方向へ強く押すと，残存象牙質が菲薄な場合（不顕性露髄）には，医原性の露髄を誘発してしまうことがあるので十分に注意しなければならない．

3）エックス線検査

咬合面や隣接面に発生した齲蝕の場合，歯髄腔に達するエックス線透過像が認められれば，露髄している可能性がある．しかし，通常の口内法エックス線撮影では得られる画像が二次元的であるため，実際の齲窩と歯髄腔との三次元的な位置関係は確認できない．したがって，前述の視診，触診と組み合わせることにより，露髄の有無を最終的に判定する必要がある．

❹ 待機的診断

待機的診断 expective diagnosis とは，まず原因の除去と歯髄鎮痛消炎療法を行い，経過観察した後に病状の確定診断を行う方法である．上述の検査のみでは正確な臨床診断が必ずしも容易ではないことから，不確実な診断のまま歯髄を除去してしまうことを回避するために必要な診断法である．

まず齲蝕の除去など歯髄に対する傷害性刺激因子を除去し，歯髄鎮痛消炎療法（後述）を行う．そして，ある一定の期間経過した後，臨床症状の変化を観察し，歯髄保存の可否を最終的に判定する．原因除去と歯髄鎮痛消炎療法により臨床症状が軽快し，各種検査に対する歯髄の反応が正常に回復していれば，可逆性歯髄炎と確定診断できる．その後，歯髄保存療法を適用し，最終的な歯冠修復処置を行う．

一方，疼痛が持続しているなど，臨床症状の改善がみられない，あるいは悪化した場合には不可逆性歯髄炎と確定診断する．

なお，待機的診断を実施している期間中，患者はある程度の不快症状を感じることがあり，また必ずしも歯髄を保存できるとは限らないため，事前にその目的および処置内容について十分に説明し同意を得ること（インフォームド・コンセント）が大切である．

❺ 歯痛錯誤と関連痛

痛みは，「実際の組織損傷もしくは組織損傷が起こりうる状態に付随する，あるいはそれに似た，感覚かつ情動の不快な体験」と定義されている（国際疼痛学会，2020 年）．痛みを原因によって分類すると，①侵害受容性疼痛（炎症や外傷による痛み），②神経障害性疼痛（神経が障害されることで起こる痛み），③痛覚変調性疼痛（末梢の障害がなく疼痛調節機構の変調による痛み）の 3 つに大別でき，その中でも日常の歯科臨床で遭遇する痛みの大半は侵害受容性疼痛である．さらに歯科領域の痛みには，歯痛と口腔顔面痛 oro-facial pain があり，それぞれ痛みの由来によって歯原性（歯科的原因による痛み）および非歯原性（歯・歯髄や歯周組織の疾患が原因でない痛み）に分類される．

一般に，歯髄炎では痛みの定位（疼痛を時間的，空間的に正しく位置づけ，患歯と関連させて的確に認識すること）が悪く，患者は原因歯以外の隣在歯や対合歯に歯痛を訴えることがあり，これを歯痛錯誤という．したがって，患歯の特定にあたっては，この歯痛錯誤の可能性について考慮し，主訴以外の歯についても十分な検査を行うことが重要である．

また，歯髄炎の診断にあたって注意すべき臨床症状として，関連痛がある．歯科にみられ

表 5-2 非歯原性歯痛の分類（一般社団法人日本口腔顔面痛学会，2019[4]）

1	筋筋膜痛による歯痛
2	神経障害性疼痛による歯痛
	発作性：三叉神経痛など 持続性：帯状疱疹性神経痛，帯状疱疹後神経痛など
3	神経血管性頭痛による歯痛
4	上顎洞疾患による歯痛
5	心臓疾患による歯痛
6	精神疾患または心理社会的要因による歯痛
7	特発性歯痛
8	その他のさまざまな疾患による歯痛

る関連痛には，①患歯から他部位へ波及する痛み（歯原性疼痛）と，②歯・歯髄や歯周組織以外の他部位の疾患（原疾患）に由来する歯痛（非歯原性歯痛）という２つのパターンがあることが知られている．すなわち，歯髄炎に由来する関連痛は，原因歯のみならずそれ以外の領域（隣在歯や対合歯，顔面，あるいは頭部など）にも生じる痛みである．このような関連痛（歯原性疼痛）は，放散性の自発痛など非常に激しい疼痛のある歯髄炎にしばしばみられる．

一方で，歯科以外の疾患が原因で歯に痛みを生じる関連痛（非歯原性歯痛）では，十分な検査を行っても歯痛の原因となる患歯を特定できない場合，不必要な歯内治療を回避するため，**表 5-2** のような疾患を疑って医科の専門医に依頼することが必要である．なお，関連痛のメカニズムとしては，収束投射説が提唱されている．異なる組織に分布する侵害受容ニューロンが中枢で同じ二次ニューロンに収束するためというものである．

歯痛錯誤や関連痛の診断には，麻酔診が有効である．

Ⅵ 歯髄疾患の治療方針

歯髄疾患に対する確定診断に基づき，最善の治療法を選択する．特に歯髄の生死および歯髄保存の可否の診断に応じて，適切な治療方針を立案することが重要である．またその際，歯髄だけではなく，一口腔単位として患歯の状態を把握し，患歯の保存の要否も含め総合的に判断する必要がある．

主として齲蝕に継発し，細菌感染による炎症が主な病態である歯髄炎に適用する治療法は，歯髄の生活力に期待してその保存をはかるもの（歯髄保存療法），疼痛が強くあるいは感染があるため歯髄を除去するもの（抜髄法）の２つに大別される．

したがって，可逆性歯髄炎と診断した場合には歯髄保存療法を，不可逆性歯髄炎と診断した場合には抜髄法を選択する．ただし，可逆性歯髄炎か不可逆性歯髄炎かの鑑別が臨床上難しい症例については，慎重な判断が必要である．「歯髄は最良の根管充填材である」との言葉があるように，歯髄を保護しその機能を維持することは，歯をできるだけ長期間保存し，口腔のみならず全身の健康やQOLの向上にとても重要である．確定診断ができない場合には，可及的に歯髄を保存するような待機的診断が望ましい．

実際に処置を開始する前には，患者に対して治療の成功率や予後の見通しなども含めた説明を十分に行い，治療に対する要望などを確認したうえで，同意を得ること（インフォームド・コンセント）が大切である．特に，抜髄法を行う場合には，術後の不快症状がみられることもあるため，患者との良好な信頼関係を維持するためには，処置後の痛みについても簡潔にわかりやすく説明しておく必要がある．

さらに，歯内治療を成功に導くためには，常に感染制御を意識した処置を行うことが重要である．根管系は解剖学的に複雑であることから，感染源を完全に除去することは容易ではない．したがって，確実な歯内治療を行うためには，ラバーダム防湿や隔壁形成など感染制御のための基本術式を実践し，さらなる感染を防ぐことが非常に重要である．

歯内治療は，日常臨床において頻度の高い一般的な歯科治療の１つであるにも関わらず，高度な知識と技術を必要とする治療である．超高齢社会を迎えた日本では，歯の保存に対する重要性はますます増加しており，歯内治療の社会において果たす役割は，さらに重要になっていくと思われる．

（鈴木規元）

Ⅶ 歯髄疾患の治療法

❶ 歯髄保存療法

歯髄疾患の治療において可及的に歯髄の保存に努めることは，歯質切削を削減あるいは遅延させ，歯の破折や亀裂の発生リスクの回避につながる．歯髄保存療法には歯髄鎮痛消炎療法（歯髄消炎療法），覆髄法，生活断髄法があり，適切な症例選択と的確な施術が術後経過に重要である．

1）歯髄鎮痛消炎療法（歯髄消炎療法：sedative treatment of pulpitis）

(1) 目　的

齲蝕や，外傷ならびに摩耗などのトゥースウェアによって象牙質が露出すると，歯髄が外来刺激の影響を受けやすくなり，歯髄内の血管・神経系の感覚が亢進し，刺激に対して敏感になる．この状態が持続すると，漿液性炎症（急性炎症の初期症状）が歯髄の一部に惹起され，冷水痛や擦過痛などの誘発痛がさまざまな程度に生じる．歯髄鎮痛消炎療法は，このような状態に晒された歯髄に対し，刺激となる原因物質を排除して安静に保ち，歯髄の鎮痛と消炎をはかる目的で，象牙質に薬剤を貼付して亢進した歯髄の機能を正常な歯髄組織へ戻し，健康な状態で保存する治療法である．

上記とは異なり，急性の不可逆性歯髄炎の場合，抜髄を前提として消炎よりも鎮痛に主眼を置いて同様の処置を緊急処置として実施する場合がある（p.180,「急性歯髄炎の緊急処置」参照）．これも，歯髄鎮痛消炎療法というが，歯髄保存療法の範疇には属さない．

(2) 適応症

① 可逆性歯髄炎〔歯髄充血と急性単純性（漿液性）歯髄炎の初期〕

(3) 禁忌症

① 急性化膿性歯髄炎などの細菌感染した不可逆性歯髄炎

② 慢性歯髄炎

③ 細菌感染が疑われる露髄

(4) 歯髄鎮静・鎮痛薬

これらの多くは，齲窩の消毒薬と共通する．

① フェノール

歯髄鎮静・鎮痛薬に使用されるのは，フェノール製剤（液状フェノール，フェノール・カンフル，フェノール・チモールなど）である．フェノールは強い腐蝕作用があり，タンパク質を凝固し，組織を腐蝕する．

② フェノール・カンフル（カンフルカルボール，CC）

フェノールの腐蝕作用および鎮痛作用と，カンフルの局所刺激作用との相乗作用による知覚鈍麻作用がある．カンフルはフェノールの局所毒性を軽減するため配合される．製薬として，歯科用フェノール・カンフル（フェノール35%，*d*-カンフル65%），キャンフェニック「ネオ」（フェノール30%，*d*-カンフル60%，無水エタノール10%）がある．

③ パラクロロフェノール・グアヤコール

腐蝕性の局所鈍麻作用がある．

④ グアヤコール

知覚鈍麻（疼痛性麻痺）の効果がある．

⑤ ユージノール

ユージノールは，酸化亜鉛ユージノールセメントとして，仮封を兼ねた使用方法が多い．セメント硬化後においても，未反応のユージノールが薬効を示し，歯髄鎮静・鎮痛作用を発揮する．一方で，ユージノールと酸化亜鉛のみの配合では，硬化の不安定性と操作不良を認めるため，樹脂類や塩類を配合することで物性と操作性を向上させている．コンポジットレジンと接触すると重合阻害を起こすので注意が必要である．

(5) 術　式

① 必要に応じて局所麻酔

② ラバーダム装着と術野の消毒

ラバーダム装着後に患歯から同心円状に消毒を行う．

③ 齲窩の開拡と感染象牙質の除去

齲窩の開拡はエアタービン・ダイヤモンドポイントによる注水下，高速切削で行い，感染象牙質除去はエンジン用ラウンドバーによる低速切削，あるいはスプーンエキスカベーターで行う．

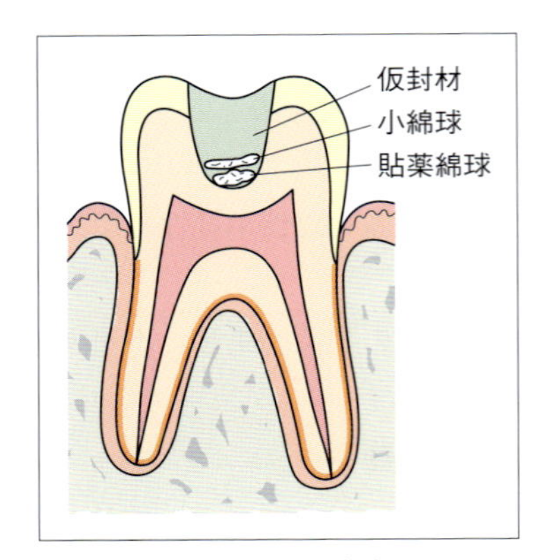

図 5-4　歯髄鎮静消炎療法

④ 窩洞の清掃と乾燥

感染象牙質除去後の窩洞内を，2.5〜6％程度の次亜塩素酸ナトリウム液，3％過酸化水素水あるいは滅菌生理食塩液で清浄，清掃や消毒し，乾燥させる．

⑤ 歯髄鎮静・鎮痛薬の貼付と仮封

滅菌小綿球に歯髄鎮静・鎮痛薬を浸潤させた後，窩洞内に静置して仮封する．酸化亜鉛ユージノールセメントの場合には，この貼薬操作を行うことなく，仮封と鎮痛消炎処置を同時に行うことが可能である（**図 5-4**）．

⑥ 経過観察と修復処置

数日〜１週程度，経過観察し，患者の自覚症状がない場合，経過良好であると判断し永久修復処置を行う．一方，経過不良の場合は，生活歯髄の保存は不可能であると診断し，抜髄法に移行する．

(6) 治癒機転と経過

歯髄鎮静・鎮痛薬の作用によって歯髄に対する刺激が排除，あるいは遮断されて歯髄が安静に保たれると，歯髄は健康な状態に回復する．

2）間接覆髄法 indirect pulp capping

(1) 目　的

齲蝕，窩洞形成，外傷などのために菲薄・脆弱化した健全象牙質に対して薬剤による１層の保護層を設けることで，外来刺激を遮断し歯髄を安静に保つことに加え，その薬剤によって修復象牙質（第三象牙質）の形成を積極的に歯髄に促すことで，生活歯髄の保存を目的とする．

(2) 適応症

① 臨床的に健康な歯髄

② 可逆性歯髄炎〔歯髄充血と急性単純性（漿液性）歯髄炎の初期〕

(3) 禁忌症

歯髄鎮痛消炎療法が奏効しなかった症例

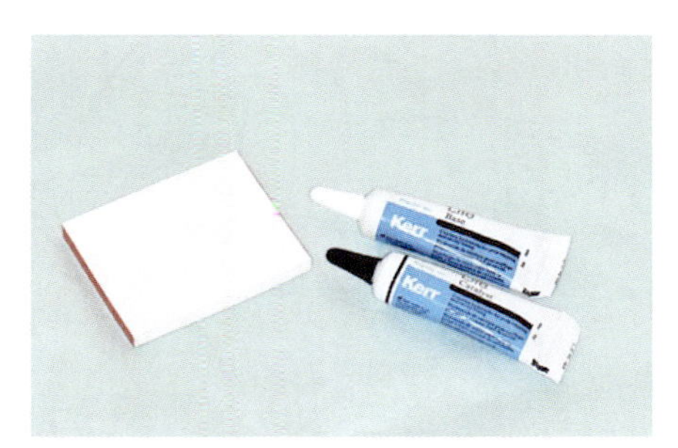

図 5-5　間接覆髄剤の例（水酸化カルシウム製剤）

(4) 間接覆髄剤

これらの多くは，象牙質直下に修復象牙質の形成を誘導促進させるものである．齲窩の消毒や歯髄の鎮痛消炎には酸化亜鉛ユージノールセメントを使用する．

① 酸化亜鉛ユージノールセメント

p.69，「歯髄鎮静・鎮痛薬」の項を参照．

② 水酸化カルシウム製剤（**図 5-5**）

水酸化カルシウムは修復象牙質の形成を促進するため，間接覆髄剤としても使用される．臨床では，練和によって硬化する製品が使用される．

(5) 術　式

① 必要に応じて局所麻酔

② ラバーダム装着と術野の消毒

③ 齲窩の開拡と感染象牙質の除去

露髄の危険性がある部分を最後に慎重に除去する．なるべく，感染歯質を歯髄に触れさせないことが大切である（p.69，「歯髄鎮痛消炎療法」の項参照）．

④ 窩洞の清掃と乾燥

p.70，「歯髄鎮痛消炎療法」の項参照．

⑤ 間接覆髄剤の貼付

滅菌された裏層器や専用アプリケーターを用いて窩底象牙質面を間接覆髄剤（セメントまたは硬化するペースト）によって1層被覆する．

⑥ 裏層

グラスアイオノマーセメントやコンポジットレジンなどで窩洞を裏層し，間接覆髄剤の1層を補強する．微小漏洩（マイクロリーケージ）をなくすことが成功率の向上につながる．

⑦ 経過観察と修復処置

間接覆髄後，ただちに歯冠修復処置に進む．予後に不安がある場合は，仮封して1週間程度経過を観察し，異常がないことを確認してから最終修復処置を行う．

(6) 治癒機転と経過（図 5-6）

歯髄に加わる刺激が排除，あるいは遮断されて歯髄が安静（歯髄鎮静）に保たれ，さらに間接覆髄剤の作用により窩洞象牙質直下での修復象牙質形成反応が生じると，歯髄が健康な

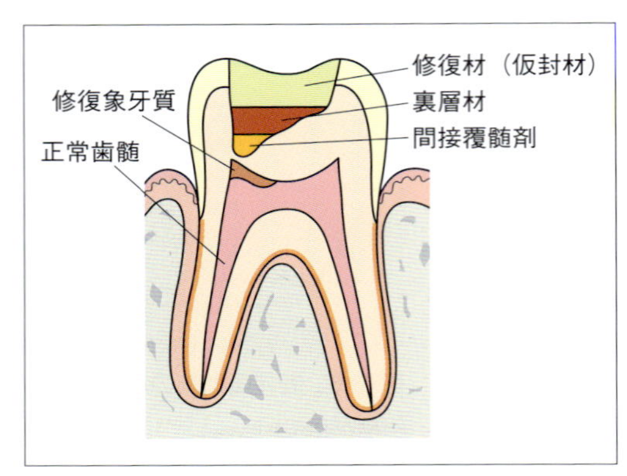

図 5-6 間接覆髄処置後の治癒

状態に回復する．

間接覆髄法の予後成績は非常に良好である．

3）直接覆髄法 direct pulp capping

(1) 目　的

窩洞形成や外傷により偶発的に小さな露髄が発生し，歯髄に感染が生じていない症例に適用される．露髄面に薬剤を直接貼付して外来刺激を遮断するとともに，薬剤の作用によって露髄部にデンティンブリッジ（被蓋硬組織）の形成を促し，歯髄を健康な状態で保存する治療法である．

(2) 適応症

① 臨床的正常歯髄

② 窩洞形成や外傷により偶発的に発生した小さな露髄（直径 2 mm 未満を目安とする）

③ 露髄した際に感染していない深在性齲蝕

④ 歯髄の活性が高い若年者の歯や根未完成歯

術前の歯髄炎症状がない場合のほうが，ある場合と比較して直接覆髄の成功率が上がることが報告されている（歯髄炎症状がない場合の成功率：85.5%，ある場合の成功率：45%）[4]．

(3) 禁忌症

① 不可逆性歯髄炎

② 大きな露髄（直径 2 mm 以上を目安とする）

③ 歯髄に感染の可能性があるもの

感染象牙質除去中の露髄や，長時間放置された露髄，あるいは治癒力が低下した高齢者の歯では，適用を避けるべきである．

(4) 直接覆髄剤

① 水酸化カルシウム製剤

p.71，「間接覆髄剤」の項参照．直接覆髄剤として最もよく使用されてきた．最新の報告では臨床的直接覆髄の 10 年成功率は 60%を超える報告もある[5]．

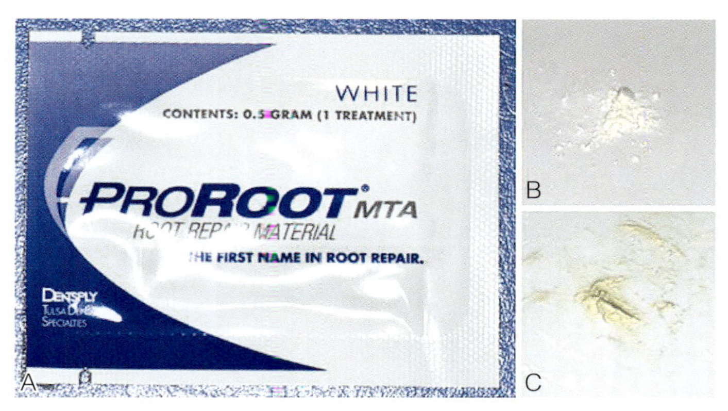

図 5-7　Mineral Trioxide Aggregete（MTA）セメント
MTA セメントの製品例（A）．粉末（B）に滅菌精製水を適量混合して使用する（C）．

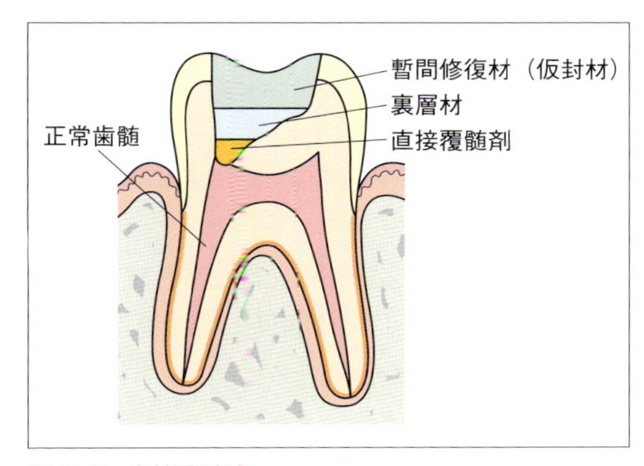

図 5-8　直接覆髄法

② MTA セメント

工業用ポルトランドセメントと類似しており，ケイ酸カルシウムなどの無機酸化物を主成分とする．初発製品（**図 5-7**）では，石膏，エックス線造影剤としての酸化ビスマスを含む．本材は水硬性セメントであり，硬組織形成作用を有する．良好な生体親和性に加え，高い封鎖性および抗菌性が報告されている．直接覆髄の 10 年成功率は，MTA が水酸化カルシウム製剤と比較して有意に高い成功率を示す．ただし，酸化ビスマスが歯を変色させるため，審美的要求の高い前歯部には，別種の造影剤が配合された製品の選択が望ましい．

(5) 術　式（図 5-8）

現在，MTA セメントによる直接覆髄が主流になりつつあるため，MTA の術式を解説する．

① 局所麻酔

歯髄と近接し，感染象牙質除去時に痛みを生じやすいため，局所麻酔を行うことが多い．

② ラバーダム装着と術野の消毒

歯髄の感染を防ぐため，ラバーダムの装着は必須である．

③ 感染象牙質の除去

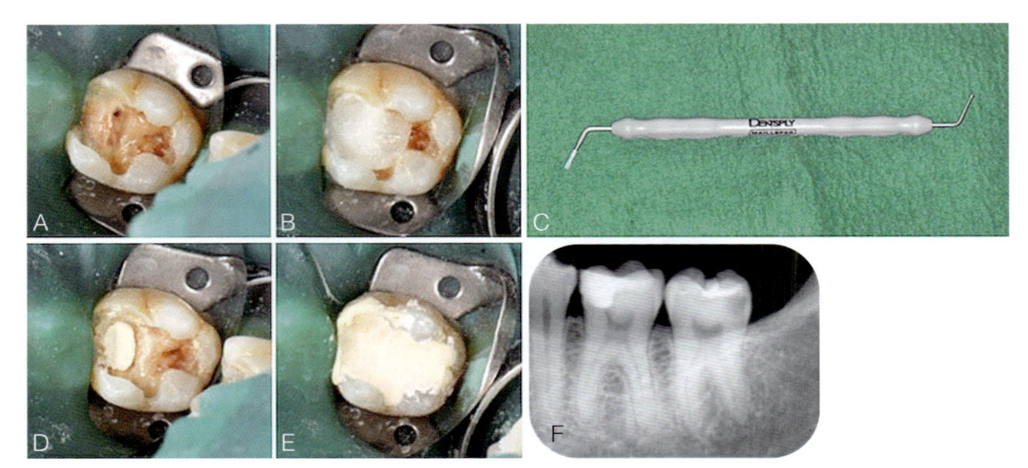

図 5-9　直接覆髄法
A：⌈6 の齲蝕除去，B：ケミカルサージェリー（次亜塩素酸ナトリウム液を満たした状態），C：MTA 貼付に用いたアプリケーター，D：MTA 貼付後，E：グラスアイオノマーセメント仮封後，F：処置後．根尖部透過像を認めない．

歯髄の感染要因となるため，周囲の感染象牙質を確実に除去する（**図 5-9A**）．

④ ケミカルサージェリー

綿球などを利用しながら 2.5〜6％次亜塩素酸ナトリウム液を窩洞内に 5〜10 分間満たし続け，症例に応じて超音波チップを併用し，窩洞を清掃する（**図 5-9B**）．露髄面から 1 mm 程度歯髄が溶解され清潔な面が得られる．

⑤ 窩洞の清掃と止血

窩洞および露髄面の清掃は，2.5〜6％次亜塩素酸ナトリウム液で行う．その後，滅菌生理食塩液で洗浄し，止血を確認する．止血ができない場合は抜髄処置へ移行する．

⑥ 窩洞の乾燥

露髄面に直接覆髄剤を貼付するため，窩洞を滅菌小綿球で拭って乾燥させる．

⑦ 薬剤の貼付（**図 5-9C，D**）

歯髄に圧が掛からないよう注意をしながら露髄部を MTA セメントで被覆する．貼付には滅菌した裏層器や専用アプリケーターなどを用いる．

⑧ 裏層と仮封（**図 5-9E**）

貼付した直接覆髄剤を保護するため，酸化亜鉛ユージノールセメントなどで裏層する．圧を加えないよう軟らかめに練和したセメントを流し込むようにする．仮封は長期に及ぶため，グラスアイオノマーセメントなどで暫間修復を兼ねて行う．酸化亜鉛ユージノールセメントとグラスアイオノマーセメントで二重裏層し，コンポジットレジンで暫間修復すれば，さらに確実な封鎖が期待される．また，微小漏洩の有無が成否を決める重要な要素であるため，この操作も非常に重要である．

⑨ 経過観察（**図 5-9F**）

少なくとも直接覆髄後 1 カ月で経過観察を行い，臨床的に異常がないことや，エックス線

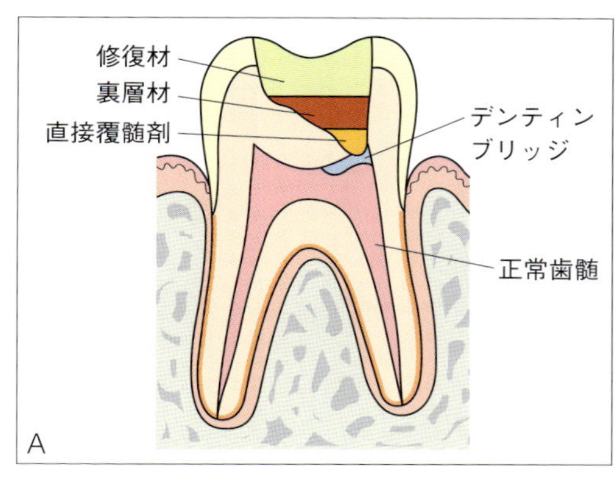

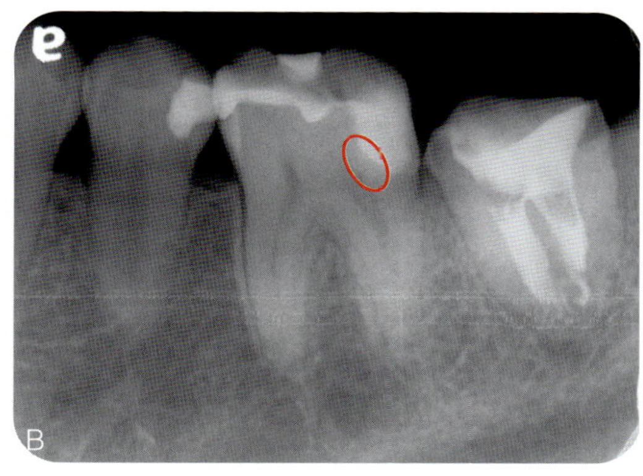

図 5-10　直接覆髄法の治癒
A：模式図．B：直接覆髄処置 2 年後にデンティンブリッジと推察される不透過像を認める（大阪大学大学院歯学研究科　岡本基岐博士のご厚意による）．

画像で露髄部にデンティンブリッジが形成され，根尖部に透過像がないことを確認し，最終修復処置を行う．なお，コンポジットレジンなどで暫間修復を行った場合は，特に問題がなければこれを最終修復処置とする．

(6) 治癒機転と経過（図 5-10）

水酸化カルシウムや MTA は強アルカリ性（pH 12.4 程度）のため，これらと接すると歯髄は壊死し，やや厚い無構造な線維性の壊死層が形成される．術後 9 日くらいで，この壊死部と生活歯髄との間にコラーゲン線維層が形成され，同部で水酸化カルシウムや MTA のカルシウムイオンと生体側の炭酸イオンが反応することで炭酸カルシウムの粒子が沈着する．その下面に歯髄内の間葉系幹細胞から分化した象牙芽細胞様細胞が遊走して規則的に配列し，新規象牙質を形成し始める．やや厚い無構造な壊死層直下に線維状の構造を示す壊死層が出現する．術後 2 週間前後には，象牙前質様硬組織の形成が認められ，術後 4～8 週前後になると，象牙質様構造を有するデンティンブリッジの 1 層が露髄面に形成され，治癒がほぼ完了する．

予後成績は，患者の年齢，齲蝕部位（隣接面を含む場合と含まない場合）や歯髄の生活力に左右されるが，適応症例に適切な施術を行えば経過は良好である．

4）暫間的間接覆髄法〔IPC（indirect pulp capping）法，歯髄温存療法：AIPC（atraumatic indirect pulp capping）法〕

(1) 目　的

深在性齲蝕を有する生活歯で，感染象牙質を完全に除去すると露髄するおそれがある場合に適用される．すなわち，歯髄に近接した感染象牙質を意図的に一層残して覆髄し，覆髄剤の作用により感染象牙質の再石灰化と歯髄に修復象牙質の形成を促した後，残存感染象牙質を除去し，永久修復処置を行うことによって，歯髄を健康な状態で保存することを目的とし

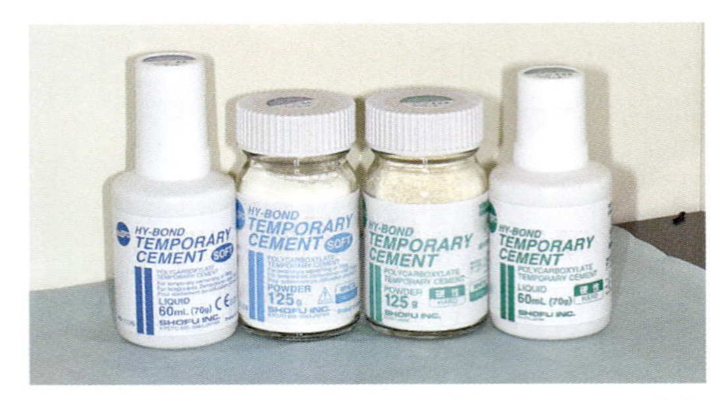

図 5-11　暫間的間接覆髄剤の例（タンニン・フッ化物合剤配合カルボキシレートセメント）

ている．

(2) 適応症

① 可逆性歯髄炎

② 露髄の危険性がある深在性齲蝕

感染象牙質を完全に除去すると露髄するおそれのある症例で，かつ確実に経過観察可能な症例に対して適応される．

(3) 禁忌症

① 不可逆性歯髄炎

② 次回の来院予定がないなど，経過観察不可能な症例

(4) 暫間的間接覆髄剤

① 水酸化カルシウム製剤

p.71，「間接覆髄剤」および p.72，「直接覆髄剤」の項参照．

② タンニン・フッ化物合剤（HY 材）配合カルボキシレートセメント（**図 5-11**）

タンニンとフッ素による抗菌，抗齲蝕，石灰化促進作用により，残存感染象牙質に再石灰化が誘導される．

※暫間的間接覆髄法に用いられる薬剤は，直接覆髄の使用薬剤と必ずしも一致しない．

(5) 術　式（図 5-12）

① 局所麻酔

② ラバーダム装着と術野の消毒

③ 齲窩の開拡と感染象牙質の除去

④ 窩洞の清掃と乾燥

齲蝕は慎重かつ可及的に除去する．①～④の操作の詳細は p.73，「直接覆髄法」の項参照．

⑤ 薬剤の貼付

裏層器や専用アプリケーターを用いて，歯髄に近接した窩底象牙質面を覆髄剤で被覆する．

⑥ 裏層と仮封

裏層と仮封は p.74，「直接覆髄法」の項参照．

⑦ 経過観察と修復処置

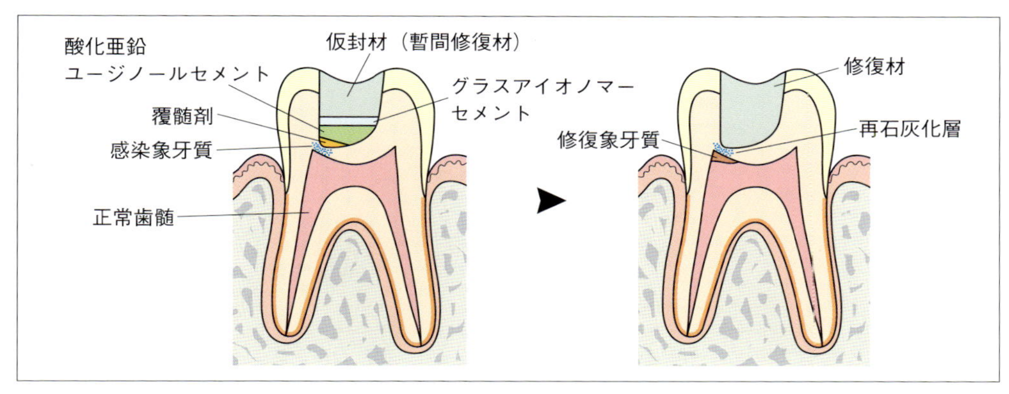

図 5-12　暫間的間接覆髄法

術後 3 カ月以上を経過観察し，臨床症状がなく，エックス線画像から根尖部透過像が認められないことなどを確認する（日本歯科保存学会「齲蝕治療ガイドライン第 2 版」，2015 から）．その後，仮封材，裏層材および覆髄剤を除去し，残置させた感染象牙質が乾燥していて硬化が確認できた場合に永久的な歯冠修復を行う．

(6) 治癒機転と経過

意図的に残存させた感染象牙質の一部に再石灰化が生じ，窩底直下の歯髄で修復象牙質が形成され，歯髄は健康な状態で保存される．歯髄に対する人為的な直接侵襲が回避されるので，暫間的間接覆髄法の成功率は一般には直接覆髄法よりも高いとされている．

5）生活断髄法（生活歯髄切断法：pulpotomy，vital pulp amputation）

(1) 目　的

齲蝕や外傷により惹起された歯髄炎や歯髄損傷が歯冠歯髄のみに限局している場合，あるいは補綴的要求などがある場合に，歯冠歯髄を根管口部で切断除去し，切断創面にデンティンブリッジ（被蓋硬組織）の形成を促すことで，歯根歯髄を健康な状態で保存することを目的としている．複雑な根管系の処置を行う必要がなく，根未完成歯ではアペキソゲネーシス apexogenesis による歯根の完成が期待できる（第 10 章 I 「アペキソゲネーシス」参照）．

(2) 適応症

歯根歯髄が臨床的に健康であることが前提条件であり，特に根未完成歯では積極的に適応を検討する．

(3) 使用薬剤

直接覆髄法に用いられる薬剤と共通のものが使用される（p.72，「直接覆髄剤」の項参照）．

(4) 術　式（図 5-13）

ここでは，根未完成歯への適応についての術式を解説する．

① 局所麻酔

② ラバーダム装着と術野の消毒

③ 齲窩の開拡と感染象牙質の除去

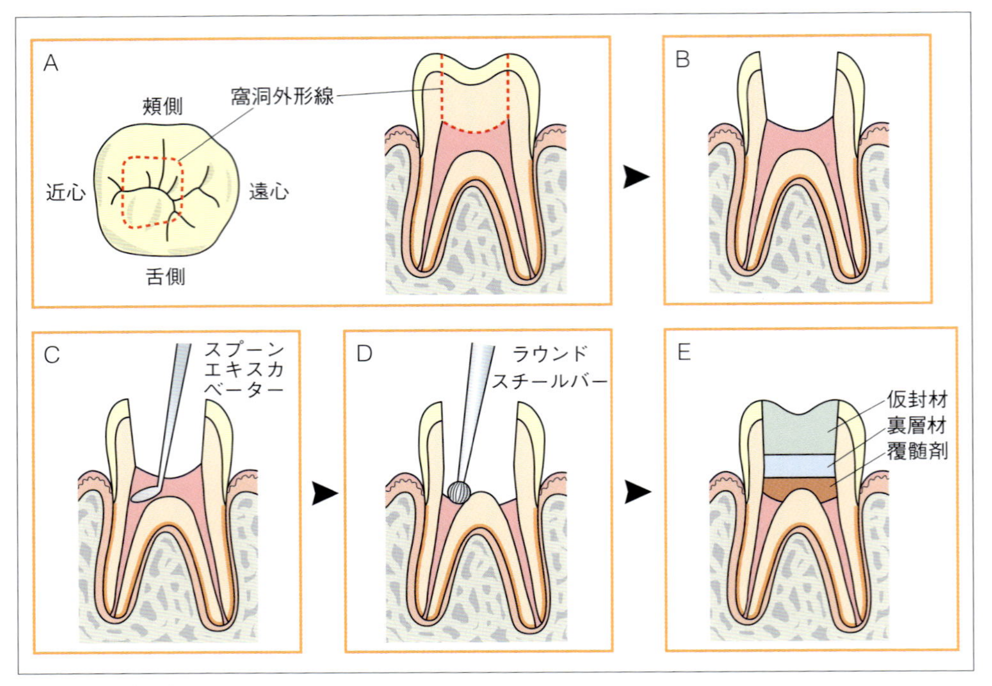

図 5-13 断髄法

A：髄室開拡時の窩洞外形線（点線），B：髄室開拡終了，C：スプーンエキスカベーターで歯冠歯髄を切断除去，D：根管口よりも少し大きめのラウンドバーで歯髄切断，E：創面への水酸化カルシウム製剤の貼付，裏層と仮封．

①～③の操作の詳細は p.73，「直接覆髄法」の項参照．

④ 髄室開拡

ここからは，使用する器械・器具はすべて滅菌したものを使用する．

⑤ 歯冠歯髄の切断除去

単根管歯では歯頸部から約 1 mm 根尖側で，複根管歯では根管口部の歯髄を切断し，歯冠歯髄全体を除去する．

歯髄切断後の創面は挫滅創となっているため，ケミカルサージェリーを行い，最後に滅菌生理食塩液で洗浄後，止血を確認する．止血できない場合は抜髄法へ移行する．

⑥ 貼薬と仮封

薬剤を積層し，複根歯では髄床底も被覆する．その後の仮封は，p.74，「直接覆髄法」の項参照．

(5) 治癒機転と経過

p.75，「直接覆髄法」の項参照．術後 1 カ月の検査で異常が認められなければ，永久修復処置を施す．術後の総合的な臨床症状の有無とエックス線所見をもとに，臨床的に判断する．

❷ 抜髄法

1）直接抜髄法（麻酔抜髄法：pulpectomy）

(1) 目　的

抜髄法は，歯髄に生じた感染や損傷が歯根歯髄にまで波及し，不可逆性の全部性歯髄炎に陥った際に，歯髄を可及的に全摘出することによって炎症が根尖歯周組織へ拡延するのを防止し，また痛みを取り除くことを目的として行われる．ほかの目的で健康な歯髄を全部除去する場合もある．

抜髄処置時の除痛に麻酔薬（通常は局所麻酔薬の注射投与）を利用する直接抜髄法と，失活剤を用いる失活抜髄法に分けられる．ただし，後者は現在ではほとんど行われない．

抜髄後は，セメント質が生存することによって，歯としての機能を維持するので，本法の臨床的意義は大きい．

(2) 適応症

① すべての歯髄炎
② 変性歯髄（保存不可能なケース）
③ 露髄（歯髄保存療法が適応できないもの）
④ 補綴的要求
⑤ 外科的要求（口腔外科手術の前処置）

(3) 使用薬剤

歯髄組織が除去された根管は死腔となり，消毒を主目的として水酸化カルシウム製剤が根管貼薬剤として頻用される．根管貼薬は，根管内滲出液のコントロール，残髄の処置，根管の再感染防止，根尖歯周組織の鎮静と消炎，創傷治癒の促進などを期待して行われる．また，死腔となった根管空隙を放置したまま仮封すると，次回治療時までに根管内に残存細菌が増殖するか，再感染をきたしやすくなり，これを抑制するために根管貼薬が必要である．

直接抜髄法で使用される根管貼薬剤については第7章「根管処置」参照．

(4) 術式（図5-14）

第7章「根管処置」参照．

(5) 治癒機転と予後

根尖部はファイルなどによって切断されて出血した後，フィブリンが析出し止血する．感染がない場合，創面から漿液性の滲出液が続き，好中球などの炎症性細胞の浸潤を認める．滲出液がおさまると，表層にフィブリン層が形成され，続いてマクロファージが遊走され，壊死した組織を貪食する．フィブリン層の下部では同時に毛細血管の増生と線維芽細胞の増殖が顕著となり，肉芽組織が形成される．肉芽組織は時間の経過に伴って線維化し，瘢痕治癒となり治癒に向かう．根尖部の理想的な治癒形態は，セメント質様硬組織の添加による根尖孔の閉鎖（瘢痕治癒）とされている．こうした硬組織が形成された場合でも，多孔性などの構造欠陥を有する場合が多く，長期的に緊密な根管充塡が必要である．

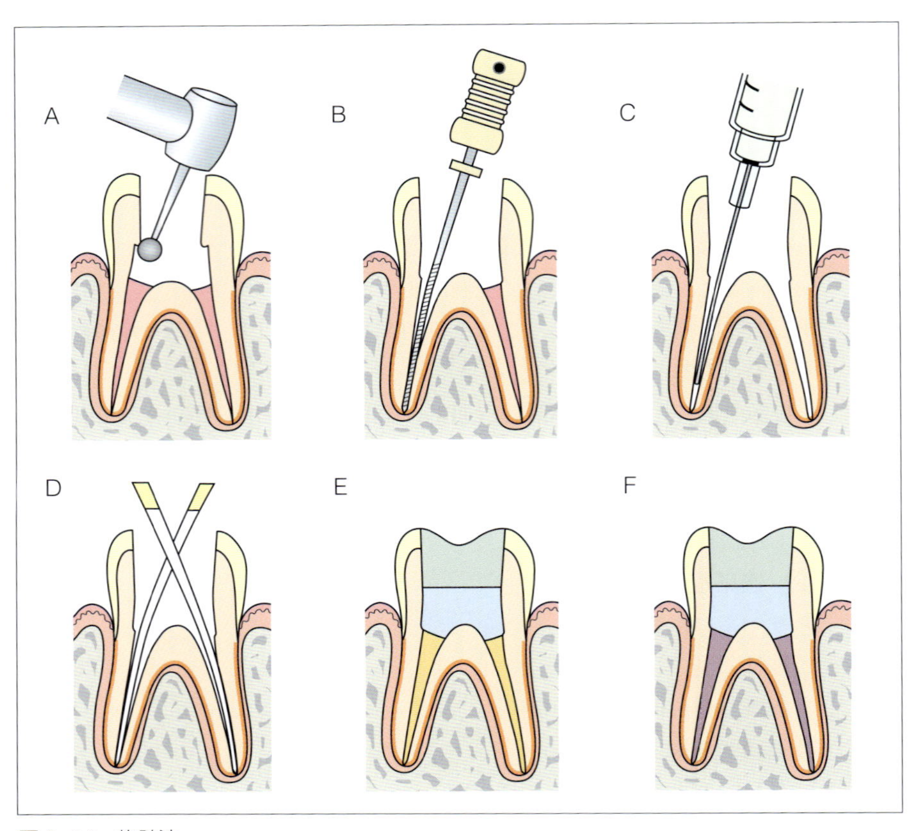

図 5-14 抜髄法

A：髄室開拡，B：歯髄の除去，根管拡大・清掃，C：根管洗浄，D：根管乾燥（ペーパーポイント），E：根管貼薬と二重仮封，F：根管充塡．

抜髄処置後の経過観察は，臨床症状の診察とエックス線検査によって，少なくとも 1 年以上にわたって定期的に行う必要がある．可能であれば 4 年継続することが望ましい．抜髄法の成功率は一般に約 90% と報告されているが，感染や過剰根管充填などがあると，さまざまな程度の炎症が根尖部で持続する．

（大倉直人，野杁由一郎）

生活断髄法の適応拡大の動向

生活断髄法は従来より，齲蝕や外傷で歯冠歯髄が局所的に傷害され可逆性歯髄炎と診断された根未完成歯を主たる対象とした治療法と位置付けられている．とりわけ外傷による新鮮露髄例は，歯髄の細菌感染が軽度であるため良好な適応とされる．生活断髄法では健康な歯根歯髄の保存により複雑な根管処置を回避できるとともに，硬組織形成能，免疫防御能など歯髄の機能の温存がはかられる利点がある．根未完成歯では，術後に根尖の完成や根管壁の厚さの増加が期待できる（第10章Ⅰ「アペキソゲネーシス」参照）．

また，外傷による新鮮露髄例に良好な成績を示す処置法として，部分断髄法 partial pulpotomy があげられる．この方法では，露髄部から約2mmの深さまで歯髄を切断除去し止血後，水酸化カルシウム製剤やMTAセメントを貼付し，歯冠歯髄の大部分を保存する．本法は北欧で1980年代におおむね確立された治療法であり，根管口部で歯髄を切断する術式（部分断髄法と区別する場合，全部断髄法 full pulpotomy，歯頸部断髄法 cervical pulpotomy とよばれる）と比較してより非侵襲的である．

一方，近年では生活断髄法の適応拡大の可能性が注目されている．すなわち，症候性不可逆性歯髄炎と診断された深在性齲蝕を有する根完成歯は，従来は禁忌症と考えられていたが，この種の症例で生活断髄法による歯髄保存が高率に可能とする複数の臨床研究がみられる．その成績を統合したメタアナリシス[1]では，不可逆性歯髄炎と診断された根完成歯に対するMTAセメントを用いた生活断髄法の2年後の臨床的成功率は92.9%で抜髄法と同等であること，部分断髄法が全部断髄法に匹敵する成功率を示すことが報告されている．

このような高い成功率の要因として，MTAセメントの使用があげられる．実際，MTAセメントは永久歯の生活断髄法で水酸化カルシウム製剤と比較して良好な成績を示す[2]．本セメントは生体親和性が高く新生硬組織（デンティンブリッジ）形成誘導能を備えるとともに，溶解性が低く封鎖性が良好であるため歯髄への細菌侵入の抑制に有利と考えられる．また，歯冠修復のすみやかな実施が予後成績を向上させる因子と位置付けられている[1]．実体顕微鏡下で精度の高い感染歯質除去，歯髄切断やセメント貼付を行うことも，成功率向上に寄与するであろう．

ところが，不可逆性歯髄炎における生活断髄法の症例選択基準は明確といえない．理論的には，組織傷害の範囲が限局的から広範となるに従い，部分断髄法，全部断髄法から抜髄法へと術式が移行すると考えられるが，歯髄の状態を術前に正確に診断することは不可能である．したがって，露髄部からの出血停止（10分程度が目安）を歯髄保存の基準とし，部分断髄法で止血しない場合は全部断髄法，さらには抜髄法へと術中に処置を移行させるといった対応が行われることがある．露髄部の実体顕微鏡所見（変性・壊死組織や出血の有無など）も参考となりうる．

生活断髄法の適応拡大は歯の長期保存に貢献すると考えられるが，そのエビデンスはいまだ十分とはいえず，今後の動向を引き続き注視する必要がある．

（興地隆史）

第6章 根尖性歯周疾患

I 根尖性歯周疾患の概要

❶ 根尖歯周組織の炎症性反応

根尖歯周組織にさまざまな刺激が加わると，生体は局所で処理しようと反応し，防御機構として炎症・免疫反応（根尖性歯周炎）を起こす（**図 6-1**）．病変部にはさまざまな炎症・免疫担当細胞が浸潤し，刺激の持続に応じて膿瘍形成が歯槽骨内に広がり，骨膜を越えて歯肉や歯槽粘膜あるいは顔面の皮膚まで到達するか，もしくは歯根膜に沿って歯冠側方向に拡延し，辺縁歯周組織に達する．

その経過は，炎症を引き起こす原因や刺激の種類と程度，作用時間，生体の抵抗性によって異なる．急性根尖性歯周炎では炎症の拡大が急速で，自発痛と激しい咬合痛，歯肉の発赤，腫脹，圧痛などの自覚症状を伴うが，慢性根尖性歯周炎では自覚症状がほとんどないか，あっても違和感程度でゆっくり病変が進行する．

根管からの刺激を生体が防御するために必要な炎症の場は，破骨細胞が周囲歯槽骨を吸収することで確保され，炎症性肉芽組織が増大し，病変が拡大していく．慢性炎症が長期間継続すると，刺激の強さによっては歯根膜内のマラッセの上皮遺残が炎症性肉芽組織内に増殖して上皮性歯根肉芽腫となり，やがて歯根嚢胞を形成するようになる．

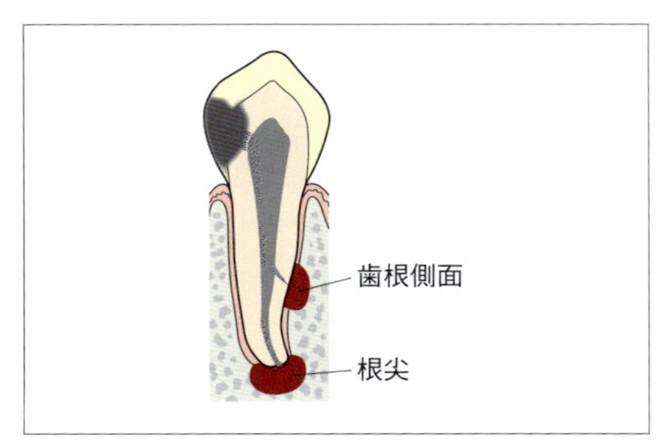

図 6-1 根管由来の根尖性歯周疾患
根管内の感染組織が根管側枝や根尖孔を通って歯周組織に到達し，周囲組織に炎症を起こす．
〔Bergenholtz G et al（須田英明・他総監訳）[1] より改変〕

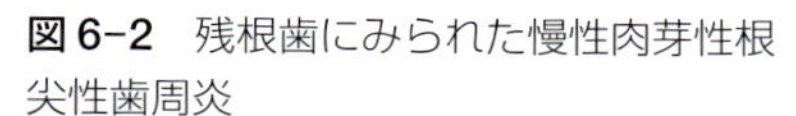

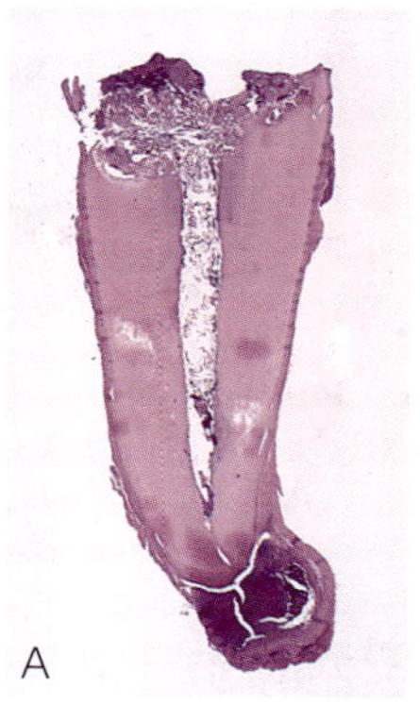

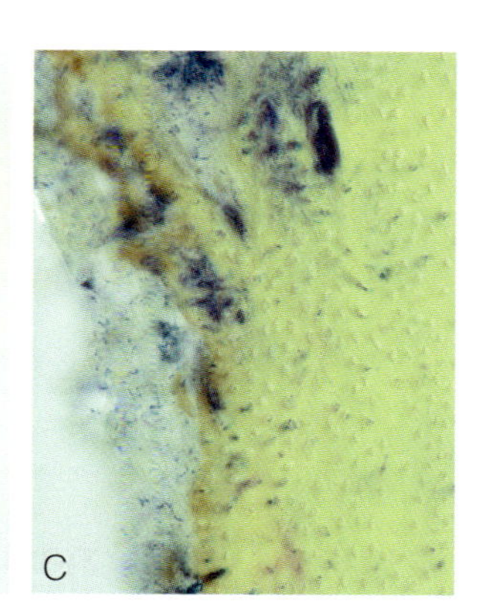

図 6-2 残根歯にみられた慢性肉芽性根尖性歯周炎
A：HE 染色所見，B：グラム染色所見，C：根管口部の根管壁象牙質の象牙細管開口部（B の矢印部分の拡大）．食物残渣と根管内への異物圧入があり，根尖部には類円形の肉芽組織形成がある．細菌は残根面プラークと根管内にみられ，象牙細管内にも多数侵入増殖している．根尖病変は上皮性肉芽組織を呈し，一部で嚢胞腔を形成し始めており，歯根嚢胞の初期ステージといえる．

❷ 感染根管

1）感染根管の定義

齲蝕細菌が歯髄腔に到達すると，生活歯髄は細菌侵入に対して炎症反応を起こして抵抗するため，生活歯髄組織の深部まで細菌が侵入することは少ない．ところが，いったん歯髄が壊死に陥ると，歯髄の生体防御機構が失われるため，細菌は根管内で自由に増殖し，時間の経過とともに象牙細管内へ深く侵入していく．このように歯髄が失活し，根管壁象牙質に細菌感染が成立した根管を狭義の感染根管 infected root canal という（**図 6-2**）．広義には少しでも根管内に細菌がいる状態を含めるが，感染根管はあくまでも根尖性歯周疾患を発症させる根管の状態を表しており，診断名ではない．過去に根管処置を受けた歯（既根管治療歯）でも，後から根管に細菌が再感染して根尖病変を生じた場合は感染根管として取り扱われる．

感染根管は生体の防御反応が起こらない失活状態にある領域で，自然治癒は生じない．根尖性歯周疾患に対する治療の三大原則は，感染根管に存在する感染域を歯科医師が徹底的に取り除き（清掃），根管を消毒して無害な状態とし（消毒），最後に緊密に根管を充填すること（封鎖）であり，その後の創傷治癒経過は患者側の生体組織の反応により確立される．

2）感染根管の成因

感染根管の成立は，まず生活歯髄が壊死 pulp necrosis に陥り，生体の防御反応が消失することから始まる．歯髄壊死の原因には，物理的刺激，温熱的刺激，化学的刺激，血液循環障害などがあり，特に歯髄炎や外傷では，歯髄のうっ血により壊死に陥りやすい．中でも湿性壊死は，歯髄の炎症を経て組織が自己融解し，液化した状態で失活しており，壊死の多くを占める．乾性壊死は薬剤の作用や高齢者の慢性歯髄炎の継続によって生じる（**図 6-3**）．

一方，歯髄壊疽 pulp gangrene は，細菌感染と腐敗を伴う失活歯髄で，腐敗臭を伴い，水分の乏しい乾性壊疽と水分の多い湿性壊疽がある．根管歯髄の一部が歯髄壊疽で，根尖部に生活した炎症歯髄が残存するものを一部性歯髄壊疽，生理学的根尖孔まで失活しているものを全部性歯髄壊疽という．

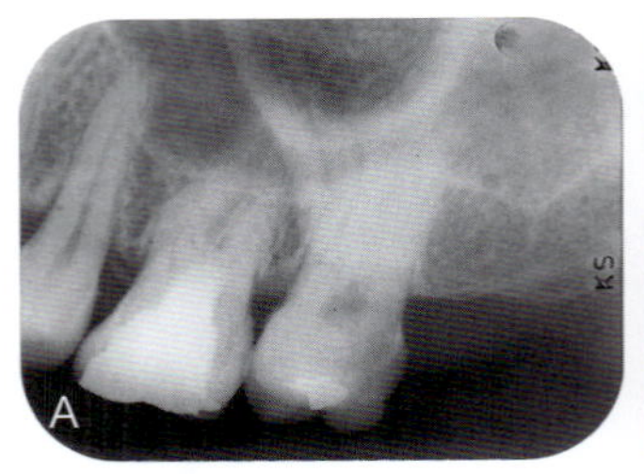

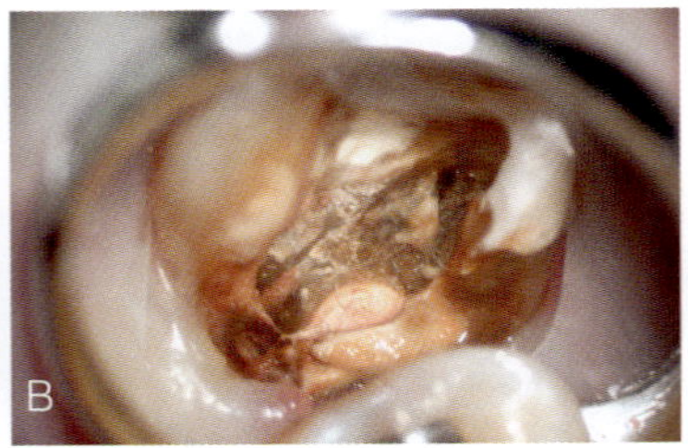

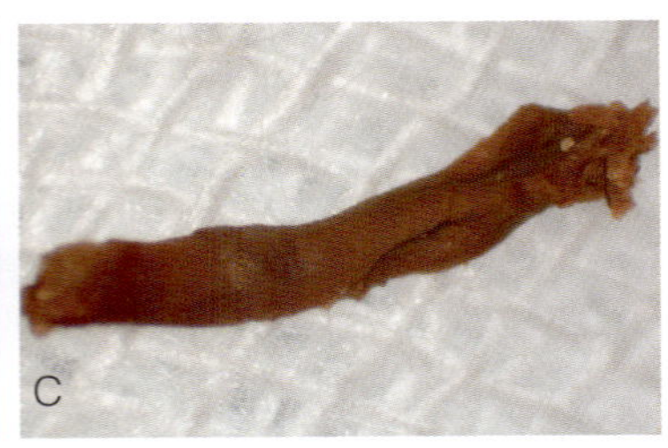

図 6-3　根管内にみられた乾性壊死歯髄
45 歳男性．充塡物脱離を主訴として来院した．自覚症状はなく，慢性根尖性歯周炎の診断のもと裏層セメントを除去すると，口蓋根管内に暗褐色を呈する乾性壊死歯髄を認めた．腐敗臭はなく，過去の治療薬剤によるものと考えられた．
A：|6 のエックス線画像，B：髄床底根管口部の歯科用実体顕微鏡所見，C：口蓋根管の内容物．

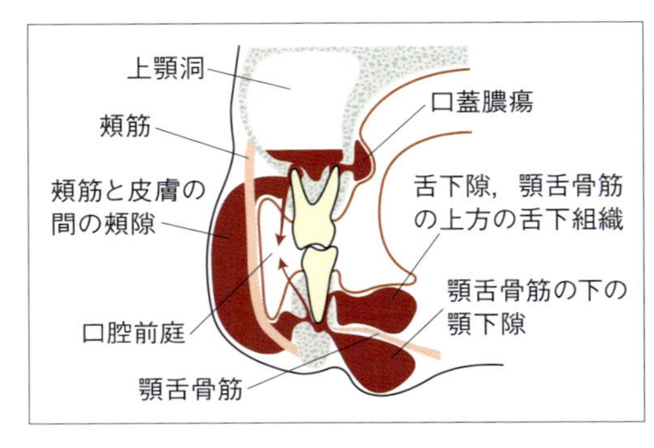

図 6-4　急性化膿性根尖性歯周炎における根尖膿瘍の拡大
膿瘍形成が活発に起こると，上顎歯では頰粘膜や口蓋歯肉方向へ拡延する．根尖が上顎洞に近接したり突き出しているときには，容易に歯性上顎洞炎を起こす．頰部皮下組織に達すると頰部膿瘍を形成し，顔面が著しく腫脹する．下顎歯では頰粘膜や舌側歯肉に広がり，さらに舌下部や顎下部へ拡延し頸部や縦隔に下降する．
〔Bergenholtz G et al（須田英明・他総監訳）[1]より改変〕

3）感染根管の病理

（1）感染根管の病原性

感染根管内の細菌は，根管内や象牙細管内のみならず根尖孔外へも増殖を起こしバイオフィルムを形成する．同部には局所感染の結果として根尖性歯周炎を発症するほか，身体のさまざまな臓器にも転移性感染症を引き起こすことがある．すなわち，急性膿瘍は隣接組織の上顎洞，頰部，舌下部，頸部に膿瘍形成を起こし，まれに縦隔へ拡散することもある（**図 6-4**）．

また，根管治療時に根尖孔外に出た菌体は，血流を介して全身に拡散し，健常者でも一過性の菌血症を起こす場合がある．

（2）根尖性歯周疾患の発症のメカニズム（図 6-5）

根管内に病原が存在し，根尖孔外へ感染が継続するかぎり，根尖歯周組織では生体の防御反応を活発に営み続ける．すなわち，根管内容物が抗原として働き，根尖歯周組織で炎症・免疫担当細胞による外来異物の認知と処理が行われる．根尖歯周組織は，歯髄に比べて活発な免疫応答と組織改造が起こりやすい特徴があり，外来異物に対する食細胞の動員と細菌の除去，サイトカイン産生とその調節，抗原提示細胞によるT細胞の活性化などが期待できる．

また，根管内の残遺変性歯髄や根管内に生じた死腔中に貯留する滲出液などに由来する変性タンパク質，破壊された各種遊走細胞（炎症性細胞）により産生された酵素なども根尖病変の形成に関与する．

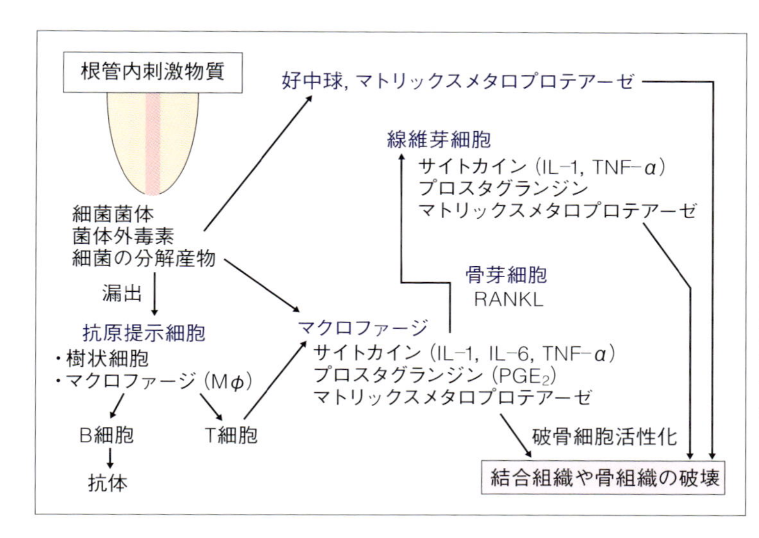

図6−5 根尖性歯周疾患成立の免疫学的メカニズム
根管内容物は抗原として根尖歯周組織に働き，抗原提示細胞のマクロファージや樹状細胞が免疫担当細胞を刺激する．同時にマクロファージや線維芽細胞は各種サイトカインを産生し，破骨細胞を活性化させて歯槽骨の吸収が促進され炎症の場が獲得される．

マクロファージは異物を貪食し，分解・処理する機能があり，抗原提示細胞としてT細胞の活性化にも関与している．樹状細胞もT細胞に抗原提示を行い，持続的に免疫応答を活性化させると考えられている．

また，根尖歯周組織ではマクロファージの活性化や好中球浸潤（膿瘍形成）が活発にみられる．これらの細胞が産生するサイトカイン，プロスタグランジン，マトリックスメタロプロテアーゼ(MMP)，一酸化窒素などのさまざまな生理活性物質は組織破壊に関与している．

根尖性歯周疾患では，炎症性肉芽組織からなる病変の拡大と破骨細胞による周囲歯槽骨の吸収などがみられ，その病変内の細胞分布から樹状細胞とT細胞が病変拡大に関連すると考えられている．マクロファージが産生するインターロイキン−1（IL−1）や腫瘍壊死因子（TNF）は破骨細胞性骨吸収の亢進に関与するといわれる．また，RANKL（receptor activator of NF−κB ligand）は骨芽細胞由来の破骨細胞分化因子で根尖病変内に発現するといわれる．

T細胞，特にヘルパーT細胞は，さまざまなサイトカインを産生し，マクロファージ，B細胞，破骨細胞などを刺激することにより病変の拡大に関与するとされる．また，B細胞は初期においてT細胞よりも優位ではないが，慢性病変では重要な役割を果たすといわれる．抗原によって特異的に刺激されたB細胞は形質細胞となり，主に免疫グロブリンG（IgG）を産生する．

サイトカインの一群であるケモカインは炎症巣で産生され，特定の白血球の遊走・浸潤，好中球やマクロファージの浸潤に関与すると考えられている．

プロスタグランジン，特にPGE_2は血管拡張作用，血管透過性亢進作用，発痛増強作用などの炎症促進作用と骨吸収促進作用を有し，ロイコトリエン類も好中球の走化性や血管透過性亢進などを示す．

このように，根尖の炎症性病変では細胞レベルと分子レベルでの組織修復と破壊が複雑な形で起こって病変が成り立っている．

Ⅱ 根尖性歯周疾患の原因

❶ 物理的刺激（図 6-6）

根尖歯周組織に加わる外力には，間接的および直接的外力がある．その多くは間接的外力で，転倒や衝突などの事故で顎を強打した場合，外傷性咬合（負担荷重）や硬固物の咀嚼による場合，咬合の高い歯冠修復物や仮封材，補綴装置の支台歯に加わった場合など，歯に過度な力がかかることで生じる．すなわち，歯冠部に加わった外力が，根尖へ伝わり根尖歯周組織が損傷を受け発症する．また直接的外力には，抜髄処置や根管治療時の小器具や根管充填材の突き出しなどの歯科治療時に起きる場合があり，歯根膜や歯槽骨が損傷を受けその外傷により根尖性歯周炎が生じる．

❷ 感染根管の内容物の化学的刺激

1）壊死歯髄やその分解産物

壊死歯髄は白血球や根管内細菌に由来するタンパク質分解酵素の作用により，インドール，スカトール，プトレシン，カダベリン，インディカンなどに分解され，最終的には水，硫化水素，アンモニア，二酸化炭素，脂肪酸などが根管内に産生される．これらの分解産物が根尖孔外に漏出すると起炎性に働き，根尖性歯周疾患が生じる．

2）根管内滲出液

根尖性歯周炎で産生される炎症性滲出液は，血管に吸収され排泄されるが，一部は根管内に浸入・貯留し，根管内滲出液となる．滲出液には膿汁，変性タンパク質，根尖病変内の炎症性細胞により産生された酵素や炎症性サイトカイン，血漿成分などが含まれ，急性炎では出血も伴う．これらは根管内細菌にとって栄養源となるため，根管内細菌は再び増殖し病原性を増してくる．

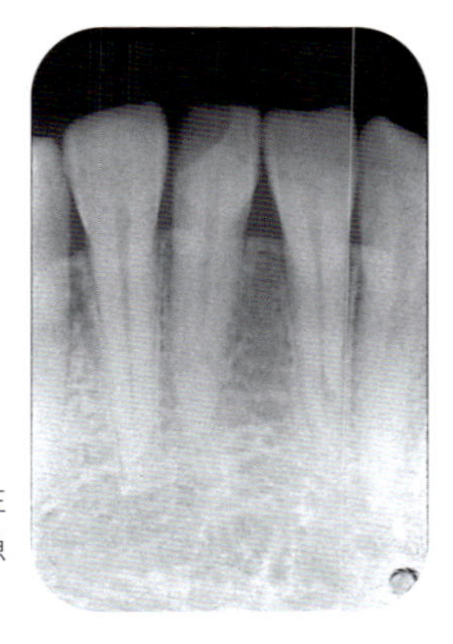

図 6-6　オトガイ部強打による1̅|の破折
32歳男性．スポーツ中の外傷を主訴に来院した．切縁隅角部に生活歯髄の露髄があり（複雑性破折），強い打診痛を伴うことから急性単純性根尖性歯周炎と診断した．

表 6-1 根管内から分離される嫌気性菌〔Bergenholtz G et al（須田英明・他総監訳）[1]〕

偏性嫌気性菌	通性嫌気性菌
グラム陽性球菌	グラム陽性球菌
・*Streptococcus* 属	・*Streptococcus* 属
・*Peptostreptococcus* 属	・*Enterococcus* 属
グラム陽性桿菌	グラム陽性桿菌
・*Actinomyces* 属	・*Actinomyces* 属
・*Lactobacillus* 属	・*Lactobacillus* 属
・*Bifidobacterium* 属	
・*Propionibacterium* 属	
・*Eubacterium* 属	
グラム陰性球菌	グラム陰性球菌
・*Veillonella* 属	・*Neisseria* 属
グラム陰性桿菌	グラム陰性桿菌
・*Porphyromonas* 属	・*Capnocytophaga* 属
・*Prevotella* 属	・*Eikenella* 属
・*Fusobacterium* 属	
・*Selenomonas* 属	
・*Campylobacter* 属	
スピロヘータ	真菌
・*Treponema* 属	・*Candida* 属

根尖性歯周炎は急性と慢性に分けられ，臨床病理学的に分類されているが，滲出液にそれぞれ特徴があり，色，膿汁の有無，粘稠度，含まれる細胞の種類などが異なる．特に化膿性根尖性歯周炎（歯槽膿瘍）では膿性滲出液，歯根肉芽腫では崩壊した好中球を含む漿液性滲出液，歯根嚢胞ではコレステリン結晶や剥離上皮細胞を含む粘稠性滲出液が特徴である．

3）根管治療薬剤，歯科治療材料，食物残渣，その他

歯髄処置や根管治療時に使用される薬剤には，少なからず組織刺激性がある．特に歯髄失活法で使用されてきた高濃度のパラホルム製剤，フェノール系やホルムアルデヒド系根管消毒薬は歯周組織に不可逆的傷害をもたらす．また，根管清掃薬の次亜塩素酸ナトリウム液や根管充填材の中には，根尖孔外に溢出すると刺激源となるものもある．さらに根管治療時に破折した根管小器具が腐蝕して刺激源となったり，開放性齲蝕では咀嚼時に食物が圧入され，根管内深部まで送り込まれて刺激源となる．

❸ 細菌学的刺激

根尖性歯周炎の主たる病原因子は根管内細菌で，多種の細菌による混合感染が成立している（**表 6-1**）．検出される細菌叢は，好気性菌よりも嫌気性菌が優位を示し，酸素の存在下で酸素を利用できる通性嫌気性菌と，大気レベルの濃度の酸素に曝露されると死滅する偏性嫌気性菌がともに存在する．特に，*Streptococcus* 属，*Lactobacillus* 属は齲蝕歯の根管内から検出され，*Actinomyces* 属や，黒色色素産生性細菌の *Porphyromonas* 属や *Prevotella* 属は辺縁性歯周炎とともに根尖性歯周炎でも検出される．

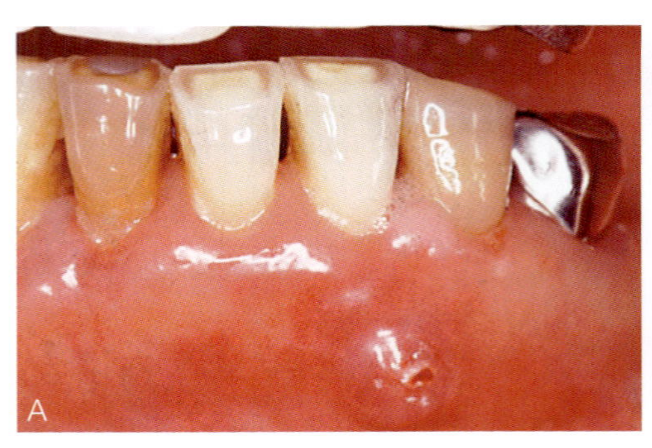

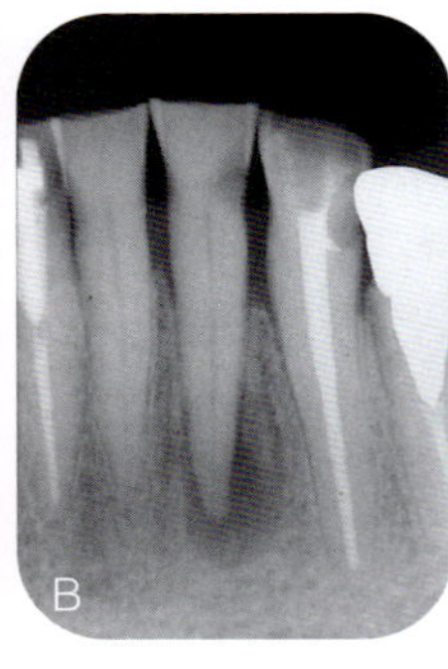

図 6-7　齲蝕が原因の感染根管
A：⌈2 の唇面観．歯肉膿瘍の形成を認める．
B：遠心隣接面齲蝕が髄室に到達し，根尖部に透過像を伴っている．
隣接面齲蝕の進行により，感染歯髄は壊疽に陥り根尖病変が発現した．

根管内細菌の多くは根管治療への感受性が高いことから，通常は治療が十分に奏効する．一方，的確な根管治療が行われても病変が拡大を示す症例や，症状の改善が得られない症例では，抗菌薬耐性を示しバイオフィルムを形成するグラム陽性通性嫌気性球菌の *Enterococcus faecalis*，根尖病変内における菌塊形成を示す *Actinomyces israelii* や *Propionibacterium propionicum*，また真菌の *Candida albicans* などが関与することがある．

臨床症状と検出される細菌叢との関係では，症状のある根管では *Eubacterium* 属，黒色色素産生性 *Porphyromonas* 属および *Peptostreptococcus* 属が高い頻度で分離されるのに対し，症状を伴わない根管からは *Lactobacillus* 属が分離されている．以上のように，根尖性歯周炎は，口腔内常在菌が根管内壊死組織，根管壁象牙質，セメント質などで増殖し，病原性を発揮する日和見感染的な状態にある．

❹ 細菌感染の経路

1）歯冠側からの感染（図 6-7）

① 齲蝕が進行し象牙細管内に細菌が侵入すると，やがて歯髄まで到達する．歯髄は化膿性歯髄炎を発症して抵抗するが，いずれは失活し，根管内で細菌が増殖するとともに象牙細管内深部まで細菌が増殖する．
② 外傷による歯の亀裂や破折により歯髄腔に細菌が侵入し，齲蝕と同様に歯髄壊死を経て感染根管となる．
③ 咬耗や摩耗により露出した象牙細管から細菌が侵入し，歯髄壊死を経て感染根管となる．

2）根尖部や根側部，分岐部方向からの感染（図 6-8）

歯周疾患の進行に伴い，生活歯髄に変性や感染が生じ，徐々に歯髄壊死へと移行することが多い．すなわち，歯周ポケット底部が根尖方向に移動すると，根管側枝，根尖分岐，根尖孔などの開口部から歯髄へ上行性（逆行性）に感染し，上行性（逆行性）歯髄炎の発症を経て歯髄壊疽や根尖性歯周炎を継発する．また，大臼歯では根分岐部の髄管も感染経路となる．

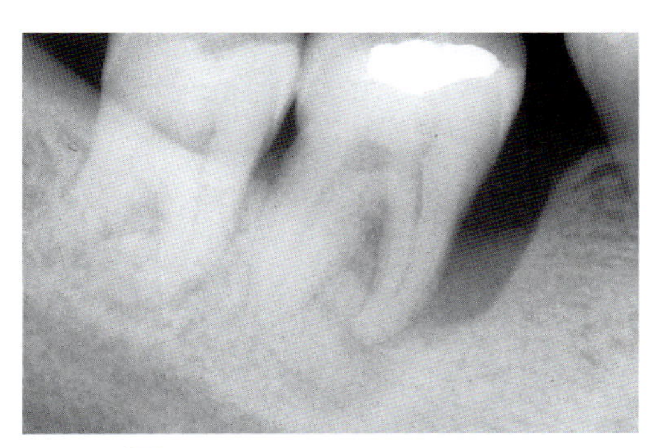

図 6-8 7┐の近心側歯周ポケットからの根尖歯周組織への感染
食片圧入を自覚したまま長期間経過し，歯周疾患の進行により上行性歯髄炎を起こした．

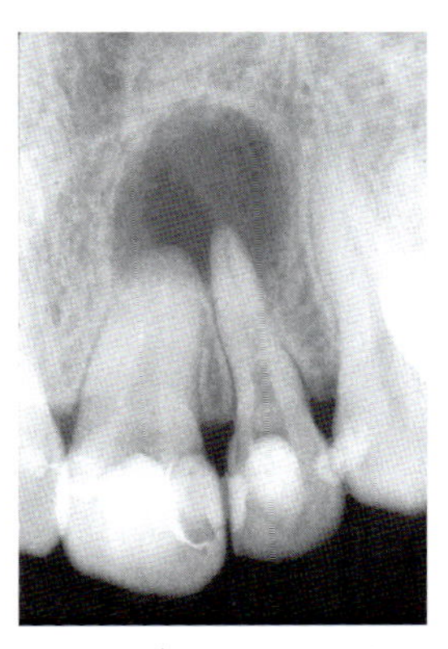

図 6-9 └2 の根尖病変の└1 への波及
24 歳女性．└2 の疼痛で来院した．└2 の根尖性歯周炎が原発巣で，└1 の抜髄も行われた．

3）隣接歯からの感染（図 6-9）

根尖病変が拡大し隣接歯の根尖まで到達すると，隣接歯では血液循環の低下や根尖歯周組織の破壊により歯髄が壊死する．また直接歯髄に上行性感染を起こして感染根管となることがある．

4）他の疾患の進行による歯髄壊死

非歯原性嚢胞や腫瘍，埋伏歯では，隣接歯の歯根を圧迫し吸収することがあり，感染根管となる．

5）血行性感染（アナコレーシス）

身体の各所の局所的疾患（顎骨や歯肉の腫瘍）や全身的疾患（腸チフスや猩紅熱などの急性感染症，関節リウマチなど）に起因する菌血症や転移性感染で，血行性やリンパ行性に細菌が根尖歯周組織に達することもあるといわれていたが，現在，それを証明できる根拠は示されていない．

6）既根管治療歯の再感染

複雑な形態を示す根管は根管治療を困難にし，根管治療後に再感染の可能性を残すことがある．また，治療が不適切であったり，未処置の根管があると，滲出液の貯留が起こり，細菌が再度感染，再増殖し感染根管を成立させることとなる．また，根管充塡が施された歯であっても，修復物や補綴装置に辺縁漏洩（マージナルリーケージ marginal leakage）が起きると，根管充塡材と根管の間の封鎖性の乏しい部分を通って根尖方向へ細菌が侵入する（コロナルリーケージ coronal leakage）．

Ⅲ 根尖性歯周疾患の分類と臨床症状

❶ 分　類

根尖性歯周疾患には，国内外に多くの分類がある．「平成 19 年改訂歯科医学教授要綱」では，臨床症状と病理組織学的所見に基づく臨床的分類が用いられる（**表 6-2**）．そこでは臨床症状の有無で急性と慢性に分け，感染の有無や症状の進行状態，エックス線所見，滲出液の性状などを考慮した臨床病理学的診断を加えて分類されている．なお，根尖性歯周疾患と同義語に歯根膜炎を用いることもある．

一方，欧米の分類は基本的にはわが国と同じ概念を有するが，臨床的分類となっている．それらは臨床症状に基づくもので，症状の有無から急性と慢性に，エックス線所見から透過性と不透過性に，瘻孔 sinus tract や膿瘍形成から根尖性歯周炎と根尖膿瘍に分類している．その代表例として米国歯内療法学会（AAE）（2009）の分類がある（**表 6-3**）．

症状の有無からの臨床診断と病理組織学的診断を対比させると，病態と病状の関連性を整理しやすい（**表 6-4**）．

❷ 根尖性歯周疾患の臨床症状

根尖性歯周疾患の急性炎とは，自発痛があり，強い咬合咀嚼痛と歯肉の発赤・腫脹，圧痛があるものをいう．また慢性炎はほとんど自覚症状がなく，腫脹があっても圧痛はなく，触診や打診でも疼痛がなく，エックス線画像で異常が発見されるものをいう．

1）急性根尖性歯周炎

(1) 急性単純性（漿液性）根尖性歯周炎

a. 臨床病理

非感染性疾患で，原因は外傷による歯の打撲，外傷性咬合，歯冠修復物や仮封材の過高，

表 6-2　根尖性歯周疾患の臨床病理的分類

1）急性根尖性歯周炎
(1) 急性単純性（漿液性）根尖性歯周炎 (2) 急性化膿性根尖性歯周炎（急性歯槽膿瘍） 　①歯根膜期，②骨内期，③骨膜下期，④粘膜下期 (3) フェニックス膿瘍（慢性根尖性歯周炎の急性化）
2）慢性根尖性歯周炎
(1) 慢性単純性（漿液性）根尖性歯周炎 (2) 慢性化膿性根尖性歯周炎（慢性歯槽膿瘍） (3) 慢性肉芽性根尖性歯周炎 　①歯根肉芽腫 　②歯根嚢胞 (4) 硬化性骨炎

表 6-3　American Association of Endodontists（AAE）（2009）の分類

normal apical tissue	正常な根尖歯周組織
symptomatic apical periodontitis asymptomatic apical periodontitis acute apical abscess chronic apical abscess condensing osteitis	症候性根尖性歯周炎 無症候性根尖性歯周炎 急性根尖膿瘍 慢性根尖膿瘍 硬化性骨炎

表 6-4　根尖性歯周炎の対比表

症状の有無からの臨床診断	臨床病理診断名（「歯科医学教授要綱」より）
・正常根尖歯周組織	・正常根尖歯周組織
・症候性根尖性歯周炎 symptomatic apical periodontitis	・急性単純性（漿液性）根尖性歯周炎
・無症候性根尖性歯周炎 asymptomatic apical periodontitis	・慢性単純性根尖性歯周炎 ・慢性肉芽性根尖性歯周炎 　・歯根肉芽腫 　・歯根囊胞
・急性根尖膿瘍 acute apical abscess	・急性化膿性根尖性歯周炎（急性歯槽膿瘍） 　・歯根膜期（第 1 期） 　・骨内期（第 2 期） 　・骨膜下期（第 3 期） 　・粘膜下期（第 4 期）
・慢性根尖膿瘍 chronic apical abscess	・慢性化膿性根尖性歯周炎（慢性歯槽膿瘍）
・硬化性骨炎 condensing osteitis	・硬化性骨炎

リーマーやファイルでのオーバーインスツルメンテーション，過剰な根管充填による歯根膜損傷などがある．それらの物理的刺激のほかに，根管治療薬剤，壊死歯髄の分解産物，根管滲出液などの化学的刺激によっても生じる．急性全部性化膿性歯髄炎や急性壊疽性歯髄炎で根尖部歯髄まで炎症が波及すると，歯根膜まで炎症が広がる．歯根膜組織には充血，血管の拡張，炎症性水腫などの滲出性炎がまず起こる．原因が除去されると自然治癒する．

b. 臨床症状

しばしば軽度の自発痛を伴う．普通は軽度の歯の挺出感や咬合痛がみられ，垂直打診に過敏である．根尖部歯肉の圧痛はなく，所属リンパ節の腫脹や発熱もない．エックス線画像でも根尖部に変化はなく，あっても歯根膜腔の拡大，歯槽硬線 lamina dura の消失がわずかにある程度である．

(2) 急性化膿性根尖性歯周炎（急性歯槽膿瘍）

a. 臨床病理

原因は根尖歯周組織への細菌感染で，化膿性炎症が根管開口部から歯槽骨方向に急速に拡延する．好中球の滲出を主体とし，好中球の酵素で融解した組織とともに膿瘍 abscess を形成する．膿瘍形成の範囲が歯根膜内にある歯根膜期（第 1 期），歯槽骨内に及ぶ骨内期（第 2 期），皮質骨を越え骨膜下に及んだ骨膜下期（第 3 期），粘膜下まで達した粘膜下期（第 4 期）と区別する．これらの膿瘍は，貯留する場所から歯根膜膿瘍，歯槽膿瘍，骨膜下膿瘍，粘膜下膿瘍（歯肉膿瘍）とよばれ，顔面皮膚に及ぶと皮下膿瘍となる．拡延方向により上顎洞炎，顎骨骨髄炎，口底炎や頸部蜂窩織炎などを起こし，口腔内に自潰すると内歯瘻，顔面皮膚面で自潰すると外歯瘻となる．

表 6-5　急性化膿性根尖性歯周炎（急性歯槽膿瘍）の症状と特記事項

	歯根膜期（第 1 期）	骨内期（第 2 期）	骨膜下期（第 3 期）	粘膜下期（第 4 期）
自発痛	＋ （飲酒，入浴，就寝時増強）	＋＋ 拍動性，持続性	＋＋＋ 拍動性，持続性	＋〜± 軽減する
咬合痛・打診痛	＋	＋＋	＋＋＋	＋〜±
根尖部圧痛	＋	＋＋	＋＋	±（波動触知）
発赤・腫脹	発赤＋	発赤＋	発赤＋＋，腫脹＋（硬性）	腫脹＋＋（軟性）
動揺	−，±	＋＋	＋＋	±
エックス線所見	歯根膜腔の拡大	歯槽硬線の消失	びまん性透過像	びまん性透過像
リンパ節圧痛		軟性腫脹，圧痛＋	腫脹，圧痛＋＋	圧痛＋
全身所見		発熱＋（軽微）	発熱＋＋，倦怠感，悪寒	

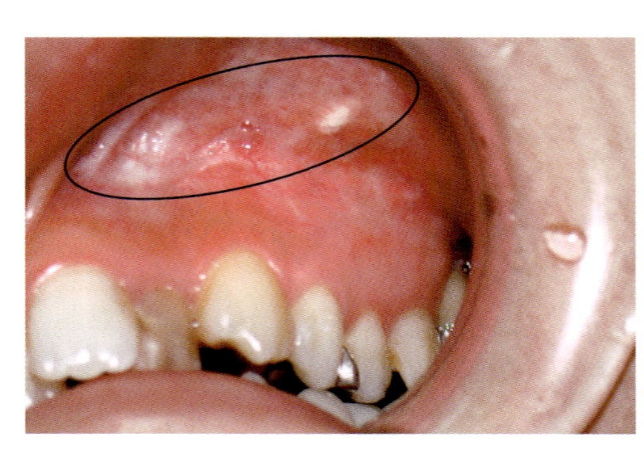

図 6-10　上顎小臼歯部に広がる根尖部歯肉の炎症
21 歳男性．|2 から|4 の根尖孔部相当粘膜に発赤があり，オキシドール綿球での歯肉擦過で発泡（カタラーゼ反応）がみられた．

b. 臨床症状（表 6-5）

① 歯根膜期（第 1 期）

自発痛と歯の挺出感，咬合痛，垂直打診痛を認める．エックス線画像では根尖部の歯根膜腔の拡大がみられる．

② 骨内期（第 2 期）（図 6-10）

限局性の鈍痛から始まり，進行すると拍動性の自発痛が昼夜を問わず発現し，持続性を示す．歯の挺出感，咬合痛，垂直打診痛も暫時強くなり，根尖部歯肉の発赤，圧痛をみるようになる．所属リンパ節は腫脹し，軟らかく，圧痛を伴う．全身的に軽度の発熱，食欲不振などが現れてくる．温熱刺激で痛みが増大し，寒冷により痛みが寛解する．エックス線画像では潜伏期に相当し，後にわずかに根尖部のびまん性透過像がみられるようになる．

③ 骨膜下期（第 3 期）（図 6-11）

膿瘍内圧が最大に亢進し，自覚・他覚症状が最も激しくなる．歯肉は発赤し，しばしば強い圧痛を伴う．波動を触知する場合もある．顔面部の腫脹，浮腫，左右の非対称性が現れ，発熱，悪寒，所属リンパ節の腫脹，圧痛が増大する．しばしば全身の倦怠感を伴い睡眠障害なども起こす．

④ 粘膜下期（第 4 期）（図 6-12）

骨膜が破れて膿瘍が粘膜組織下に広がると，腫脹は急激に大きさを増す．顔面の浮腫も強くなり，顔貌の変化は著明となり，歯肉腫脹と顔面頸部の浮腫は拡大するが，膿瘍内圧が解

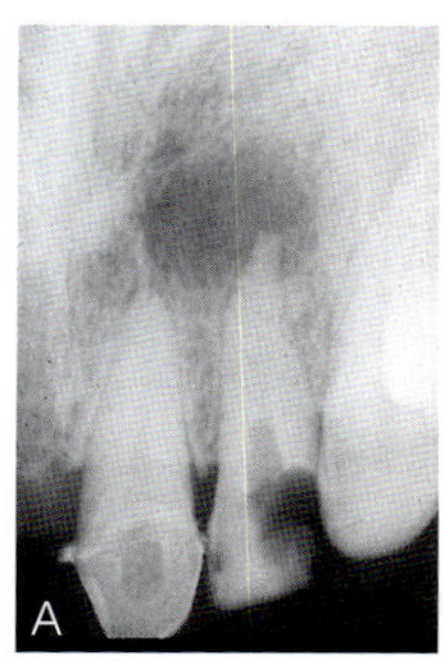

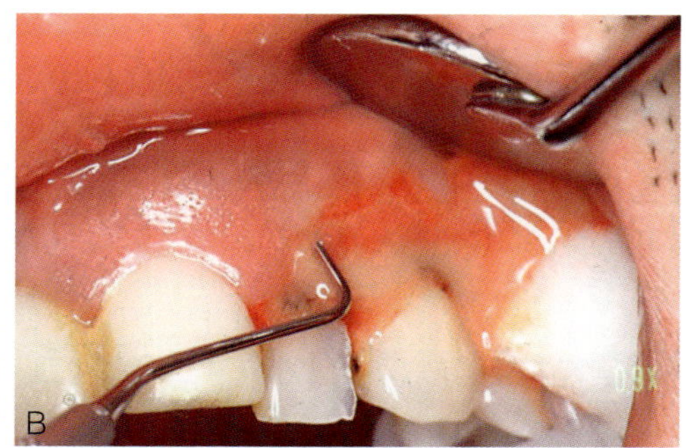

図 6-11 根尖膿瘍の歯肉溝からの排膿
25 歳男性．|2 の急性化膿性根尖性歯周炎（骨膜下期）で，自発痛（++）打診痛（++），歯肉圧痛（++）で腫脹は軽度で波動はなかった．ファイルで根尖孔まで根管穿通しても排膿はなかったが，歯肉溝をプローブで触診したところ血膿性の持続的排膿が歯面に沿って排出された．
A：|2 の根尖部のびまん性透過像，B：歯肉溝の触診．

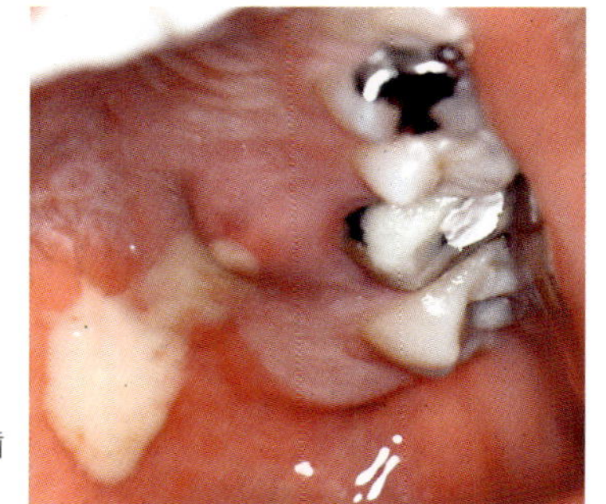

図 6-12 口蓋側の歯肉膿瘍
22 歳男性．|6 の急性化膿性根尖性歯周炎で，口蓋根根尖部相当歯肉が腫脹し，自潰部から膿性滲出液が排出している．

放されるため第 3 期よりも痛みは軽減する．局所の浮腫や腫脹も限局し，波動を伴う歯肉膿瘍を形成する．膿瘍が自潰または切開により排出されると症状は著しく軽快し，慢性炎へと移行する．所属リンパ節に腫脹，圧痛がみられる．

2）慢性根尖性歯周炎（表 6-6）

(1) 慢性単純性（漿液性）根尖性歯周炎

a. 臨床病理

原因は，根管由来の物理的，化学的刺激で，その程度は急性単純性根尖性歯周炎を起こすほど大きいものではない．歯根膜にはリンパ球，形質細胞，マクロファージなどを主体とする慢性炎症が存在する．根尖部セメント質や歯槽骨には吸収と修復がみられ，第二セメント質や新生骨の添加を示す．急性単純性根尖性歯周炎の慢性化，あるいは慢性化膿性根尖性歯周炎，慢性肉芽性根尖性歯周炎の根管治療後の治癒経過における一過程でもある．

b. 臨床症状

ほとんど症状はない．過労時などに軽度の咬合痛や違和感を覚える程度で，エックス線画像ではわずかに歯根膜腔の拡大が認められることがある．

(2) 慢性化膿性根尖性歯周炎（慢性歯槽膿瘍）

a. 臨床病理（図 6-13）

原因は根管由来の細菌感染である．急性化膿性根尖性歯周炎の治療後に，根尖膿瘍が根管から排出されたり，歯肉膿瘍の自潰あるいは切開による排膿で慢性炎に移行した場合にも起

表 6-6　慢性根尖性歯周炎の症状

	慢性化膿性根尖性歯周炎（慢性歯槽膿瘍）	慢性肉芽性根尖性歯周炎	
		歯根肉芽腫	歯根嚢胞
自発痛	－	－	－
咬合痛・打診痛	±（違和感，濁音）	±（違和感，濁音）	±（違和感，濁音）
根尖部圧痛	±	±	±，羊皮紙様感＋
発赤・腫脹	±	±	±
歯根振盪	±	±～＋	±～＋
エックス線所見	境界線不明瞭・びまん性の透過像	類円形の透過像	骨硬化線で囲まれた類円形の透過像 大型病変
リンパ節圧痛	－（硬くわずかに腫脹）	－（硬くわずかに腫脹）	－

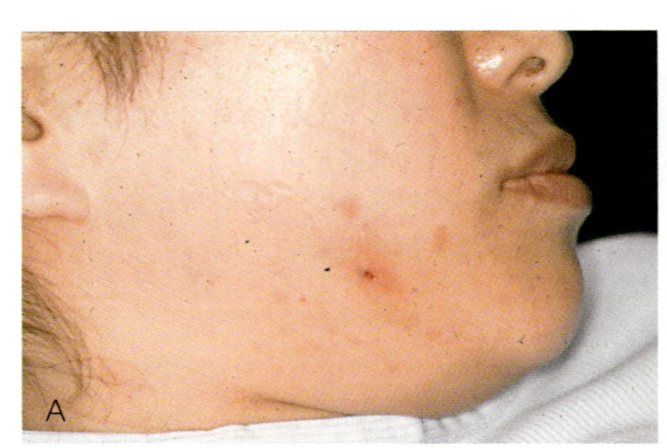

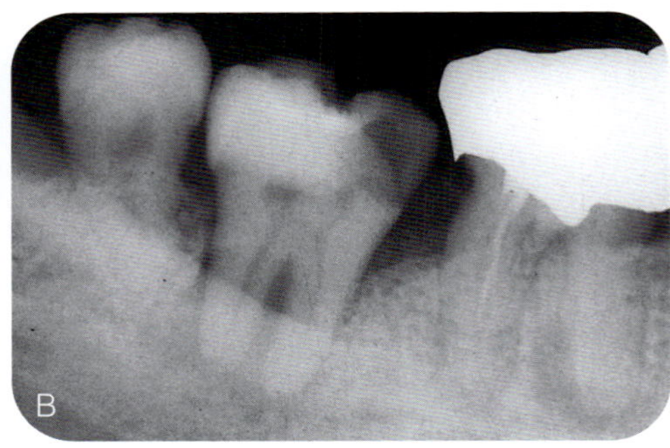

図 6-13　慢性化膿性根尖性歯周炎由来の外歯瘻
44 歳女性．7┐の慢性化膿性根尖性歯周炎により，頬部皮膚に瘻孔が形成されている．過去に皮膚科にて切開処置を施されたが，再発を繰り返している．
A：右側頬部に瘻孔形成を繰り返している．B：7┐起因の慢性化膿性根尖性歯周炎．

こる．根尖部には膿瘍形成があり，周囲にはリンパ球，形質細胞，マクロファージなどの炎症性細胞浸潤の著明な肉芽組織がみられる．病変周囲の骨面では破骨細胞による骨吸収がみられる．根尖部歯肉や顔面部に瘻孔を伴うこともある．

b. 臨床症状

自覚症状は通常ない．歯の挺出感，打診痛や根尖部の圧痛も弱い．根尖部歯肉に内歯瘻を形成し，軽度の排膿を認めることが多く，排膿と自然閉鎖を繰り返す．まれに顔面部に外歯瘻を形成する．所属リンパ節は硬く，腫脹は著明でなく，圧痛もない．エックス線画像では，境界が不明瞭なびまん性透過像を示す．

(3) 歯根肉芽腫

a. 臨床病理（図 6-14）

病理組織学的に最も頻度の高い疾患で，原因は細菌感染である．細菌菌体やその産生物，組織の分解産物，根管滲出液などが根尖孔から漏出し，弱い刺激が持続することで起こり，慢性化膿性根尖性歯周炎からの移行によっても生じる．

肉芽腫は内・外層の 2 層からなり，内層はいわゆる肉芽組織で毛細血管に富み，主として

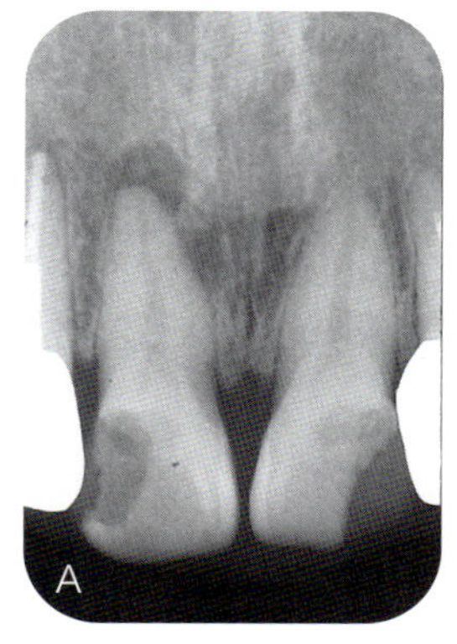

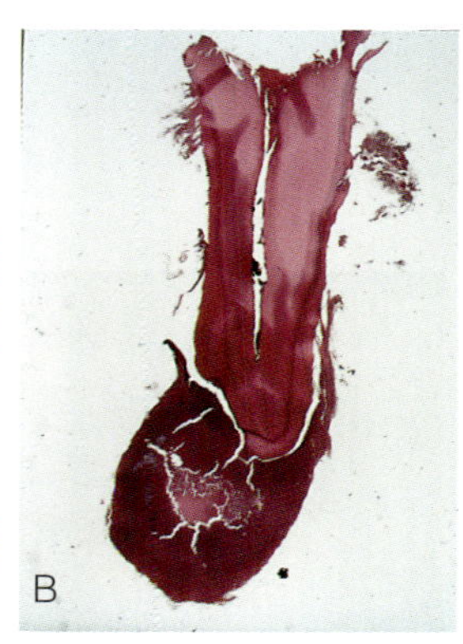

図 6-14　歯根肉芽腫
A：境界明瞭な根尖部透過像．1⏌には大きな修復物があり，歯は無症状である．根尖部に類円形の境界明瞭な透過像があり，感染に継発した歯根肉芽腫である．
B：歯根肉芽腫の病理組織所見（HE 染色所見）．5⏋残根にみられた歯根肉芽腫で，中心部に強い炎症巣があり，周囲を肉芽組織が取り囲んでいる．

リンパ球，形質細胞，マクロファージで構成される慢性炎症性細胞浸潤がみられる．外層は線維性結合組織からなり，歯根膜とともに歯根に続いている．肉芽腫内部に索状または塊状のマラッセの上皮遺残を認める上皮性歯根肉芽腫を形成することもある．周囲骨壁では，破骨細胞による骨吸収や破歯細胞による歯根吸収があり，骨芽細胞による骨の新生，セメント芽細胞による第二セメント質の添加も同時にみられることがある．

b. 臨床症状

通常は自覚症状はない．消耗性疾患（感冒など）や過労などの抵抗力の低下時において，歯の挺出感，違和感を覚える．また，急性化して急性化膿性根尖性歯周炎に移行することもある．他覚症状としては，病変が骨膜まで達すると歯肉の圧痛を認める．瘻孔形成はまれで，根尖部歯肉の発赤，腫脹もない．所属リンパ節は硬く，わずかに腫脹する程度で圧痛はない．打診では濁音を示し，エックス線画像では境界明瞭な類円形の透過像を示し，歯根吸収を伴うこともある．

(4) 歯根囊胞

a. 臨床病理（図 6-15）

原因は，細菌感染に伴う根管からの持続的な刺激である．根管と囊胞腔が直接交通しているものをポケット囊胞 periapical pocket cyst（bay cyst），交通のないものを真性囊胞 periapical true cyst と分類する．

歯根囊胞形成には歯根膜内のマラッセの上皮遺残が関係しており，種々の原因（刺激）で上皮細胞が増殖し囊胞化する．囊胞腔内には黄色みを帯びた粘稠性滲出液が貯留しており，剝離上皮細胞，コレステリン結晶，白血球などが含まれる．囊胞壁は3層からなり，内側から重層扁平上皮層，炎症性肉芽組織層，結合組織層である．囊胞壁にはリンパ球，形質細胞，泡沫細胞，好中球，マクロファージなどの細胞浸潤がみられる．

b. 臨床症状

自覚症状は歯根肉芽腫と同様にほとんどない．囊胞が大きくなり，皮質骨が菲薄化すると手指の触診でペコペコという羊皮紙様感 parchment feeling や，皮質骨に開窓が生じた場合は打診による歯根振盪を触知できる．エックス線画像では境界明瞭な類円形透過像を認め，その外側に骨硬化線があり，歯槽硬線とつながっている．

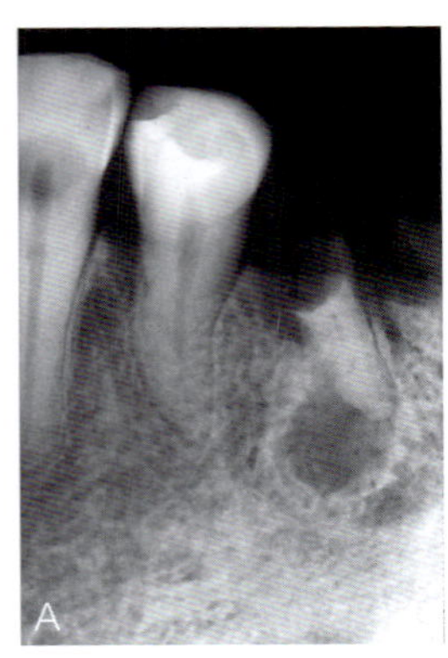

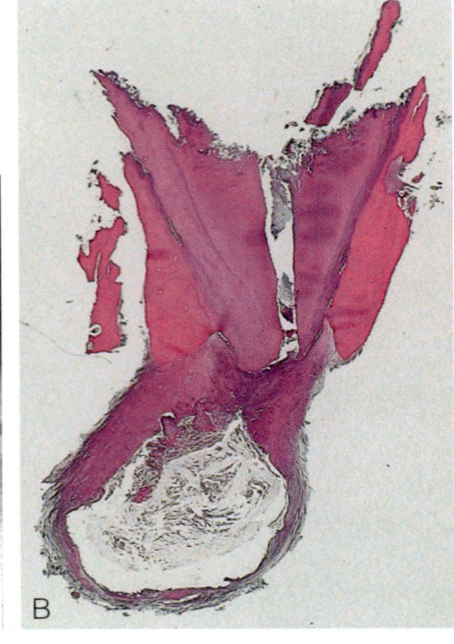

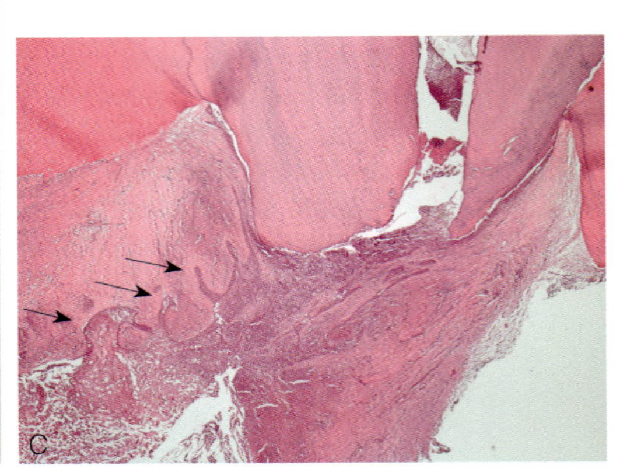

図 6-15 歯根囊胞

A：歯根囊胞のエックス線所見．類円形の透過像があり，その周囲を骨硬化線がとり囲み，歯槽硬線に連続している．

B：HE 染色所見．抜去歯と根尖部の歯根囊胞所見．中心部に囊胞腔 cavity を有し，周囲囊胞壁は上皮組織層，炎症性肉芽組織層，結合組織層の 3 層構造からなる．

C：B の拡大像．根尖部にみられる上皮細胞の柵状増殖（矢印）．根尖孔付近では上皮細胞がみられ，柵状に不規則な形で上皮突起が伸びている．

以上の慢性化膿性根尖性歯周炎，歯根肉芽腫および歯根囊胞は，病理組織学的には鑑別は十分に可能で，慢性化膿性根尖性歯周炎は膿瘍型，歯根肉芽腫は実質性，歯根囊胞は粘液などの囊胞液を伴う囊胞型である．しかし，エックス線画像だけで鑑別診断を行うのはきわめて困難である．

(5) 硬化性骨炎

明らかな臨床症状はないが，根管経由の弱い刺激の持続に対し根尖周囲歯槽骨の反応として骨形成が起こり，エックス線画像上で不透過性が亢進する．

Ⅳ 根尖性歯周疾患の特徴と経過（図 6-16）

健康な根尖歯周組織に，物理的刺激や化学的刺激が加わると，根尖歯周組織の損傷が生じる．病理組織学的には急性単純性根尖性歯周炎であり，その症状の現れ方は刺激の種類や大きさ，持続時間によって異なり，刺激が小さく短時間なものでは刺激が除去されると慢性単純性根尖性歯周炎を経て自然治癒する．しかし細菌感染が加わった場合は，急性化膿性根尖性歯周炎へと進行する．

急性化膿性根尖性歯周炎は，強い細菌学的刺激により急速に感染が進行し，疼痛を伴うが，生体の防御反応が十分に機能すると慢性化膿性根尖性歯周炎に移行する．細菌の侵襲が継続する場合には，膿瘍形成は歯槽骨内の骨髄へ広がり，骨を破って骨膜下膿瘍や顎骨骨髄炎に

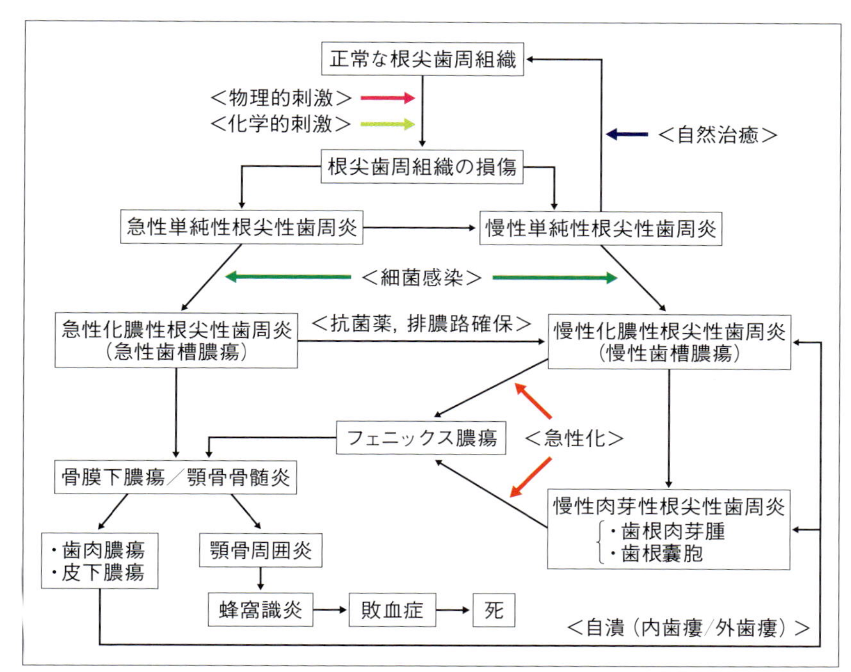

図 6-16　根尖性歯周疾患の進行と経過
正常な組織に物理・化学的刺激が加わると，歯髄の壊死を起こす．その後，細菌感染が加わると化膿性疾患に移行し，各種急性炎と慢性炎に移行する．根管内容物に細菌があるかぎり症状を繰り返し発現する．

移行する．骨膜下膿瘍は，口腔内方向に拡延すると歯肉膿瘍 gingival abscess を形成し，顔面方向では皮下膿瘍となる．やがて自潰して急性症状が消失すると有瘻性の慢性化膿性根尖性歯周炎へと移行する．身体の抵抗力が低いときには，重篤な顎骨骨髄炎や顎骨周囲炎を引き起こし頸部蜂窩織炎を経て敗血症で死に至ることがある．なお，歯周ポケット由来の膿瘍は歯周膿瘍 periodontal abscess として区別されている．

一方，慢性化膿性根尖性歯周炎は，膿瘍形成が骨内に広がり，同時に歯槽骨の吸収が起こって慢性肉芽性根尖性歯周炎に移行する．まず，歯根肉芽腫が形成され全身への感染を阻止する防御体となる．その後，病態の長期化に伴いマラッセの上皮遺残由来の上皮が増殖侵入し，上皮性歯根肉芽腫となる．やがて中心部に内腔を有し，周囲を重層扁平上皮層，肉芽組織層，結合組織層の３層構造を示す歯根囊胞に移行する．

慢性根尖性歯周炎は通常は臨床症状のない疾患で，生体と細菌の力のバランスがとれている状態にあるが，患者側の抵抗力が過労や消耗性疾患により減弱した場合には，細菌の増殖能のほうが優勢となり急性発作を起こす．このような急性炎が再発したものをフェニックス膿瘍 phoenix abscess とよぶ．

このように，根管内の病原が残存するかぎり，病変の自然治癒はなく，慢性炎症と急性炎症とを繰り返して病変は拡大する．

表 6-7　急性歯髄炎と急性根尖性歯周炎の鑑別

	急性歯髄炎	急性根尖性歯周炎
痛みの定位	悪い	よい
痛みの性状	鋭い 牽引性，放散性，拍動性，強弱あり 間欠性，断続的 疲労時，就寝時に増大する	鈍い 一定の強さ 持続性 体位や時間帯で変わらない
リンパ節の触知	−	＋ 慢性炎：圧痛　−，硬い 急性炎：圧痛　＋，軟らかい
温度的・化学的刺激に対する痛み	冷熱・温熱に反応あり	−（化膿性では温熱＋）
打診痛	−（全部性炎，上行性では＋）	±（違和感），＋（疼痛），＋＋（接触痛）
歯髄生活反応 （歯髄電気診，温度診，切削診）	あり	なし
エックス線検査	− 化膿性，潰瘍性，上行性では 歯根膜腔の拡大を伴うことがある	初期：歯根膜腔拡大，歯槽硬線消失 エックス線潜伏期（著変なし） フェニックス膿瘍（根尖部透過像あり）
歯の挺出感	−（全部性炎では＋）	±〜＋＋
体温の上昇	−	±，＋

Ⅴ 根尖性歯周疾患の診断

❶ 根尖性歯周疾患の診察・検査

歯の硬組織疾患，歯髄疾患，根尖性歯周疾患の診察・検査法には共通するものが多く，本章では根尖性歯周疾患に特化する内容を追記して記載する（診察・検査の詳細は第 4 章「歯内治療における基本術式の概要」参照）．

1）問　診

根尖性歯周疾患は，歯髄疾患とは疼痛の性状が異なり，患者から得られる自覚症状（主観的事項）の信頼性は高い．

(1) 主訴：受診の主たる動機と訴え

急性根尖性歯周炎は，疼痛が患歯に限局するため，比較的正確な情報が得られる．慢性根尖性歯周炎では違和感程度のことが多いが，患歯は比較的明示しやすい．

(2) 根尖性歯周疾患の痛みの特徴：急性歯髄炎と急性根尖性歯周炎との鑑別

急性歯髄炎と急性根尖性歯周疾患の鑑別診断を，歯髄壊死・壊疽から発症した急性根尖性歯周炎（歯根膜炎）をもとに**表 6-7** に示す．

2）視　診（図 6-17）

腫脹に伴う顔貌の左右差は，必ず患者の正面から診察するべきで，患者水平位のまま頭頂

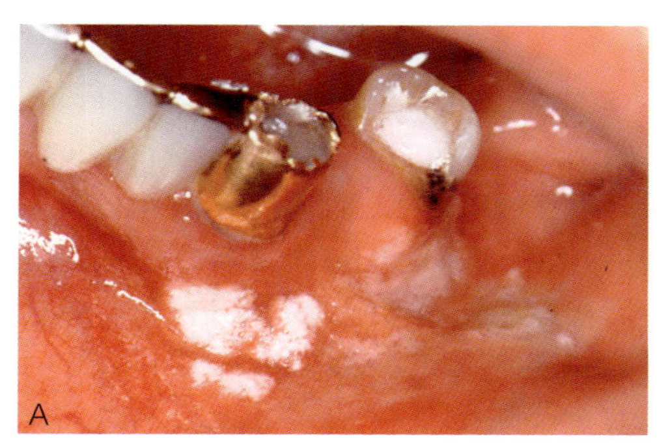

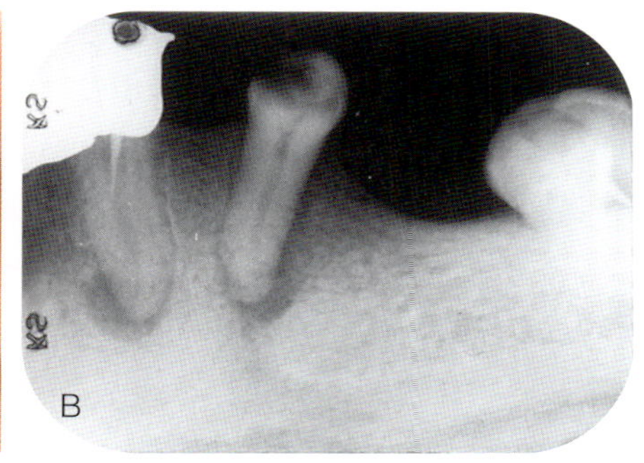

図 6-17　急性化膿性根尖性歯周炎
45 歳女性．$\overline{|3}$ の疼痛で来院した．著明な打診痛があり歯肉の発赤が強い．同部歯肉をオキシドール綿球で擦過すると発泡が根尖部歯肉にみられた．
A：腫脹した $\overline{|34}$ 部の口腔前庭．B：エックス線画像で $\overline{|34}$ に根尖病変を認める．

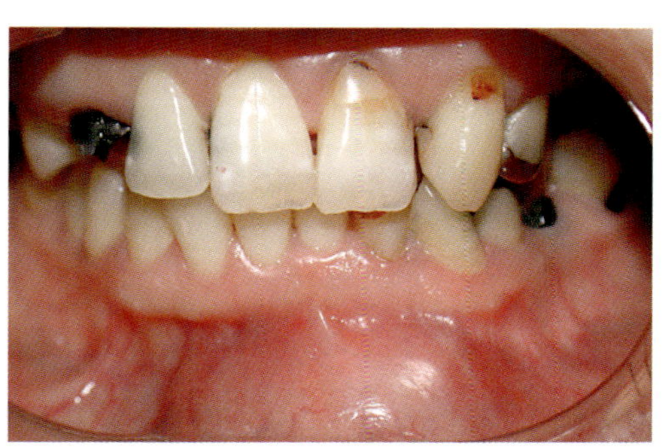

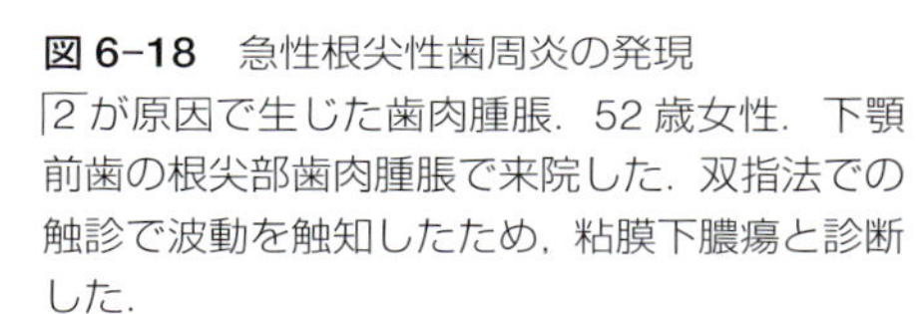

図 6-18　急性根尖性歯周炎の発現
$\overline{|2}$ が原因で生じた歯肉腫脹．52 歳女性．下顎前歯の根尖部歯肉腫脹で来院した．双指法での触診で波動を触知したため，粘膜下膿瘍と診断した．

部から観察してはならない．色調，腫脹，光沢などについて判定する．また，根管滲出液や出血の有無，色調，粘稠性，持続時間，瘻孔の有無や位置，歯肉の腫脹の有無と範囲などを知る必要がある．オキシドール綿球で根尖部歯肉や歯槽粘膜を軽圧で 1 分ほど擦過すると，炎症部位に発泡が発現するので，炎症の中心がわかる．顔の表情変化などを読み取り，違和感なのか疼痛なのか，あるいは耐えがたい痛みなのかを判断する．

3）触　診（図 6-18）

健全歯の根尖部相当歯肉や粘膜に示指を軽く当て，前後に動かして形や硬さを調べ，次に患歯周囲の腫脹や圧痛を調べる．多根歯では歯根ごとに行い，頬舌側の両方からも行う．プローブを用いて歯周ポケットの有無も検査する．双指法で腫脹部の波動 fluctuation を検査すると，骨膜下期では硬く圧痛を伴うが，粘膜下期では軟らかく波動を触れることができる．歯根嚢胞では皮質骨が菲薄になると，手指圧により羊皮紙様感を触知できるようになる．また頸部，オトガイ部，顎下部のリンパ節の触診は，双指診で行い，大きさ，硬軟，圧痛の有無などを調べる．

4）打　診

打診音は，正常歯で澄音（清音）clear sound，大きな歯根肉芽腫・歯根嚢胞や進行した歯周疾患では鈍い濁音 dullness を示すことが多い．また，骨性癒着 ankylosis では金属音を呈する．痛みの不明瞭な症例では叩打する順序を変えて調べる．根尖病変が唇・頬側の皮質骨を破壊して開窓（フェネストレーション fenestration）に類似した骨欠損形態に至ると，打診時の振動を根尖相当部歯肉上に触れた指で触知でき，その状態を歯根振盪 percussion fremitus という．

5）歯の動揺度とプロービング

急性化膿性根尖性歯周炎では動揺が発現し，舞踏様を呈することがある．また，根尖部の膿瘍が歯根膜を経由して歯肉溝部に排膿出血することがあるが，このとき局所的に深い歯周ポケットが形成される．

6）温度診

通常は冷刺激に対し反応しないが，急性化膿性炎では温刺激に反応することがある．

7）歯髄電気診

電気刺激に対し鋭痛を伴う反応は起こらない．湿性壊死では最大反応値に近い域で反応することがあるが，根尖歯周組織の反応であり，失活歯と考える．隣接歯に大きな根尖病変がある場合は，歯髄が生活していても反応閾値（しきい値）が変動するので日を変えて精査する．多根管歯では，頬側と舌側から歯根ごとに調べるのがよい．

8）透照診

根尖性歯周疾患に対する透照診は，亀裂や破折の診断，歯髄の生死の診断，既根管治療歯の判断に有用な場合がある．

9）エックス線検査

根尖性歯周疾患は無症状で進行することが多いため，エックス線画像で発見されることが多い．

根尖部の炎症反応に伴い，歯根膜腔の拡大がまず現れ，次に歯槽窩の内面を構成する緻密骨である歯槽硬線（白線）の消失や根尖部セメント質の吸収が起こる．太い根管側枝の開口部では歯根側面に病変が発現する．

根尖病変部周囲では，海綿骨の破壊が起こるが，エックス線画像にただちに変化が現れず，骨吸収が皮質骨にまで及んで初めて透過像が現れてくる．急性化膿性根尖性歯周炎では，激烈な炎症症状を示すわりには，根尖部に著変はなく，エックス線潜伏期 radiographic incubation period として取り扱われる．病変の実際の大きさはエックス線画像の透過像よりも大きい．慢性化膿性根尖性歯周炎は境界が不明瞭な透過像（びまん性透過像）を呈し，歯根肉芽腫や歯根嚢胞では境界が明瞭となり，歯根嚢胞周囲は歯槽硬線に連続する骨硬化像が線状に囲んでいる．瘻孔の位置は患歯と一致しないことがあるため，ガッタパーチャポイントを瘻孔から挿入し（瘻管造影），画像上で原因歯を特定する必要がある．

エックス線像からは病変の活動性はわからないため，期間をおいて複数枚の画像を比較する必要がある．治療後の骨の再形成は，不透過像が出現するので確認できるが，線維性の瘢痕形成では予後不良と判定されてしまうことがある．長期間の観察を行い，病変に拡大傾向がないことで良好と判定する．

根尖周辺に不透過性亢進像がみられるときは，根管からの弱い刺激が長期にわたって持続することに由来する硬化性骨炎を疑う．

10）嗅　診

根管内には多くの外来物と歯髄の腐敗・分解産物があり，硫化水素，アンモニア，メタン，メルカプタン，インドール，スカトールは悪臭 putrid odor，壊疽臭（腐敗臭）foul odor を発生する．根管内容物には腐敗臭を出さない細菌もいるので，感染の有無を臭いで確実に判定することはできない．根管内の貼薬ペーパーポイントで根管滲出液 canal exudate の量，性状変化を調べるとともに，臭いを嗅いで検査する．

11）根管滲出液の細胞検査

慢性根尖性歯周炎では，慢性化膿性根尖性歯周炎，歯根肉芽腫，歯根嚢胞でそれぞれ特徴のある滲出液がみられるため，診断や治療後の根尖歯周組織の変化を知るのに有効となる．ギムザ染色は細胞診，グラム染色は細菌検査に用いられ，比較的簡単な染色法である．

❷ 根尖性歯周疾患の診断手順（図 6-19，表 6-8）

まず根管内容物の検査を行い，根管未治療歯か既根管治療歯かを判別する．

急性症状がなく，エックス線画像で根尖周囲が正常状態を示す場合は，既根管治療歯では治療成功例，根管未治療歯では歯髄壊死と判定する．根尖透過像がみられる場合は，その境界が不明瞭でびまん性であれば慢性化膿性根尖性歯周炎（慢性歯槽膿瘍），境界が明瞭で類円形であれば慢性肉芽性根尖性歯周炎と診断し，そのうち透過像周囲が骨硬化線で被包されていれば歯根嚢胞，それ以外の小型のものは歯根肉芽腫が疑われる．また，エックス線不透過像が根尖を取り囲めば，硬化性骨炎と診断できる．

一方，急性症状を伴うが細菌感染がなく，原因が物理的なものであれば急性単純性根尖性歯周炎と診断し，細菌感染が明らかにある感染根管であれば，急性化膿性根尖性歯周炎（急性歯槽膿瘍）と診断する．歯肉所見がなければ歯根膜期，歯肉の発赤部に腫張がなく根尖部圧痛が著しければ骨内期，根尖部圧痛があり波動を伴わない腫脹があれば骨膜下期，根尖相当歯肉に波動を触れる歯肉膿瘍が形成されていれば粘膜下期となる．急性症状があり，エックス線画像で明らかな根尖病変を伴う場合は，慢性根尖性歯周炎が急性化したフェニックス膿瘍と診断する．

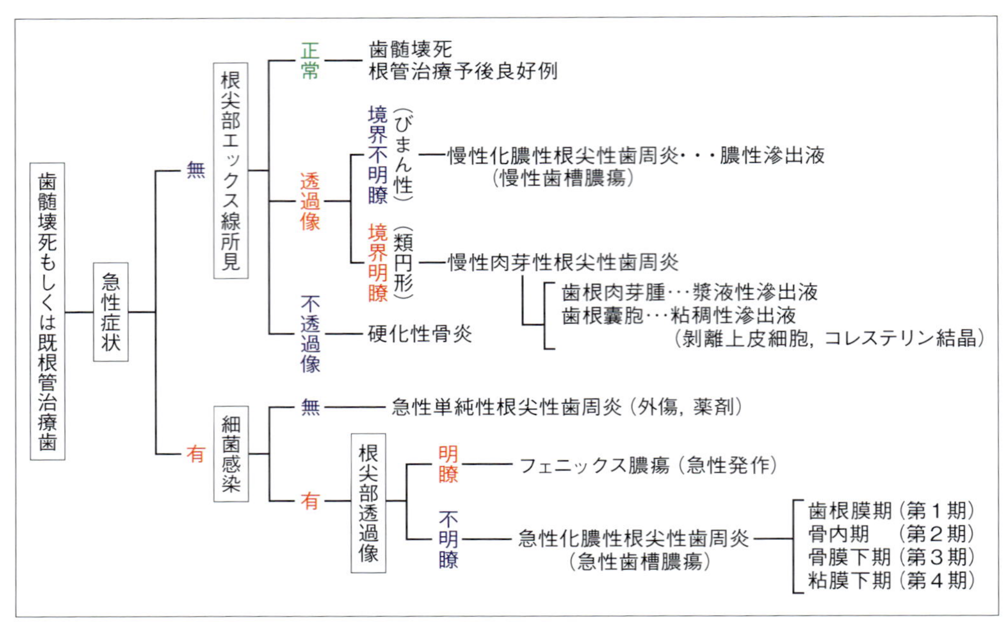

図 6-19　根尖性歯周疾患の診断手順

以上，診断の概略をフローチャートに沿って説明したが，診断は治療により刻々と変化するものであり，術者が患歯を検査するたびに治療の奏効とともに変化していくものである．正確な診断は，患者から得られる自覚的・他覚的情報を的確にとらえ，随時行うべきものである．

❸ 根尖性歯周疾患の感染経路の診断

最も多い感染経路は根管で，齲窩から髄室，根管を経由して細菌が根尖歯周組織に到達する．原因と感染経路を診断するには，患歯の解剖学的特徴を熟知しておく必要がある．

歯の構造上，感染経路となる特徴的なものとして，斜切痕，歯内歯，盲孔，髄管，側枝，中心結節，樋状根管などがあり，外傷での破折や歯周疾患の進行に反応し感染経路として働くことがあるので，好発部位などを理解しておくことが大切である．また，歯内疾患と歯周疾患は隣接する組織で互いに関連性をもちながら存在するため，歯周病変の有無や病態を把握しておかなくてはならない（**表 6-8**）．また，根尖孔の封鎖不足部から根管に細菌や有害物質が侵入するアピカルリーケージ apical leakage のほかに，歯冠側から根尖孔に向かうコロナルリーケージも重要な感染経路であることが認識されている．

全身的には心臓外科や整形外科において人工物の埋入が頻繁に行われている現在，歯科疾患の細菌がそれらの人工臓器に与える影響も十分あることを考えると，歯内治療は口腔内の狭い環境ではあるが，全身の健康に関わる感染制御の治療を行う分野であることを意識しておかなくてはならない．

表 6-8　根尖性歯周炎と辺縁性歯周炎の鑑別

鑑別事項	根尖性歯周炎	辺縁性歯周炎
原因	感染根管内容物	歯周ポケット，プラーク
疼痛	鈍痛，持続性（強さ一定）	鈍痛，軽度
歯肉部の変化	根尖部相当歯肉の発赤・腫脹・圧痛	辺縁歯肉の発赤・腫脹，ポケット形成，歯肉溝からの排膿
歯髄の生死	通常は失活	生活 or 失活
挺出感	＋	－
打診痛	急性炎で＋（垂直性）	急性炎で＋（水平性）
エックス線所見	根尖部透過像	水平性/垂直性骨吸収
所属リンパ節圧痛	＋～＋＋（急性炎で）	±～＋（急性炎で）
発熱	＋（急性炎）	＋（ANUG*）

*ANUG：acute necrotizing ulcerative gingivitis，急性壊死性潰瘍性歯周炎

❹ 待機的診断

根尖性歯周疾患を診断する際，その病態の活動性が高いか低いか，化膿性病変なのか線維性瘢痕治癒なのかを1回の診断で見極めることは不可能である．したがって，治療後においても必ず一定の時間をおいて再診察，再検査することで的確な診断がなされると考えられる．予後判定や最終補綴処置を行うか否かの判定には，このような時間をおいた待機的診断 expectative diagnosis が重要である．

❺ 根尖性歯周疾患の類似病変

1）辺縁性歯周炎の深い歯周ポケットによって生じた炎症性根尖病変

辺縁歯肉や歯槽骨辺縁部に発症した疾患で，深い歯周ポケットの形成と辺縁歯槽骨吸収を特徴とする（**図 6-8** 参照，第16章「歯内−歯周疾患」参照）．

2）咬合性外傷による根尖病変

咬合性外傷は，孤立残存歯，咬合の高い仮封や修復物あるいは補綴装置による治療が行われた歯，義歯の支台歯などに認められ，不当に強い咬合圧により引き起こされる歯の支持組織の損傷である．エックス線画像では，歯根膜腔の拡大や歯根周囲の歯槽骨吸収が認められる（**図 6-20**）．治療法としては，咬合状態などの適切な検査を行い原因となる外傷を除去する．

3）残留嚢胞

根尖部に嚢胞があり，保存不可能と診断した歯の抜歯において，嚢胞を摘出せず抜歯のみを行った場合，嚢胞はさらに発育を続け，残留嚢胞となる．

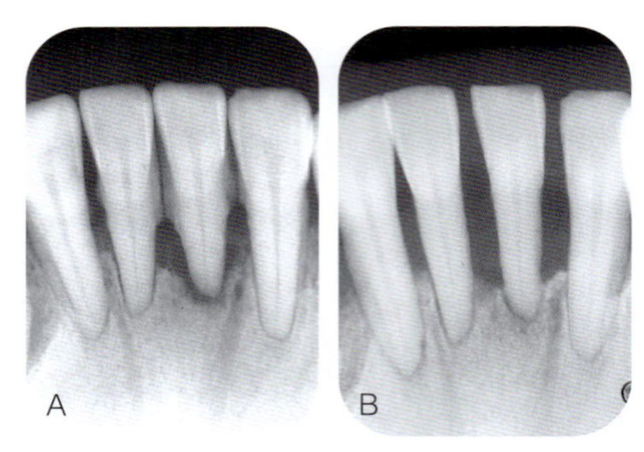

図 6-20　咬合性外傷（54 歳男性，⌈1）のエックス線画像での経過
A：初診時．歯の動揺度 2 度（Miller 分類）．
B：歯周治療，咬合調整と暫間固定により根尖部の透過像は消失した．

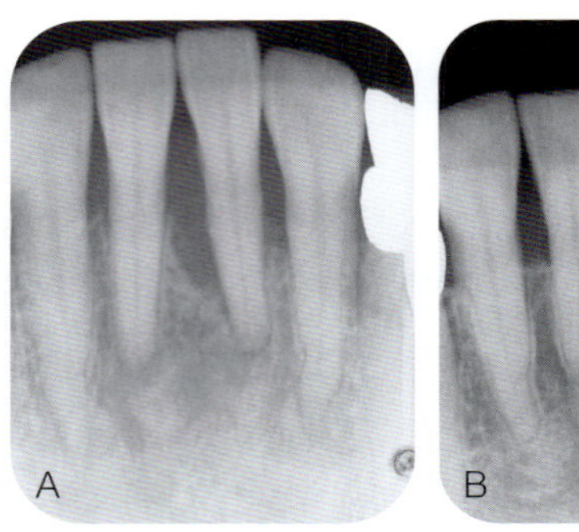

図 6-21　セメント質骨性異形成症（生活歯）（44 歳女性，⌈1）のエックス線画像での経過
A：初診時，B：8 年経過後．

4）セメント質骨性異形成症の早期病変

セメント質骨性異形成症 cemento-osseous dysplasia（2017 年 WHO 分類による）の初期に根尖部に透過像がみられることがある（**図 6-21**）．30～40 歳代の女性に多く，下顎前歯部に生じることが多い．歯は生活歯のことが多く，その場合は根管治療を必要としない．

5）根側嚢胞，歯周嚢胞

有髄歯の側方歯根膜に嚢胞ができることがあり，これらの根側嚢胞は，非炎症性嚢胞と考えられている．また，慢性智歯周囲炎で遠心歯頸部に嚢胞ができることがある．このような炎症性反応によって生じた嚢胞を WHO では歯周嚢胞として，非炎症性嚢胞と区別している．

6）歯根部の破折

急性外力によるものが一般的であるが，慢性外力による場合もみられる．破折片が完全に遊離した状態の完全破折と，亀裂 crack が入った状態の不完全破折がある．歯の動揺や打診痛などの臨床所見のほかに，エックス線画像において歯根膜腔の拡大，破折線の位置に一致した歯槽骨の透過像を認める（第 12 章「外傷歯の診断と処置」参照）．

7）セメント質剥離

セメント質剥離 cemental tear は，咬合異常や悪習癖などにより過度の咬合力が外傷性に歯に作用することでセメント質と象牙質の境界面に沿って起こる，完全または不完全な剥離である．根尖性歯周疾患または歯周疾患の所見を呈することがあり，その発現と進行の予測は困難である．歯根の隣接面部で大きく剥離している場合にはエックス線画像で確認でき，外科的摘出が必要となる．

❻ 根尖性歯周疾患と鑑別すべき解剖学的構造

根尖周囲には切歯孔，オトガイ孔，上顎洞などがエックス線透過像としてみられる．骨隆起や歯牙腫では不透過像が発現する．これらは偏心投影や歯科用コーンビームCTで鑑別することができる．

（五十嵐　勝）

Ⅵ 根尖性歯周疾患の治療方針

根尖性歯周疾患は，根管からさまざまな病的刺激が根尖歯周組織に加わることにより発症する．根尖歯周組織は，生体防御機能が十分期待できる環境下にあり，自然治癒力も優れていると考えられる．したがって，根尖性歯周疾患に対する治療法の基本原則は，根尖部の病変に直接処置を施すことではなく，病変の原因と考えられる有害刺激因子を除去することである．さらに患歯と全身の安静を保ち，局所と全身の抵抗力を高めることが，これらの疾患に対する治療方針となる（**図 6-22**）．しかし，根管は非常に複雑な形態であることから，基本どおりに処置を行っても生体の治癒能力には限界があり，良好な治癒経過をたどらない場合もまれにみられる．このような症例には，その他の治療法が必要となることもある．

❶ 感染根管治療

感染根管治療は，根尖性歯周疾患に対する最も基本的な治療方針である．歯髄が失活した感染根管，あるいは不良な根管充填により二次的に生じた根尖性歯周炎の原因歯の根管内は，細菌と細菌の産生物，歯髄組織の融解産物などで満たされている．感染根管治療とは，これらの有害物質を除去し，根管拡大，洗浄，消毒を行い，根管を緊密に充填することにより，根管を根尖歯周組織に対して為害性のないものにし，生体の自然治癒力により根尖性歯周疾患を治癒させることである（**図 6-23**）．処置には，口腔全体の良好な清掃状態を保ち，ラバーダム防湿の実施，器具や材料の滅菌，消毒を徹底して無菌的に処置することがきわめ

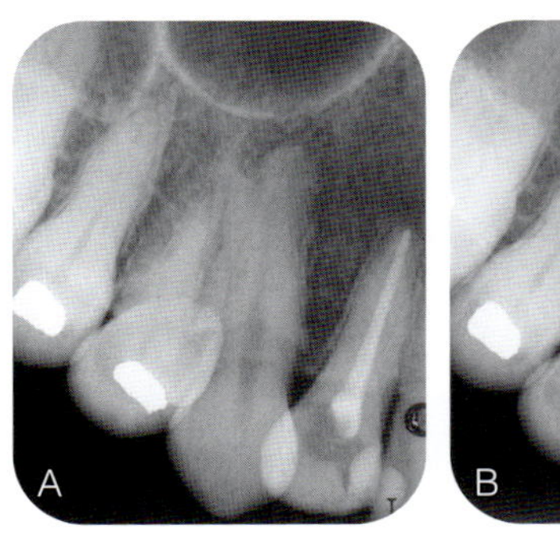

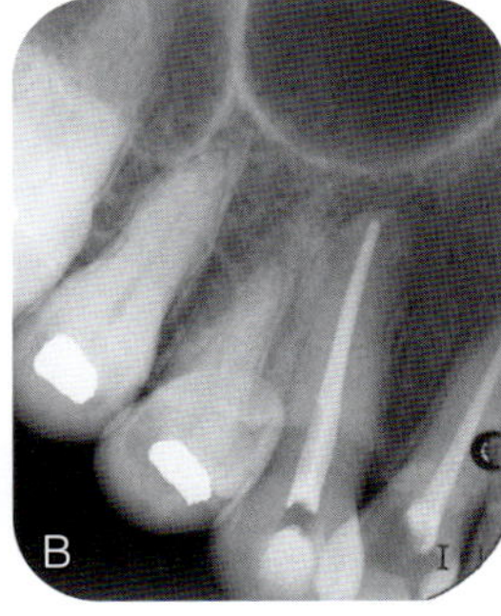

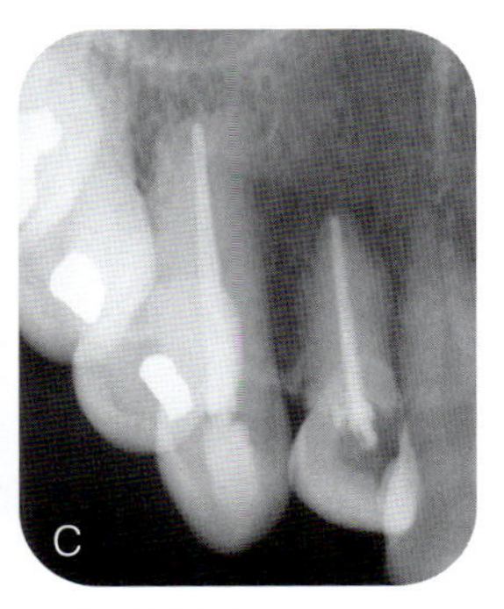

図 6-22　慢性根尖性歯周炎（56歳女性，3|）のエックス線画像での経過
A：初診時．根尖部にエックス線透過像を認める．
B：根管充填後．緊密な根管充填が行われている．
C：根管充填後8カ月経過．根尖部透過像が消失している．

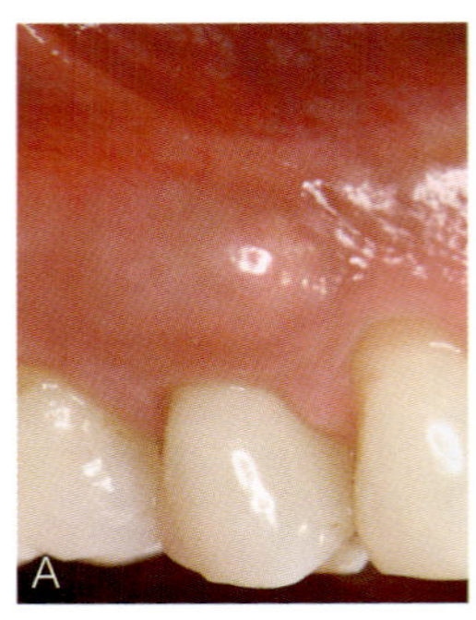

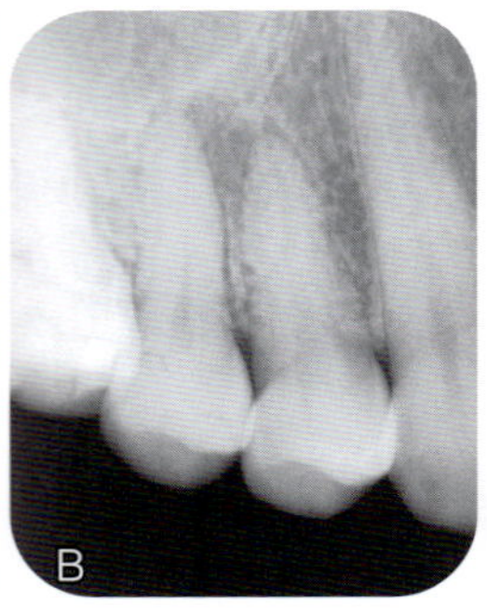

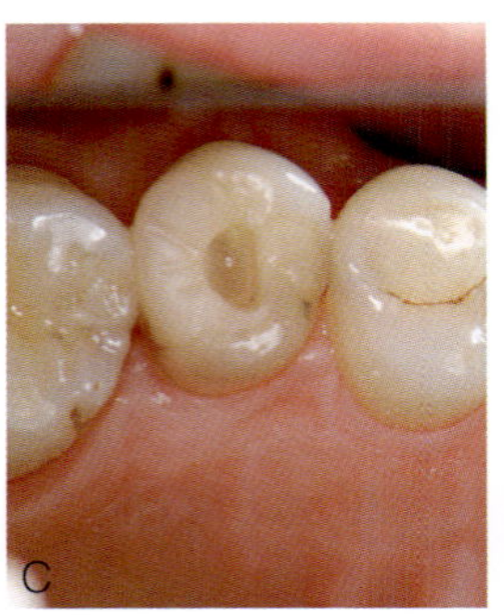

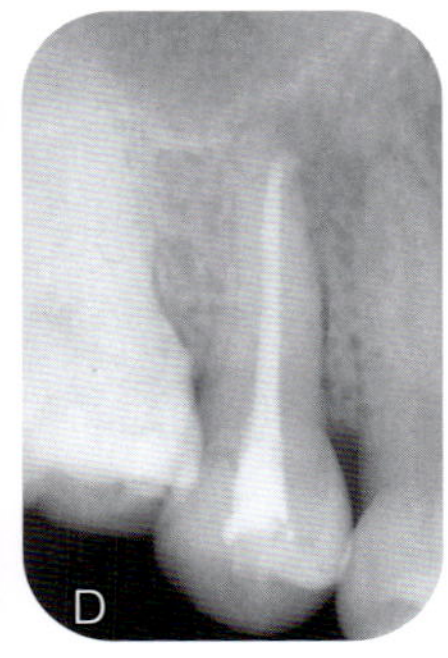

図 6-23　急性化膿性根尖性歯周炎（56 歳男性，5|）の口腔内およびエックス線画像での経過
A，B：頰側歯肉に発赤腫脹を認める．強い自発痛あり．
C：髄室穿孔により根管内からの排膿と腐敗臭を認めた．その後，すみやかに自発痛は消退した．
D：根管充填直後．緊密な根管充填が行われており，予後は良好である．

て重要であることはいうまでもない．ラバーダムと歯との間隙を空隙封鎖材で充填することも重要である．

感染根管治療では，根管内に消毒薬を貼付してもその効果は少なく，感染した根管壁を機械的に削って除去するのが効果的である．また，根管拡大を補完するために根管洗浄は重要であり，機械的清掃と化学的清掃を同時に行うことが効果的である．また，根管内の壊死した歯髄組織や根尖孔から侵入した肉芽組織，滲出液，石灰化の低い象牙前質に含まれる有機質などは変性して化学的刺激物質となるので，これらも除去する．根管治療器具や根管内に貼付した薬剤，根管内の根管充塡材の根尖孔からの突き出し，根管内の汚染物質を根尖孔外へ押し出すことも，根尖歯周組織に対して刺激となるので，器具操作にも十分に注意する．

根尖歯周組織の炎症による歯の挺出により強い咬合力が患歯に加わる場合には，咬合調整や他の歯の咬合を挙上させて患歯の安静化をはかる．外傷性咬合や慢性歯周炎，悪習癖などにより歯の動揺がある場合には，動揺の根本的な原因を取り除くとともに，必要に応じて固定し，ブラッシングがしやすいようにすることが必要となる．

❷ その他の各種治療法

基本どおりに感染根管治療を行っても良好な治癒経過をたどらない場合もまれにみられる．このような症例には，レーザー療法や外科的歯内治療，イオン導入法を行うことがある．また，急性症状が著しい場合は，薬物療法や罨法療法などを行うこともある．

1）薬物療法

急性根尖性歯周炎では，炎症の程度に応じて抗菌薬や鎮痛薬を処方することがある．薬物療法は，細菌の発育を阻止させるとともに，痛みや腫れによる食欲不振や睡眠不足などの，全身の抵抗力に影響を及ぼすことが考えられる生体への負担を軽減し，病変の周囲組織と全身に賦活力を与える治療法である．しかし，根尖性歯周炎病変部への抗菌薬移行濃度は低いため，感染根管治療や膿瘍切開などの局所処置を行い細菌数を減らすことが重要であり，抗菌薬の処方は慎重に行われるべきである．また，咬合調整により患歯の安定をはかることも重要である．これらの治療による急性症状の消退後に炎症の原因を徹底的に除去する．

2）罨　法

(1) 冷罨法

炎症時の滲出液抑制と拡散阻止，および消炎鎮痛の促進を目的として10～15℃の水などで冷やした布を患部に当てる治療法である．冷却は間欠的に行い，血液循環障害を生じないようにする．

(2) 温罨法

患部と周囲組織の血液循環の促進，消炎鎮痛作用の増加を目的として，温水を浸した布または温湿布を患部に当てる治療法である．炎症反応が強いときに行うと炎症をさらに拡大させてしまうので行ってはならない．滲出液の排出を早期に促し症状を緩和させたいときに用いる．

3）咬合調整

外傷性咬合が根尖歯周組織損傷の原因となっている場合には，患歯の安静をはかることを目的として，咬合調整を行う．また，根尖歯周組織での炎症の進展によって罹患歯が挺出してくる場合がある．このような挺出により咬合痛が惹起されている場合には，歯冠部の削合を行うことで対合歯との接触関係を一時的に遮断し，症状が消退するまで，罹患歯の安静を保つ．

4）外科的歯内治療

根管からアクセスする治療法では治療が困難な場合に適用される治療法である．根尖掻爬法，歯根尖切除法，歯根切除法，ヘミセクション，トライセクションなどがある．また，急性化膿性根尖性歯周炎の骨内期に，骨穿孔により開窓させ，排膿させる穿孔法もある（第13章「外科的歯内治療」参照）．

❸ 急性根尖性歯周炎の基本的処置方針

急性根尖性歯周炎では患者が強い自発痛を訴えることが多く，緊急処置が必要となる．患者が訴える痛みや腫脹の原因を診断し，痛みを迅速に取り除くために最適な処置を行う．具体的には，根管の開放により亢進した内圧を減少させる．場合によっては，切開により排膿路を確保する．

一方，患者の自覚症状がない慢性根尖性歯周炎の罹患歯に対して不用意な治療を行うことによって，急性発作（フレアアップ）が惹起されることがある．この場合，患者に不必要な負担を強いることになり，結果として患者の信頼を失う場合もあるので，無菌的に処置するとともに，根尖歯周組織を刺激しないように慎重に器具操作を行う．

また，緊急処置後に感染根管治療を行う際には，急性発作の再発を避けるために，無菌的処置の原則を守る必要がある．

1）急性単純性（漿液性）根尖性歯周炎

治療方針は原則として原因の除去と患歯の安静をはかることである．

原因が，歯根膜に加わる過剰な外力や根管治療器具による損傷，過剰な根管充填材などの機械的刺激，あるいは根管治療時の使用薬剤による化学的刺激などの場合は，病変は非感染性の炎症病変であることから，それらの原因を除去するとともに根尖歯周組織の安静をはかることで，通常，症状は改善する．しかしながら，経過不良の場合は，歯根尖切除法などの外科的治療により原因を除去する．また，根尖孔外の破折器具が原因の場合は，消炎処置後に原因物質を外科的に除去する．

2）急性化膿性根尖性歯周炎

根尖歯周組織病変部における膿や組織液の貯留による内圧の亢進によって自発痛が認められるため，まず急性症状を軽減することが大切である．急性症状を迅速に取り除くには，①排膿路を確保し，貯留した膿や組織液の排出をはかる，②患歯の安静をはかる，③薬物療法（抗菌薬や鎮痛薬の投与）を適宜行う，などの処置が重要である．

(1) 歯根膜期（第 1 期）

根管内の刺激物を除去するために感染根管治療を行い，根尖を穿通させて根管からの排膿路を確保する．また，必要に応じて患歯の安静をはかる目的で咬合調整を行う．

(2) 骨内期（第 2 期）

膿瘍が顎骨内に限局している時期であり病変部の内圧亢進により疼痛が強い．まず感染根管治療を行い，根尖を穿通させて根管からの排膿路を確保する．排膿が認められるとその後の自覚症状の改善が期待できる．

この時期は打診痛が強い時期でもあることから，切削器具を用いる処置に対して患者が痛みや不快感を訴えることが多い．そのような場合には，患歯にできるだけ振動を与えないように切削するなどの配慮が必要である．さらに，咬合調整により患歯の安静をはかるとともに，鎮痛薬と抗菌薬の投与を行い，患者には安静と休養を指示する．必要に応じて，冷罨法の実施を指示する．

(3) 骨膜下期（第 3 期）

骨膜下膿瘍を形成し，病変部の内圧上昇によって疼痛が最も激しくなる時期である．前述した骨内期と同様に根管治療を行い，根管からの排膿路を確保する．さらに，波動を触れる場合は切開・排膿を行うことも急性症状をやわらげるには効果的である．咬合調整などにより患歯を安静にし，全身的にも安静にするように患者に指導し，抗菌薬と鎮痛薬を処方する．

(4) 粘膜下期（第 4 期）

粘膜下膿瘍形成の時期であり，歯肉の腫脹は大きく，波動を触れる．骨膜の自潰により内圧は減少し，骨膜下期よりも痛みは軽減している．治療としては，根管治療を行い根管からの排膿路を確保するとともに，切開を行う．さらに，咬合調整などにより患歯を安静にし，全身的にも安静にするように患者に指示し，抗菌薬と鎮痛薬を処方する．

❹ 慢性根尖性歯周炎の基本的処置方針

1）慢性単純性（漿液性）根尖性歯周炎の治療法

根管内に原因がある場合は，それを取り除くために感染根管治療を行う．また，外傷性咬合による症状があれば，咬合調整の実施によってその原因を除去し経過観察を行う．根管充塡状況がよく，エックス線画像で根尖部に透過像がなく，また骨硬化像がみられる場合には，症状がないことを確認しながら経過観察を行う．

2）慢性化膿性根尖性歯周炎の治療法

治療法としては感染根管治療を行う（**図 6-24**）．瘻孔に対しては，基本的に特別な治療は必要としない（**図 6-25**）．感染根管治療を行っても瘻孔が治癒しない場合には，根管通過法や外科的治療（掻爬）を行う．

根管治療後の病変に治癒傾向がみられない場合には，歯根尖切除法により外科的に病変を摘出する．また主根管以外（側枝や副根管）に原因があると考えられる場合には，主根管に対する適切な根管治療と根管充塡の実施はもちろんのこと，主根管以外に対しても可及的に根管治療と根管充塡を試みる．しかし，そのような主根管以外の部位における原因除去はきわめて困難であるため，病変の大きさに関わらず，早期に外科的治療を行うことが望ましい．

❺ 症例選択

根尖性歯周疾患の治療法は，基本的に感染根管治療である．しかし，感染根管治療のみでは治癒が困難な症例もあり，そのような歯に対する治療方針の決定には，その他の各種治療法の要否，機能的・審美的観点から一口腔単位としての患歯保存の必要性などを総合的に判断しなければならない．症例の治療方法を適切に選択することが，治療期間をむだに長引かせることを防ぎ，長期にわたる全顎的な治療の成功につながる．

特に以下のような症例では，歯内治療の成否を十分に検討したうえで治療方針を決定する．

1）根尖孔までの器具到達性に問題がある場合

(1) 根管治療が実施不可能

歯冠補綴装置やポストコアが存在する場合には，除去後に歯内治療を行うのが原則である．しかし，患者が歯冠補綴装置の除去を望まない，あるいはポストが長く太いために除去が困難な場合は，除去せずに外科的歯内治療を行うことがある．

(2) 根管の形状

根尖孔までのアクセスを試みても，根管の彎曲や狭窄により根尖部まで器具を到達させることが困難な場合は，可能な範囲で根管拡大・根管形成，根管充塡を行い経過を観察する．主根管以外（側枝や副根管）に原因が考えられる場合も対応の原則は同じである．経過不良

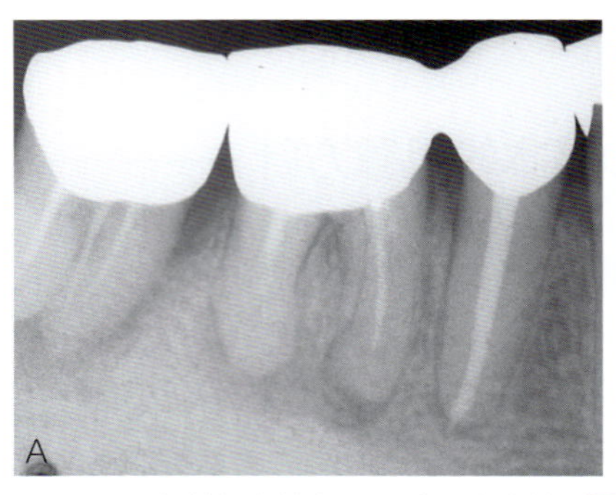

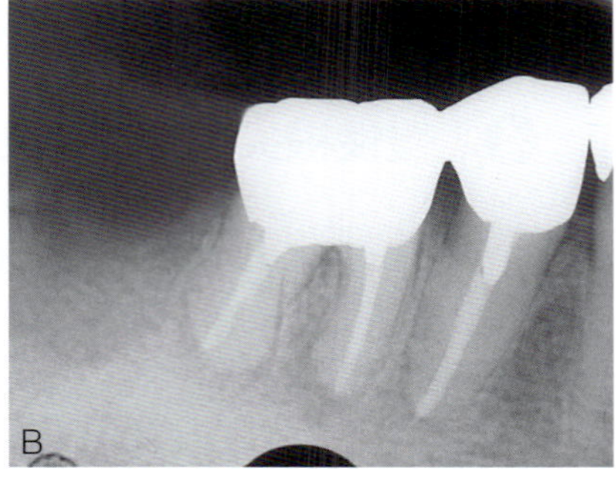

図 6-24　慢性根尖性歯周炎（62 歳女性，6|）のエックス線画像での経過

A：根管拡大・形成が不適切で緊密な根管充填も行われていない．感染根管治療が必要である．

B：根管充填後 6 カ月経過．根尖部透過像の縮小傾向がみられる．

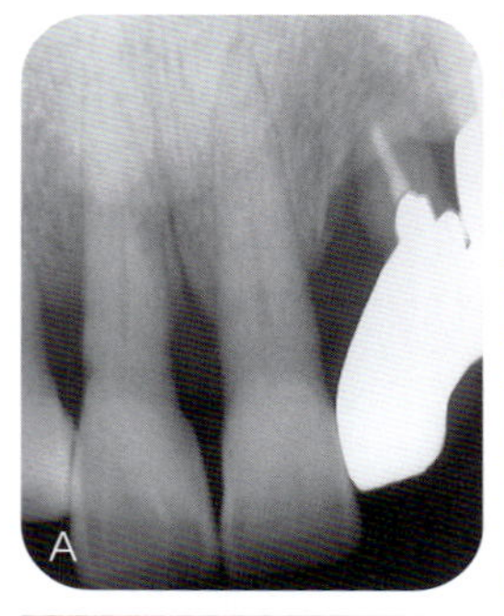

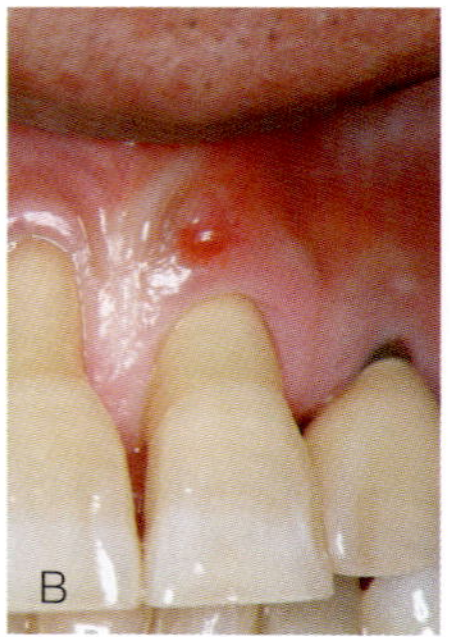

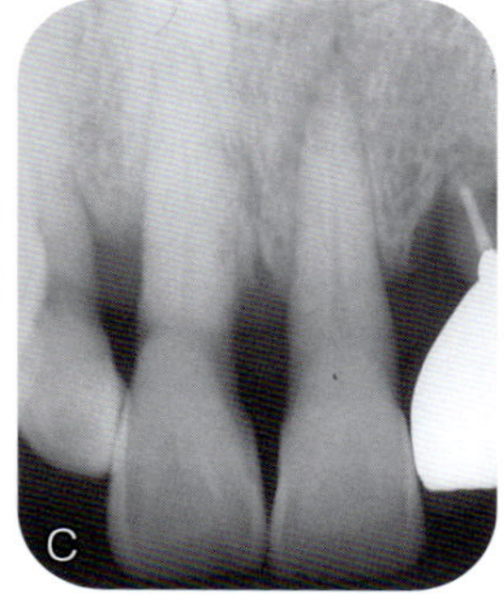

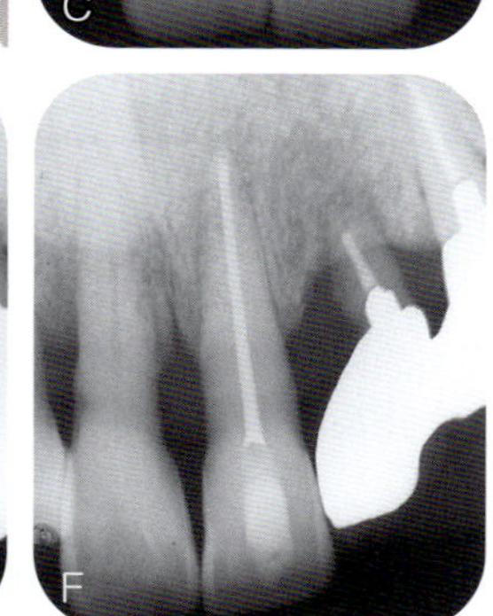

図 6-25　慢性根尖性歯周炎（63 歳男性，|1）の口腔内およびエックス線画像での経過

A：初診時．打撲を主訴に来院．歯の動揺度 1 度，歯髄電気診に反応あり．経過観察．

B：初診から 3 カ月後．唇側歯肉に瘻孔が形成されている．

C：初診から 3 カ月後．根尖部に透過像を認める．感染根管治療を行った．

D：根管充填後．瘻孔は消失した．

E：根管充填後．緊密な根管充填が行われている．

F：根管充填後 3 カ月経過．根尖部透過像の縮小傾向がみられる．瘻孔や歯肉腫脹の再発はない．

の場合は外科的歯内治療の実施を検討する．

(3) 根管内の器具破折

根管内から超音波振動装置を用いて器具の除去を試みる．除去できずに根管治療器具が根尖孔に到達できない場合でも，可能な範囲で根管拡大・根管形成を行い経過観察する．根管拡大のときにイオン導入法を適応することもある．経過不良の場合は外科的歯内治療の実施を検討する．また，抜歯を検討することもある（第 19 章 2「治療用小器具の根管内破折」参照）．

2）根尖歯周組織の状態に問題がある場合

根尖部にみられる骨吸収像が著しく大きい場合でも，通常の感染根管治療を行い経過を観察する．経過不良の場合は外科的歯内治療の実施を検討する．

3）辺縁歯周組織の破壊が著しい場合

歯槽骨吸収が著しい場合は，抜歯が適応となる．しかし，歯内−歯周疾患においては，歯内治療により根管からの病的刺激を除去することで歯槽骨吸収に改善がみられることもあるので，診断およびそれに続く処置は，慎重に行う必要がある．

4）歯根吸収がある場合

エックス線画像で歯の内部吸収，外部吸収がみられることがある．内部吸収では穿孔がない場合，歯内治療を行うことにより予後は良好であるが，外部吸収では外科的なアプローチが必要となることもある．

5）穿孔がみられる場合

歯槽骨縁上における穿孔では，穿孔部の封鎖などにより歯の保存が可能となる．骨縁下における穿孔部を封鎖し，本来の根管に対する処置を完結させる．十分に封鎖できない場合や経過不良の場合は外科的歯内治療や抜歯を検討する．

6）歯根破折がみられる場合

歯根の水平破折において，歯髄の生活力が維持されている場合は経過観察を行う．歯髄が壊死している場合は感染根管治療を行い経過観察する．歯根の垂直破折では，患歯の予後が悪く，抜歯やヘミセクション，トライセクションをせざるをえないことが多い．

7）治癒不全の原因が明らかでない場合

通常の歯内治療によって治癒が得られない多くの症例では，根尖孔周囲や根尖孔外でのバイオフィルム形成，生理学的根尖孔の破壊，歯根の亀裂や破折，セメント質剥離などがその原因である可能性が考えられる．水酸化カルシウム製剤による暫間根管充塡の実施，歯科用実体顕微鏡を用いた外科的歯内治療の実施，あるいは抜歯の必要性を含めて，総合的に治療方針を決定する．

（伊藤修一，森　真理）

第7章 根管処置

抜髄や感染根管治療を成功に導くためには，その最終処置である根管充填に先立ち，一連の根管処置を適切に実施する必要がある．これらは，根管内細菌感染の排除や成立阻止を目的とし，機械的方法（根管壁の切削が中心となる）と化学的方法（根管洗浄，根管貼薬）を併用して，根管内容物の除去や殺菌をはかるとともに，緊密な根管充填が可能な根管形態を付与するための処置である．

根管処置では，髄室開拡，根管上部のフレアー形成，根管長測定，根管形成の各ステップで構成される一連の術式で根管の切削が進められるとともに，その間に根管清掃薬を用いた根管洗浄が随時行われる．根管貼薬は，根管形成後に残存あるいは再侵入した細菌を排除するため，次回来院時まで根管消毒薬を根管内に封入する処置である．

歯髄腔や根管の形態は複雑・多彩で直視・直達も困難であるため，根管処置の実施に際しては，三次元的な解剖形態を熟知するとともに処置を円滑に行うための要件に習熟する必要がある．

I 髄室開拡

根管処置の第一段階として，歯冠歯髄腔を開放して根管に器具を到達させる経路を確保する必要がある．この操作を髄室開拡（髄腔開拡）とよぶ（**図7-1**）．アクセス窩洞形成 access cavity preparation，アクセスオープニング access opening とよばれることもある．

根管処置を確実に行うためには的確な髄室開拡が第一歩となる．この段階での不備は，以後のすべての器具操作の確実性や効率の低下につながるといっても過言でない．

❶ 髄室開拡の要件

1）治療用器具を円滑に挿入できる形態の確保

エナメル質や象牙質を必要かつ十分に削除し，直線的な器具挿入経路を確保する．削除が不足している場合のみならず，過剰切削で根管口付近にステップ状の形態が形成された場合も，根管への器具挿入が困難となる（**図7-2**）．

窩洞形態は次の要件を備える必要がある．

(1) 天蓋（髄室蓋）の十分な除去

天蓋を残存させた場合は，根管口の上部に「ひさし」のように張り出した象牙質が残り，

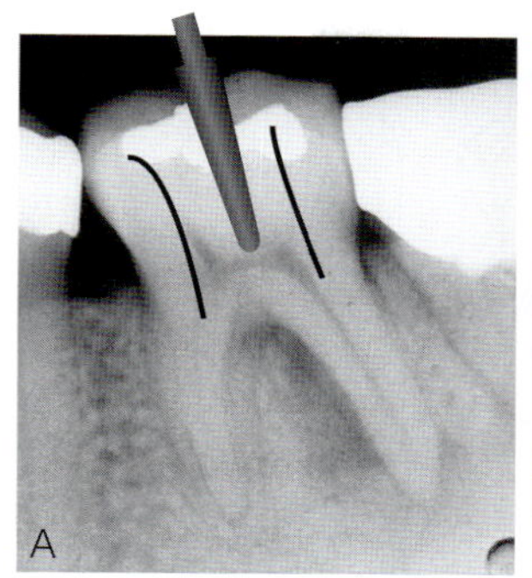

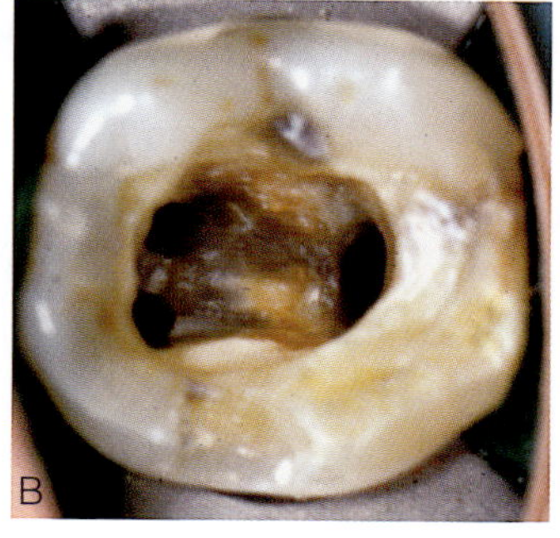

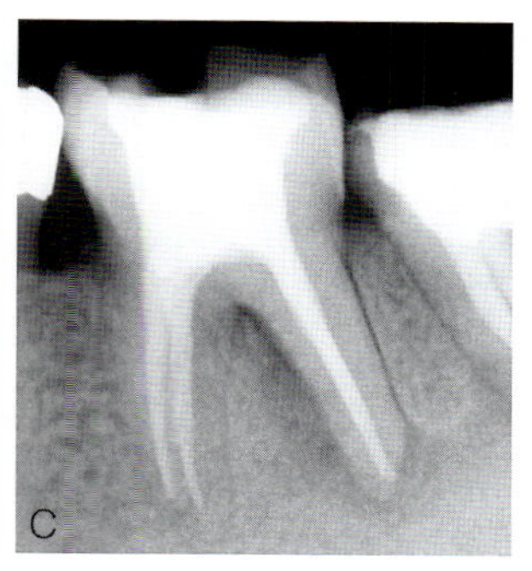

図 7-1 髄室開拡（⌈6）
A：術前エックス線画像．歯髄腔の形態や歯冠表面から歯髄腔までの距離を観察する．
B：髄室開拡終了後．3 根管の根管口が窩洞に含まれる．根管口が窩洞の最も外側に配置している．
C：根管充填後．各根管に直線的な到達経路が確保されている．

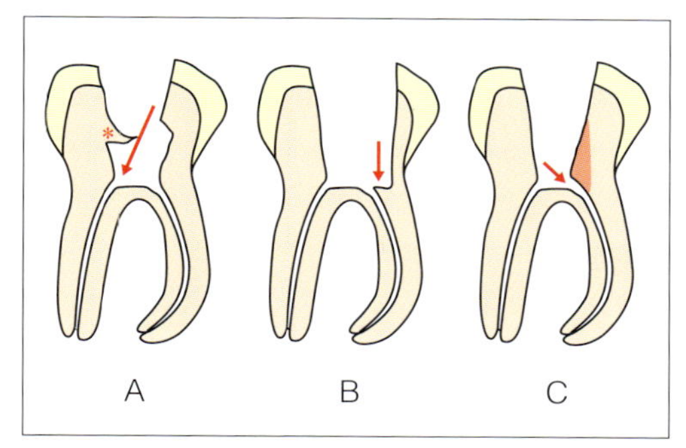

図 7-2 不適切な髄室開拡（↓はファイルの挿入方向を示す）
A：天蓋（*）の残存，B：根管口部のステップ形成，C：根管口部の窩壁の残存．

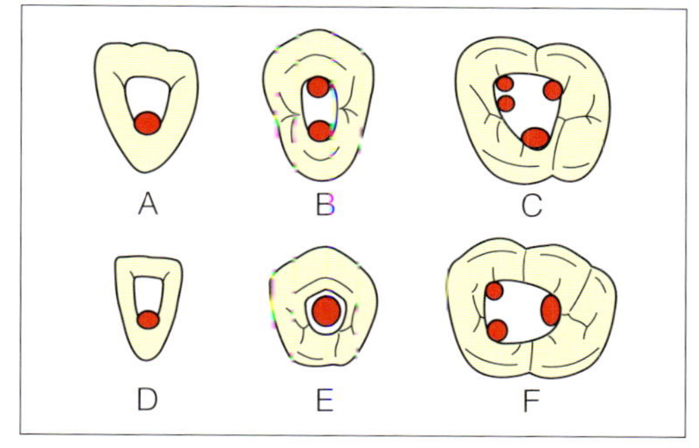

図 7-3 髄室開拡の外形
A：上顎切歯，B：上顎小臼歯，C：上顎大臼歯，D：下顎切歯，E：下顎小臼歯，F：下顎大臼歯．

器具の挿入や操作が妨げられる（**図 7-2A**）．歯髄組織などの内容物の除去も不完全となる．

(2) すべての根管口を窩洞に含める

咬合面から観察してすべての根管口が窩洞内に観察される程度まで，外形の拡大と側壁・天蓋の削除を行う（**図 7-1，3**）．

(3) 直線的な挿入経路の確保

窩壁から根管上部までを移行的かつ直線的に形成すると，器具を窩壁に沿わせながらスムーズに根管口に挿入できるようになる．この状態が確保された場合，咬合面観で根管口が窩洞の最も外側に配置する（**図 7-1**）．

大臼歯では髄室開拡に続いて根管上部のフレアー形成（後述）を行うことにより，初めて直線的な挿入経路が確保される場合が多い（**図 7-6** 参照）．

2）歯髄腔の形態に応じた窩洞形態の設定

髄室開拡の窩洞外形は，咬合面方向からみた髄室の形態にほぼ相似形となる（**図 7-3**）．

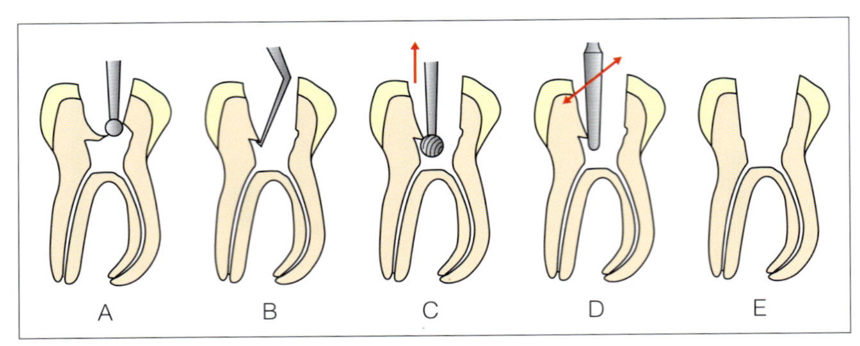

図 7-4 髄室開拡の術式
A：歯髄腔の穿孔，B：有鉤探針による天蓋の確認，C：スチールラウンドバーによる天蓋除去，D：シリンダー形ダイヤモンドポイントによる天蓋除去，E：除去終了.

したがって，歯髄腔の三次元的形態を十分考慮して切削範囲を決定する必要がある．歯髄腔の頰舌的な広がりは，口内法エックス線画像では観察できないため，特に注意を払うべきである．歯科用コーンビーム CT では歯髄腔が三次元的に描出されるため，その形態や広がりの把握にきわめて有用である．

3）齲蝕の完全除去と窩壁の整理

齲蝕病変内細菌の根管への侵入を防ぐため，髄室開拡の完了までに齲蝕を完全に除去する必要がある．また，遊離エナメル質や薄い歯質を削除して窩壁を整理しておく．

❷ 髄室開拡の術式

1）術前検査

エックス線画像を観察し，歯冠表面から歯髄腔までの距離，髄角の位置，歯髄腔狭窄の有無など，歯髄腔の形態や広がりに関する情報を把握したうえで切削を開始する（**図 7-1A**）.

傾斜歯や捻転歯では切削の方向を誤りやすいため，視診やエックス線検査で植立方向を十分確認したうえで切削を進める．

2）術　式（図 7-4）

(1) 窩洞の概成

高速回転切削器具（ラウンドもしくはシリンダー形）を用い，注水下で前歯では舌面，臼歯では咬合面に，それぞれの面からみた歯冠外形の中央部付近を起点として切削を開始する．窩洞外形はおおむね歯冠外形の相似形とし，歯髄腔の方向に切削を進める．

歯科用実体顕微鏡による観察は，窩洞内や髄室内の構造を明るい拡大視野下で観察できるため，髄室開拡の各過程を安全・確実に行ううえで有用である．

(2) 歯髄腔への穿孔

髄室開拡では目標となる歯髄腔がみえない状態で切削を進めるため，切削方向を誤認しやすい．歯髄腔への穿孔部を確実に見出すことは，目標を確認する意味で重要である．歯髄腔の広がりが大きい部位（一般に上顎大臼歯では口蓋根管方向，下顎大臼歯では遠心根管方向）をめがけ，歯髄腔に穿孔するまで切削する．

歯髄腔が広い場合は，穿孔と同時に切削中の抵抗感が軽くなる．抜髄症例では露髄部からの出血でも確認できる．一方，歯髄腔が狭窄した歯では穿孔部の確認が容易でないため，直探針などの先端が鋭利な器具で穿孔部を探索する．触診時の粘りつくように引っかかる感覚から小型・点状の穿孔部を見出すことができる．

(3) 天蓋の除去

歯髄腔への穿孔部に回転切削器具を挿入し，広げながら天蓋を除去する．すなわち，スチールラウンドバーによる掻き上げ操作（**図 7-4C**），あるいはシリンダー形（ラウンドエンド）ダイヤモンドポイントの側面を用いた切削（**図 7-4D**）により除去する．残存する天蓋の確認には有鉤探針が有用である（**図 7-4B**）．歯髄腔の広がりや根管口の位置を随時確認し，適宜窩洞外形を広げながら行う．

髄室が狭窄して天蓋と髄床底が接近している歯では，髄床底を切削しないよう細心の注意が必要である．この際，髄床底が天蓋よりも暗い色調を示すことを指標として天蓋を選択的に切削する．

(4) 根管口の確認

髄室内を次亜塩素酸ナトリウム液などで洗浄して内容物を除去後，直探針などの先端の鋭利な器具で触診を行い，先端が突き刺さる位置を見出す．抜髄例ではエキスカベーターなどであらかじめ歯冠歯髄を摘出する．

過剰切削や髄床底穿孔などのエラーを避けるためには，根管口の位置を随時確認しながら天蓋除去を行うことが肝要である．歯種ごとの根管数や位置に関する知識が必要であることはいうまでもない．また，髄床底には根管口をつなぐ黒い線状構造がしばしば観察され，根管口探索の指標となる．

(5) 歯種ごとの要点（図 7-3 参照）

a. 上顎切歯

舌面小窩から歯冠唇側面と平行な方向に切削を進める．歯軸に対してやや口蓋側に傾いた「くの字」の方向であることに注意する．窩洞外形は歯冠形態に相似の三角形となる．通常1根管性である．

b. 下顎切歯

原則は上顎切歯と同様であるが，歯根が圧平されており近遠心方向への過剰切削に注意する．多くは1根管性であるが，2根管性の場合もある．

c. 上下顎犬歯

原則は上顎切歯と同様であり，窩洞外形は頬舌的に長い卵円形となる．通常1根管性である．

d. 上顎小臼歯

歯冠歯髄腔は近遠心的に圧平されており，窩洞外形は頬舌方向に細長い楕円形となる．近遠心方向への過剰切削に注意する．根管数（発現頻度）は第一小臼歯では2根管（頬側，口蓋側各１根管）＞１根管，第二小臼歯では２根管≒１根管である．

e. 下顎小臼歯

咬合面中央部から歯髄腔方向に切削を進めるが，歯軸に対して多少舌側に傾いた「くの字」の方向となる．窩洞外形は卵円形で，多くは１根管性であるが２根管性の歯もみられる．

f. 上顎大臼歯

窩洞外形は第一大臼歯では近心頬側に張り出した不等辺四角形，第二大臼歯では不等辺三角形になることが多い．通常は中心窩付近から口蓋根をめがけて切削を進める．根管数（発現頻度）は第一大臼歯では３根管（近心頬側，遠心頬側，口蓋側に各１根管）≒４根管（近心頬側に２根管が存在），第二大臼歯では３根管＞４根管≒２根管（頬側，口蓋側に各１根管）である．

g. 下顎大臼歯

窩洞外形は近心に張り出した台形になることが多い．通常は中心窩付近から遠心根をめがけて切削を進める．第一大臼歯の根管数（発現頻度）は３根管（近心２根管，遠心１根管）＞４根管（近遠心とも２根管）である．一方，第二大臼歯は根管形態のバリエーションが大きいが，３根管性，次いで２根管性（近遠心とも１根管）が多い．また，樋状根管の発現頻度が高い歯種である．

なお，口腔内では近心方向から処置が行われるため，大臼歯では近心壁の外開きをやや強くすることにより根管への器具挿入が容易となる．これにより，窩洞外形はやや近心側に偏位する．

❸ 根管上部のフレアー形成（根管口明示，根管上部拡大）

1）意義，目的

根管上部のフレアー形成 coronal flaring（coronal flare preparation）は，主として回転切削器具を用いて，根管上部（1/2〜1/3 程度）を外開き形態（テーパー）を与えながら広げる操作である．形成用器具や洗浄針の挿入が容易となり，以後の根管形成の円滑な進行や化学的清掃効果の向上が期待できる．

大臼歯ではしばしば根管口付近に窩壁の象牙質が隆起した形で存在しており，円滑な器具操作が妨げられる（図 7-2C）．フレアー形成の際にこの隆起部を選択的に削除して根管への直線的な挿入経路を確保することは，その後の処置を効率的に行ううえで意義が大きい．

2）実施時期

ある程度太い根管では天蓋除去および根管口確認後ただちに行う．細い根管で回転切削器具が挿入できない場合は，手用ファイルなどの細い器具で根管（上部もしくは全長）をある程度拡大したうえで実施する．根管処置の効率化をはかるため，なるべく早い段階で行うことが望ましい．

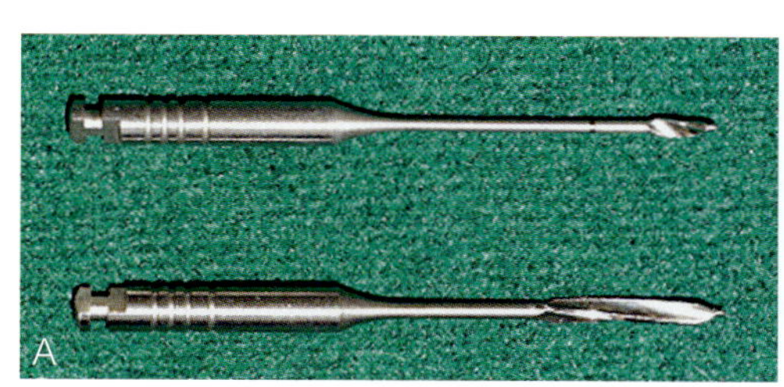

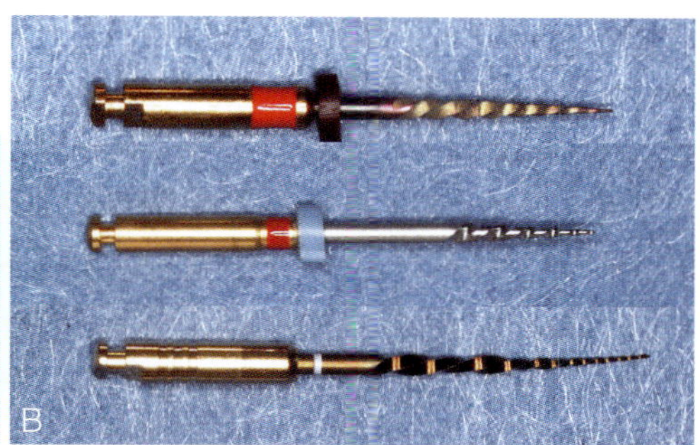

図 7-5　根管上部形成用回転切削器具
A：ゲーツグリッデンドリル（上）とピーソーリーマー（下）.
B：根管上部形成用 Ni-Ti 製ロータリーファイル.

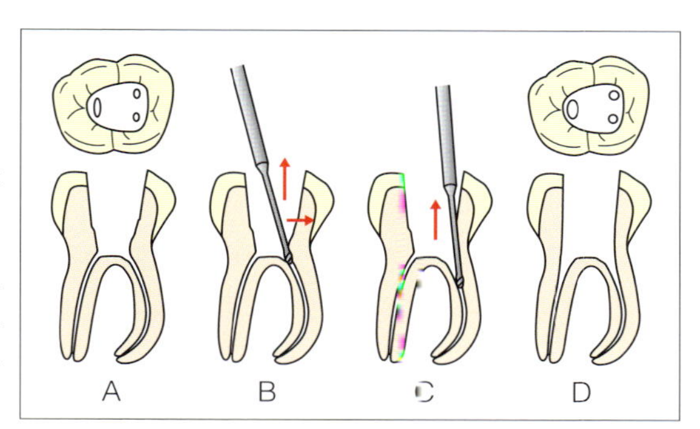

図7-6　ゲーツグリッデンドリルを用いた根管上部のフレアー形成の術式
A：術前（天蓋除去終了後）.
B，C：フレアー形成中．無理なく到達できる位置まで挿入後，引き上げる際に切削する（↑）．根管口部の窩壁を選択的に削除する（→）．D：フレアー形成後.

3）使用器具と術式

(1) ゲーツグリッデンドリル Gates-Glidden drill（図 7-5A 上）

長円形の短い刃部（最大径 0.5〜1.5 mm 程度）を有するステンレススチール製回転切削器具で，先端には刃が付与されていない．低速正回転（約 1,500 rpm 以下）かつ軽圧で根管に挿入し，引き上げる際に切削する要領で用いる．切削力が比較的高いため，不適切な使用による穿孔やレッジ形成に注意する．

以下のような手順で使用する（**図 7-6**）．

① 細い手用ファイルを根管に挿入して太さや方向を確認する．
② 根管が細い場合，手用ファイル（おおむね 25〜35 号まで）で根管上部をある程度拡大して誘導路を形成する．
③ ゲーツグリッデンドリルで根管上部（1/2〜1/3 程度）をフレアー形成する．刃部径が異なる数本の器具を用い，ステップバック形成法（細い器具が挿入可能な位置まで形成後，順次挿入深さを短縮させながら太い器具で形成する），あるいはステップダウン形成法（太い器具から細い器具の順に，挿入可能な位置まで順次挿入深さを増加させて用いる）で行う．

(2) ピーソーリーマー Peeso reamer（図 7-5A 下），ラルゴドリル Largo drill

ゲーツグリッデンドリルよりも刃部が長く切削力も高い．根管口が広く直線的なアプローチが容易な症例に有効である．使用法はゲーツグリッデンドリルとおおむね同様であるが，根管口のサイズに見合った器具を選択し 1，2 本で形成を終了させることが多い．

(3) ニッケルチタン（Ni–Ti）製ロータリーファイル Ni–Ti rotary file（図 7–5B）

根管上部形成のためにデザインされた，全長が短く刃部テーパーの大きい Ni–Ti 製ロータリーファイルを用いる．先端径が小さいため，細い根管のフレアー形成にも用いることができる．15～20 号の手用ファイルで誘導路を形成したのち，製造者指定の操作法により形成する（p.128，❸「ニッケルチタン製ロータリーファイルを用いた根管形成」の項参照，図 7–16 参照）．

Ⅱ 根管長測定法と作業長の決定

❶ 根管処置の終末点

根管処置の終末点として，生理学的根尖孔 physiologic apical foramen が最も適切と考えられている．これは，同部がしばしば根尖部における根管の最狭窄部（根尖狭窄部 apical constriction）にあたるため，歯周組織の創傷面積が最小になること，あるいは過剰根管充塡を避けるために有利であることを理由とする．

生理学的根尖孔は解剖学的にはしばしば根尖部の象牙–セメント境 dentino–cement junction と一致し，根尖歯周組織と歯髄との境界部に相当する．通常，歯根表面の根管開口部（解剖学的根尖孔）から 0.5～1 mm 歯冠側に位置する（p.5，図 2–1C 参照）．

❷ 根管長測定法の意義

根管処置に際して，生理学的根尖孔の位置を臨床的に検出し，同部から計測基準点（咬頭頂など）までの距離（作業長 working length）を求める必要がある．そのための術式が根管長測定法 root canal length measurement である．根管長測定のエラーは，その後の根管形成，根管充塡の確実性を損なうため，正確に測定することはきわめて重要である．

❸ 根管の穿通と作業長の決定

1）根管の穿通

根管切削器具を生理学的根尖孔まで到達させる操作である．通常は，最初に根管を穿通させた際に根管長測定をあわせて行い，作業長を決定する．細い手用切削器具（K ファイルなど）をターンアンドプル，ウォッチワインディングなどの操作で小刻みに根尖方向に進めて穿通させる．

2）作業長の決定

作業長とは根管切削器具を実際に操作する長さである．根管長測定法で得られた値より

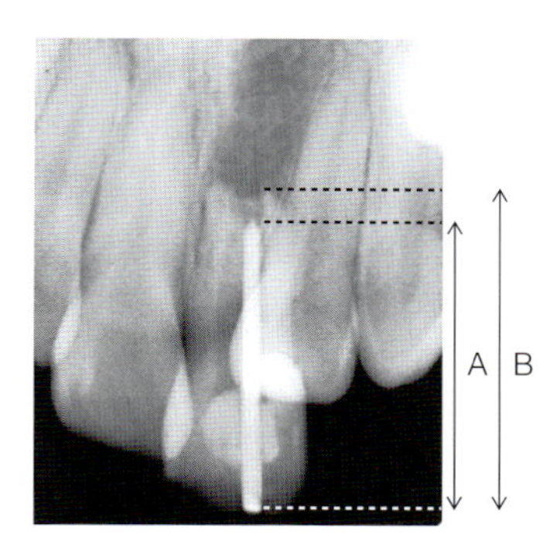

図7-7　エックス線画像による根管長測定
歯の長さ＝〔測定針（本例ではガッタパーチャポイント）の実長〕×B/A により算出する．

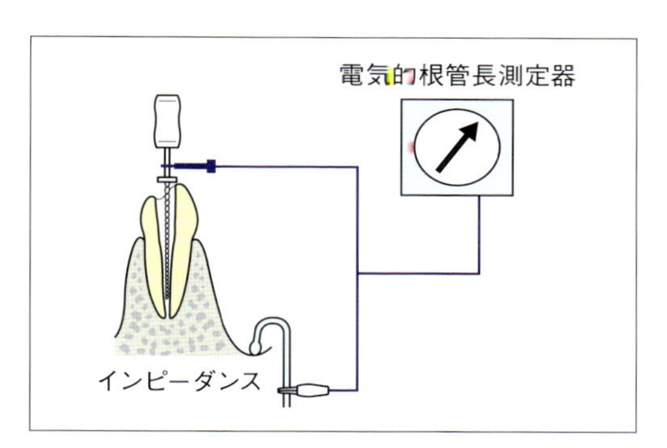

図7-8　電気的根管長測定法の原理

0.5〜1 mm 程度短い数値がしばしば作業長として採用されるが，これは，根管長測定法で得られる値が，実際には生理学的根尖孔をわずかに越えた位置までの距離に相当するためである（❹「根管長測定の術式」を参照）．

また，作業長は歯冠部の計測基準点からの距離として求められ，根管切削器具は先端から基準点までの長さに相当する位置にストッパーを固定した状態で操作する．したがって，切縁，咬頭頂など再現性の高い位置に基準点を設定する．

なお，彎曲根管では根管形成の進行とともに彎曲が直線化して根管長が短縮することがあるため，作業長を随時再確認すべきである．

❹ 根管長測定の術式

1）エックス線画像を利用する方法

口内法エックス線画像では像の伸縮があるため，既知の長さのファイルやガッタパーチャポイントを根管に挿入した状態でエックス線撮影を行い，像の伸縮を比例計算で補正して歯の実長を求める（図 7-7）．

ただし，エックス線画像上で生理学的根尖孔の位置を厳密に知ることはできない．そこで，エックス線画像上の根尖までの実長を求めたうえ，1 mm 程度短い長さを作業長として採用する．

一方，歯科用コーンビーム CT（CBCT）では，モニター上で再構成画像の計測を行うことにより，比較的正確な実長が得られる．

2）電気的根管長測定法

(1) 測定原理（図 7-8）

電気的根管長測定器 apex locator を用いて，根管内に切削器具を挿入した状態で通電し，インピーダンスを測定して根尖狭窄部の位置を検出する方法である．ファイル先端が歯根膜に達すると，ファイルと口腔粘膜との間のインピーダンスが歯種，年齢，性別を問わずほぼ一定の値を示すことを基本原理としている．

開発当初の電気的根管長測定器は強電解質（次亜塩素酸ナトリウム液など）の存在により短い測定値を示すなど，根管内の電気的状態の影響を受けやすかったが，現在の測定器では精度が向上している．

(2) 術　式

① 電気的根管長測定器の電源をオンにする．機種によってはアジャストを行う．

② ストッパーを装着した細いファイル，および口角に設置した金属製電極（口角導子など）に測定器を接続して回路を形成する（**図 7-8**）．

③ 根管に挿入されたファイルを，測定器が根尖指示値（機種により表示は異なる）を示す位置まで根尖方向に進める（根管の穿通）．

④ 咬頭頂などを基準点として設定し，ここにストッパーの位置を固定する．

⑤ ファイルを根管から取り出し，先端とストッパーとの距離をルーラーで測る．

⑥ 得られた長さ，もしくはこれから 0.5〜1 mm 程度短い長さを作業長とする（機種および使用条件により作業長決定法は異なる）．

(3) 注意点

根管長測定器の精度は高いが，以下のような場合に誤差が生じることがある．正確な値を得ることが難しい症例では，エックス線画像を用いる方法など，他の根管長測定法との併用が望ましい．

① 測定電流が唾液や金属修復物を経由して歯肉に漏洩した場合は，短い測定値が得られる．

② 根管内が乾燥した条件では，電流が流れず測定できないことがある．

③ 再根管治療の症例では，根管充填材で絶縁され測定困難な場合がある．

④ 血液，膿，次亜塩素酸ナトリウム液などの強電解質が多量に存在する根管では，短い測定値が得られる場合がある．

⑤ 根未完成歯や根尖吸収歯など，根尖が開大して狭窄部が存在しない場合は，短い測定値を示すことがある．エックス線画像による測定法（**図 7-7**）との併用が望ましい．

⑥ 根管壁に穿孔が存在する場合，穿孔部までの長さが測定される．このため，電気的根管長測定器を穿孔の診断に用いることが可能である．

3）その他の根管長測定法

いずれも確実性は十分でないが，電気的根管長測定の誤差をある程度補える場合がある．

(1) 歯の平均長

参考値として知っておく必要がある．

(2) 手指の感覚による方法

手指の感覚で根尖狭窄部を触知しようとするもので，客観的な方法とはいえないが，測定値の正誤に関する情報が得られる場合もある．

Ⅲ 根管形成

❶ 根管形成の意義

根管形成 root canal preparation とは，機械的方法により根管壁の切削と根管内容物の除去を行う操作であり，一連の根管処置の中核をなすものである．以下の2つの意義があり，その成否は歯内治療の予後に多大な影響を及ぼす．

① 根管の拡大・清掃による細菌感染の排除や予防（cleaning）

② 根管洗浄や根管充填を行うための根管形態の付与（shaping）

1）根管の拡大・清掃

(1) 意義，目的

根管内のさまざまな内容物（歯髄，壊死組織，細菌とその産生物，食物残渣，根管充填材など）や感染した根管壁を機械的に切削・除去する操作で，根管内細菌の除去に不可欠かつ最も有効な手段である．

ところが根管の形態は複雑・多彩であり，くまなく拡大・清掃を施すことは困難である．これを補うため，化学的清掃を十分に併用しながら拡大・清掃を行うことが重要である（p.132，Ⅳ「根管の化学的清掃」の項参照）．一方，根管の拡大により根管深部まで洗浄針の挿入が可能になり，洗浄液が根管内を還流するスペースも確保される．したがって，根管拡大には根管洗浄の効果を向上させる意義もある．

(2) 根管の拡大・清掃の終了基準

根管の拡大・清掃の達成度を正確に知ることは困難であり，ここに歯内治療の難しさがあるといっても過言でない．しかしながら，以下のような基準が清掃完了の指標として用いられている．

① 切削器具の根管壁への食い込みによる抵抗感．通常，最初に抵抗を感じたサイズから2〜3サイズ拡大する．

② 切削器具先端への白い象牙質削片の付着．

③ 根管洗浄液が汚れていないこと．

④ 根管内の歯科用実体顕微鏡観察で，内容物の残存が観察されないこと．

2）根管形成で付与すべき根管形態

(1) 意義，目的

根管充填に先立ち，根管の拡大・清掃が終了するとともに，緊密な根管充填を可能とする適切な形態が根管に付与されている必要がある．根管形成の良否は根管清掃の達成度を左右するとともに，根管充填の良否に大きく影響を及ぼす．

(2) 根管形成後の根管形態の要件

a. テーパーを有する外開きの形態であること

根管の横断面は根尖狭窄部（生理学的根尖孔）が最小で，根管口に向かうに従い大きくなる．これにより根管洗浄や根管充填が容易となる．

b. 形成後の根管形態が術前の根管形態のすべてを含んでいること

未切削部が残存しないことを意味する．

c. 術前の根管形態におおむね相似形で根尖部の彎曲が維持されていること

術前の根管形態から逸脱した形態となっていないことを意味する．根尖部に著しい逸脱が生じた場合は経過不良につながる（**図 7-13** 参照）．

d. 根尖狭窄部が保存されていること

同部の過剰な拡大は，緊密な根管充填を困難とし，しかも歯周組織に無用の刺激を与えるため，慎むべきである．

e. 根尖狭窄部まで穿通性が確保されていること

根管の全長にわたる器具操作が行われていることを意味する．

f. 根管充填材の歯周組織への溢出に対する抵抗形態が与えられていること

根尖狭窄部を頂点とするステップ状の形態（アピカルシート apical seat もしくはアピカルストップ apical stop）がしばしば付与される．

g. 根管充填が実施可能な太さが与えられていること

根管清掃完了後，根管充填を行いやすくするため，さらに根尖部の拡大や根管テーパーの付与が必要な場合がある．側方加圧根管充填を行う場合は，スプレッダーが根尖から 2 mm 程度手前の位置まで挿入できることが目安となる．

3）術前の根管形態と根管形成

根管形成の成否は術前の根管形態に大きく左右される．したがって，エックス線画像を観察し，根管の彎曲（位置，角度）や太さ（狭窄の有無）などの情報を把握したうえで形成を進めることが肝要である．歯科用 CBCT では根管の横断面形態や頰舌側方向の彎曲など，口内法エックス線画像では観察できない情報を得ることができる．

一般に，直線的で横断面が円形に近い根管では形成が容易であるが，彎曲根管では根尖部の直線化による不適切な根管形成となるリスクが高まる（p.127，「根尖部における不適切な根管形成」の項参照）．

横断面が楕円形の根管（扁平根管）や樋状根管では，これをリーミング（回転操作）主体で形成した場合は中心部付近が選択的に切削されるため未切削の根管壁が残存しやすい．したがって，適切なファイリング（牽引操作）を併用する必要がある．著しい狭窄や急角度の彎曲が存在する根管では，形成器具が根尖方向に進みづらく，適切な根管形成が困難な場合がある．

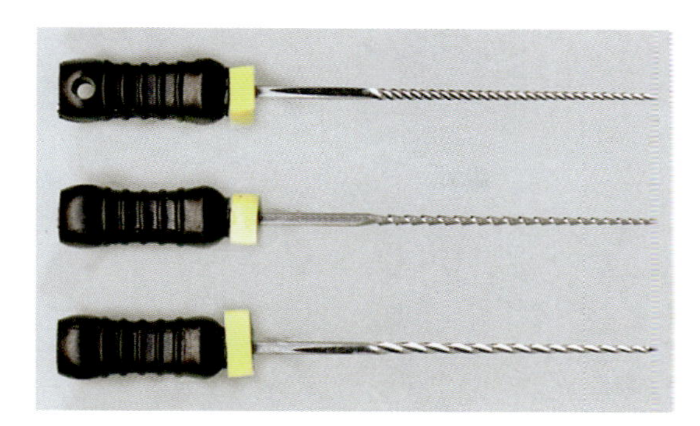

図 7-9 手用根管切削器具
上からKファイル，Hファイル，リーマー．

❷ 手用根管切削器具を用いた根管形成

1）手用根管切削器具（図 7-9）

手指で操作するステンレススチール製切削器具で，最も一般的に用いられている．さまざまな器具があるが，代表的なものについて述べる．

(1) Kファイル K-type file

横断面形態が正方形（正三角形の場合もある）でテーパーを有するステンレススチール線をねじって製作される．ファイリング（牽引操作），リーミング（回転操作），およびこれらを組み合わせた操作で用いることができ，適応が広い．

(2) Hファイル Hedstrom file

ステンレススチール線を切削加工し，刃を有する円錐を重ねたような形態としたもので，ファイリングで高い切削効率を示す．リーミングには適さないが，これは刃が根管壁に強く食い込みやすく，しかも芯部の径が小さいことから比較的容易に破折するためである．

(3) リーマー reamer

断面形態が正三角形（正方形の場合もある）でテーパーを有するステンレススチール線をねじって製作され，Kファイルよりらせんのピッチが広い．主としてリーミングで用い，ファイリングでは切削効率が低い．

(4) RTファイル RT file

わが国で開発された切削器具で，横断面形態が長方形に近い平行四辺形であることを特徴とする．Kファイルと比較して柔軟性や切削効率が向上しているとされる．主としてターンアンドプルで用いる．

(5) 根管形成用器具の国際標準規格（図 7-10，表 7-1）

ファイル，リーマーおよびガッタパーチャポイントでは，ISO（国際標準化機構），ANSI（米国国家規格協会）などの標準化機関により形態やサイズが規定されている．根管形成が規格化されるとともに，同一サイズの規格化ガッタパーチャポイントで適合のよい根管充填を行えるようになっている．

表 7-1　根管切削器具の国際規格（ANSI/ADA）

器具の番号	D_0（mm）	カラーコード
6	0.06	桃（規定なし）
8	0.08	灰（規定なし）
10	0.10	紫
15	0.15	白
20	0.20	黄
25	0.25	赤
30	0.30	青
35	0.35	緑
40	0.40	黒
45	0.45	白
50	0.50	黄
55	0.55	赤
60	0.60	青
70	0.70	緑
80	0.80	黒
90	0.90	白
100	1.00	黄
110	1.10	赤
120	1.20	青
130	1.30	緑
140	1.40	黒

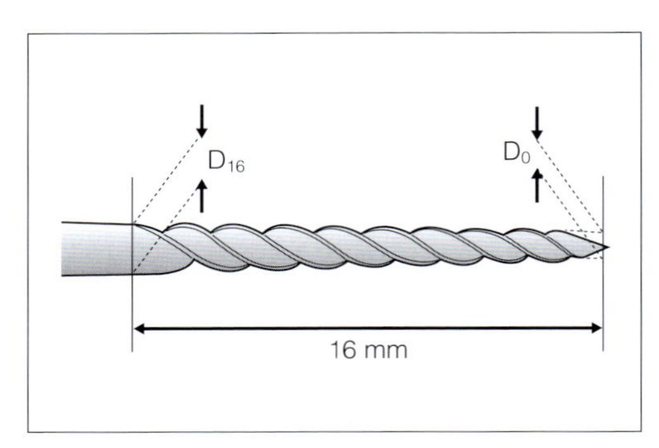

図 7-10　根管形成用器具の米国国家規格協会/米国歯科医師会規格（ANSI/ADA 規格 No.28）
D_0：刃部先端径．D_{16}（刃部後端径）$=D_0+0.32$ mm

a. 刃部長とテーパー（図 7-10）

刃部長は 16 mm で，先端から基部に向かうに従い 1 mm ごとに直径が 0.02 mm 増加する（テーパー 2%）．したがって，刃部後端では先端よりも直径が 0.32 mm 大きい．

b. 刃部先端の直径に基づく器具サイズの呼称（番号）（表 7-1）

刃部先端の直径（mm）の 100 倍の数値を器具サイズの呼称とする．たとえば先端径 0.25 mm の器具は 25 号とよばれる．

c. 器具サイズの規格とカラーコード（表 7-1）

6〜10 号では 2 号ずつ，15〜60 号では 5 号ずつ，70〜140 号では 10 号ずつ番号が進む．ハンドルはサイズに応じてカラーコード化されている（15 号以上で白黄赤青緑黒の繰り返し）．ハンドルを除いた全長は 21，25，31 mm に規格されている（18 mm，28 mm などの器具も存在する）．

2）手用根管切削器具の操作法

（1）一般的注意点

① 根管内を洗浄液で濡らした状態で切削する．洗浄液が潤滑剤として作用し，操作が円滑となる．カーボワックスなどの潤滑剤を含む拡大補助剤（RC-Prep など）を適宜併用する．
② 器具破折，根管の直線化などの偶発症を避けるため，器具に強い力を加えて操作しない．
③ 器具が進みづらい場合は，前のサイズに戻って形成する．
④ 器具の交換のたびに根管洗浄を行う．削片を洗い流すとともに，化学的清掃効果も期待される．

⑤ 根管から取り出した器具の刃部をよく観察する．永久変形（刃部の延びなど）が生じた器具は再使用しない．
⑥ 刃部に詰まった削片を随時アルコール綿などで拭い取る．これを怠ると，削片による根管の閉塞や切削効率の低下が生じる．
⑦ 彎曲根管では，その程度に合わせて先端をあらかじめ曲げた状態で用いる（プレカーブ precurve の付与）．

(2) 操作法

a. ファイリング filing（牽引操作）

器具を根管に挿入後，根管壁に擦りつけながら小刻みに掻き上げて切削する．H ファイルで効率的に行える動作である．

横断面が楕円形の根管では，根管壁をくまなく切削することを期待してこの操作を根管全周に行う(全周ファイリング)．根管上部のフレアー形成や根管充塡材除去にも有効である．しかし，過剰切削，根管の直線化，あるいは削片による根管の閉塞に注意すべきである．

b. リーミング reaming（回転操作）

時計方向に 90～180 度程度回転させて根管壁に食い込むまで進めたのち引き抜く方法で，リーマーに最も適している．H ファイルでは破折の危険があるため行わない．

直線的で横断面が円形の根管では効率的な方法であるが，横断面が楕円形の根管では中心部が選択的に切削され未切削部が残存しやすく，また彎曲根管では根管の直線化（**図 7-13** 参照）が生じやすい．このためリーマーの使用は一般的ではなくなりつつある．

c. ターンアンドプル turn and pull

リーミングとファイリングとを組み合わせた方法で，器具を約 1/4 回転させて象牙質に食い込ませた後，引き抜いて切削する．K ファイルに適した方法である．

リーミングやファイリングを単独で行う場合よりも小刻みに形成が進行する．根管の直線化などのエラーが比較的少ない方法とされる．

d. ウォッチワインディング watch-winding

時計の竜頭を巻くように，小刻みな正逆回転（30～60 度程度）を繰り返す方法で，K ファイルが適している．軽い力で正回転させて刃を象牙質に食い込ませ，逆回転させた際に切削する．根管が細く器具が根尖方向に進みづらい場合に有用で，特に彎曲や狭窄が著しい根管の最初の穿通にしばしば用いる．

e. バランストフォース法 balanced force technique

時計方向と反時計方向の回転を用いるリーミング操作で，ファイルが根管壁に軽く食い込むまで根管に挿入し，60～90 度正回転させた後，根尖方向に圧を加えながら 120～180 度反時計方向に動かして切削する．効率がよく根管の直線化も少ないとされるが，わが国ではあまり行われていない．

3）手用根管切削器具による根管形成の術式

現在まで多くの形成術式が提唱されており，同一の形成法にもさまざまな変法がある．こ

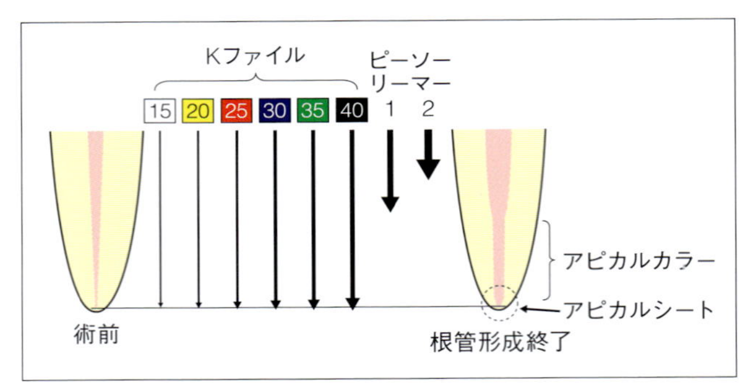

図 7-11 規格形成法の術式例

こでは代表的な術式について述べる.

(1) 規格形成法 standardized preparation technique（図 7-11）

1960 年代初頭に根管切削用器具および根管充塡材の規格化（p.123,「根管形成用器具の国際標準規格」の項参照）と組み合わせて提唱され，今日なお基本的な術式とみなされている.

① 根管上部のフレアー形成，根管の穿通，作業長決定

② 細い器具（K ファイルなど，10〜15 号）で根尖狭窄部まで形成後，作業長を遵守しながら順次太いサイズの器具を用いる.

③ 器具先端に白い象牙質削片が付着してから 3 サイズ程度大きい器具で，根尖狭窄部の形成を終了する．これによりアピカルシート（アピカルストップ）が付与される.

④ 根尖狭窄部から歯冠側約 3 mm をアピカルカラー apical collar（同一規格の根管充塡用ポイントを保持するための規格化された形態）として維持した状態で，これより歯冠側を手用器具（ファイリング操作）や回転切削器具（ピーソーリーマーなど）で切削し，テーパーを付与する.

この方法は彎曲が少ない根管に適するが，彎曲が強い根管では，器具が太くなるに従い根尖部が直線化する傾向が生じる（**図 7-13** 参照）.

(2) ステップバック形成法 step-back preparation technique（図 7-12）

彎曲根管の根尖部の直線化を避けることを主眼に考案された方法である．根尖狭窄部までの形成を比較的小さいサイズにとどめることで，太い器具の使用に伴う根管直線化のリスクが小さくなる，また，根尖 1/3〜1/2 程度の部位には規格形成法よりも大きいテーパーが付与される（根尖部のフレアー形成）．このフレアー形成により，機械的清掃が促進されるとともに，洗浄液が根尖部まで到達しやすくなる.

代表的な術式を以下に示す.

① 根管上部のフレアー形成，根管の穿通，作業長決定.

② 細い器具（K ファイルなど，10〜15 号）で根尖狭窄部まで形成を開始し，順次器具サイズを大きくしながら，先端に抵抗を感じた最初の器具（イニシャルアピカルファイル initial apical file）から 1，2 サイズ太い器具まで形成を進める．根尖狭窄部まで用いる最も太いサイズの器具をマスターアピカルファイル master apical file（MAF）とよぶ.

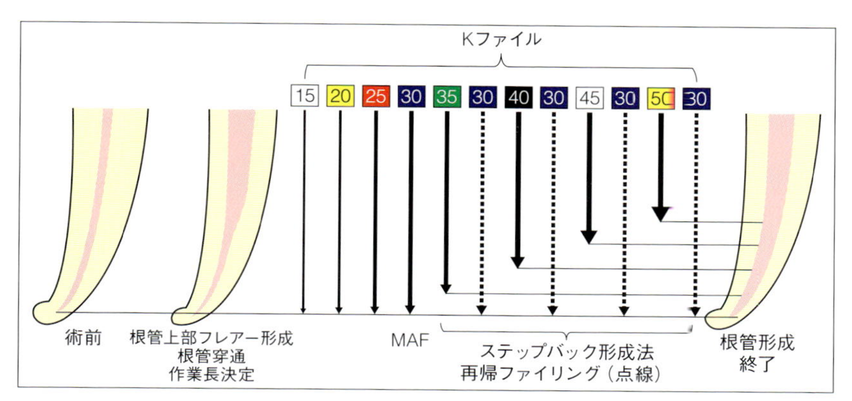

図 7-12 ステップバック形成法の術式例
MAF：マスターアピカルファイル.

③ 根尖部のフレアー形成を行う．すなわち，MAF よりも太いサイズの器具を，順次作業長を短縮させながら用いる．根尖部のテーパーは作業長を各 1 mm 短縮させた場合は 5%，各 0.5 mm 短縮させた場合は 10%（手用ファイルはテーパー 2%）となる．
また，器具サイズを大きくするごとに，MAF（もしくはより細いファイル）の反復挿入（再帰ファイリング recapitulation）を作業長全長まで行い，小刻みなリーミングやファイリングで削片を遊離させる．この操作で削片による根管の目詰まりが予防される．

(3) クラウンダウン形成法 crown-down preparation technique

根管上部のフレアー形成に続いて中央部から根尖部に向かってフレアー形成を行う方法で，太い器具から細い器具の順に作業長を増加させながら形成を進める（**図 7-17** 参照）．手用切削器具に対する術式として考案されたが，現在では Ni-Ti 製ロータリーファイルに適した術式として普及している（p.128，❸「ニッケルチタン製ロータリーファイルを用いた根管形成」の項参照）．

4）彎曲根管の形成の注意点

(1) 根尖部における不適切な根管形成

彎曲根管では根尖部の直線化により，レッジ ledge，穿孔 perforation，ジップ zip といった不適切な形態が生じる場合がある（**図 7-13**）．これらは未切削部を残存させ，また緊密な根管充塡も困難とするため，経過不良の原因となる．

成因は以下のようなものである．

① 切削器具の剛性：ステンレススチール製器具ではおおむね 30 号以上で顕著となる．
② 過剰あるいは強圧下での器具操作．リーミングで顕著であるがファイリングでも生じる．
③ 削片の貯留：目詰まりした部位を起点に直線化することがある．

(2) 対　策

これらの不適切な形態はひとたび形成されると修正困難で，予防に勝る対策はない．

① 根管上部のフレアー形成を適切に行った後，根尖部を形成する．

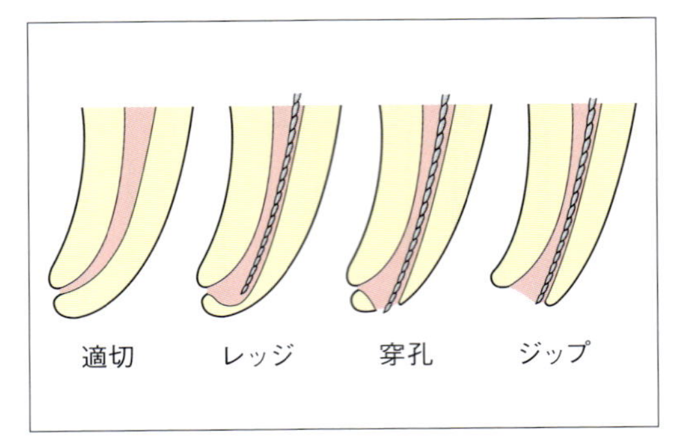

図 7-13 根尖部における不適切な根管形成

② 過剰あるいは強圧による器具操作を避ける.
③ プレカーブを付与した器具で形成する.
④ ステップバック形成法やクラウンダウン形成法により根管下部のフレアー形成を適切に行う.
⑤ 根尖部を過度に太く形成しない（太い場合にリスクが大きい）.
⑥ 柔軟な器具（Ni–Ti 製ロータリーファイルなど）を使用する.

5）抜髄根管と感染根管における根管形成の相違点

(1) 根管の機械的清掃における相違点

抜髄根管では内容物が生活歯髄であり，根管壁の感染は通常みられない．したがって，すべての歯髄組織および象牙前質の削除が機械的清掃の目標となる．

一方，感染根管の内容物は壊死組織，細菌とその産生物，根管充填材など多彩であり，機械的清掃の目標はこれらの完全な除去となる．また，根管壁象牙細管への細菌感染もみられるため，抜髄根管よりも積極的な根管壁の切削が要求される．処置中に根管内容物を歯周組織に溢出させないよう，慎重な器具操作を行うことも必要である．

(2) 根管充填を行うための根管形態に関する相違点

根管形成で付与すべき形態的要件（p.122,「根管形成後の根管形態の要件」の項参照）は，抜髄根管，感染根管を問わず原則として同一である．

なお，急性根尖性歯周炎の症例では，根尖歯周組織からの排膿路を求めるため根尖狭窄部を意図的に拡大する場合がある．この際も，過剰な拡大は創傷面積を拡大させるとともに根管充填も困難となるため，必要最低限（20～25 号程度）の拡大にとどめるべきである．

❸ ニッケルチタン製ロータリーファイルを用いた根管形成

1）ニッケルチタン製ロータリーファイルの機械的特性

ニッケルチタン（Ni–Ti）製ロータリーファイル（**図 7–14，15**）は，Ni–Ti 合金（重量比ニッケル約 55%，チタン約 45%）を素材とする根管形成用回転切削器具で，彎曲根管に効率的かつ確実な根管形成が期待できる器具として近年普及しつつある．破折抵抗性，効率

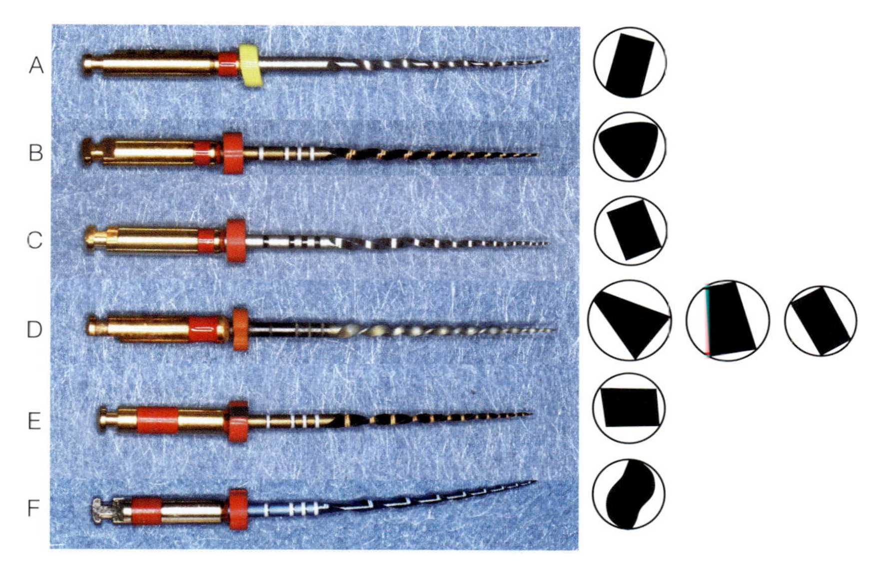

図 7-14 Ni-Ti 製ロータリーファイルの形状
先端サイズ 25 号の器具（すべて加熱処理合金製）．（）内に先端テーパーを示す．右に刃部横断面形態を示す．
A：JIZAI（6％），B：ProTaper Ultimate（8％），C：ProTaper NEXT（8％），D：HyFlex EDM（8%．基部と先端で横断面形態が異なる），E：WaveOne Gold（7%）　F：ソフトレシプロック（8%）．E，F は反復往復回転運動で用いる．

性などの向上を目指した新製品の開発が，現在も活発に行われている．

Ni–Ti 合金の特徴として，弾性が高く，しかも応力の解放によりもとの形に復帰する性質（いわゆる超弾性）を示すことがあげられる．このため，Ni–Ti 合金製根管切削器具は，ステンレススチール製器具と比較して永久変形が生じにくく，柔軟で彎曲根管への追従性も優れている．また，エンジン駆動とすることで切削効率の向上がはかられている．ほとんどの製品は低速正回転（250～500 rpm 程度）で使用する．

ところが，Ni–Ti 製ロータリーファイルの破折抵抗性はステンレススチール製ファイルに及ばない．また，永久変形しづらい性質（超弾性）のため，刃部のねじれや延びなどの前兆がないまま破折する傾向がある．このため，製造者指定の操作手順や方法を遵守し，無理な操作を避ける．

Ni–Ti 合金に加熱処理を施すことにより，ファイルの破折抵抗性や柔軟性が向上する．このため，さまざまな加熱処理を施された合金を素材とする製品が現在では主流となっている（**図 7–14**）．また，加熱処理により常温で形状記憶性を示す製品も開発されている．一般の製品では超弾性によりプレカーブの付与が困難であるが，形状記憶性の製品ではこれが可能となっている．

2）ニッケルチタン製ロータリーファイルの形状（図 7–14）

ファイルの刃部形態は，切削効率，柔軟性，破折抵抗性，削片排出性など多彩な要素に影響を及ぼす．Ni–Ti 製ロータリーファイルは製品ごとに異なる刃部形態（断面形態，刃の角

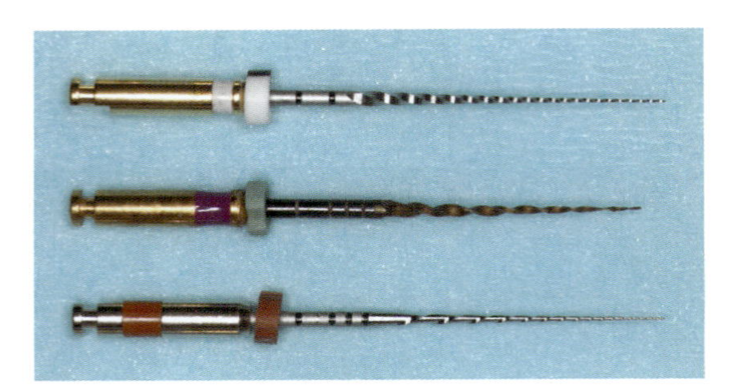

図7-15　グライドパス形成用Ni-Ti製ロータリーファイル

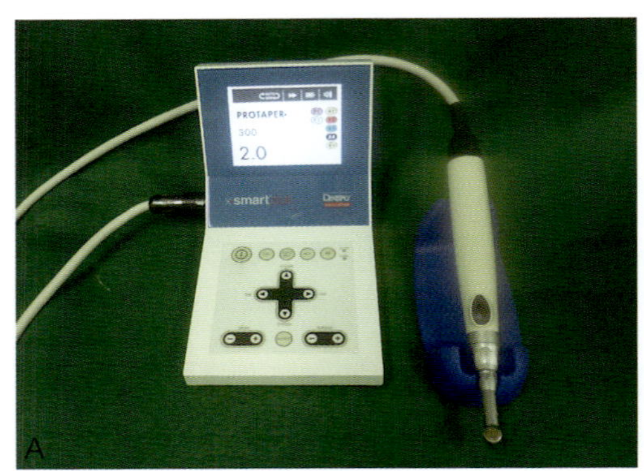

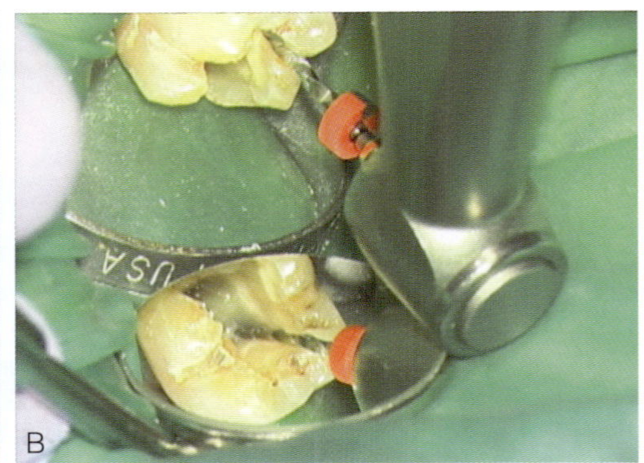

図7-16　Ni-Ti製ロータリーファイルを使用した根管形成
A：回転切削装置の製品例．パネル上で回転数やトルク値を設定して使用する．
B：|6 近心舌側根管を形成中．

度，テーパー，ピッチ幅など）で設計されており，独自の設計による優位性が謳われている．また，ほとんどの製品で国際規格と異なる規格が採用されている．

Ni-Ti製ロータリーファイルでは刃部テーパーが増加しても柔軟性が保持されるため，通常は国際規格（2%）より大きい刃部テーパー（4〜10%程度）が与えられている．これにより根管上部や根尖部のフレアー形成の効率化がはかられている．刃部の部位により異なるテーパーが与えられた製品もみられる．

また，通常の根管形成用器具（**図7-14**）に加えて，根管上部形成用の器具（全長が短く刃部テーパーが大きい；**図7-5B**）や，グライドパス glide path（根尖部の形成に先立ち根管全長に形成される細い誘導路）の形成に用いる細い器具（先端サイズ15号程度；**図7-15**）も製品化されている．

3）ニッケルチタン製ロータリーファイルによる根管形成の術式

先端径，テーパーなどの異なる数種類のファイルを製造者指定の手順や操作法で用いる．細部は製品により異なっているため，ここでは原則的事項を概説する．

(1) ニッケルチタン製ロータリーファイルの操作法

根管内ファイル破折の予防を主眼とした操作法の要点を述べる．

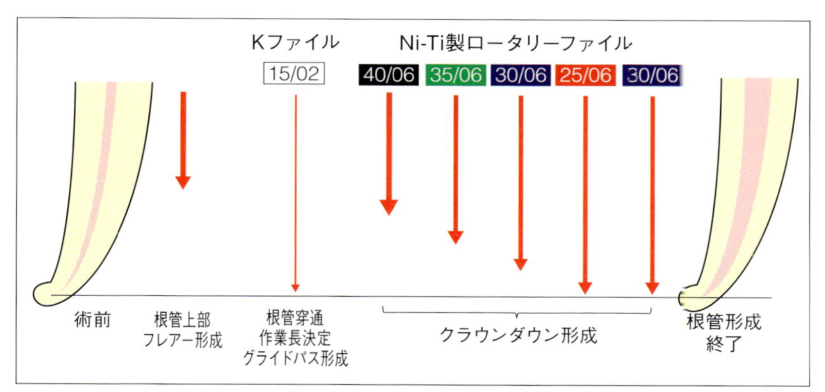

図 7-17 Ni-Ti 製ロータリーファイルによるクラウンダウン形成法の術式例
器具サイズを号数/テーパー（%）で示す.

① トルクリミット機能を有する専用の回転切削装置に装着し，低速正回転で用いる（**図 7-16**）．トルクリミット機能とは，切削中に過度のトルクが加わった場合に回転がいったん停止して逆回転が開始する機能で，ねじり疲労（ねじる力により生じる金属疲労）による破折の予防に有効である．回転数やトルク値は製品ごとに指定された値に設定する．

また，反復往復回転運動（レシプロケーション reciprocation；正逆回転の小刻みな繰り返し）を行う切削装置に装着して使用する製品もみられる．反復往復回転運動では応力の解放が周期的に行われながら形成が進行するため，破折リスクの低減が期待できる．

② 軽い力で根管内に挿入し，小刻みな上下動で切削を進めるとともに，抵抗を感じた場合はただちに引き抜く．これを繰り返して所定の位置まで到達させる．

③ グライドパス形成を行う．すなわち，作業長決定後に手用切削器具（K ファイルなど；15〜20 号）やグライドパス形成用 Ni-Ti 製ロータリーファイル（**図 7-15**；手用切削器具使用後に用いる）で，これらが抵抗なく円滑に挿入可能となるまで根管を拡大しておく．以後の根管形成の効率化やファイル破折リスクの低下が期待される．

④ ファイルの過度の繰り返し使用を控える（使用回数を記録する）．単回使用を指定した製品もみられる．

(2) クラウンダウン形成法 crown-down preparation（図 7-17）

根管上部のフレアー形成に続いて，中央部から根尖部に向かって段階的に形成を進める方法である．

根管上部のフレアー形成，根尖孔の穿通と作業長決定，およびグライドパス形成を行った後，根管中央部から根尖部まで，太いファイルから細いファイル，もしくはテーパーの大きいファイルから小さいファイルの順に，抵抗で進まなくなる位置まで順次形成する．ファイル交換のたびに形成は根尖方向に進行し，最終的に根尖狭窄部に到達する．その後同一作業長で根尖部を 1 〜 2 サイズ拡大する場合もある．

クラウンダウン形成法では根管上部から中央部が広げられた状態で根尖部の形成が行われるため，ステップバック形成法と比較して器具に加わるねじり応力が減少し，破折のリスク

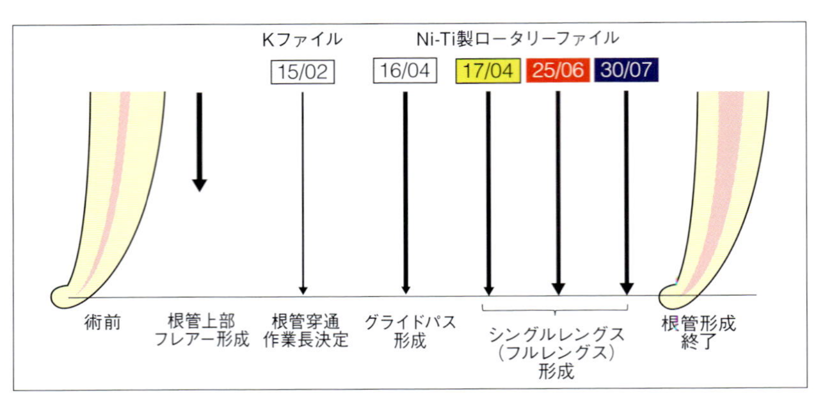

図 7-18 Ni-Ti 製ロータリーファイルによるシングルレングス（フルレングス）形成法の術式例
器具サイズを号数/テーパー（%）で示す.

が少なくなる．根管内容物の歯周組織への溢出のリスクが少ないことも利点とされる．

(3) シングルレングス（フルレングス）形成法 single-length（full-length）preparation

規格形成法に準じた「根尖狭窄部まで細いファイルから太いファイルで順次形成を進める」形成手順である（**図 7-18**）．すなわち，根管上部のフレアー形成，根尖孔の穿通と作業長決定，およびグライドパス形成を行った後，同一作業長で根尖部の形成を行う．

シングルレングス（フルレングス）形成法の利点として，症例によらず一定の手順で，またしばしばクラウンダウン形成法より少ない本数のファイルで形成できる簡便性があげられる．クラウンダウン形成法と比較してファイルと根管壁の接触が緊密になりやすいが，近年では Ni-Ti 合金の加熱処理など，破折抵抗性向上に向けた製品改良が進められた結果，多くの製品で採用されている．

Ⅳ 根管の化学的清掃

❶ 意 義

根管の形態は複雑で，切削器具が到達しがたい部位（側枝，根尖分岐，イスムス，フィンなど）が存在するため，入念な機械的清掃後も内容物や切削されない根管壁がしばしば残存する．また，切削された根管壁表層にはスミヤー層 smear layer が形成されるが，感染源がこれに含まれ残留する可能性がある．

根管の化学的清掃は，このような機械的清掃の限界を補うための重要な操作であり，物理的に洗い流す作用のみならず，洗浄液（根管清掃薬）の化学的作用も応用し，根管内に残留する感染源の除去，不活性化をはかることを目的とする．

❷ 根管清掃薬の種類と使用法

1）次亜塩素酸ナトリウム液 sodium hypochlorite（NaClO）

細菌，真菌，ウイルスに対する抗微生物作用，および強力な有機質溶解作用を有している．したがって，根管内の微生物を死滅させるのみならず，機械的清掃が及ばない部位に残留する有機物の溶解除去が期待できることから，効果的な根管清掃薬として頻用されている．使用濃度は2.5〜6%程度が一般的である．

NaClOは軟組織刺激性を示すため，安全性に特段の配慮を払うべきである．すなわち，口腔粘膜，顔面皮膚あるいは根尖歯周組織の損傷が生じないよう慎重に使用する必要がある．衣服に付着した場合も脱色や損傷が生じる．ラバーダム防湿を施すとともに，適切なシリンジ操作や吸引操作により飛散や根尖孔外への漏出を予防すべきである（❸「根管洗浄の術式」の項参照）．

また，NaClOは化学的安定性に劣る．したがって，熱や光で分解が進行するため，遮光，冷蔵で保管する．根管内では有機質との接触で分解が進行するため，頻回の洗浄が望ましい．

2）EDTA（ethylenediaminetetraacetic acid）

無機質溶解作用を有する根管清掃薬で，根管壁表層のスミヤー層の除去に有効である．キレート作用により根管壁のカルシウムイオンと結合して脱灰させる．軟組織刺激性は示さないが，抗菌作用もない．

(1) EDTA溶液

3〜17%程度の溶液が用いられる．界面活性剤を添加して抗菌性や根管壁へのぬれ性の向上をはかった製品（モルホニン歯科用液など）もある．

EDTA溶液は通常NaClOとの交互洗浄で使用される．すなわち，NaClOでの洗浄後EDTA溶液を約1分間作用させた後，NaClOで再度洗浄する．EDTA溶液の過度の使用は過剰な脱灰を招くため控えるべきである．

(2) EDTA含有ペースト（RC-Prep，Glydeなど）

カーボワックス（ポリエチレングリコール）を基剤としてEDTAおよび過酸化尿素を含む製剤で，脱灰作用は液剤より弱い．主として根管形成補助剤（潤滑剤）として使用される．また，過酸化尿素はNaClOと反応して発泡するため，物理的清掃促進が期待される．ファイルなどで根管内に輸送し，根管に満たした状態で根管形成を行う．

3）過酸化水素水（H_2O_2）

従来より3% H_2O_2がNaClOとの交互洗浄に用いられている．この術式では，発生期の酸素が生成して発泡が生じることから（$NaClO + H_2O_2 \rightarrow NaCl + H_2O + O_2 \uparrow$），根管内の物理的清掃効果の向上が期待される．

ところが，NaClOの有機質溶解作用や殺菌作用はH_2O_2との混合により減弱する．このため，H_2O_2との交互洗浄は行わずNaClOを単独で用いる術式が推奨されている．

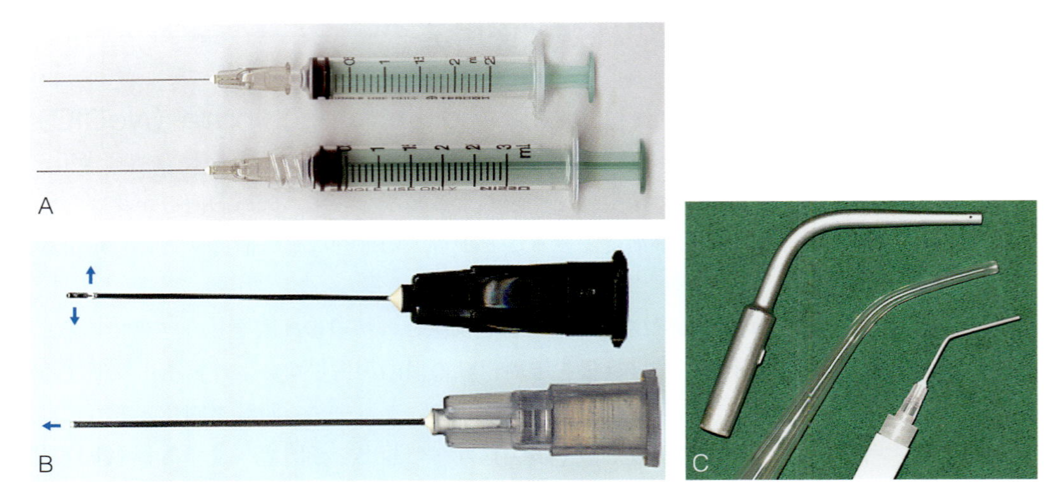

図 7-19　根管洗浄用器具例
A：洗浄針を装着したプラスチックシリンジ．通常のシリンジ（上）とロック式シリンジ（下，洗浄中に針がはずれにくい）．
B：洗浄針．側孔のあるタイプ（上）と先端に孔がある通常のタイプ（下）．（興地隆史，2013[3]より）
C：吸引用器具．

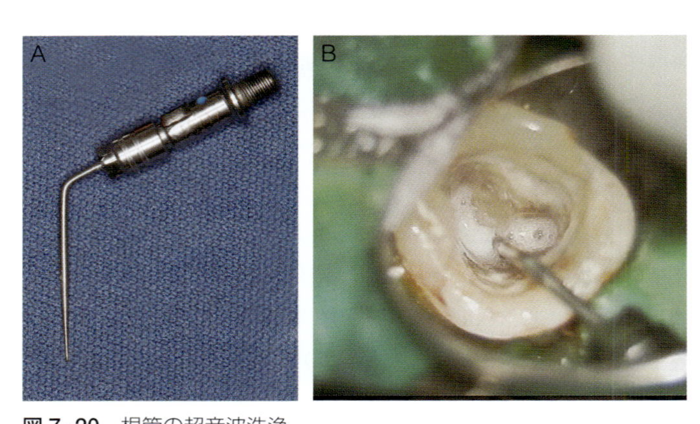

図 7-20　根管の超音波洗浄
A：根管洗浄用超音波チップ．B：樋状根管の洗浄（⌈7）．

❸ 根管洗浄の術式

1）シリンジを用いた根管洗浄（図 7-19）

洗浄針を装着したシリンジ（**図 7-19A，B**），もしくは両者が一体化した専用器具を用い，洗浄針を根管内に挿入して洗浄液を根管内に還流させる．根管口から流出する洗浄液はバキュームで吸引，もしくはコットンロールを窩洞入口に当て吸収させて回収する．

根尖部まで十分な洗浄効果を及ぼすためには，根管形成が十分行われ洗浄針が根尖付近まで達する必要がある．したがって，洗浄効果は根管形成の良否に左右される．

洗浄液，とりわけ NaClO の漏出による軟組織の損傷を防ぐためには，以下のようなさまざまな配慮が必要である．

(1) 適切な注入速度

速度が過剰な場合は，過大な圧がかかり根尖孔からの漏出のリスクが高まる．洗浄針がシリンジから外れ，洗浄液が飛散することもある．

(2) 適切な挿入深度

深度が浅すぎる場合は十分な洗浄効果を得がたい．深すぎる場合は根尖歯周組織が傷害されるリスクが高まるため，作業長からある程度控えた挿入深度とする．洗浄針が根管に食い込んだ状態では強圧が生じやすいため，この位置からわずかに引き上げて洗浄を行う．

(3) 適切な吸引操作

洗浄液を周囲に飛散させないよう入念に吸引する．径の細い吸引用器具（**図7-19C**）を使用することにより確実な吸引が可能となる．

2）超音波振動，音波振動を用いた根管洗浄（図7-20）

超音波振動装置もしくは音波振動装置に装着された根管洗浄用チップ（**図7-20A**）を洗浄液で満たされた根管に挿入し，発振して洗浄する方法である．

超音波洗浄では，チップの振動で形成される気泡の周りに生じる液体の流れ，あるいはキャビテーション cavitation（気泡が発生と消滅を繰り返す現象）により発生する衝撃波の作用により，洗浄効果が向上する．イスムスなど機械的操作が及びにくい部位での汚物除去効果が高いことが報告されている．根管壁にファイルやチップを接触させない状態で振動を加える方法（受動的超音波洗浄法 passive ultrasonic irrigation）が，振動が制限されず清掃効果が高いため推奨されている．

3）根管内吸引洗浄法

バキュームに接続した洗浄針を根尖付近に設置し，洗浄液を持続的に供給しながら吸引することにより，根管口から洗浄液を根尖方向へ誘導して洗浄効果を得ようとする方法である．洗浄液は針の先端で吸引され，それ以上根尖方向には進まないため，根尖孔外に洗浄液が溢出するリスクが低く，根尖付近の洗浄を安全に行うことが期待される．

（興地隆史）

V 根管の消毒（根管貼薬）

❶ 意　義

根管内感染源の除去は，根管拡大による機械的清掃と根管清掃薬による化学的清掃によって行うことが重要である．しかしながら，解剖学的に複雑な根管から感染源を完全に除去することはきわめて困難であり，根管形成時にファイルが到達しなかった根管や十分に根管洗浄が行えなかった根管は象牙質削片などの感染源が残留している．そこで，従来から機械的，

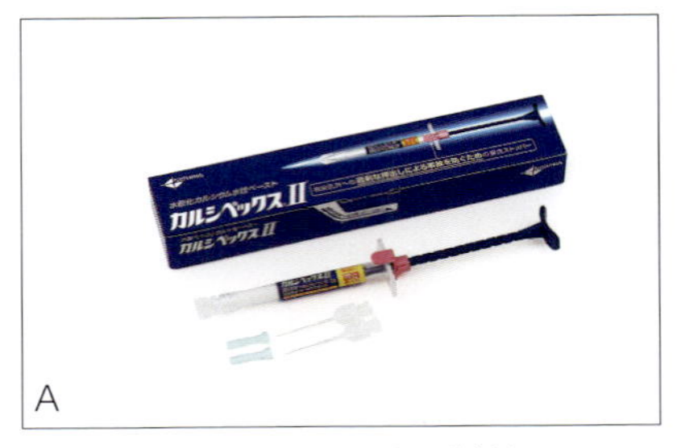

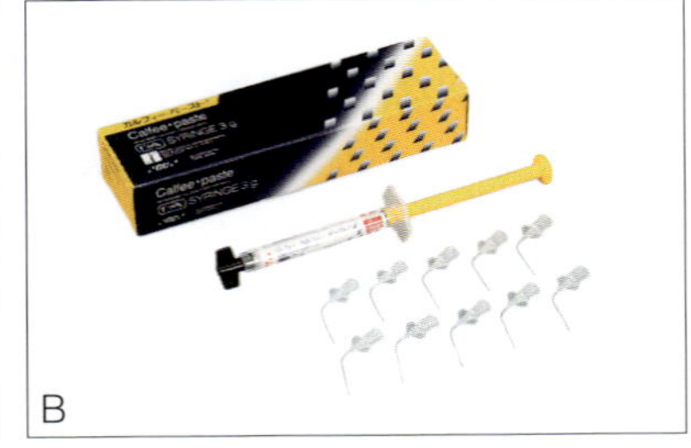

図 7-21　水酸化カルシウム製剤
A：カルシペックスⅡ，B：カルフィーペースト.

化学的清掃が不十分な根管に対して，持続的殺菌効果を期待して根管消毒薬（根管貼薬剤）を使用してきた．根管消毒薬は根管内無菌化のために感染根管治療に必須であると考えられてきたが，現在は歯周組織に対する組織傷害性，および生体に対する発がん性や遺伝毒性が報告されており，組織親和性のある薬剤選択もしくは十分な根管洗浄による感染源除去後，根管充塡に移行している.

従来，根管消毒薬として最も頻繁に使用されていたホルムアルデヒド製剤やフェノール製剤は，強い細胞毒性と組織傷害性のため欧米では使用が中止され，現在は水酸化カルシウム製剤を使用するか，もしくは根管消毒薬の使用は可及的に行わない傾向に変化した.

❷ 根管消毒薬の所要性質

根管消毒薬は根管内細菌を殺菌し，根管内無菌化を獲得するために以下の所要性質が理想とされる.

① 殺菌作用を有する.
② 歯周組織に対して為害性がない.
③ 歯根象牙質に浸透性を有する.
④ 持続的消毒作用を有する.
⑤ 歯質を変色させない.
⑥ 操作性に優れている.
⑦ 保存が容易である.

❸ 使用薬剤

日本国内で使用されている根管消毒薬は，水酸化カルシウム製剤，フェノール製剤，およびヨウ素製剤である．いずれの根管消毒薬も根管内細菌の殺菌と消毒を目的としているが，近年は組織傷害性の低い薬剤の使用が主流になっている.

1）水酸化カルシウム製剤

水酸化カルシウム製剤が国内外の基本的根管消毒薬として使用されている（**図 7-21**）．水酸化カルシウムは水に難溶性の白色粉末で，強アルカリ性（pH 12.4 前後）を示す.

水酸化カルシウムの抗菌効果はきわめて緩序で，*Enterococcus faecalis* を殺菌するのに24時間の接触が必要であることが示されている．42症例の感染根管治療において次亜塩素酸ナトリウム液で根管洗浄した際には，61.9％の症例に抗菌効果が認められたが，水酸化カルシウムを根管消毒薬として1週間貼薬した際には92.5％の症例に抗菌効果が認められている[1]．さらに，水酸化カルシウムはグラム陰性菌のリポ多糖（LPS）を加水分解する作用を有し，LPSによる生物活性の阻害効果が報告されている．この効果は，細菌細胞壁が組織中に残存することにより生じる根尖歯周組織の持続的炎症反応の治癒を促進する．

2）フェノール製剤

フェノールは医科領域における最古の消毒薬として手術器具や手指の消毒に使用されていた．歯科領域では抗菌作用，消炎作用，鎮痛作用を期待して根管消毒薬として使用されてきた．国内ではフェノールにカンフルを配合した製剤（フェノール・カンフル）や，フェノールの代わりにパラクロロフェノールを配合した製剤が使用されている．しかしながら，フェノールの強力な細胞毒性に対して抗菌作用は弱く，歯科治療には効果的でないとの報告もある．また，フェノール製剤（フェノール・カンフル，パラクロロフェノールカンフル）を根管消毒薬として2週間根管貼薬を行った結果，1/3の臨床症例に細菌感染が認められたとの報告もあり，フェノール製剤を根管消毒薬として使用することに対して，疑問視する論文もある．

3）ヨウ素製剤

ヨウ素は難溶性の固体であるが，ヨウ化カリウム水溶液中で容易に溶解し，組織低刺激性であるため，非特異的殺菌作用を有する消毒薬として使用されている．さらに，組織浸透性に優れ，5分で象牙質深部1,000 μmまで浸透することが明らかにされており，感染象牙質の消毒薬として有効である．

❹ 貼薬術式

1）水酸化カルシウム製剤の術式

水酸化カルシウムは滅菌精製水などで練和してペースト状にしたのち，レンツロやペーパーポイントを使用して根管内に貼薬する．複数のメーカーからペースト状態の水酸化カルシウム製剤がシリンジに注入されたものが市販されており，これらの製品では根管内にシリンジから直接貼薬することが可能である（図7-22）．

(1) 水酸化カルシウムペースト（図7-21）

市販の水酸化カルシウムペーストは，根管内にシリンジを挿入し，根尖歯周組織および根管壁に直接接触するように根管内に十分に注入した後，セメント仮封を行う．ペースト製剤を根尖孔から根尖歯周組織に押し出さないように細心の配慮を必要とする．

水酸化カルシウム粉末を滅菌精製水などで練和してペースト状にして使用する際には，

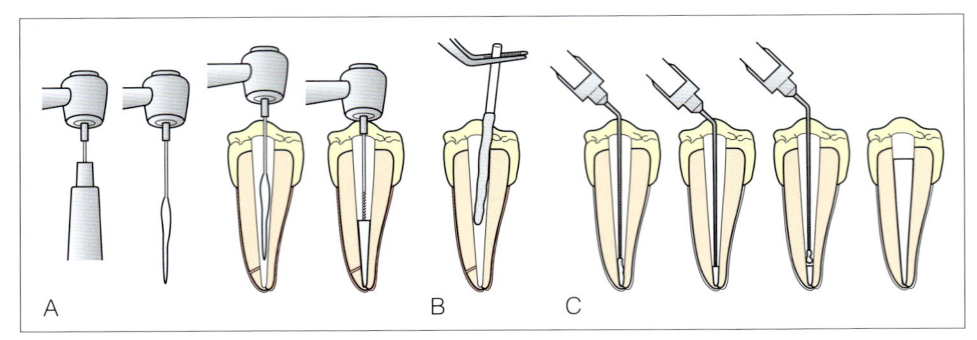

図 7-22 水酸化カルシウム製剤の使用方法
A：レンツロによる填塞，B：ペーパーポイントによる貼薬，C：シリンジによる注入．

ペーパーポイントに付着させて根管内に貼薬する．または，レンツロを使用して根管内に直接注入して満たし，セメント仮封を行う．

(2) 貼薬期間

水酸化カルシウム製剤の消毒効果は緩やかで1週間の貼薬期間が必要であり，その効果は1カ月持続することが報告されている．

(3) 水酸化カルシウム製剤の除去

除去には超音波根管ファイルによる根管洗浄が最も効果的であり，その後，次亜塩素酸ナトリウム液，クエン酸溶液，および EDTA 製剤による根管洗浄を行う．

2）水酸化カルシウム以外の溶液製剤

溶液製剤は，ペーパーポイントに薬液を十分に湿潤させ根管内貼薬を行う．

❺ 仮 封

1）仮封の意義

歯内治療で最も重要なのは，根管内感染源の除去であると同時に根管内に細菌を持ち込まないことである．根管治療時における仮封は口腔常在菌や飲食に伴う食片などの侵入を防止するとともに，根管貼薬剤による消毒効果を保持し根管内の無菌性を獲得するために行う．歯内治療は臨床症状の消失までに複数回の根管治療を必要とすることが多く，治療間隔の長短に関わらず次回来院時まで根管内再感染を防ぐことが重要である．このため，仮封材には根管内の殺菌性維持と外来刺激遮断のために緊密な空隙封鎖性を有することを必要とする．また，根管治療時には根尖歯周組織への刺激を最小限度に抑えるために，仮封材の高さを咬合面より低く維持し咬合負担を軽減する．

2）仮封の目的

① 根管の感染防止：根管内への唾液，食片圧入による細菌感染の防止．

② 根管消毒薬の効果持続：密閉環境による薬理作用の持続と口腔への漏洩防止．
③ 咬合の維持：残存歯質保護と咬合高径の維持．
④ 審美性の確保：前歯部においては暫間被覆冠による審美性の確保．

3）仮封材の所要性質

① 封鎖性が優れている．
② 機械的強度に優れ，咬合圧に耐えられる．
③ 化学的安定性に優れ，無刺激である．
④ 操作性に優れ，硬化時間が適切で除去が容易である．
⑤ 審美性に優れる．

4）仮封材の種類

(1) グラスアイオノマーセメント

歯質接着性に優れるため封鎖性に優れ，機械的強度と審美性にも優れていることから，次回来院時まで期間を要しても咬合関係が維持可能な材料である．練和時の粉液比は粉末を多くし，シリンジもしくは練成充填器で髄室を封鎖する．前歯，小臼歯，および大臼歯すべての部位に適応可能であるが，仮封除去はエアタービン切削を必要とする．

(2) 水硬性仮封材

硫酸カルシウムを主成分とするパテ状の仮封材で水との化学反応により硬化する．練成充填器を使用して髄室を封鎖する．唾液中の水分に接触することで硬化し封鎖性は良好であるが，機械的強度に劣る．仮封除去は超音波振動，電気エンジン，およびエアタービン切削を必要とする．

(3) 酸化亜鉛ユージノールセメント

歯髄鎮痛消炎療法の使用材料であるが，封鎖性に優れ，加熱による軟化のため除去が容易であることから，根管治療時の仮封材として最も使用されてきた．しかしながら，ユージノールによる口腔粘膜への刺激と味覚異常が惹起される．練和時の粉液比は粉末を多くし，練成充填器で髄室を封鎖する．仮封除去は加熱エキスカベーターなどによる軟化除去，もしくは電気エンジン，エアタービン切削を必要とする．

(4) テンポラリーストッピング

ガッタパーチャを主成分とする熱可塑性の材料で，加熱によって軟化し髄室に充填する．

封鎖性，機械的強度が他の仮封材より劣るため，単独使用は不適切で二重仮封の下層部に使用する．

5）仮封法

① 一重仮封

1種類の仮封材を用いる方法で，操作が簡便で窩壁が低い際に適用できる．

② 二重仮封

次回来院まで長期に及ぶ場合や厳密な封鎖性を必要とする場合の仮封法で，2種類の仮封材を使用する．根管口部の内層に除去が容易なテンポラリーストッピングや水硬性仮封材を使用し，外層に物性が優れ封鎖性が良好な酸化亜鉛ユージノールセメント，グラスアイオノマーセメント，およびタンニン・フッ化物合剤（HY材）配合カルボキシレートセメントを使用することで緊密な封鎖が可能になる．

Ⅵ 根管内容物の検査

根尖性歯周炎の主たる発症原因は根管内細菌である．根管内細菌は，基本的に口腔常在菌が齲蝕象牙質から象牙細管を介して歯髄感染を惹起し，壊死歯髄組織や根管壁象牙細管内に感染拡大し，バイオフィルムを形成する．根管内に形成されたバイオフィルムが根尖歯周組織に対する病原性を示し，根尖性歯周炎発症に関与すると考えられている．すなわち，感染根管治療の成功は根管内感染源の除去にあり，根管内無菌性の獲得を確認するのが根管内細菌培養検査（図7-23）である．

❶ 根管内細菌培養検査

1）意　義

根管充填時期決定のために行う検査で，肉眼では確認不可能な根管内細菌の残存や細菌の種類を把握するために行う．細菌培養検査で陰性培養が得られた後に根管充填を行った症例は治療成功率が高いという報告が得られている．

2）検査時期

感染根管治療において根管形成が終了し，すべての臨床症状が消退し，根管洗浄，根管消毒薬により根管内無菌性が得られたと判断したときに行う．

3）検査器具，材料

滅菌ペーパーポイント，滅菌精製水，アンプル培地（チオグリコレート培地，**図7-23A，B**），培養器（**図7-23C**），滅菌ピンセット

4）検査方法

① ラバーダム防湿下の対象歯を，ポビドンヨードとエタノールで消毒し，仮封材を除去後，貼薬剤を除去する．

② 滅菌ペーパーポイントを滅菌精製水に湿潤させ，根管内に1分間静置してサンプル採取する．

③ アンプル培地中にサンプル採取した滅菌ペーパーポイントを投入する．

④ 培養器内で48時間培養し，培養結果を判定する．

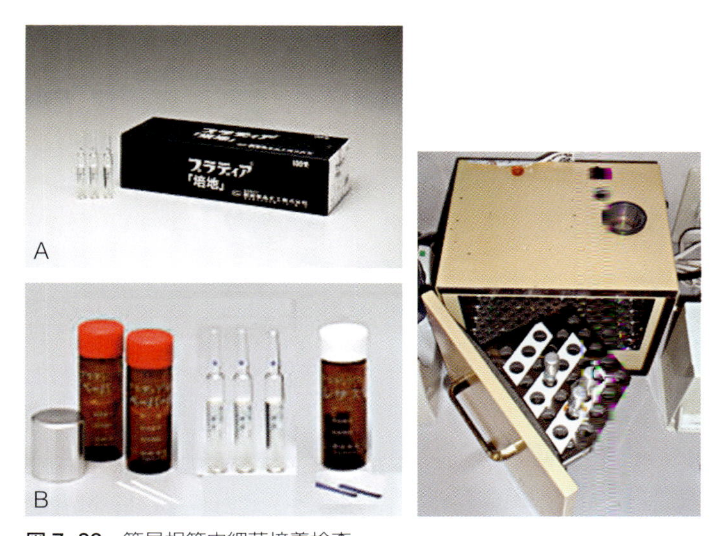

図 7-23　簡易根管内細菌培養検査
A，B：市販細菌培養キットの例，C：通性嫌気性菌用培養器の例.

陽性反応は培地の濁りで判定可能である．陰性反応は肉眼的に濁りが認められず，さらにレサズリン試験紙で色調変化がないことで判定する．

5）培養検査の問題点

① 試料採取：根管内細菌のサンプリングはペーパーポイントの到達位置に左右される．

② 嫌気条件：根管内細菌は偏性嫌気性菌が優勢なため，通性嫌気性菌の培養は可能であるが，偏性嫌気性菌の培養条件として十分でないため，見かけの陰性培養が起きる可能性がある．

③ 培養検査が 48 時間以降のために治療回数が増え，時間と経費がかかる．さらに，偏性嫌気性菌の培養を行う場合は，厳密な試料採取と嫌気状態下で試料を輸送し，連続嫌気培養チャンバー内で血液寒天培地を使用したうえで 7 日間の培養期間を要する．

Ⅶ 根管治療の補助療法

感染根管治療は基本的手技に従って行うことにより，良好な治癒過程を経過する．しかしながら，解剖学的に複雑な根管系を機械的，化学的に十分清掃することができない症例や，基本的手技を行っても症状改善が認められないことがある．従来，このような症例に対して，以下の補助療法を行い症状改善に奏効してきた．しかしながら，症状が改善されない原因を特定できずに補助的に行ってきた治療法であり，患歯が急性症状を呈するときには，症状の悪化を招くことがあるため，不用意な使用は避けるべきである．最近では，歯科用実体顕微鏡や歯科用コーンビーム CT による三次元診断が可能になり，症状の原因把握が容易になりつつあり，補助療法の適用は減少傾向にある．

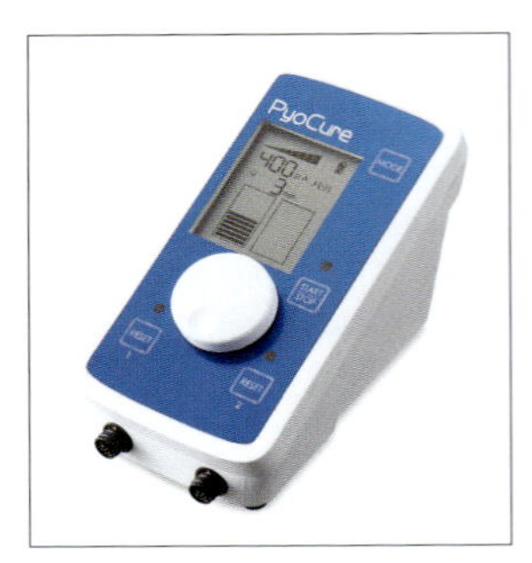

図 7-24 イオン導入器の例
（パイオキュアー）

❶ イオン導入法

根管内に電解性薬液を満たし通電することにより，機械的清掃が困難な象牙細管深部，髄管，根尖分岐部，および根管側枝にイオン化した薬液浸透をはかり，根管消毒を行う方法である．使用薬剤には薬剤の帯電性に応じて陽性通電（亜鉛，銀）と陰性通電（ヨウ素，フッ素）がある．感染根管治療には主にヨウ素・ヨウ化亜鉛とアンモニア硝酸銀溶液が使用されるが，後者は根管の黒変が生じる欠点がある．イオン導入に使用する機器を**図 7-24** に示す．

❷ 根管通過法

基本的手技を行っても瘻孔の改善が認められない症例において，根管内から洗浄用薬液を注入して，瘻管を経過させて症状を消失させる方法が取られている．洗浄液としては，滅菌生理食塩液や 0.5％クロラミンなどが使用される．

1）術　式

① 根管内に洗浄針を挿入し，洗浄液を徐々に注入する．
② 瘻孔から洗浄液が流出する状態を確認後，バキュームで吸引する．
③ 上記①，②の操作を数回繰り返す．
④ 根管内を乾燥後，根管貼薬（水酸化カルシウム製剤）と仮封を行う．

2）経過観察

瘻孔の閉鎖を確認後，根管充塡に移行する．瘻孔が閉鎖しない症例では，外科的歯内治療，もしくは抜歯の選択に移行する．

Ⅷ 再根管治療

再根管治療は，すでに根管治療が行われているにも関わらず，臨床症状（疼痛，歯肉腫脹，瘻孔出現）が発現し，さらにエックス線所見で根尖部透過像が確認された症例に対して行う感染根管治療である（**図 7-25**）．根尖病変を有する歯の再根管治療の成功率はきわめて低

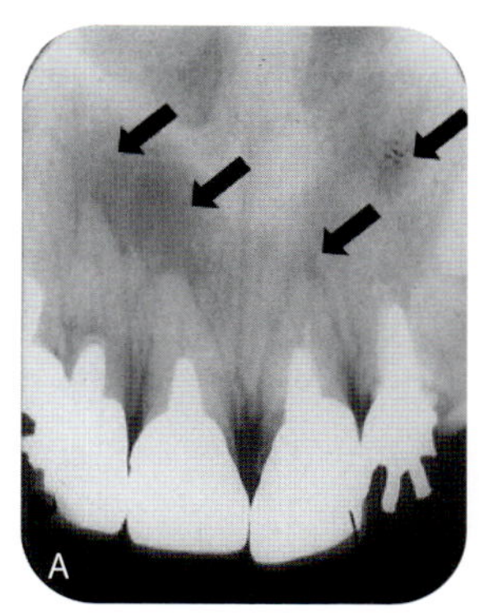
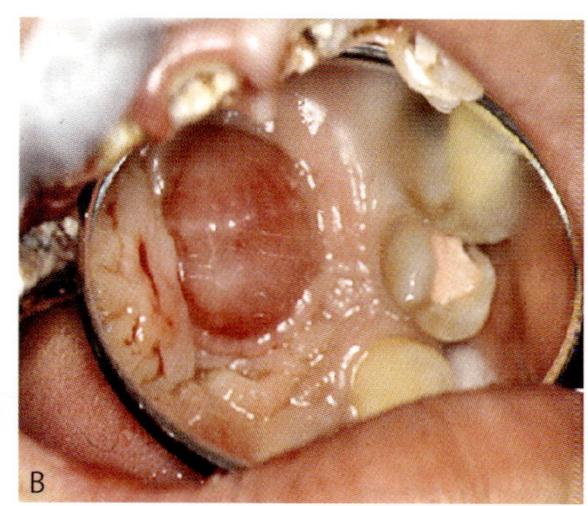
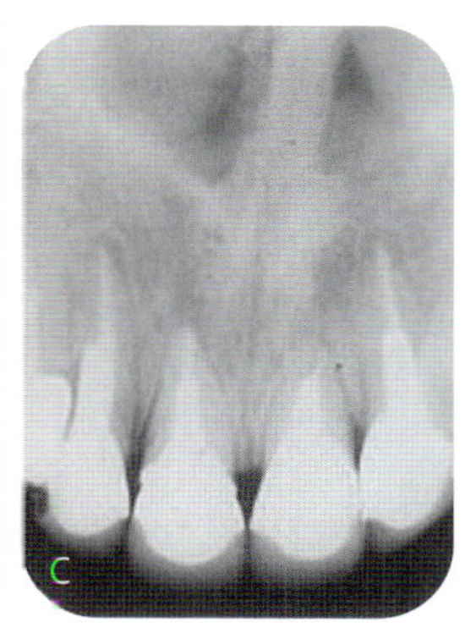

図 7-25 再根管治療症例の治療経過
A：術前エックス線所見（21|12）．根尖部透過像を認める（矢印）．B：術前口腔内所見．C：術後5年のエックス線所見．根尖部透過像の消失を認めた．

く，歯内治療で最も困難な治療である．さらに，再根管治療の実施は抜歯リスクを伴うため，再根管治療実施の判断基準が重要である．

❶ 根管治療経過不良の原因

1）細菌感染

(1) 初回根管治療における無菌性獲得の失敗

① 不十分な根管形成と根管消毒

② 根管壁穿孔，髄床底穿孔，および器具破折などの偶発症

(2) 根管充塡後の細菌感染

① 二次齲蝕による修復物辺縁からのコロナルリーケージ

② 不完全根管充塡によるアピカルリーケージ

2）症例選択の誤り

① 患者の全身状態不良

② 解剖学的根管形態の複雑性

❷ 再根管治療の選択基準

再根管治療を進めるためには患者の健康状態，および患歯の検査・診断が最も重要である．治療開始時には治療成功率，治療に要する時間や費用，さらに治療におけるメリットとリスクを十分に説明したうえで患者の同意を得る必要がある．患歯の検査・診断の結果に応じて，治療方針は，①経過観察，②再根管治療，③外科的歯内治療，④抜歯の4つに分類される．また，根管充塡の到達度や緊密度が不十分な既根管治療歯の歯冠修復物製作においては，臨床症状や根尖部エックス線透過像が認められない症例についても，歯冠修復に先立ち再根管

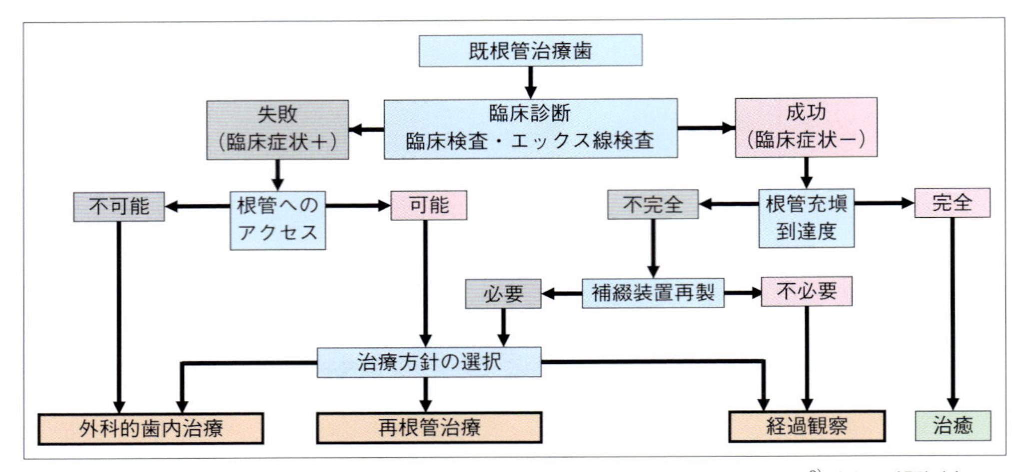

図 7-26 再根管治療における治療方針決定の基準（Friedman S, Stabholz A, 1986[2] より一部改変）

治療が行われる．**図 7-26** に再根管治療の診断基準を示す．

1）再根管治療選択時の考慮事項

(1) 保存治療の必要性

① 治療を行うことによる抜歯リスクの可能性と利益の相互関係

② 最終補綴処置（咬合回復）における患歯の必要性

(2) 患歯の根管内状態

① ポストコア除去の可否

② 根管内石灰化による根管形成実施の可否

③ 根管壁レッジ修正の可否

④ 根管内器具破折片除去の可否

(3) 患者の全身状態

全身疾患罹患者に対する治療の必要性

❸ 治療方針の選択と治療術式

図 7-26 における診断基準による検査の結果，対象歯の保存治療（経過観察，再根管治療，外科的歯内治療）が可能と診断した際には，患者に対する十分な説明と同意のもとに治療を進める．しかしながら，臨床症状が発現し再根管治療や外科的歯内治療が奏効しない症例，重度の歯周疾患，および歯根破折が認められる症例では抜歯適応となる．

1）経過観察

臨床症状の消失は認められるが，エックス線所見によって根尖部透過像に変化がない症例や，縮小傾向であるが透過像が持続している症例は経過観察を行う（**図 7-27**）．

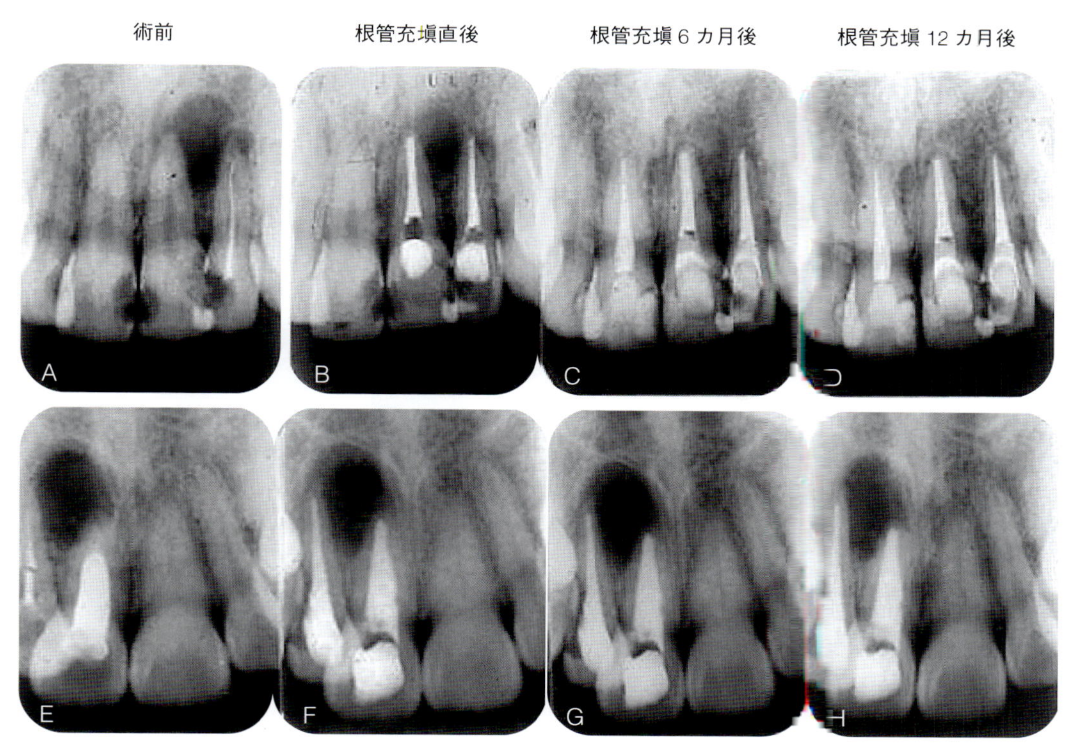

図 7-27　根尖部透過像の経過観察
A～D：根管充塡後経過良好症例（根尖病変治癒症例）．E～H：根管充塡後経過不良症例（根尖病変治癒不全症例）．

2）再根管治療の進め方

(1) 歯冠修復物および補綴装置の除去

①コンポジットレジン，メタルインレーなど

切削器具で修復物を直接除去する．このとき，歯質の切削量を最小限にする．

②クラウン

切削器具で頰側または舌側から咬合面に向かって切削溝を入れ，クラウン除去器などで除去する．

(2) 支台築造体の除去

現在使用されている支台築造体は，鋳造金属体（メタルコア），金属スクリューポスト，ファイバーポストコアなどがある．

メタルコアは，築造体と歯質の間にあるセメント部分をできるだけ除去した後に，リトルジャイアント，プライヤー，超音波振動装置（**図 7-28**）などにより除去する．除去の際には，正確で最小限度の歯質切削のために，歯科用実体顕微鏡の使用が推奨される．

金属スクリューポストは，築造体と歯質の間にあるセメント部分を切削や超音波振動装置によって除去した後，プライヤーなどで築造体の先端を把持し，逆回転しながら除去する．

ファイバーポストとレジンコア（ファイバーポストコア）はタービン切削，および超音波

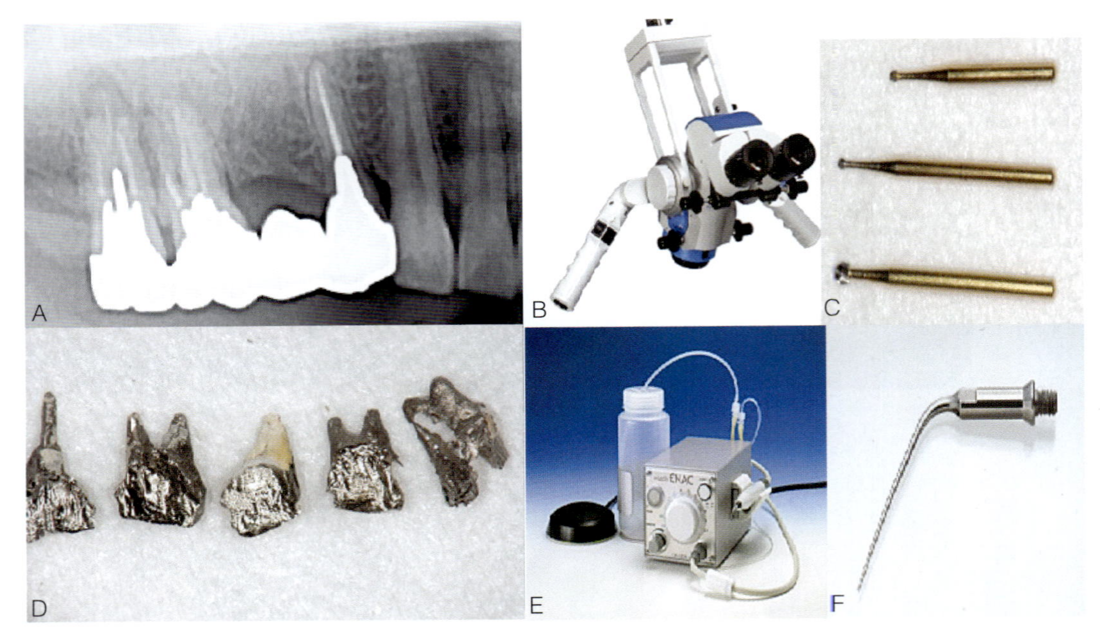

図 7-28　メタルコアの除去法

A：再根管治療対象歯（メタルコア除去を必要とする）．B：正確な術野確保に歯科用実体顕微鏡が有用．C：除去用ロンググシャンク・ラウンドバーが有効．D：超音波振動装置により除去されたメタルコア．E：超音波振動装置の例．F：除去に使用した超音波先端チップ．

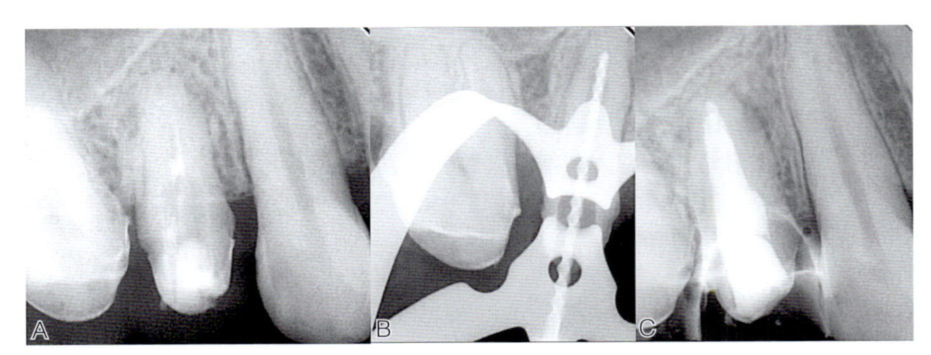

図 7-29　ファイバーポストコアの除去

A：治療対象歯（ファイバーポストコア除去を必要とする）．B：歯科用実体顕微鏡および超音波振動装置の使用により除去．C：根管充填．

振動装置によって除去する（**図 7-29**）．

(3) 根管充填材の除去

再根管治療の際には，根管内感染源の除去のために初回根管治療時の根管充填材を除去する必要がある．ガッタパーチャ材の除去は，根管上部の根管充填材を薬液（有機溶媒）で溶解軟化した後，ファイル，ラルゴドリル，ゲーツグリッデンドリルなどを使用して除去する．除去溶液としては，ガッタパーチャ溶解液（ユーカリソフト，GP ソルベント）などを使用する．除去溶液には，組織刺激性が報告されているものもあるので，根尖孔外に溢出させないように注意する．

(4) 根管形成，根管洗浄，根管充填

感染源の機械的清掃と化学的清掃を十分に行うために，新鮮切削象牙質の確認とNaClOによる十分な根管洗浄を必要とする．未拡大根管やファイル破折などの偶発事故症例においては歯科用実体顕微鏡との併用が効果的である（第14章「歯科用実体顕微鏡を応用した歯内治療」参照）．根管充填には三次元的封鎖が可能なCWCT法（第8章「根管充填」参照）が推奨されている．

3）外科的歯内治療

第13章「外科的歯内治療」参照．

❹ 再根管治療時の注意事項

再根管治療時には，本来の解剖学的根管形態が維持されていないことが多く，初回根管治療時とは状況が異なる．すなわち，穿孔やレッジなどの根管形成による偶発症や歯根破折による保存処置の可否を見極める必要がある．したがって，エックス線検査のみでは，根管内の状況を把握することが難しい場合があり，歯科用実体顕微鏡などによる正確な診断が重要である．再根管治療時には，次のような点に注意する必要がある．

① 修復物を除去する際には，歯を破折させないように注意する．
② 感染象牙質を完全に除去する．
③ 歯質を過剰切削しない．
④ 歯肉縁上に歯質を可及的に残し，ラバーダムが装着できるようにする．
⑤ ラバーダムが装着できないときには，隔壁を形成する．
⑥ 前医により髄床底が切削されていることがあるので，歯科用実体顕微鏡などを使用して根管口を探索する．
⑦ ガッタパーチャ除去時には根尖孔外に溢出させないように注意する．
⑧ 前医の根管形成状況が不明なため，根管内の偶発症（レッジ，穿孔など）などに注意をして根管形成を行う．
⑨ 未処置根管の存在に留意する．

（石井信之）

低侵襲歯内療法

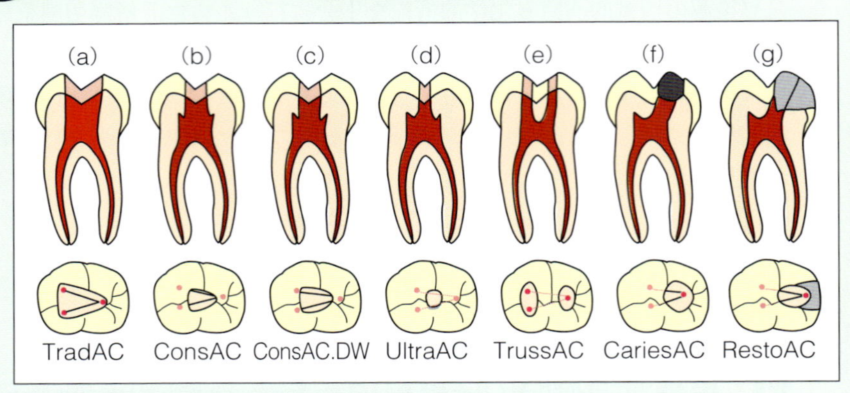

図　髄腔開拡形態の分類（Silva E et al, 2020[1)]）

歯内療法領域においても低侵襲治療が提唱され，健康象牙質を最大限に保存することが提唱されている．低侵襲歯内療法によって，髄腔開拡時に最大限に保存された象牙質は，咬合力に対して高い破折抵抗性が期待されるが，関連性を示した研究報告は少ない．

現在までに提唱された髄腔開拡形態 access cavity（AC）を図に示す．**図**は，Silva E et al[12)]が AC に関連する 22 用語を 7 用語に整理したものである．(a)の Traditional AC（TradAC）が標準的髄腔開拡を示し，歯冠歯髄腔天蓋を完全に除去後，歯軸方向に外開き形態に形成される．TradAC は，すべての根管口が直視可能で根管形成器具が直線方向に到達可能であり，歯学部教育の基本的な髄腔開拡形態である．一方，(b)，(c) の Conservative AC（ConsAC）は天蓋が一部分残された保存的髄腔開拡である．さらに，(d) Ultra-Conservative AC（Ultra AC）は，「忍者アクセス」形態とよばれ，髄腔開拡が最小限に抑えられている．(e) の Truss AC（Truss AC）は，多根管歯の根管開口部にアクセス可能にした形態で，咬合面中央に天蓋を維持する髄腔開拡形態である．(f) Caries-Driven AC（CariesAC）と (g) Restorative- Driven AC (RestoAC) も可及的に歯の構造を保存するための髄腔開拡形態である．低侵襲歯内療法は広義に解釈すると (b) ～ (g) すべての AC を低侵襲 AC として標準 AC と区分した．

超高齢社会を迎えた国内の歯科医療においては，根面齲蝕や歯牙破折の増加に対処するためには，従来の「Drill and Fill」中心の齲蝕治療では対応不可能と考え，MI 理念を基本とした齲蝕治療と歯内療法の普及が必須と考えられる．

低侵襲歯内療法は咬合面の低侵襲 AC を提唱し，歯冠および歯頸部への応力集中を低減させて，破折抵抗性を増強させることが報告された．一方，最小限の AC では歯内療法の基本術式である根管形成，根管洗浄による感染源除去が不完全になる可能性が指摘されている．さらに，側方加圧根管充填操作も困難になることが指摘されている．

歯内療法の臨床手技を修得するためには，基本術式の習得が不可欠であり，低侵襲歯内療法は基本臨床手技の到達が遅れる負の側面が指摘されている．

（石井信之）

第8章 根管充塡

I 根管充塡の目的と意義

根管充塡 root canal obturation の目的は，大きく分けて２つある．１つめは，感染経路の遮断である．すなわち，根管の拡大形成・洗浄と消毒によって無菌化した根管に，新たに細菌や各種の有害物質が侵入して再感染しないよう，根管を生体に無害な物質で封鎖することである．根管を緊密に充塡し根尖歯周組織との交通を物理的に遮断することによって，根尖歯周組織は根管経由で刺激を受けず，安静が保たれる．

しかし，実際には根管内の完全な無菌化は難しい．ブドウ球菌，レンサ球菌などの代表的な細菌の直径が 0.8〜1.0 μm である．一方，象牙細管の直径は 0.8〜2.2 μm もある．根尖孔付近と根管口部では異なるが，細菌は根管から 10〜300 μm 以上，象牙細管内へ浸透する場合もある[1]．また，細菌は根管の拡大形成が及びにくい根管の複雑な部位（イスムスやフィンなど）に侵入し増殖する[2]．そのため，ラバーダム防湿下で機械的拡大形成，化学的清掃と根管消毒を施しても，根管内に取り除くことのできない細菌がしばしば残存する[3]．

微量な細菌が根管内に残存することを前提として，封鎖性の高いシーラーで根管内に埋葬 entombment，化石化 fossilization して不活性化する概念が提唱されている[4,5]．これが，近年注目されている第二の根管充塡の目的である[6,7]．すなわち，根管充塡によって根管を封鎖することで，残存する細菌を象牙細管内などに埋葬し，細菌の増殖する空隙と栄養源の供給を断つことで，細菌の再活動を防止する（**図 8-1**）．

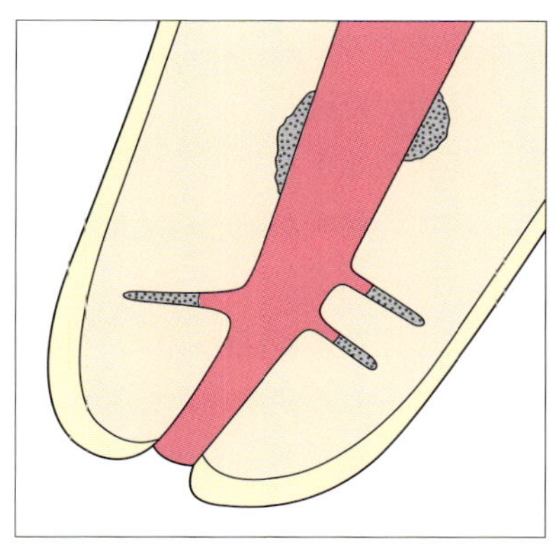

図 8-1 根管充塡によって残存する細菌の埋葬と化石化のイメージ（北村和夫，2015[8]）

表 8-1　根管充填の時期の判断の目安

- 歯髄残遺物や歯髄腐敗分解産物などの感染源が除去されている
- 根管が根管充填可能な形態に拡大形成されている
- 自発痛や咬合痛などの痛みがない
- 根管から排膿や出血がない
- 根管からの滲出液がないか，あっても少量である
- 貼薬したペーパーポイントに着色や腐敗臭がない
- 根尖相当部歯肉に発赤，腫脹や圧痛がない
- 瘻孔があった歯では閉鎖している
- 根管内細菌培養検査の結果が陰性である

根管充填は根管治療の最終処置ともいえる重要な治療操作で，根管が緊密に封鎖されたか否かは予後を左右する要因となる．根管治療を成功させるためには，拡大形成後の根管を根管充填材で根尖狭窄部まで過不足なく封鎖することが欠かせない．

しかし，根管充填後でも仮封材脱離などで根管口が口腔内に曝露された場合，細菌は3～60日で根尖孔付近に到達する[9, 10]．厳重な仮封と根管充填後の歯冠修復によるコロナルリケージ（歯冠側からの漏洩）防止も重要となる．

Ⅱ 根管充填の時期

根管充填は，抜髄や感染根管治療の後，治療経過や症状の推移などを参考に，根管充填が可能か否かを歯科医師が判断する．不可逆性歯髄炎と根尖性歯周炎の症例では，若干，根管充填の時期の判断基準に相違はあるが，その目安を**表 8-1** に示す．しかし近年では，根管の感染の機会を少なくするために，早めに根管充填を行うほうがよいとの考えに移行しつつある（p.172，Ⅵ「即時根管充填法」の項目参照）．

抜髄根管では細菌の栄養源となる歯髄残遺物や象牙前質などの有機物が，また感染根管では歯髄の分解産物や根管壁の感染歯質が，根管の機械的拡大形成，根管洗浄と根管消毒によって確実に除去されていることと，緊密な根管充填が可能な形態に根管形成されていることが必須条件である．

抜髄後の歯に痛みが数日間継続している場合は，残髄や抜髄後の根尖歯周組織の炎症による治癒不全が疑われる．これらの症状は，根管内での器具操作の過不足や使用薬剤による化学的刺激，感染などが原因となって起こる．疼痛が持続している状態で根管充填を行うと，滲出液や膿の排出経路である根管が塞がれ，症状が悪化する可能性があるため，根管充填は控える．なお，滲出液の量が多い症例では，炎症の継続が疑われ，根管を乾燥することはできないため緊密な根管封鎖は望めない．

また，感染根管歯で痛みや根管からの排膿，出血がある症例では，根尖の病変に急性炎症が惹起している可能性があり，根管充填を行うことで症状が悪化する危険がある．さらに根尖相当部歯肉に発赤，腫脹，圧痛がある場合や，瘻孔がある歯で閉鎖していないときは，根尖歯周組織に炎症が持続しているため，根管充填は控える．なお，根管貼薬したペーパーポ

表 8-2 根管充塡材の所要性質

根管充塡材の所要性質
・生体に無害である
・組織親和性がある
・物理的・化学的に安定である
・緻密な材質である
・非吸収性である
・不溶解性である
・根管壁に密着し接着性がある
・操作性が良好である
・エックス線に不透過性である
・根管から除去可能である
・無菌的であるか，容易に滅菌できる
・歯質を変質，変色させない
・持続的な消毒作用，防腐作用を有する
・骨性瘢痕治癒促進作用がある
* 根管充塡操作が十分可能な硬化時間を有する
* 練和する場合は容易である
* 硬化後の被膜厚さが薄い
* 硬化収縮しない

* 印はシーラーに追加要求される所要性質である

イントに着色や腐敗臭がある場合は，仮封材の漏洩による根管内の汚染または根尖歯周組織の炎症の持続が疑われ，根管充塡を行う時期ではない．

通常の根管内細菌培養検査は，感染の主体となっている偏性嫌気性菌の検出が困難で，結果が必ずしも根管内細菌叢の実態を表すものではない．しかし，検査結果が陽性である場合は，根管が細菌の生息可能な状態にあり，根管の拡大形成，根管洗浄，根管消毒が不十分であると判断し，根管の拡大形成・洗浄・消毒を再度行う．

Ⅲ 根管充塡材の所要性質

根管充塡材は，材質としての理工学的な要求の他に，根尖部で根尖歯周組織と接するため，生物学的な要求も満足する必要がある．根管充塡材の所要性質を**表 8-2** に示すが，現在，これらの条件をすべて満たす理想的な根管充塡材はない．

根管充塡材は，根尖歯周組織に炎症を惹起し傷害することがないように，生体に無害で組織親和性（生体適合性）があることが望まれる．また，根管を長期間にわたって封鎖するため，物理的に安定で体積が収縮せず，化学的にも安定で変質を起こさず，緻密な材質で滲出液などを浸透せず，非吸収性で根管壁に密着・接着し，継続的に根管を緊密に封鎖できる材質であることも要求される．さらに狭小な根管内でも良好に充塡操作が行えること，エックス線検査で充塡状態が確認できること，再根管治療を行う際には除去可能であることなども求められる．

また，無菌的であるか容易に滅菌が行え，歯質に対し変質や変色を起こさせない材質であることが要求されるほか，根管内に残存する細菌に対して持続的な消毒・防腐作用を有し，硬組織の添加により根尖孔の閉鎖を促す骨性瘢痕治癒促進などの薬理作用を有することも望まれる．

 根管充填材の種類

根管充填材は，材質や使用目的により，半固形充填材，固形充填材，根管シーラー（以下，シーラーと略す），糊剤に大別される．それぞれの特徴を理解し，適切に根管充填材を使用することが大切である．なお，現在，固形充填材は国内で販売されていないため，本項では割愛する．

❶ 半固形充填材

半固形充填材は加圧により変形するため，根管壁に圧接することができる．現在，ガッタパーチャを成分に含む根管充填材は，消毒や骨性瘢痕治癒促進などの薬理作用を有しないが，物理的・化学的に安定で組織親和性があり，操作性も良好で，根管充填材として必要な多くの所要性質を満足するため広く普及している．

1）ガッタパーチャ根管充填材の成分と特徴

ガッタパーチャは，マレーシアなどの熱帯に自生する mazer wood tree から採取，精製した天然のゴム類似物質である（**図 8-2**）．多種の不純物を含むが，化学的には 1-4 トランスポリイソプレンを主体とし，天然ゴムの 1-4 シスポリイソプレンとは$-CH_2-$基の配置が異なっている（**図 8-3**）．

天然ゴムのポリマーを構成する 1-4 シスポリイソプレンは非結晶性である．一方，ガッタパーチャは 1-4 トランスポリイソプレンを主体とし，60％が結晶化しているため，天然ゴムよりも硬く弾性が小さいのが特徴である[11]．ガッタパーチャには，α型とβ型の 2 つの結晶型があり融点などの温度特性が異なるが，市販のガッタパーチャ材はα型とβ型の混合型であるとされる．ガッタパーチャは，天然ゴムと同様に酸素によりイソプレン分子間に架橋結合（複数の分子を別の分子で 1 つにつなぎとめる結合）が起こるため，劣化を起こすと硬くもろくなり，体積が収縮する．

根管充填用のガッタパーチャ材の組成は，メーカーにより多少異なるが，ガッタパーチャ

図 8-2　樹木から採取し粗精製されたガッタパーチャ樹脂

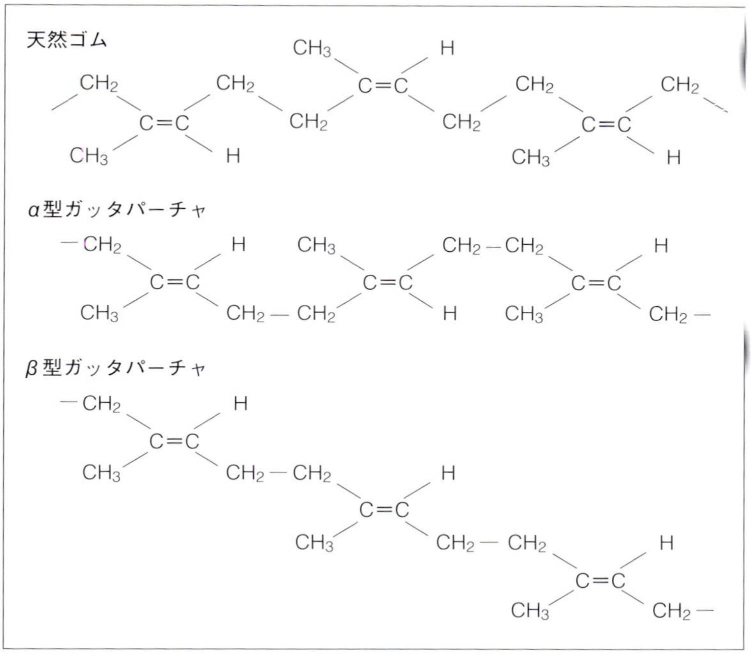

天然ゴム

α型ガッタパーチャ

β型ガッタパーチャ

図8-3 天然ゴム（1-4シスポリイソプレン）とα型・β型ガッタパーチャ（1-4トランスポリイソプレン）の分子構造の違い

表8-3 根管充填用ガッタパーチャ材の組成

成分	割合
ガッタパーチャ	19～22%
酸化亜鉛	59～79%
重金属塩	1～17%
ワックス，レジン	1～4%

のほかに酸化亜鉛などからなる（**表8-3**）．最多成分はフィラーとして酸化亜鉛で可塑性に寄与している．これをガッタパーチャが基材として包含し，造影剤として硫酸バリウムなどの重金属塩が，軟化温度や硬さなどの物性の調整および抗酸化剤としてワックスやレジンが添加されている．その他，色調の調整などのために顔料などが加えられている．

一般に根管充填用のガッタパーチャ材は熱可塑性があり，25℃でしなやかさを生じ，60数℃で軟化し，100℃前後で融解する．

ガッタパーチャ材の多くは，拡大形成後の根管に挿入しやすいように細いポイント状に成形され，ガッタパーチャポイントとして使用されている．近年，根管充填用機器（熱可塑性ガッタパーチャ充填装置，**図8-4**）などの開発によって，特殊な形状（ペレット状）の製品も市販されている（**図8-5**）．

2）ガッタパーチャポイント

(1) ガッタパーチャポイントの長所と短所

ガッタパーチャポイントの長所と短所を**表8-4**に示す．ガッタパーチャポイントは，骨性瘢痕治癒促進などの薬理作用を有しないこと，根管壁と接着しないことを除けば，根管充填

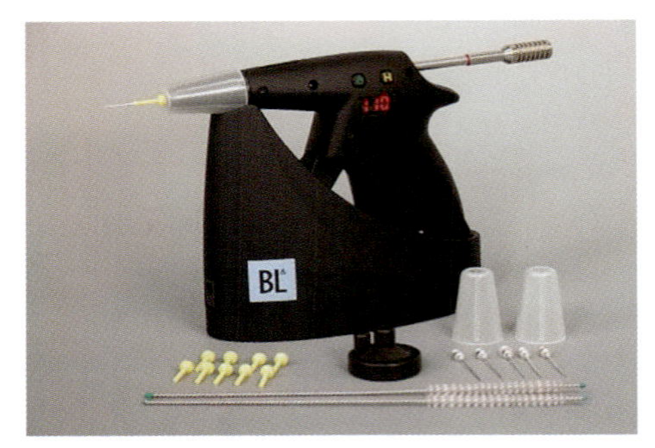

図 8-4　熱可塑性ガッタパーチャ充填装置
加熱により軟化したガッタパーチャを根管内に注入する.

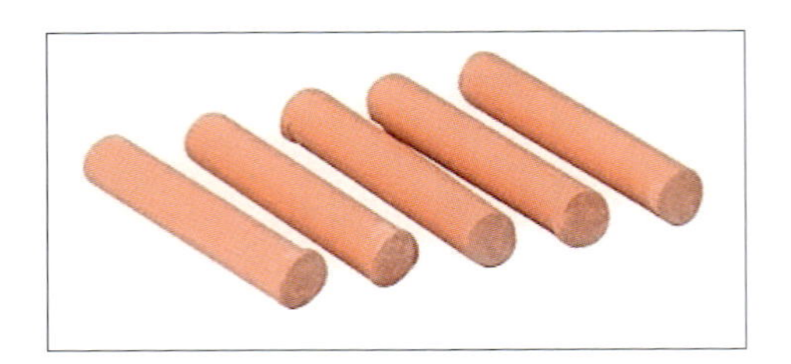

図 8-5　ペレット状のガッタパーチャ材
ペレット状のガッタパーチャ材は熱可塑性ガッタパーチャ充填装置（**図 8-4**）に装塡して加熱軟化して根管充塡に用いる.

表 8-4　ガッタパーチャポイントの長所と短所

長所	短所
・組織親和性がある ・物理的・化学的に安定である ・緻密である ・非吸収性である ・形状の加工が可能である ・操作性に優れている ・根管に試適できる ・圧接が可能である ・エックス線不透過性がある ・除去可能である ・歯を変質・変色させない	・細いものは脆弱で操作性が劣る ・根管の形態によっては適合しにくい ・接着性がない ・経年劣化する ・加熱滅菌できない

材の所要性質をほぼ具備している.

長所としては，ポイント（コーン）状に加工されているため根管への挿入性が優れていること，根管に試適できること，可塑性を有するため，スプレッダーや根管用プラガー（以下，プラガーと略す）による圧接が可能で，緊密な根管充塡が行えることである．また，造影剤の添加によりエックス線不透過性があり，根管充塡後の状態が確認できる．さらに，再治療時に根管から除去可能な他，加熱によりガッタパーチャ材を軟化し充塡する各種の根管充塡法が行える.

短所としては，コシの弱い材質のため，細いサイズのポイントは先端が曲がりやすく，細い彎曲した根管に挿入しにくいこと，さらに，接着性がないため，根管壁との間の空隙やポイント間の隙間を埋めるためにシーラーを併用する必要があることである．また，樋状根管や扁平根管などでは，拡大形成後の根管の水平断面が円形ではないため，ポイントが適合しにくいなどの問題もある．他には，ゴム類似物質であるため，保管状況によっては劣化して硬さやもろさが増して圧接性が低下すること，加熱により変形するため，加熱滅菌ができないことなどがあげられる．そのため，ガッタパーチャポイントの滅菌法には，ガス滅菌などが行われる.

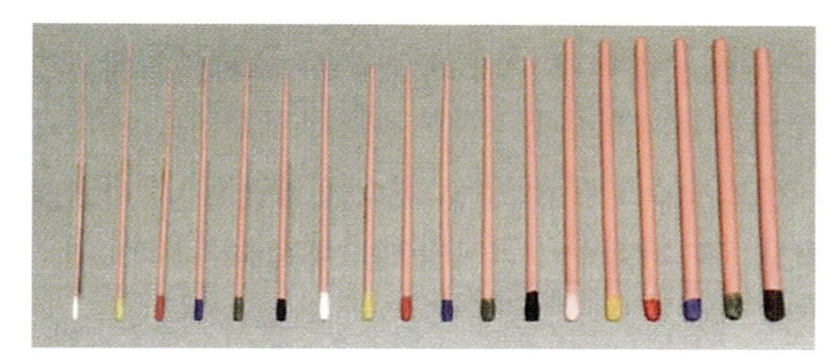

図 8-6　マスターポイント
左から 15～140 号の各サイズのガッタパーチャポイント

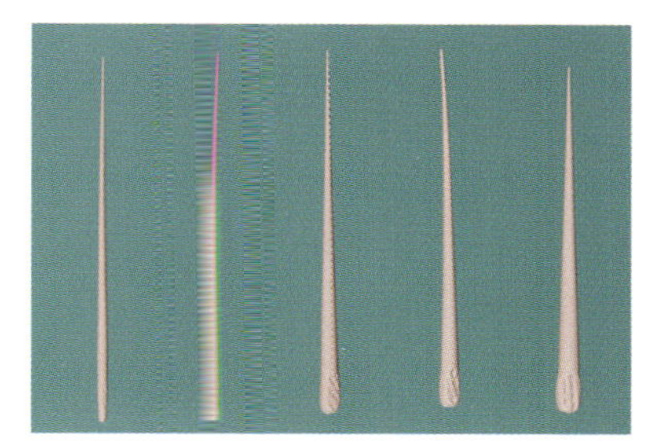

図 8-7　アクセサリーポイント
左から比較的使用頻度の高い FF（Fine Fine），MF（Medium Fine），F（Fine），FM（Fine Medium），M（Medium）の各サイズ．

(2) マスターポイントとアクセサリーポイント，グレーターテーパーポイント

ガッタパーチャポイントは，拡大形成後の根尖部根管の太さに合わせて選択するマスターポイント（**図 8-6**）と，側方加圧根管充填時にスプレッダーにより広げられた空隙に挿入して補助的に使用するアクセサリーポイント（**図 8-7**）がある．

ISO（International Organization for Standardization）規格，ANSI（American National Standards Institute）規格によるマスターポイントとアクセサリーポイントの規格は，ニッケルチタン（Ni-Ti）製ロータリーファイルにより形成された根管用ガッタパーチャポイントの普及により大きく見直された．ISO 規格では従来の 0.02 テーパーのマスターポイントは standard taper point，テーパーがそれよりも大きいものは greater taper point に，ANSI 規格ではそれぞれ standardized cone と taper size cone に変更された．従来のアクセサリーポイントに関しては直接の記述はないが，nonstandard cone や conventional cone が用いられている．また，JIS（Japanese Industrial Standards）規格では 0.02 テーパーのものを標準ポイント，テーパーがそれよりも大きいものを大テーパーポイント，0.02 テーパー以上で長さが 26 mm 以内のものをアクセサリーポイントと定めている．

本項では従来通り，0.02 テーパーのものを「マスターポイント」，根管の空隙を埋める目的で補助的に使用するものを「アクセサリーポイント」とし，Ni-Ti 製ロータリーファイルに合わせたテーパーの大きいものを「グレーターテーパーポイント」と記述する．

マスターポイントの 10～140 号までのサイズと規格を**表 8-5** に示す．その他，グレーターテーパーポイントの 0.04 テーパー，0.06 テーパーのポイントを**図 8-8** に示す．アクセサリーポイントは，XF から XL までの 9 種類のサイズがあるが，その他，メーカーによる独自のサイズのものもある．

表 8-5 ISO 規格，ANSI 規格によるマスターポイントのサイズと径（mm）

サイズ	ポイント先端（d1）〈D_0〉の仮想の径	ポイント先端から 3 mm の位置（d2）〈D_3〉の径	ポイント先端から 16 mm の位置（d3）〈D_{16}〉の径	色
10	0.10	0.16	0.42	紫
15	0.15	0.21	0.47	白
20	0.20	0.26	0.52	黄
25	0.25	0.31	0.57	赤
30	0.30	0.36	0.62	青
35	0.35	0.41	0.67	緑
40	0.40	0.46	0.72	黒
45	0.45	0.51	0.77	白
50	0.50	0.56	0.82	黄
55	0.55	0.61	0.87	赤
60	0.60	0.66	0.92	青
70	0.70	0.76	1.02	緑
80	0.80	0.86	1.12	黒
90	0.90	0.96	1.22	白
100	1.00	1.06	1.32	黄
110	1.10	1.16	1.42	赤
120	1.20	1.26	1.52	青
130	1.30	1.36	1.62	緑
140	1.40	1.46	1.72	黒

（ ）は ISO 規格による表記，〈 〉は ANSI 規格による表記．10～25 号までの径の誤差の許容値は± 0.05 mm，30～140 号は± 0.07 mm 以内．テーパー：長さ 1 mm あたり 0.02 mm，16 mm で 0.32 mm 太くなる．

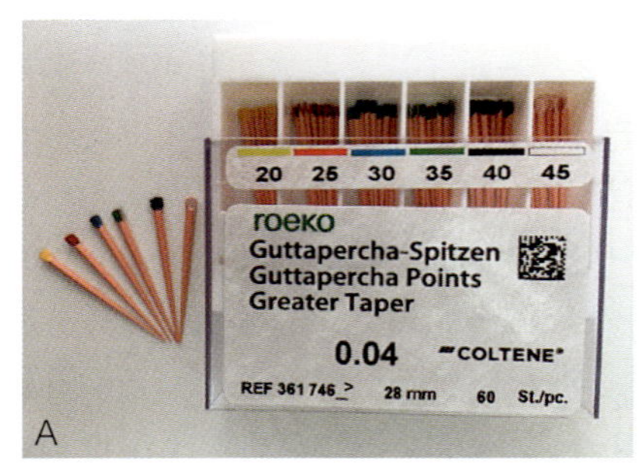

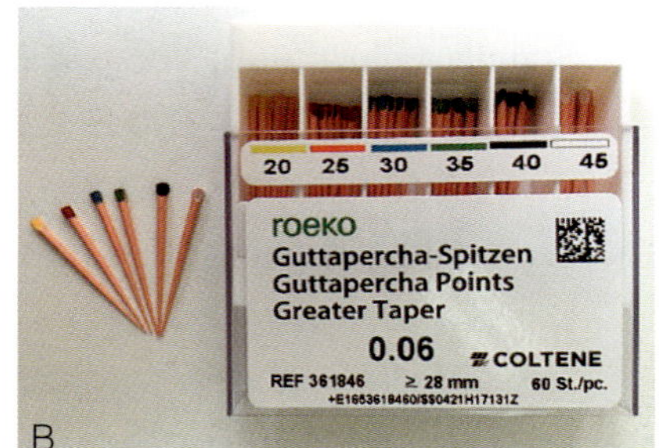

図 8-8 グレーターテーパーポイント
A：0.04 テーパー，B：0.06 テーパー．

3）その他のガッタパーチャ材

コアキャリア法（p.171,「3）コアキャリア法」参照）で用いられる，ファイル様のプラスチック製の軸部（キャリア）をガッタパーチャ材で被覆したものがある（**図 8-9**）．また，根管充填後のコア形成がしやすいように，キャリアを熱に強いガッタパーチャに改良した製品もある（**図 8-10**）．

いずれの製品も専用加熱装置（**図 8-11**）で被覆したガッタパーチャのみを軟化して，シーラーを塗布した根管にコアキャリア法で充填する．その後，キャリアを根管口部で切断除去する．

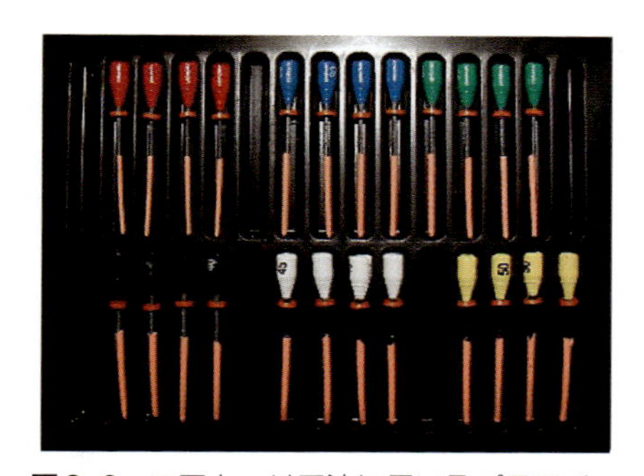

図8-9 コアキャリア法に用いるプラスチック製キャリアの製品
軸部のガッタパーチャ材を加熱，軟化し根管に挿入する．写真は25～50号の各サイズ．

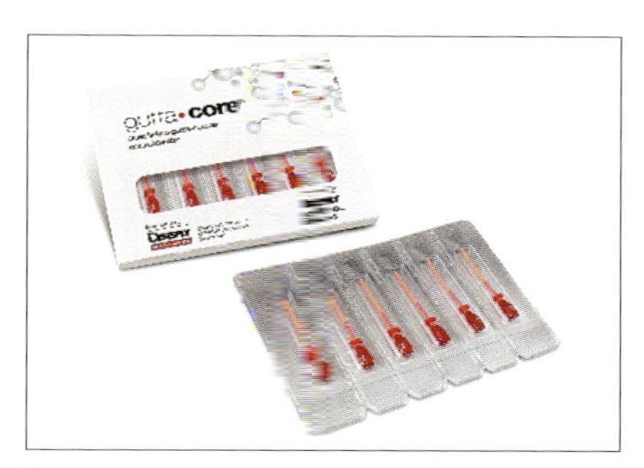

図8-10 コアキャリア法に用いる熱に強いガッタパーチャ製キャリアの製品
耐熱性に優れた架橋したガッタパーチャをキャリアとしガッタパーチャ材で被覆している．

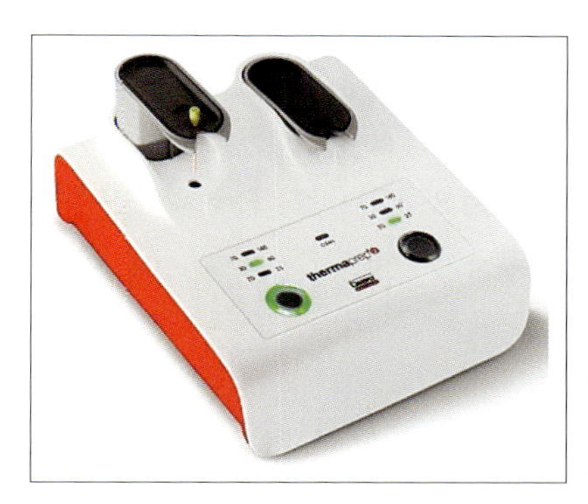

図8-11 専用加熱装置
コアキャリア法に用いる製品（図8-9，10）のキャリアを被覆しているガッタパーチャのみを軟化する加熱装置．

❷ シーラー

シーラー（根管用セメント）は，ガッタパーチャ材などの接着性がない充填材を用いた根管充填時に，根管壁との空隙やポイント間の隙間を塞いで根管に固定し，封鎖性を向上させるために使用される．根管充填時にシーラーを使用した場合と使用しなかった場合で漏洩性を調べた実験で，シーラーを使用しない根管充填では漏洩が多くみられたとの報告がある[12]．したがって，シーラーは，充填方法に関わらず根管充填に必要不可欠の材料である．また，多くの種類があるので以下に解説する．

1）酸化亜鉛ユージノール系シーラー

酸化亜鉛ユージノール系シーラーは，酸化亜鉛ユージノールセメントの一種で，亜鉛とユージノールのキレート結合により硬化する．代表的な酸化亜鉛ユージノール系シーラーであるグロスマンシーラー Grossman's sealer の処方を，**表8-6**に示す．

酸化亜鉛ユージノール系シーラーは，根管内で圧接により菲薄な層になるよう通常の酸化亜鉛ユージノールセメントよりも粉末の粒子が細かく，また十分な操作時間を確保するために硬化は遅めに調整されている．次炭酸ビスマスや硫酸バリウムは造影剤として，ロジンはなめらかさの付与など物性改善のために添加されている．

表 8-6　グロスマンシーラー（Grossman's Sealer）の組成

粉末	酸化亜鉛	42%
	ロジン	27%
	次炭酸ビスマス	15%
	硫酸バリウム	15%
	ホウ酸ナトリウム	1%
液	ユージノール	100%

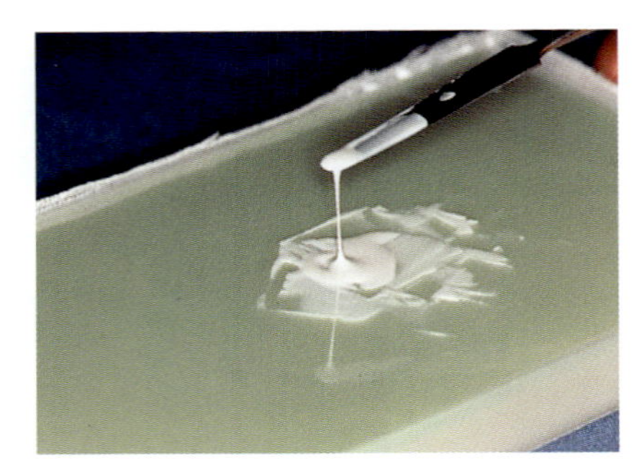

図 8-12　酸化亜鉛ユージノール系シーラーの練和
練板とスパチュラ間で2.5 cm程度に糸を引く硬さに練和して使用する．

わが国において多用されているキャナルス®は，グロスマンシーラーの処方を基本としているが，液剤にはオリーブ油などが添加されている．ほかに，カナダバルサムやアーモンド油を添加したものなど各種の製品がある．粉液タイプは，練板とスパチュラ間で2.5 cm程度に糸を引く硬さ（稠度）に練和して使用する（**図 8-12**）．また2つのペースト材，ベースとキャタリストを混ぜ合わせ使用するタイプもある．

2）水酸化カルシウム系シーラー

水酸化カルシウム系シーラーは，抗菌作用と根尖部における骨性瘢痕治癒作用を目的として水酸化カルシウムが配合されている．しかし，作用発現のためには水酸化カルシウムが溶解する必要がある．これは根管充填材に望まれる不溶解性に相反する．一般に酸化亜鉛の配合量を減らして，水酸化カルシウムが添加されている．粉末と液剤を練和するものと，ベースとキャタリストの2つのペースト材を混ぜ合わせ使用するものがある．

3）レジン系シーラー

欧米では，エポキシレジンを主成分とするAH Plus®などのシーラーが市販され，長期にわたり臨床応用されている．これらは，硬化体の物性向上を目的に開発が進められたものであり，溶解性が低く長期にわたり封鎖性が維持されることが報告されている．

しかし近年，歯冠修復用の接着システムを応用することにより，根管象牙質への高い接着性を有したシーラーの開発が進められた．メタシールSoftペースト®などのメチルメタクリレートレジン系シーラーは接着性モノマーを含有し，他のシーラーと比較して封鎖性と機械的強度が高い[13]．

根管形成された根管内に接着性シーラーを充填すると，根管象牙質とシーラーの接着界面には明瞭な樹脂含浸層が形成され，象牙細管内には長いレジンタグが侵入する．また，レジンが浸透するポイントを使用することにより，歯質・レジン・ポイントが一体化したモノブロック構造[14]が形成され（モノブロック化），垂直歯根破折の予防につながると期待されている．

4）バイオセラミックス系シーラー

バイオセラミックスとは「傷害部への修復と再建を目的として生体に用いるセラミックのことで，生体不活性，生体活性，あるいは吸収性の性質を有する非金属の無機質」と定義される．

バイオセラミックス系シーラーには，生体活性バイオセラミックス（ケイ酸カルシウム，バイオアクティブガラスなど）が含有されている．バイオセラミックス系シーラーが根管壁との界面で根管壁表面の組織液と接触することにより，生体活性バイオセラミックス表層にハイドロキシアパタイト（HAp）結晶が析出する．その後，HAp結晶がシーラー表層全体に成長し，HAp層となる．HAp層は象牙質と結合後，象牙細管内部に成長してタグ様構造を形成し根管壁とモノブロック化することで高い封鎖性を獲得する[15]．

バイオシー®シーラーはケイ酸カルシウムを主成分とするワンペースト（プレミックス）タイプで，根管内の水分と反応して硬化する．ニシカキャナルシーラー®BG multi ペーストはバイオアクティブガラスを含有した2ペーストタイプで，同様にHAp生成能を有している．

臨床で根管内を完全に乾燥して根管充填することは困難であるため，従来のシーラーは，「湿潤した根管での使用」と「硬化収縮」が大きな問題となっていた．一方，ケイ酸カルシウム系シーラーは象牙細管内の組織液との水和反応が硬化後も継続し，微膨張するため，上記2つの問題点を同時解決するシーラーとして，近年注目されている．また，バイオセラミックス系シーラーは，微膨張性，難溶性の性質を有しているため，Ni-Ti製ロータリーファイルの普及とともに最終拡大に使用したNi-Ti製ロータリーファイルと同一の形態およびテーパーのグレーターテーパーポイント1本とシーラーを併用して充填するマッチドテーパーシングルコーン法（p.163,「1）マッチドテーパーシングルコーン法」参照）が徐々に普及し始めている[16]．

5）その他のシーラー

ユージノールの代わりに，組織刺激性の少ない油性成分を使用した非ユージノール系シーラー，組織親和性の良好なハイドロキシアパタイト系シーラー，硬化膨張による封鎖性の向上をはかったシリコーン系シーラーなどがある．各種シーラーの特徴を表8-7に示す．

❸ 糊剤

糊剤は，成分として含まれる薬物の薬理作用を期待した根管充填剤であるが，吸収性で緊密な根管封鎖が得られない点や，根尖孔外への糊剤溢出による為害性などから，永久歯の歯内治療の根管充填材の第一選択とはならない[17]．

1）水酸化カルシウム製剤

水酸化カルシウム製剤は，根尖部の骨性瘢痕治癒を期待し使用される．カルビタール®やビタペックス®などがあるが，組織に吸収されるため乳歯の根管充填に多用される．

表 8-7　各種シーラーの特徴

	長所	短所
酸化亜鉛ユージノール系シーラー	長い操作時間 エックス線不透過性	細胞毒性 溶解性 硬化収縮 銀粉を含むと歯質変色
水酸化カルシウム系シーラー	組織親和性 抗菌性 硬組織形成能	組織への易溶解性 硬化すると水酸基の溶出なし
エポキシレジン系シーラー	象牙質に対する接着性 良好な機械的性質	
メチルメタクリレートレジン系シーラー	樹脂含浸相を形成し根管象牙質に接着	操作時間が短いものあり 再治療時に除去困難
バイオセラミックス系シーラー	良好な組織親和性 硬化膨張による高い封鎖性 難溶性	
非ユージノール系シーラー	刺激性の軽減	
ハイドロキシアパタイト系シーラー	組織親和性	
シリコーン系シーラー	長い操作時間 組織親和性 硬化膨張による封鎖性の向上	加熱による硬化

2）その他

エヌ・ツーユニバーサル®（N2U）は，酸化亜鉛とユージノールを基本に多種の成分が添加されている．強力な殺菌作用を有するが，成分にパラホルムアルデヒドなどを含有するため，使用に際しては注意が必要である．

V 根管充塡の術式

根管充塡可能と判断したら，根管を滅菌生理食塩液または滅菌精製水で洗浄し，滅菌ペーパーポイントで乾燥した後，根管充塡を行う．ガッタパーチャポイントは熱可塑性があるため，根管内に試適する前に5.25%の次亜塩素酸ナトリウム液に1分間浸漬し消毒する[18]．消毒後のガッタパーチャポイントの表面には結晶化した次亜塩素酸ナトリウムが付着し，根管充塡の封鎖を損なうことが報告されており[19]，根管充塡前にアルコールワッテなどで結晶を拭き取る必要がある．

❶ 使用器具・装置

1）スプレッダー

先端がとがった針状の器具で，側方加圧根管充塡時に根管に挿入し，ガッタパーチャポイントを圧接するのに使用する．多くの製品があり，柄のついた手用のスプレッダーではステンレススチール（SS）製とニッケルチタン合金（Ni-Ti）製がある（**図 8-13A**）ほか，指先で把持して操作するSS製のフィンガー用のものがある（フィンガースプレッダー，**図 8-**

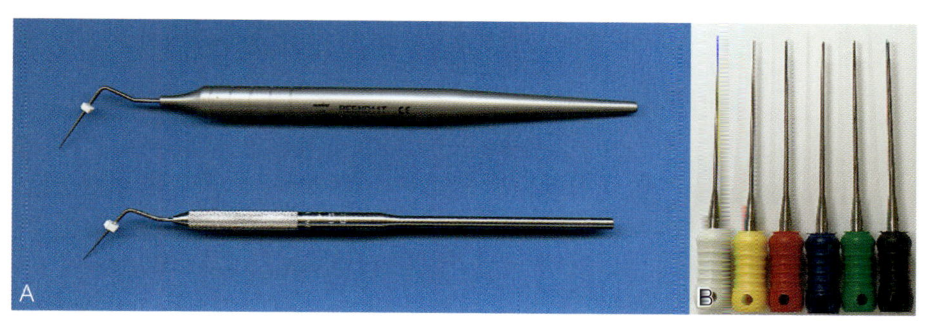

図 8-13 スプレッダー
A：手用スプレッダー（上段が Ni-Ti 製，下段が SS 製）
B：フィンガースプレッダー（左から先端が 15 号，20 号，25 号，30 号，35 号，40 号の各サイズの SS 製）

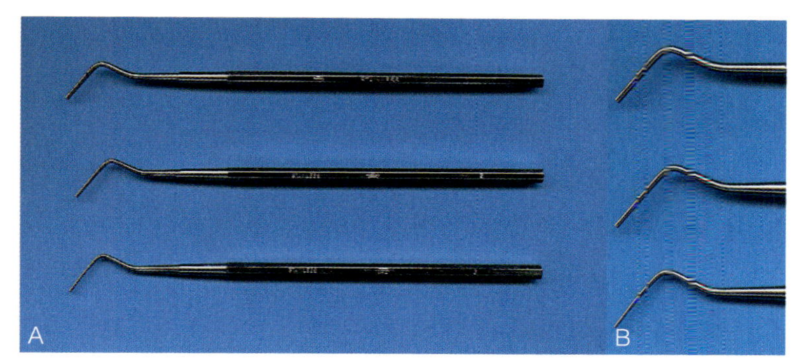

図 8-14 太さの異なるプラガー（A），先端部の拡大図（B）（上から大，中，小）．

13B）．いずれのスプレッダーも拡大形成後の根管の太さに合わせて，径の異なる多種のものから選択して使用する．スプレッダーは，側方加圧根管充填に欠かせない器具である．

2）プラガー

プラガーは，先端が平坦な細い円柱状の器具で，根管内で根管充填材を垂直（根尖方向）に填塞・圧接するのに使用する．根管の太さに合うよう，各種のサイズがある（**図 8-14**）．

3）根管充填用ピンセット

根管充填用ピンセットは，先端部に溝を有し，ガッタパーチャポイントやペーパーポイントを把持しやすい工夫がなされている（**図 8-15**）．また，ポイントを把持したまま固定できるロック式のものもある．

4）ルーラー，エンドゲージ

ルーラーは，ガッタパーチャポイントなどの長さの測定に使用する（**図 8-16**）．エンドゲージはガッタパーチャポイントの長さの他，先端部の太さの測定や，根管への適合度の調整に使用する．先端部の太さの測定や調整のための小孔がついている（**図 8-17**）．

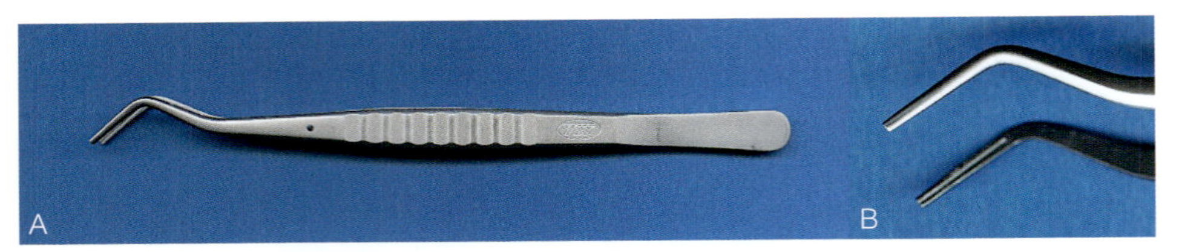

図 8-15　根管充塡用ピンセット
A：全体像，B：先端部の溝でガッタパーチャポイントやペーパーポイントを把持する．

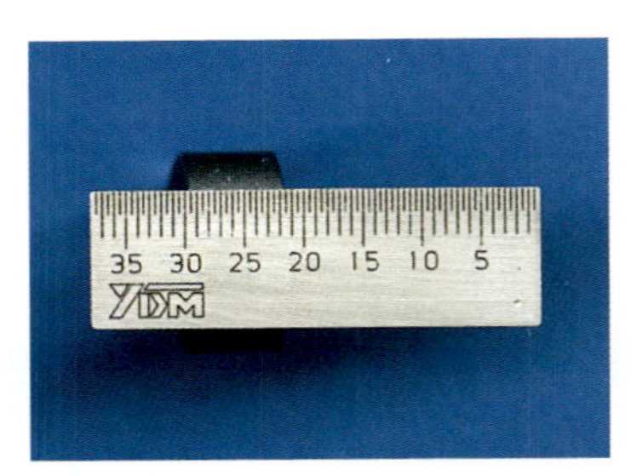

図 8-16　ルーラー
指にはめて使用する．フィンガールーラーともよばれるタイプ．

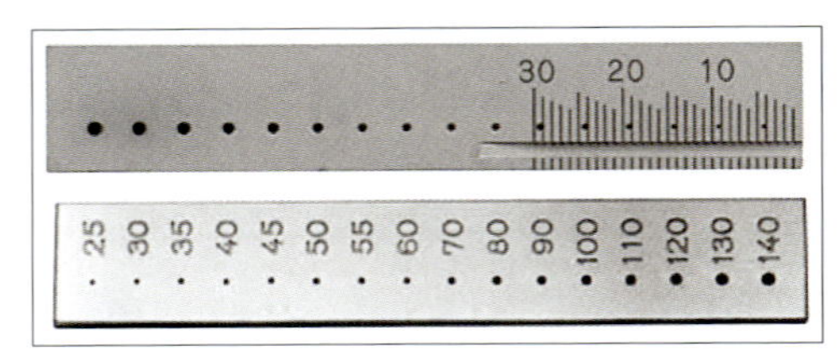

図 8-17　エンドゲージ
上：表面，下：裏面．25〜140 号までの各サイズのポイント先端調整用の小孔がある．

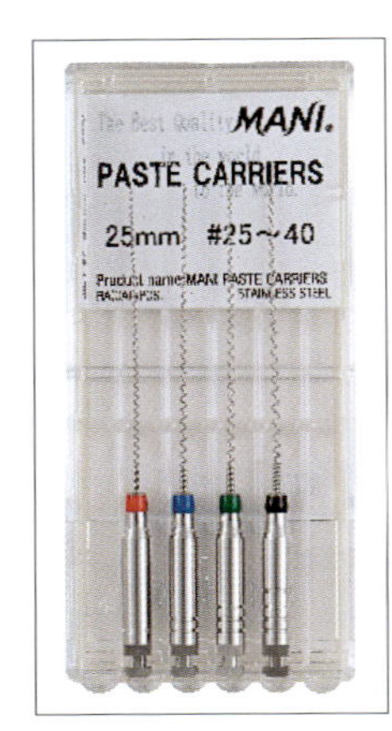

図 8-18　レンツロ
コントラアングルに装着して使用，根管内にシーラーや糊材を送り込む．左から 25 号，30 号，35 号，40 号の各サイズ．

5）レンツロ

レンツロは，先端がらせん状の細いしなやかな器具で，コントラアングルハンドピースに装着して低速回転させ，シーラーや糊剤を根管内に送り込むのに使用する（**図 8-18**）．

6）その他

ガッタパーチャポイント先端部の太さの調整のための切断にハサミを，シーラーの練和に練板とスパチュラを使用する．

近年，確実な根管封鎖，効率的な根管充塡を目的に，種々の根管充塡装置が開発され，根管充塡法も多様化している．

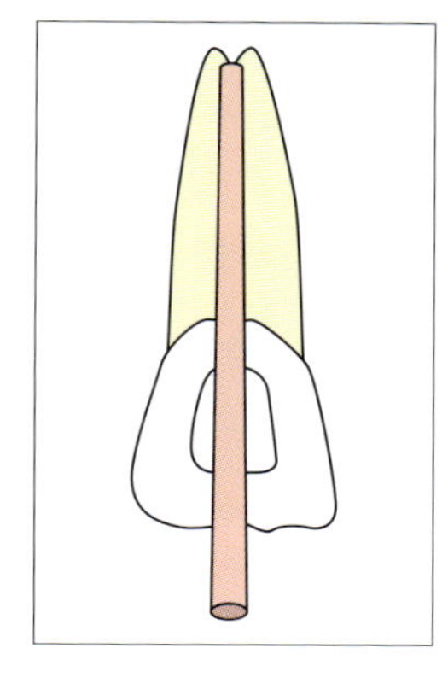

図 8-19 シングルポイント法
最終拡大リーマーと同一サイズのマスターポイント1本で根管充填を行う.

❷ ガッタパーチャポイントによる根管充填

1）マッチドテーパーシングルコーン法

(1) 特徴

以前行われていた単一ポイント法（シングルポイント法）は，リーミング操作にて0.02テーパーを付与し，同一サイズのマスターポイント1本で根管充填を行えば、マスターポイントは根管に適合するという考えに基づいた根管充填法であったが（**図 8-19**），緊密な根管の封鎖は困難であるため，現在ではほとんど行われていない.

テーパーの大きなNi-Ti製ロータリーファイルの普及に伴い，現在では，Ni-Ti製ロータリーファイルの形状に合わせて作製されたグレーターテーパーポイントをマスターコーンとし，ポイント1本で充填するマッチドテーパーシングルコーン法が行われるようになった.マッチドテーパーシングルコーン法は，断面が円形に近い根管において高い充塞率が期待できる（**図 8-20**）[20]．一方，楕円形根管や扁平根管では根管内のシーラーの占める割合が大きくなるため，硬化収縮などシーラーの性質の影響を受けやすい．したがって，マッチドテーパーシングルコーン法では，シーラー依存性が高くなるため，バイオセラミックス系シーラーやシリコーン系シーラーなど，微膨張性および不溶解性を有するシーラーの併用が推奨される.

(2) 術式

以前のシングルポイント法は，回転操作のみで最終拡大形成を行ったリーマーと同一サイズのマスターポイントを選択し，シーラーを塗布した根管をマスターポイント1本で充填していた．ガッタパーチャポイントのほかに，プラスチックポイントや銀ポイント（シルバーポイント）も使用されていた.

一方，マッチドテーパーシングルコーン法では，最終拡大形成に用いたNi-Ti製ロータリーファイルと同一形態およびテーパーのグレーターテーパーポイントを選択する．作業長まで過不足なくグレーターテーパーポイントを挿入できるように根管を拡大形成し，シリンジなどで根管内をシーラーで満たす．グレーターテーパーポイント1本を挿入して上下動す

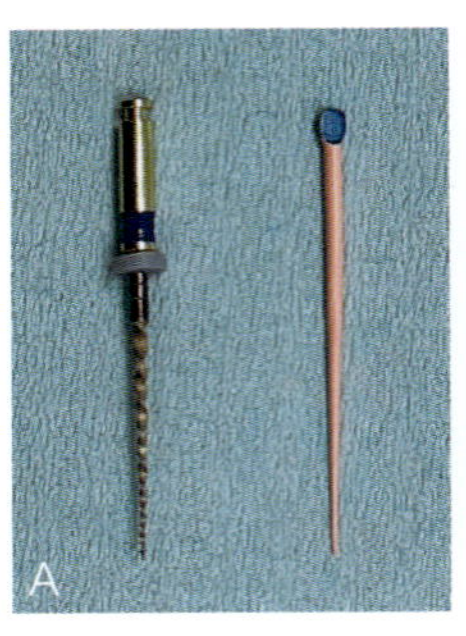

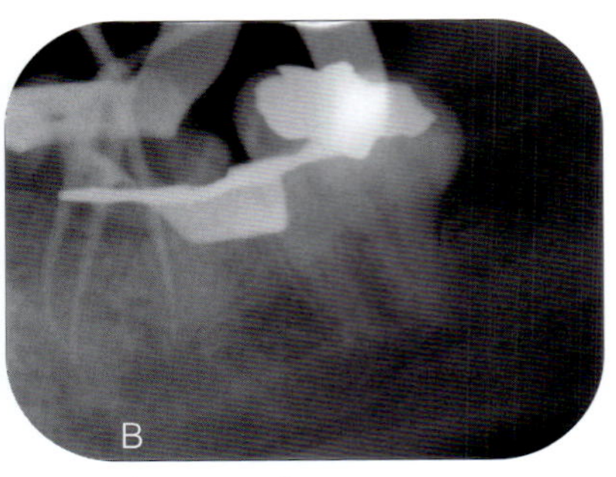

図 8-20 マッチドテーパーシングルコーン法
A：最終拡大形成に使用した Ni-Ti 製ロータリーファイルと同一形態およびテーパーのグレーターテーパーポイント．B：マッチドテーパーシングルコーン法による$\overline{6|}$の根管充塡症例．マッチドテーパーシングルコーン法では，最終拡大形成に使用した Ni-Ti 製ロータリーファイルと同一形態およびテーパーのグレーターテーパーポイントを用いることで緊密に充塡できる．

ることでシーラー内部の気泡を押し出すとともに，流動性により根管の細部までシーラーを行き渡らせる．加熱したプラガーでポイントを根管口部で焼き切った後，冷えたプラガーで根尖方向に垂直加圧し根管充塡を終了する．

2）側方加圧根管充塡法

(1) 特 徴

スプレッダーの根管内挿入による加圧でマスターポイントを側方に圧接し，生じた空隙にアクセサリーポイントを挿入，以後，スプレッダーによる圧接とアクセサリーポイントの挿入を繰り返し，緊密な根管の封鎖をはかる充塡法を，側方加圧根管充塡法という．スプレッダーによる圧接のたびにガッタパーチャポイントは変形し，根管は緊密に封鎖される（**図 8-21**）．スプレッダーによる圧接でガッタパーチャポイントは根管壁に密着し，容易に緊密な封鎖が得られる（**図 8-22**）．

(2) 術 式

側方加圧根管充塡法は，垂直加圧根管充塡法などの他の充塡法と比較して，容易に緊密な充塡が行えるため，世界中で行われている標準的な根管充塡法である．基本となる根管充塡法として，十分に理解しておく必要があるので術式の詳細について解説する．

a. 根管の洗浄と乾燥

根管内を滅菌生理食塩液などで洗浄し（**図 8-21A**），最終拡大ファイルと同サイズの滅菌ペーパーポイントを用いて乾燥する（**図 8-21B**）．

b. マスターポイントの選択と試適

タグバックのある（p.167 参照）マスターポイントを選択する．サイズが合わないときは，はさみでマスターポイントの先端を切断し太さを調整することもある（**図 8-21C**）．調整したマスターポイントを根管内に試適し，作業長まで挿入可能でタグバックがあることを確認

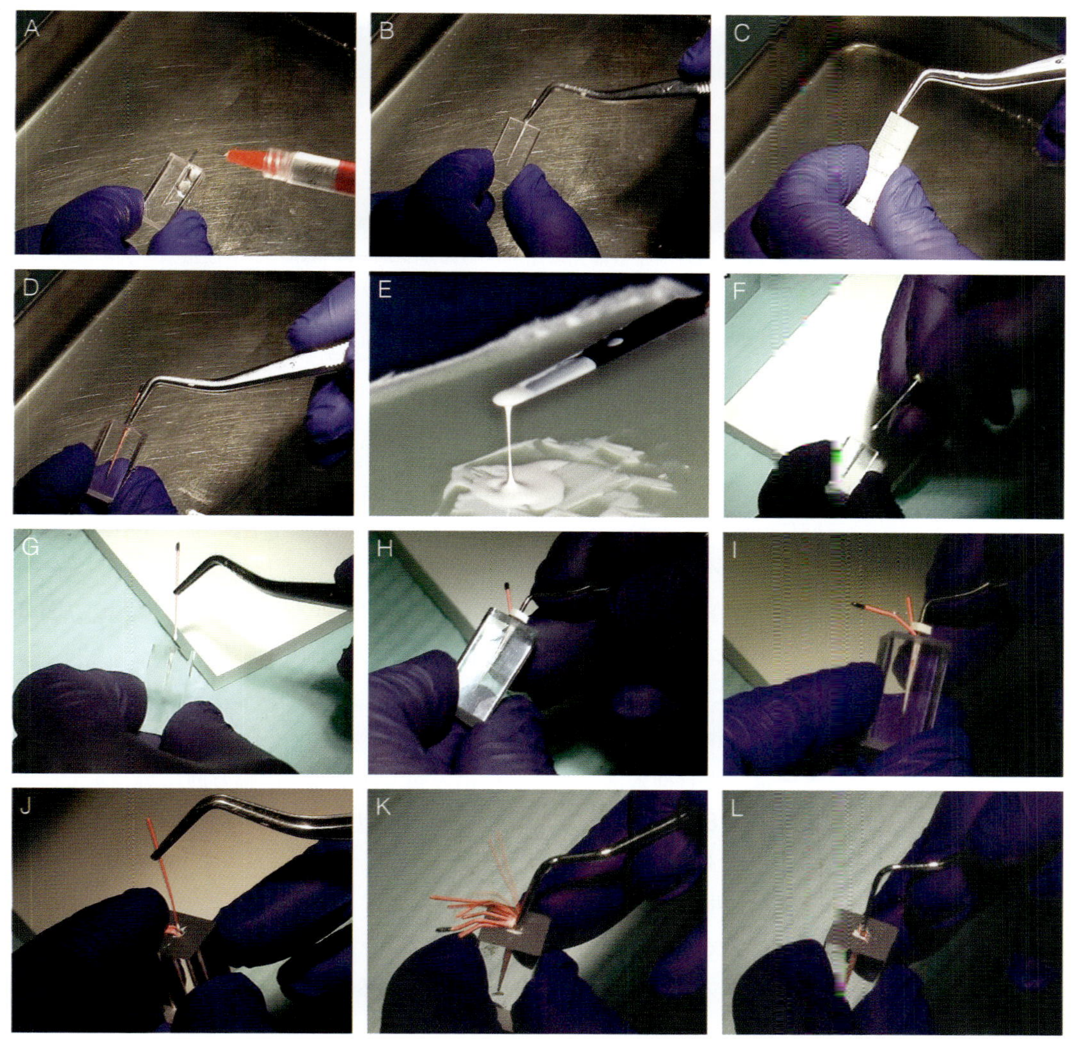

図 8-21　側方加圧根管充塡法の術式（40 号，0.07 テーパーの根管模型使用）
A：根管を滅菌生理食塩液などで洗浄する．B：根管を滅菌ペーパーポイントで乾燥する．C：マスターポイントを作業長に合わせる．D：マスターポイントを試適する．E：シーラーを練和する．F：最終拡大の 1 号手前の 35 号のファイルの先端部にシーラーを少量付け根管壁に塗布する．G：マスターポイントの先端に少量のシーラーを付け根管に挿入する．H：スプレッダーを根管に挿入してマスターポイントを側方に圧接し，アクセサリーポイントを挿入する．I：アクセサリーポイント挿入後もスプレッダーにより側方に圧接する．J：スプレッダーの圧接により生じた空隙に，アクセサリーポイントを挿入，I と J の操作を繰り返す．K：火炎で熱したプラガーなどで，ポイントを根管口部で焼き切る．L：切断したプラガーよりも小さめの冷えたプラガーで根尖方向に垂直加圧．

する（**図 8-21D**）．

c．シーラーの練和と根管壁への塗布

酸化亜鉛ユージノールセメントは，標準粉液比がないため，練和後，スパチュラで 2.5〜3 cm 程度糸を引く稠度に練和する（**図 8-21E**）．練和したシーラーを根管壁に塗布する．側方

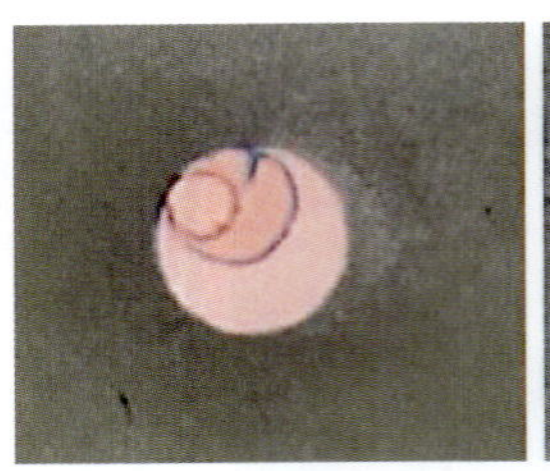
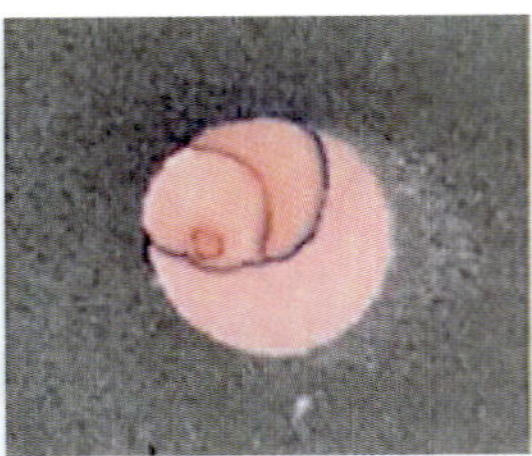
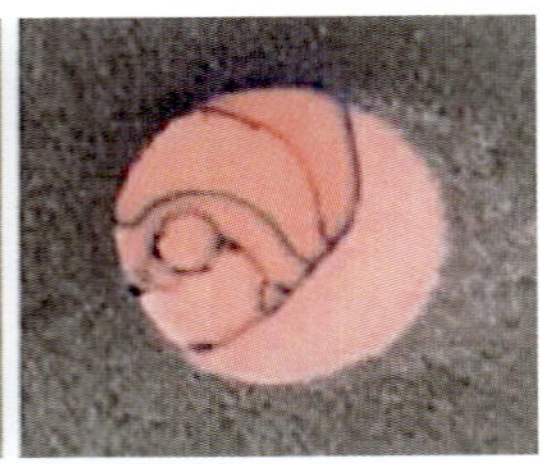

図 8-22 側方加圧根管充塡法によるガッタパーチャポイント圧接後の横断面所見（根管模型，識別しやすいようにシーラーを着色）
スプレッダーでの圧接によりポイントは変形し，根管壁に密着している（左：根尖手前，中：根管中央付近，右：根管口付近）．

加圧根管充塡法では多量のシーラーを必要としないため，レンツロの替わりに最終拡大に使用した1号手前のサイズのファイルの先端部にシーラーを少量付け（**図 8-21F**），根管内で反時計方向に回転し上下動することで適量のシーラーを根管壁に塗布する．

d. マスターポイントの挿入

マスターポイントの先端に少量のシーラーを付け，ゆっくり根管に挿入し（**図 8-21G**），上下動することでシーラー内部の気泡を根管口から押し出す．

e. スプレッダーによる圧接

根管にスプレッダーを挿入することで，マスターポイントを側方に圧接する（**図 8-21H**）．スプレッダーは，根管挿入部の頭部を中指の腹で押さえ，歯軸方向に真っすぐに押して根尖方向に進める（**図 8-21H, I**）．細いスプレッダーは，押す方向が歯軸とずれると先端が屈曲しやすいので注意する．

スプレッダーの根管からの撤去は，マスターポイントをもう一方の手の指で押さえ，スプレッダーの柄を指で囲み手首を軽く振る．スプレッダーの根管挿入部が小刻みに反復回転することにより，スプレッダー自体のテーパーで自然に浮き上がり，ポイントを引き抜くことなく根管から容易に撤去できる．

f. アクセサリーポイントの挿入

スプレッダーの圧接により生じた空隙に，アクセサリーポイントを挿入する（**図 8-21J**）．

g. スプレッダーによる圧接とアクセサリーポイント挿入

スプレッダーでの圧接により生じた空間にアクセサリーポイントを挿入する操作を，根管にアクセサリーポイントが挿入できなくなるまで繰り返す．

根管から撤去したスプレッダーにシーラーが付着していないときは，根管内のシーラーが不足している．死腔ができないように，アクセサリーポイント先端にシーラーを付けて根管に挿入し（**図 8-21J**），根管内のシーラーを補充する．

h. ガッタパーチャポイントの切断

圧接が終了したら，火炎で熱したプラガーなどで，ガッタパーチャポイントを根管口部で焼き切った（**図 8-21K**）のち，切断したプラガーよりも小さめの冷えたプラガーで根尖方向に垂直加圧し根管充塡を終了する（**図 8-21L**）．

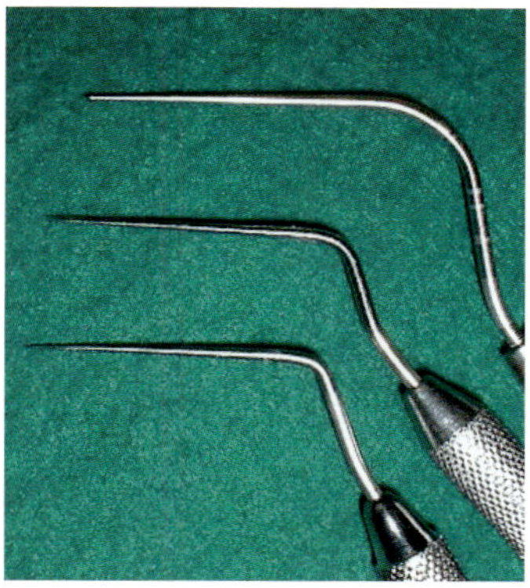

図 8-23　スプレッダーのサイズ
上から Kerr#3，Star Dental D11T（D_0：0.17 mm，D_3：0.30 mm，D_{16}：0.86 mm，テーパー：4.23/100），Brasseler NT D-11T.

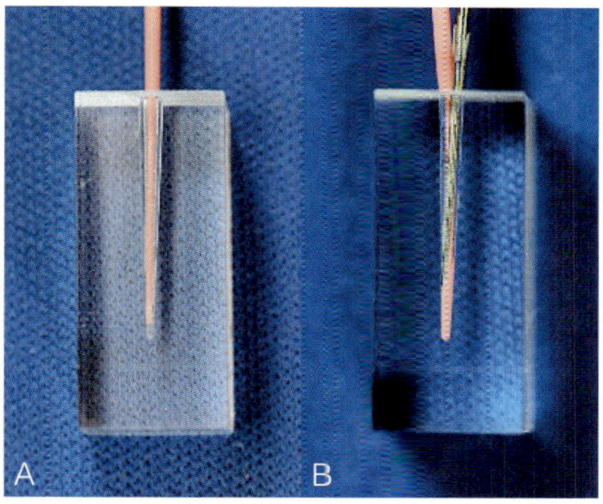

図 8-24　タグバック
A：マスターポイントを作業長の 1 mm 手前でタグバックを得るように調整
B：ポイントはスプレッダー挿入による加圧で変形し，作業長まで到達

(3) 側方加圧根管充塡法における注意点

a. 根管テーパーとスプレッダー

側方加圧根管充塡法により緊密な根管充塡を行うためには，スプレッダーの根管深部への受け入れを可能とする十分な根管テーパーと，挿入性，圧接性，操作性に優れたスプレッダーの選択が重要である（**図 8-23**）.

側方加圧根管充塡法と垂直歯根破折との関係が指摘されている．太くテーパーの大きいスプレッダーの使用や過度の加圧は，垂直歯根破折を誘発するため避けるべきである．さらに根管の先端部は根尖孔や側枝，根尖分岐などが存在し歯質が脆弱なため，スプレッダーの根尖までの挿入は避け，スプレッダーが歯質脆弱部にじかに触れないよう，根管への挿入は作業長 1 mm 手前までにとどめる．垂直歯根破折を防止する目的で，根管へのスプレッダーの過度の侵入を避けるためにシリコーンストッパーを使用する（**図 8-21H，I**）.

b. スプレッダーとアクセサリーポイント

アクセサリーポイントは，スプレッダーにより広げられた空隙に挿入されるため，スプレッダーよりも細いサイズのものが選択される．しかし，細すぎるアクセサリーポイントは，圧接回数が増加し操作も不安定になるため，なるべくスプレッダーの径に近くかつ細いポイントを選択すると効率的に良好な充塡が行える.

c. タグバック

作業長，または根管の先端から 1～2 mm 手前の位置で，根管にきつめに把持されるマスターポイントを選択するか，ポイント先端部をはさみで切断し太さを調整する．これによりポイントを根管から引き抜く際にコルクの栓を抜くような抵抗感が感じられる．この抵抗感をタグバックという．根管先端から 1～2 mm 手前にとどまっていたポイント（**図 8-24A**）は，スプレッダーでの圧接により根管先端まできつく圧入され（**図 8-24B**），緊密な封鎖が行えるとともに，根尖孔からのポイントの押し出しを抑制できる.

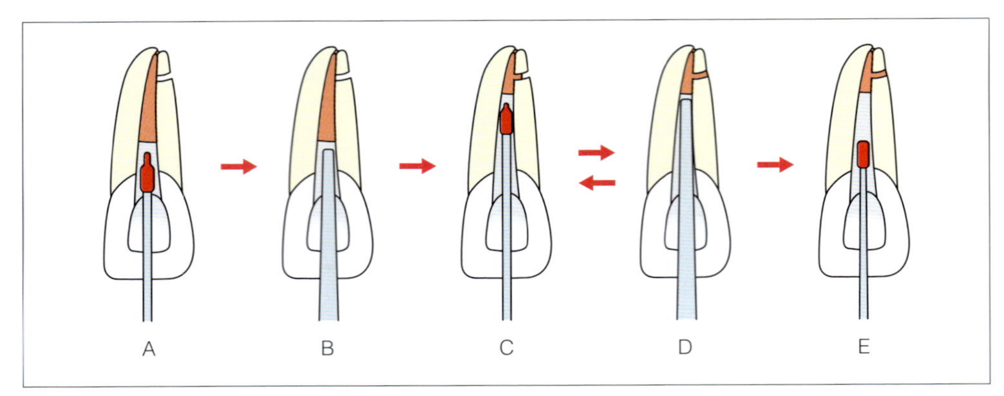

図 8-25 垂直加圧根管充塡法
A：加熱器具による根管口部でのポイントの軟化と除去.
B：プラガーによる軟化したポイントの圧接.
C：加熱器具によるポイントの軟化と除去.
D：根管先端部のポイントの軟化による根管壁への密な圧接（軟化したポイントは根管側枝内にまで圧入）.
E：根管の歯冠側を積層充塡法などによって再度充塡（バックフィル）する.

3）垂直加圧根管充塡法

(1) 特　徴

プラガーによりガッタパーチャ材を根尖方向に圧接する充塡法はすべて垂直加圧根管充塡法といえるが，一般的にはSchilderの考案した充塡法を垂直加圧根管充塡法という．加熱した器具，装置でガッタパーチャポイントの軟化とプラガーでの加圧を繰り返すことにより，根管先端側1/3のポイントを軟化させ緊密に圧接する充塡法である（**図 8-25**）.

(2) 術　式

術式としては，根管の先端1〜2 mm手前で根管にきつく把握されるガッタパーチャポイントを選択する．根管壁に少量のシーラーを塗布したら，ガッタパーチャポイントを根管に挿入し，熱した器具でポイントを焼き切った後，根管の太さに合わせ選択したプラガーで上部の軟化したポイントを圧接する.

熱した器具を根管に挿入しポイントを軟化した後プラガーによる圧接を行い，この操作をプラガーが根管の先端側1/3に到達するまで繰り返す．これにより根管先端側のガッタパーチャポイントは熱により軟化し，根管壁に緊密に圧接される．圧接により空洞となった歯冠側の根管は，バックフィルにより封鎖する．このSchilderの方法は，後述するガッタパーチャ加熱装置を用いた充塡法で応用されている.

4）積層充塡法（分割ポイント法）

シーラーを根管壁に塗布した後，数ミリの長さに切断したガッタパーチャポイントを加熱や溶媒により軟化し，プラガーで圧接を行い，根尖から根管口方向へポイント片を積み重ねていく充塡法を積層充塡法という（**図 8-26**）.

溶媒によるガッタパーチャポイントの軟化は，溶媒の揮発後に体積が収縮し死腔が生じる

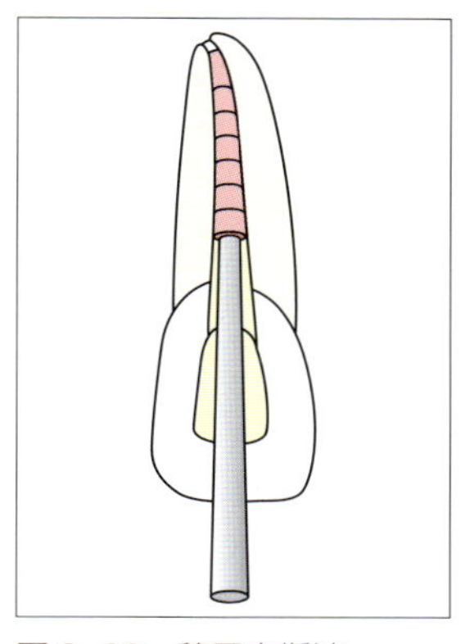

図 8-26　積層充填法

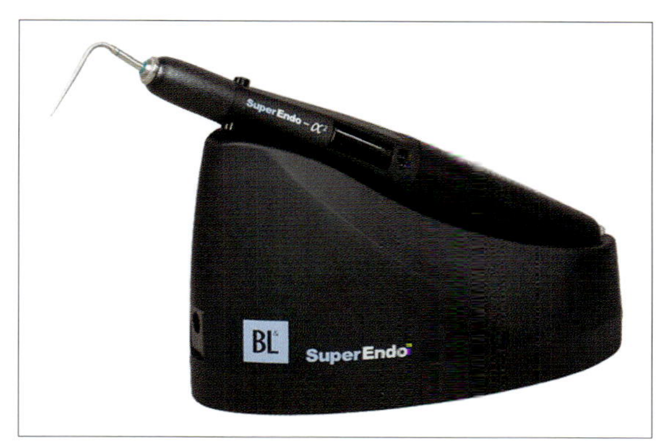

図 8-27　ガッタパーチャ加熱装置

ため，近年では推奨されない．

5）その他の充填法

根管が太く適合するガッタパーチャポイントがないとき，ポイントの頭部から根管に挿入し充填する逆ポイント法や，加熱により軟化した数本のガッタパーチャポイントをより合わせ自家製のポイントを作製するロールポイント法があるが，行うことはまれである．

❸ 熱可塑性を応用したガッタパーチャによるその他の根管充填

1982 年に Touch'n heat さらに SystemB などのガッタパーチャ加熱装置（図 8-27）が開発され，根管内での加熱操作が容易になり，また，ガンタイプの熱可塑性ガッタパーチャ充填装置（図 8-4）も開発され，垂直加圧根管充填法が普及してきている．本項では，根管充填法の変遷とともに，垂直加圧根管充填法の器材と技術について紹介する．現在の装置はいずれも，安全性と操作性を考慮しコードレスとなっている．

1）Continuous wave of condensation technique（CWCT）

CWCT は，ガッタパーチャ材を流動体として根管充填する方法である．根管に適合したガッタパーチャポイントを加熱ヒートプラガーで軟化させて行う根尖側根管の充填（ダウンパック）と，加熱軟化させたガッタパーチャ材をシリンジ先端から流し込む歯冠側根管の充填（バックフィル）の 2 つのステップからなる．

1994 年に Buchanan の提唱したガッタパーチャ加熱装置と熱可塑性ガッタパーチャ充填装置を用いた根管充填法を紹介する（図 8-28，29）[21]．本法は，ほとんどの根管形態の根管充填に適応可能で，シーラー層を薄くできる利点がある．

本法は，根管形態とガッタパーチャポイントおよびヒートプラガーの規格を合わせることによって，ガッタパーチャの加熱と流動性を制御してガッタパーチャの溢出をコントロールする．ガッタパーチャ加熱装置はこの理論に基づき考案された根管充填装置である．根尖部でタグバックが得られるように調整したマスターポイントを挿入後，根管内に瞬時に加熱す

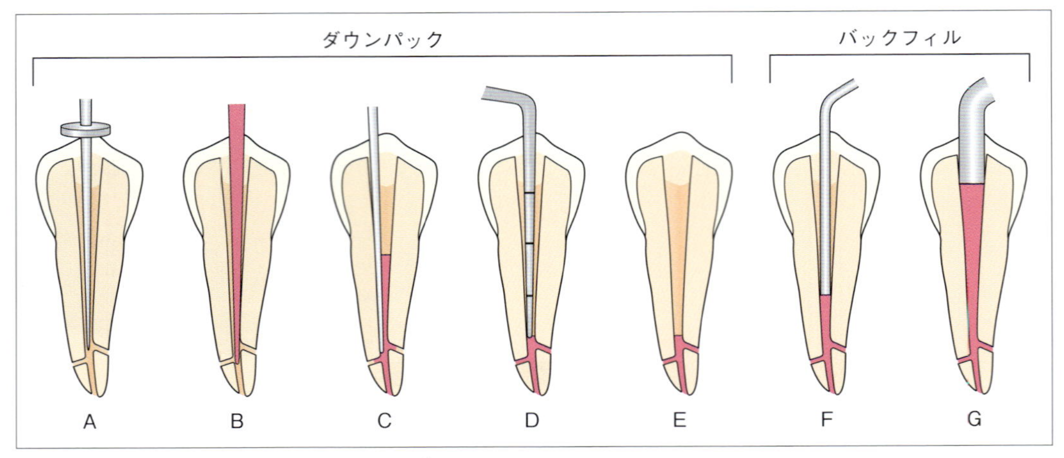

図 8-28　CWCT の術式（北村和夫，2015[8]）
A〜E：ダウンパック，F，G：バックフィル．
A：ヒートプラガーの選択・試適．
B：ガッタパーチャポイントの選択・試適．
C：シーラーを塗布した根管にガッタパーチャポイントを挿入，加熱ヒートプラガーを作業長 4〜5 mm 手前まで挿入し，根管上部のガッタパーチャを除去．
D：コンデンサーの Ni-Ti 製チップで根尖の軟化したガッタパーチャを加圧．
E：ダウンパックの完了．
F：熱可塑性ガッタパーチャ充填装置による根管上部の充填．
G：コンデンサーのステンレススチール製チップで加圧しバックフィルの完了．

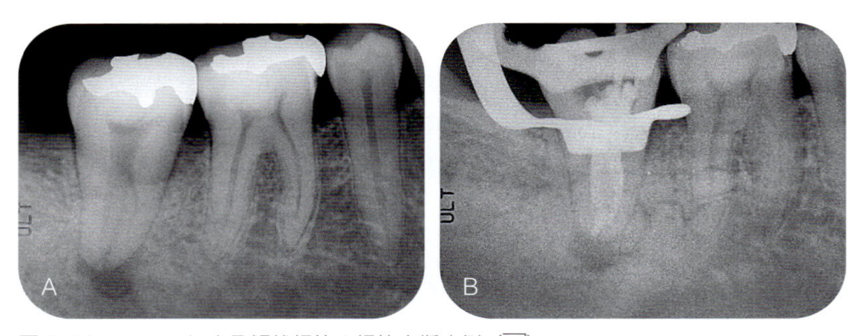

図 8-29　CWCT による樋状根管の根管充填症例（7̅|）
A：術前，B：CWCT による根管充填直後．樋状根管が緊密に充填されている．

る特殊なプラガーを作業長の 4〜5 mm 手前まで挿入して加熱を止め，5 秒間根尖方向に加圧する．その後，再加熱しながらプラガーを引き抜き，さらにコンデンサーの Ni-Ti チップで軟化したガッタパーチャを垂直に加圧し，ダウンパックが終了する．その後，熱可塑性ガッタパーチャ充填装置によってガッタパーチャ材を加熱軟化させて根管充填を行い，根管口部まで緊密に根管充填する（バックフィル）．熱可塑性ガッタパーチャ充填装置はガンタイプで，トリガーを引くことで加熱軟化したガッタパーチャ材を押し出す仕組みになっている．ガッタパーチャ材の場合，ガッタパーチャ加熱装置，熱可塑性ガッタパーチャ充填装置の設定温度は 200℃に設定する[22]．

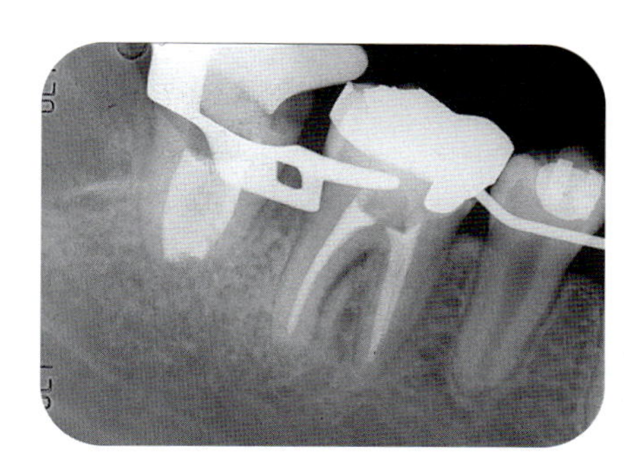

図 8-30　インジェクション法による樋状根管の根管充填症例（7）
樋状根管が緊密に充填されている．

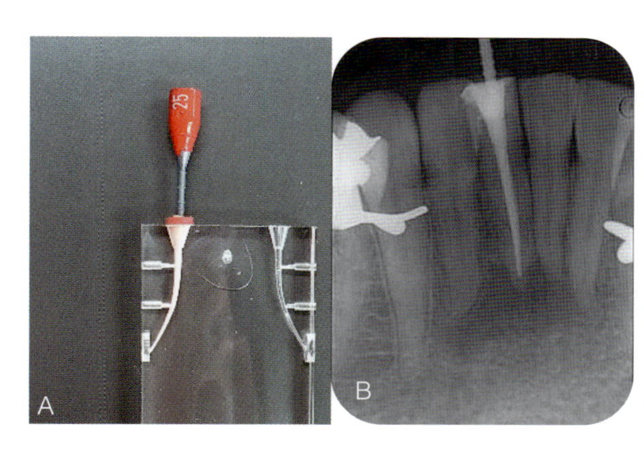

図 8-31　コアキャリア法による根管充填
A：透明根管模型を用いたコアキャリア法による根管充填
B：コアキャリア法による根管充填症例（1）

2）インジェクション法

インジェクション法は，熱可塑性ガッタパーチャ充填装置（**図 8-4**）を使用し，加熱により軟化したガッタパーチャ材を根管に注入する充填法である（**図 8-30**）．短時間で根管の封鎖を行うことができるため，CWCT のバックフィルとして用いられることもある．

3）コアキャリア法

コアキャリア法は，1978 年に Johnson B によって開発された．ファイル様の特殊プラスチック製キャリア（芯棒）にガッタパーチャ材をコーティングさせた器具を用いて充填を行う[23]．近年，架橋結合した熱に強いガッタパーチャをキャリアにした製品（**図 8-10**）が国内でも使用されている．架橋結合したガッタパーチャは，硬度があり，熱しても溶けない特徴を有する．根管内にシーラーを塗布した後，専用加熱装置（**図 8-11**）でガッタパーチャ材のみを軟化した器具を作業長までゆっくり挿入する（**図 8-31**）．器具を作業長まで挿入後，冷却による収縮を補正する目的で軽い圧を加えたまま数秒間保持する．その後，不要なキャリアの部分は切断除去する．

コアキャリア法は，作業長を確認しながら根管充填することが可能で，軟化したガッタパーチャ材の根尖孔外への溢出を抑制しやすい利点がある．さらに過剰なフレアー形成を必要としないことから，細く彎曲した根管の充填にも適している．

❹ 糊剤による根管充填

糊剤による根管充填は，練和した糊剤を低速で回転させたレンツロにより根管に填塞する．糊剤充填は糊剤が有する薬理作用を期待するもので，緊密な根管充填は困難である．永久歯には暫間根管充填に用いられることがある．

Ⅵ 即時根管充填法

❶ 麻酔抜髄即時根管充填法（直接抜髄即時根管充填法）

局所麻酔下で抜髄を行い，根管の拡大形成が終了したらただちに根管充填を行う方法である．抜髄により起こる炎症の消退を待つことなく，また治療の経過を確認することなく根管充填を行うため，適応症は従来，限定されていた．

一般に歯髄に炎症のない歯や，炎症があっても歯冠部の歯髄に限局している一部性の歯髄炎歯を対象とし，外傷や窩洞形成時の露髄，補綴的理由による便宜抜髄が適応とされていた．また解剖学的に根管形態が単純で，治療が容易な歯に適応された．しかし近年，予後不良の原因となりうる根管への細菌の侵入，感染の機会をなくすため，空虚となった根管は早めに封鎖することが望ましいとの考えが主流となりつつある．

麻酔抜髄即時根管充填法の長所と短所を**表 8-8** に示す．抜髄から根管充填までが１回で終了するため，治療回数が短縮でき，根管消毒薬による根尖歯周組織の刺激がなく，仮封材の漏洩による根管への細菌侵襲も起こらない．

その反面，抜髄による根尖歯周組織の炎症が消退しないうちに根管充填を行うため，痛みなどの不快症状が起こりやすく，出血や残髄を起こした際の対処が困難になる．また麻酔が奏効しているうちに根管充填を行うため，根尖孔からの根管充填材の溢出に気づきにくく，さらに細菌培養検査を行う機会がないなどの問題点もある．しかし，多くが歯科医師の技術的な問題に起因することが多いため，高度な診療技術をもった歯科医師が，症例を適切に選択し行うべき治療法である．

❷ 感染根管の１回治療法

感染根管歯において１日で根管の拡大形成から根管充填までを行う治療法である．これまで１回治療法は術後疼痛の頻度が高いことや，根管貼薬を行わないため根管内からの細菌除去効果が十分でない可能性が指摘されてきた．そのため，無症状で根尖孔が閉鎖傾向にあり，

表 8-8　麻酔抜髄即時根管充填法の長所と短所

長　所	短　所
・１回で終了し治療回数が短縮できる ・根管消毒薬による根尖歯周組織の刺激がない ・仮封材漏洩による根管の汚染，感染の機会がない ・麻酔下で行うため治療中の痛みがない	・治療後，炎症による不快症状が起こりうる ・出血や残髄時の対処が困難である ・細菌培養検査の結果が反映できない ・麻酔下での過剰根管充填が起こりうる

根管からの刺激が根尖歯周組織に及びにくい歯が対象とされていた．

しかし近年，材料や治療技術の進歩により治療効率が高められ，「根管の拡大形成が完了すれば感染防止のために早急に根管充填すべきである」，との考えから感染根管治療においても１回治療（single-visit root canal treatment）が推奨される傾向になりつつある．

しかし，感染根管の１回治療法は細菌感染した根管を対象とするため，麻酔抜髄即時根管充填法よりも根尖歯周組織の急性症状発現（フレアアップ）のリスクが高く，症例の選択や治療についてはより慎重さが要求される．したがって，麻酔抜髄即時根管充填法以上に，高度な知識と技術をもった歯科医師が行うべき治療法である．

（北村和夫）

Ⅶ 根管充填後の治癒経過

❶ 根尖部創傷の治癒機転

根尖歯周組織に顕著な異常がみられない抜髄歯と根尖歯周組織に病変を有する感染根管歯では，根管充填後の治癒経過は異なったものとなる．

1）抜髄歯における根尖歯周組織の治癒

根尖狭窄部で歯髄が切断，除去され，理想的な根管充填が行われた後の根尖歯周組織は，以下の治癒経過をたどると考えられる．

① 抜髄針などで機械的に切断された歯髄組織の創面からは出血が起こるが，フィブリンの析出により通常は数分で止血し，創面に血餅が形成される．

② 切断された組織表層には，炎症性細胞浸潤が生じ，創面には漿液性の滲出が起こる．根尖孔に近接した歯根膜においても，初期の炎症性反応に呼応した浮腫性の変化が出現するため，術後の症状として軽度の打診痛や咀嚼時痛などが起こりやすい．

③ 創面からの滲出の停止に伴い，凝固したフィブリン層の直下に新生血管に富んだ肉芽組織の形成が開始される．一般に，肉芽組織内には，マクロファージ，リンパ球，形質細胞，多核白血球などの炎症性細胞や線維芽細胞などが存在する．この時期（抜髄後数日）になると，抜髄による反応性の炎症はほぼ消退し，組織の修復が開始される．

④ 肉芽組織内の炎症性細胞の減少とともに，線維性結合組織による瘢痕が形成される．

⑤ その後，結合組織性の瘢痕は徐々に吸収され，セメント芽細胞によってセメント質様硬組織が添加される．

⑥ 以上のような治癒機転は通常，抜髄から3〜6カ月の期間を要するとされる．

治療時に，根尖歯周組織を大きく損傷したとき，あるいは歯髄が残存し傷害されたときは二次感染をきたしたり，治療時に根管消毒薬などにより過剰な刺激が加わったときは治癒が障害されるため，上記の①〜⑥に示すような理想的な経過は期待できない．

2）感染根管処置歯における根尖歯周組織の治癒

根尖歯周組織に顕著な破壊が生じていない歯では，緊密な根管の封鎖により根管からの刺激が消失するとともに炎症が消退し，組織の修復が起こる．

根尖部に病変を有する感染根管歯では，骨や歯根膜などの根尖歯周組織が炎症により破壊されているため，抜髄時の創傷治癒とは異なった経過をたどる．根管充填を行うことにより，根尖歯周組織への刺激源となる根管内の腐敗分解産物や細菌などが取り除かれ，根尖歯周組織は安静が保たれ，炎症は徐々に消退する．根尖歯周組織の血液循環は改善し，膿汁や壊死組織に対する異物吸収排除機転が促進され，膿瘍腔は新生肉芽組織によって満たされる．次いで，破壊された根尖歯周組織，歯根表面の修復が開始され，新生骨や吸収歯根表面へのセメント質添加とともに，歯根膜線維の再構築が起こり，根尖孔部の線維性，もしくは骨様組織による瘢痕治癒もみられるようになる．

一方，根管充填時に根尖孔外に突き出したガッタパーチャポイントやシーラーに対しては，肉芽組織による吸収や線維性結合組織による被包化が起こる．根尖歯周組織内に溢出したシーラーは 6 カ月，根尖孔外に突出したガッタパーチャポイントは 18 カ月以上の期間を経て吸収されるとの報告もある．

感染根管処置歯では組織の破壊が大きいため，治癒には 6 カ月から 1 年以上の長期間を要する．

❷ 治癒に影響を及ぼす因子

根管充填後の根尖歯周組織の治癒は，全身的あるいは局所的な影響を受ける．

1）全身的因子

(1) 年　齢

一般に高齢者は，若年者に比べて治癒までの期間が長いとされる．

(2) 全身疾患

糖尿病や消耗性疾患，あるいは全身性の慢性疾患を有する患者では，健康な患者よりも創傷の治癒が遅れる傾向がある．

2）局所的因子

(1) 症例選択の適否

支持歯槽骨の破壊がきわめて大きい症例や，なんらかの原因によって根尖までの根管の清掃拡大が十分に行えない歯は，予後不良が予測される．治療の成功のためには適切な症例の選択が重要である（図 8-32）．

(2) 根管の清掃不足

細菌の繁殖母体となる歯髄残遺物や歯髄の腐敗分解産物などの感染源の残存は，根尖歯周組織への刺激源になるとともに緊密な根管封鎖の障害となる．

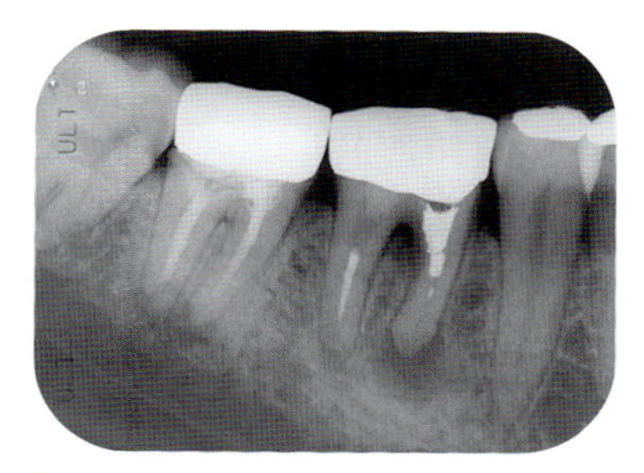

図 8-32 症例選択の適否
6|は歯髄腔側から根分岐部への穿孔による支持歯槽骨の減少，ならびに近心根管においては不十分な根管充填に伴う根尖部のエックス線透過像が認められる．

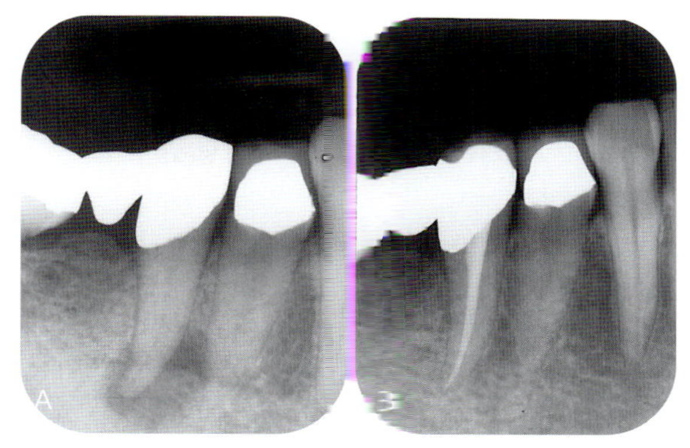

図 8-33 根管の拡大形成の成否
A：術前のエックス線像．
B：根管充填から 30 カ月後のエックス線像．
5|の歯根は，遠心方向に彎曲し，根尖部には歯冠大のエックス線透過像が認められた．ステップバック形成法による拡大・形成後に，側方加圧根管充填法により根管充填を行った．適切な治療により，根尖部の病変は治癒しエックス線透過像は消失している．

(3) 根管の拡大形成の成否

根管の拡大形成が正しく行われていない歯は，緊密な根管充填が行えない．彎曲根管ではステップバック形成法，Ni-Ti 製ロータリーファイルの使用などを適正に行うことで，根管からの器具の逸脱を防止し，緊密な根管充填が可能な形態に根管を整えることが必要である（図 8-33）．

(4) 根管の無菌性

感染は，治癒を著しく障害し遅延させるとともに予後を不良にする．治療中はラバーダム防湿を励行し，二次的な細菌感染を防止して根管の無菌性を確保する．根管充填の実施にあたっては，感染源の排除とともに根管内の細菌を可能なかぎり殺滅することが重要である．

(5) 偶発症

a. オーバーインスツルメンテーション

器具の根尖孔からの突き出しは，根尖歯周組織を機械的に損傷して炎症を惹起するとともに感染を引き起こしやすい．また，根尖狭窄部を破壊してアピカルシートの付与を困難にし，緊密な根管充填が行えない原因となる．

b. 過剰な根管充填

根尖孔外のガッタパーチャポイントやシーラーは，物理的・化学的に根尖歯周組織を刺激し治癒を障害するため，過剰な根管充填は避ける（図 8-34）．

c. 根管壁穿孔および根管内器具破折

根管壁の穿孔やファイルの根管内破折の発生は，以後の治療が困難となる（図 8-35）．

(6) 根管充填の緊密度

根管充填の緊密度は，予後を左右する最大の要因である．死腔が残存し細菌などの刺激源が侵入，貯留しないよう根管は緊密に封鎖する必要がある（図 8-36）．

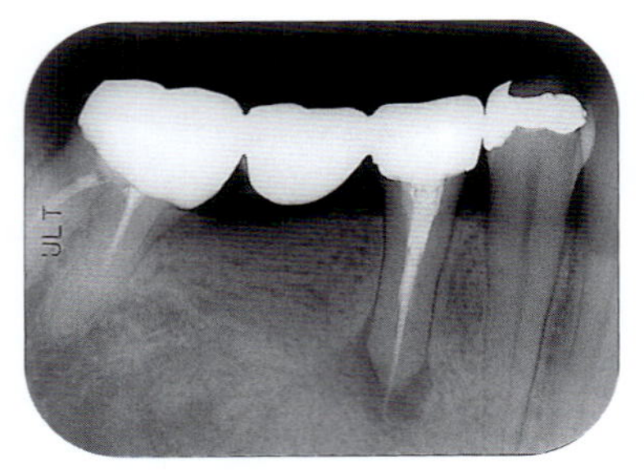

図 8-34 過剰な根管充填
5|は根尖狭窄部が破壊され，ガッタパーチャポイントが根尖歯周組織中に溢出している．突出した根管充填材は治癒を障害する．

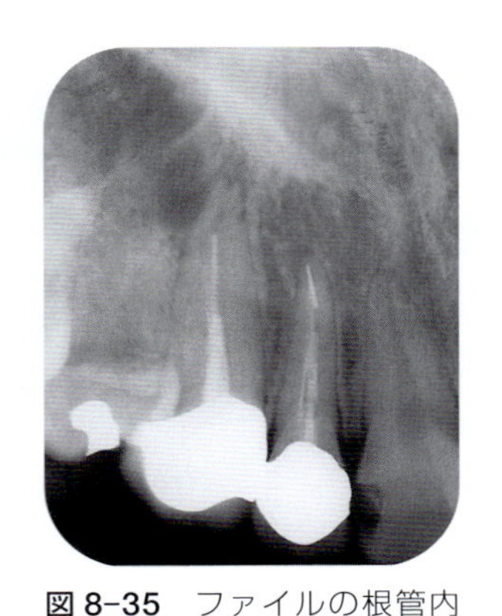

図 8-35 ファイルの根管内破折
2|の根尖部に破折したファイルが存在し，以後の治療を困難にしている．

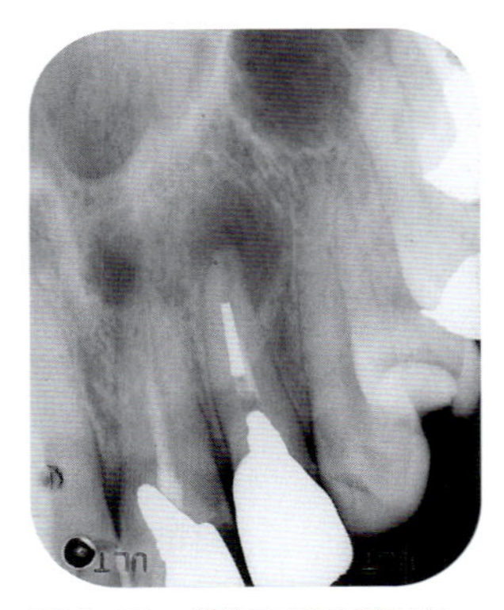

図 8-36 根管充填の緊密度
|1 および|2 の根管充填は不十分で，根管内には死腔が存在し，根尖部にはエックス線透過像が認められる．

(7) コロナルリーケージ（歯冠漏洩）

不適合修復物の装着や最終修復物装着時期の遅延，および不良な根管充填は，歯冠側から根管内への細菌漏洩の端緒となり，根管治療後の予後に影響を及ぼす．

口腔（唾液中）の細菌は歯冠側に生じたわずかな間隙から侵入し，根管内のガッタパーチャ材を汚染しシーラー層を溶解するため，漏洩が急速に進行するとされる．この結果，ガッタパーチャ材の内部および周囲に細菌，毒素および細菌に由来する化学物質による再感染や再汚染が生じ，時間経過とともに根尖孔，側枝を越えて根尖歯周組織を刺激する．

緊密な根管充填を行うことに加えて，適合精度の高い歯冠修復物を早期に装着することが良好な予後のために重要である．

❸ 予後の判定基準と時期

1）予後の判定基準

根管充填後の経過観察における予後の判定は，臨床症状の有無やエックス線検査により行う．すなわち，自発痛や咬合痛，打診痛などの不快症状がないか，根尖相当部歯肉に発赤や圧痛，腫脹，瘻孔など炎症発現の徴候がないかを調べる．これらの症状があるときは，根尖歯周組織に炎症を惹起しているなんらかの原因が存在することを示している．

エックス線検査においては，術前と術後のエックス線画像をもとに，根尖部の歯根膜腔幅や歯槽硬線の状態，エックス線透過像の推移，骨染の状態を比較し，評価を行う（図 8-37）．抜髄歯では，根尖部にエックス線透過像などの異常が出現しないことを確認し（図 8-37），感染根管歯で病変を有した歯では透過像の縮小や消失がみられなければならない（図 8-38）．

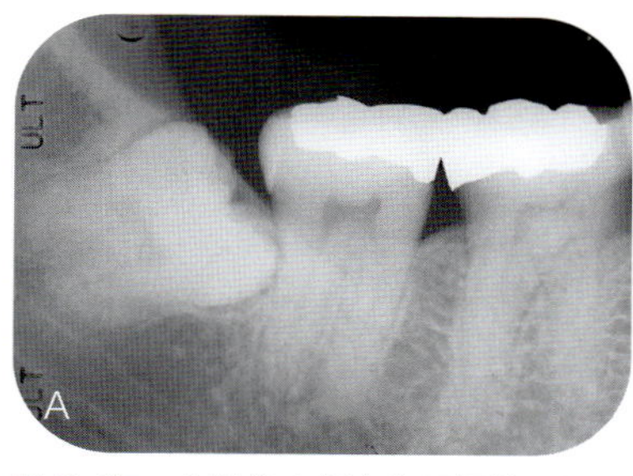

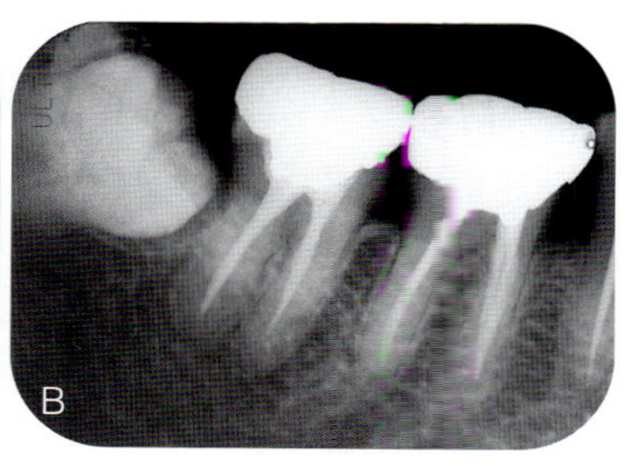

図 8-37　抜髄後の根尖歯周組織の経過
A：術前のエックス線像．
B：根管充填から 24 カ月後のエックス線像．
76|は，ともに急性単純性歯髄炎と診断され，抜髄後に根管充填が行われた．根管充填から 24 カ月後のエックス線所見では，根尖部に異常は認められない．

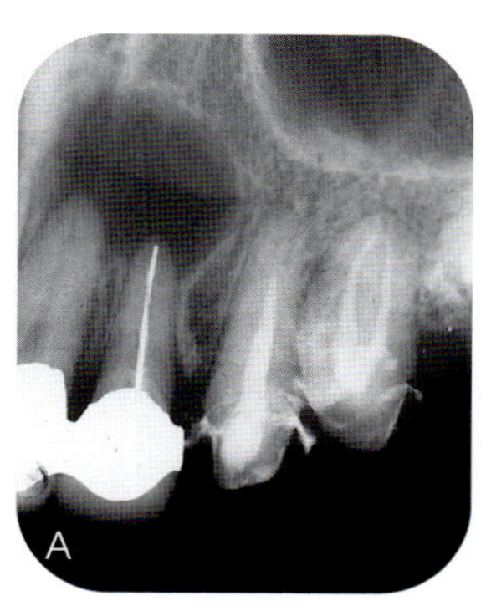

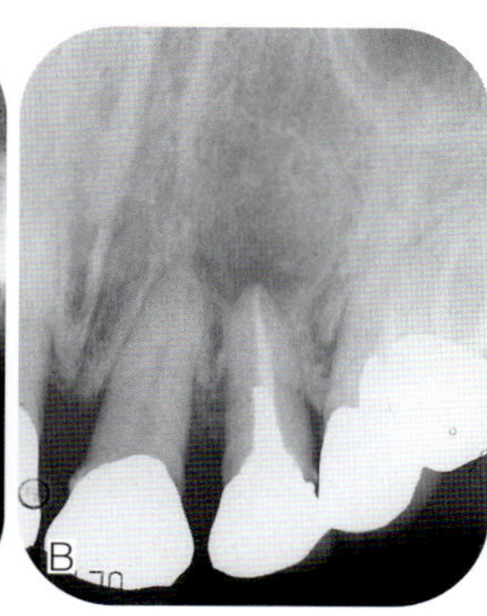

図 8-38　感染根管歯における病変部の経過
A：術前のエックス線像．
B：根管充填から 18 カ月後のエックス線像．
|2 は，シルバーポイントによる根管充填が行われていたが，根管の封鎖が不十分なため根尖部にエックス線透過像が出現した．根管充填材を除去し感染根管治療を行ったところ，根管充填から 18 カ月後のエックス線像では病変の治癒が進行し，透過像が縮小し，不明瞭になってきている．

2）予後の判定時期

一般的には根管充填から 6 カ月を経過した時点で，臨床症状（痛み，腫脹，瘻孔の出現など）の有無についての問診やエックス線検査などを行う．根尖部に病変があった歯では，術前あるいは根管充填直後のエックス線画像と比較して，術後にエックス線透過像の縮小傾向が認められる場合には，歯槽骨の再生や修復が順調に進行しているものと推測できる．最終的には根尖部のエックス線透過像が消失し歯槽硬線の回復がみられた時点で治癒が完了したといえる．抜髄症例では，臨床的不快症状の発現やエックス線画像上に異常所見が出現してはならない（**図 8-37**）．術後，数年経過してから治療の失敗が明らかとなるケースもあり，より長期間の経過観察を行うことが望ましい．

3）根管治療の成功率

根管の拡大・形成が適正に行われ根管充填が緊密になされていれば，治療が成功する可能性は高い．抜髄根管と感染根管とでは治療の成功率は異なるが，一般に抜髄根管での成功率は 90％前後といわれ，良好なものでは 95％以上とされている．しかし，感染根管の中でも根尖に病変を有する歯や再治療歯における成功率は報告者により差異がみられる．

また，Ni-Ti 製ロータリーファイルの使用，歯科用実体顕微鏡の導入による治療部位の視野拡大，熱可塑性ガッタパーチャ材を用いた根管充塡などを応用することで，従来の治療術式に比べて術後における再根管治療や抜歯など治療介入の頻度が減少するとの報告もある．

口内法エックス線撮影およびパノラマエックス線撮影では予後の判定が困難な場合には，歯科用コーンビーム CT（CBCT）での画像診断が追加される場合もある．歯科用 CBCT では高い精度をもって根管充塡の質や到達度を評価できることから，根管治療の予後を判定するうえで非常に有用と考えられる，ただし，患者の被曝線量はより大きくなるため，必要不可欠な撮影であるかを慎重に判断し，不要の撮影は慎むべきである．

（前田宗宏）

第9章 緊急処置

I 疼痛に対する緊急処置

歯内治療において，疼痛を伴い緊急処置が必要な疾患としては，急性歯髄炎と急性根尖性歯周炎があげられる．発症の原因や進行程度により痛みの性質は異なり，その痛みの特徴を**表 9-1** に示す．

急性症状を有する患者が，疼痛からの解放のために緊急に歯科医院を受診することは多い．その場合は，時間という制約のある中で確実にその痛みを取り除くことが必須であり，患者-歯科医師の信頼関係の構築に重要である．そのためにも，患歯が特定できない場合や術者の診療技能を超える場合は，適切な医療機関に紹介することも必要である．また，急性症状が強い緊急時においても，医療面接は重要であるが，閉鎖的質問を効率的に用い，除痛や消炎処置を優先する．そして，急性症状が消退した後に改めて精査を行い，治療計画を立案する．

留意すべき成人の緊急処置として，妊婦への処置があげられる．妊娠中に歯髄炎や根尖性歯周炎などを発症した場合，妊娠初期では流産の可能性や薬物による催奇形性も考えられるため，最低限の緊急処置のみ実施する．歯科治療が必要な場合は安定期となる妊娠中期に行う．妊娠中期では，通常の歯科治療は可能であるが，治療期間が妊娠後期にずれ込まないように注意する必要がある．妊娠後期は，仰臥位低血圧症候群の予防のためにも，下大静脈を圧迫しない左側臥位とし，長時間に及ぶ処置は避け，緊急処置のみで対応する．また，妊娠中の薬物投与に関する安全性は確立されていないため，治療上の有益性が危険性を上回ると判断された場合にのみ薬物を投与する．いずれにしても産科主治医への対診が重要である．

表 9-1 急性歯髄炎と急性根尖性歯周炎の痛みの特徴

	急性歯髄炎	急性根尖性歯周炎
痛みの性状	鋭　い 牽引性，間欠的，放散性 疲労時，就寝時に増強	鈍　い 持続的 体位や時間による変化はない
痛みの定位	悪　い	よ　い
温度刺激に対する痛み	あ　り	な　し
咬合痛，打診痛	初期（−），末期（＋）	（＋）～（＋＋＋）
根尖部歯肉の圧痛	な　し	あ　り

Ⅱ 急性歯髄炎の緊急処置

❶ 歯髄の保存が可能な場合

歯髄保存療法の適応は可逆性歯髄炎であり，緊急処置を必要とする疾患は初期の急性単純性（漿液性）歯髄炎が該当し，歯髄鎮痛消炎療法を実施する．この方法は，酸化亜鉛ユージノール製剤やフェノール製剤などの薬剤の作用で炎症の消退をはかり，知覚の亢進した歯髄の機能を正常に戻して，正常歯髄に回復することを目的としている．術式は必要に応じて患歯に局所麻酔を施し，齲窩の開拡と感染象牙質の除去を行う．次亜塩素酸ナトリウム液で窩洞内の清掃を行い，乾燥後，歯髄鎮痛消炎薬の貼付，仮封を実施する．数日～１週程度経過観察し，冷水痛などの臨床症状が消失し，不快症状の発現がなければ経過良好と判定し，最終修復に移行する．臨床症状が消失しなければ抜髄を実施することになる．

❷ 歯髄の保存が不可能な場合

1）麻酔抜髄法

抜髄法の適応は不可逆性歯髄炎であり，緊急処置を必要とする疾患は後期の急性単純性（漿液性）歯髄炎，急性化膿性歯髄炎（**図 9-1**），急性壊疽性歯髄炎および上行性歯髄炎が該当し，麻酔抜髄を実施する．すなわち，炎症により歯髄の内圧が亢進しているため，急性症状を取り除くには内圧を軽減させる必要がある．局所麻酔下にて，齲窩の開拡と感染象牙質の除去を行い髄室開拡を実施する．急性炎症を有する場合，局所麻酔が奏効しにくいため，状況に応じて歯根膜内注射や髄腔内注射の実施も考慮する．麻酔が奏効したら，根管長測定にて作業長を決定し，歯髄を残存させないように根管拡大・形成を行うとともに，歯髄溶解作用のある次亜塩素酸ナトリウム液を用いて根管洗浄を実施し，根管乾燥・貼薬後に仮封を実施する．処置後には必要に応じて消炎鎮痛薬を投与する．

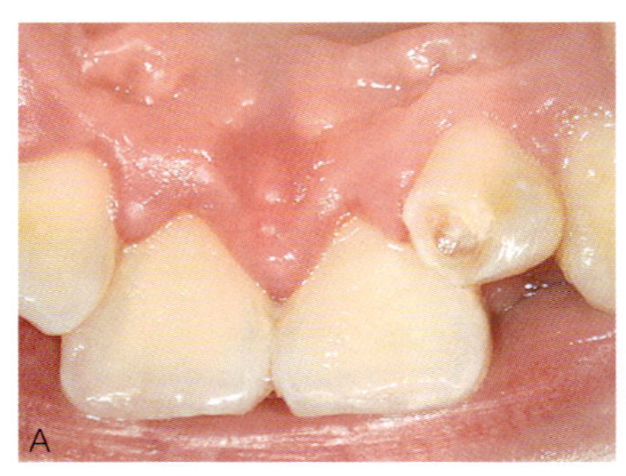

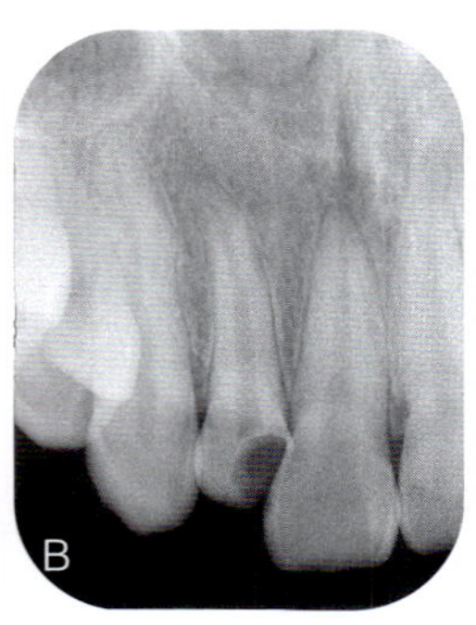

図 9-1 急性化膿性歯髄炎（2|）
A：口腔内写真（ミラー像）．近心舌側に齲蝕による実質欠損を認める．
B：エックス線画像．歯髄腔に近接する透過像を認める．

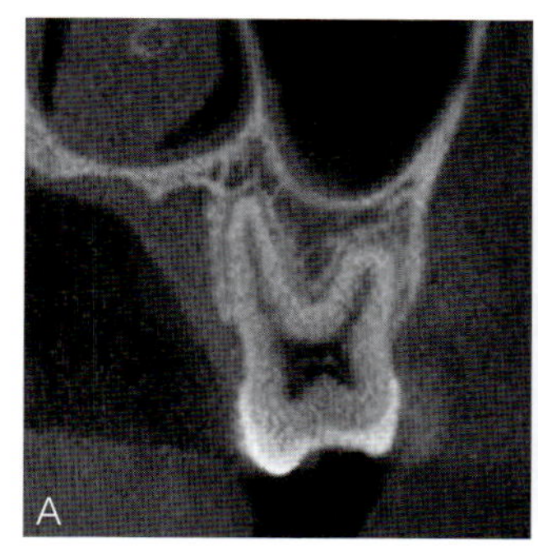

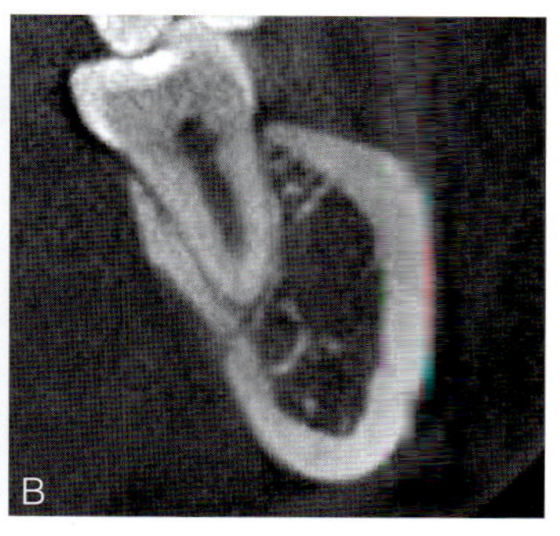

図 9-2　歯科用コーンビーム CT による第一大臼歯部の歯列直交断像
A：上顎骨．頬側および口蓋側の皮質骨は薄い．
B：下顎骨．頬側および舌側の皮質骨は非常に厚い．

2）抜髄を前提とした緊急処置

急性症状を有する不可逆性歯髄炎の緊急処置は前述のとおり麻酔抜髄を実施することである．しかし，急性歯髄炎など強い炎症を認める場合，その部位の組織の pH は酸性に傾いているため，塩基型の局所麻酔薬の割合が減弱し局所麻酔が奏効しにくくなる．麻酔が奏効したとしてもその持続時間は短いため，すみやかに処置を行う必要がある．また，下顎大臼歯部が歯髄炎になると，その下顎骨の構造上，上顎骨に比べ皮質骨が厚いため浸潤麻酔が奏効しにくくなる（**図 9-2**）．そのため，急患対応時に治療時間が十分かけられない，あるいは麻酔の奏効が悪いなどの理由により，緊急処置として以下の方法を実施することがある．

(1) 歯冠歯髄の除去

髄室開拡を行い歯冠歯髄のみ除去する．歯冠歯髄除去後は，次亜塩素酸ナトリウム液を用いて洗浄，止血し，歯髄鎮痛消炎薬を浸漬した綿球を根管口部に貼付し仮封を施す．

(2) 歯髄腔への穿通

炎症に伴う歯髄腔の内圧を軽減させるため，歯髄腔の穿通（天蓋の除去）を行う．穿通後は，次亜塩素酸ナトリウム液を用いて洗浄，止血し，歯髄鎮静・鎮痛薬を浸漬した綿球を露髄部に貼付し，酸化亜鉛ユージノールセメントで仮封を施す．

(3) 歯髄鎮痛消炎療法

(1)，(2) の緊急処置が困難な場合は，歯髄鎮痛消炎療法を施し，亢進した歯髄の知覚を一時的に抑制することもある．可能なかぎり，齲蝕を取り除き，歯髄鎮痛消炎薬（酸化亜鉛ユージノールセメント）を窩洞内に貼薬し，仮封を実施する．

(1) ～ (3) のいずれの場合も，抜髄を前提とした緊急処置であるため，次回来院時，急性症状が緩和された状態で，改めて麻酔抜髄を実施する．

Ⅲ 急性根尖性歯周炎の緊急処置

❶ 急性単純性根尖性歯周炎

打撲や咬合の高い修復物，仮封などの物理的刺激による場合，原因となる刺激の除去や咬合調整を行い，患歯を安静にすると疼痛は消失する．一方，根管治療時のオーバーインスツルメンテーションが原因の場合，根管長の再確認を行い，作業長内での根管洗浄と鎮痛消炎作用のある根管消毒薬を貼薬する．また，疼痛が根管治療に使用する薬剤に起因する場合，滅菌生理食塩液を用いて根管内を慎重に洗浄する．いずれにせよ，対合歯との接触は避けるような仮封とし，患歯を安静にする必要がある．また，痛みの程度により消炎鎮痛薬を投与する．

❷ 急性化膿性根尖性歯周炎

感染根管内の細菌が，根尖孔や側枝を通じて根尖歯周組織に感染し急性炎症を引き起こす．歯根膜期，骨内期，骨膜下期，粘膜下期の4つのステージが存在し，緊急処置の内容も異なる．4つのステージとも以下に示す緊急処置後，次回来院時に急性症状が緩和されていれば，通常の感染根管治療を実施する．

1）根管が未処置の急性化膿性根尖性歯周炎の対応

(1) 歯根膜期

炎症が歯根膜に限局している時期であり，緊急処置としては，髄室開拡後，手用ファイルを用いて根尖孔の穿通を行い，根管からの排膿を促して内圧を下げる．また，咬合調整や患歯の安静，抗菌薬の投与を実施する．

(2) 骨内期

炎症が歯槽骨内に進行している時期であり，緊急処置としては，髄室開拡後，手用ファイルを用いて根尖孔の穿通を行い，根管からの排膿を促して内圧を下げる（**図 9-3**）．なお，

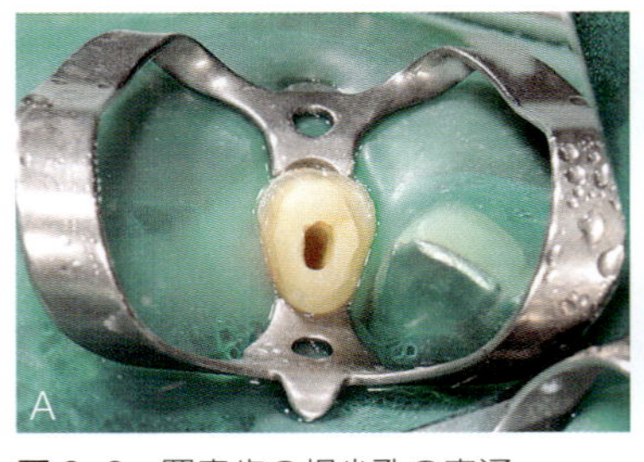

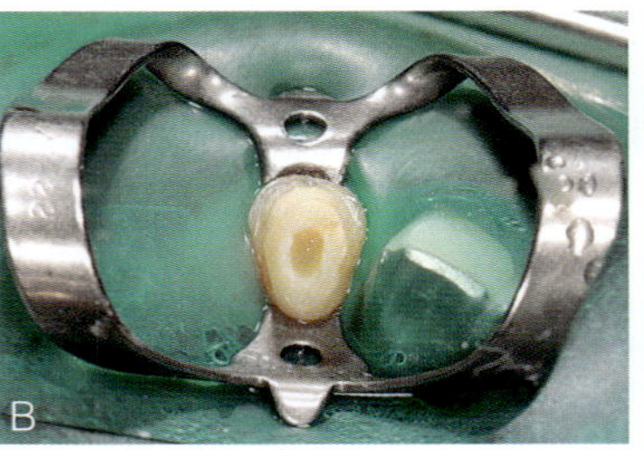

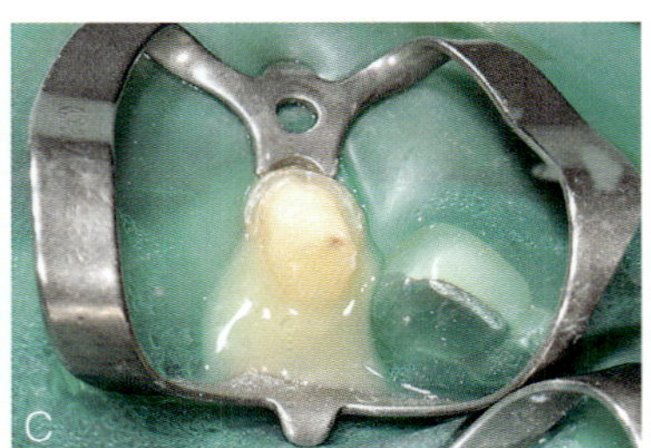

図 9-3 罹患歯の根尖孔の穿通
A：根管口が明示されている．
B：根尖孔を 20 号の K ファイルで穿通した直後．
C：根管より排膿を認めた．

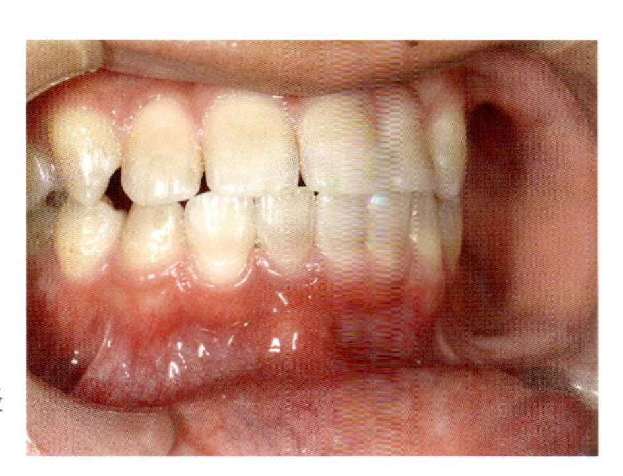

図 9-4 粘膜下期の急性化膿性根尖性歯周炎
1̅|の根尖部歯肉に波動を触れる腫脹を認める.

根尖孔の穿通は 15 ～ 25 号の範囲で実施する. さらに, 咬合調整にて患歯を安静にするとともに全身も安静にし, 抗菌薬や消炎鎮痛薬の投与, 場合により冷罨法を実施する. なお, 根管経由の排膿路が確保できない場合, 根尖相当部の歯槽骨を穿孔して排膿路を確保する穿孔法（p.220 参照）が選択される.

(3) 骨膜下期

炎症が歯槽骨の骨膜に波及している時期であり, まず根管経由の排膿路を確保する. すなわち, 根尖孔の穿通後, 根管からの排膿を促し, 全身や患歯の安静をはかり, 抗菌薬や消炎鎮痛薬の投与を実施する. この時期に腫脹部の波動が触知された際は, 切開・排膿を行う.

(4) 粘膜下期

炎症が歯肉粘膜に波及している時期である（**図 9-4**）. 根尖部歯肉の波動の有無により緊急処置が異なる. 波動が触知されなければ, 根管経由の排膿路の確保, すなわち, 根尖孔の穿通後, 全身や患歯の安静をはかり, 抗菌薬や消炎鎮痛薬の投与を実施する. 波動が触知されれば, 外科的排膿路の確保, すなわち, 腫脹している周囲の歯肉に浸潤麻酔を施し, 腫脹部を切開し排膿を促すことで, 内圧を軽減させ, 疼痛の緩和や腫脹の軽減をはかることができる. その後, 全身や患歯を安静にし, 抗菌薬や消炎鎮痛薬の投与を実施する.

2）既根管治療歯の急性化膿性根尖性歯周炎の対応

すでに根管治療が行われ補綴装置まで装着されている歯が根尖性歯周炎に陥った場合は, 再根管治療を行うこととなる. 基本的に, 4つのステージごとに行う緊急処置は前述のとおりだが, 既根管治療歯には根管充填が施され, 支台築造体や補綴装置が装着されているため, 緊急処置時にはまずこれらの除去が必要となる. 根管充填材の除去には根管上部のガッタパーチャポイントをピーソーリーマーやゲーツグリッデンドリルなどで機械的に除去し, リモネンやユーカリ油を成分とする溶解剤を用いてガッタパーチャポイントを軟化させ, 根尖孔外に溢出させることなく慎重に除去する. その後, 根尖孔の穿通を実施し, 根管からの排膿を促して内圧を下げ（**図 9-5**）, 患歯および全身の安静をはかり, 抗菌薬や消炎鎮痛薬の投与を実施する.

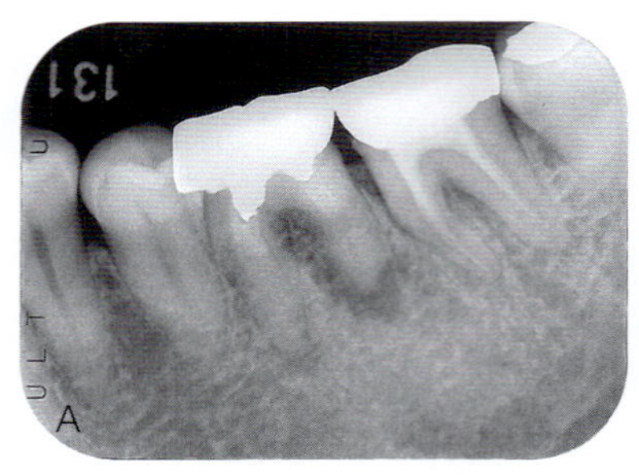

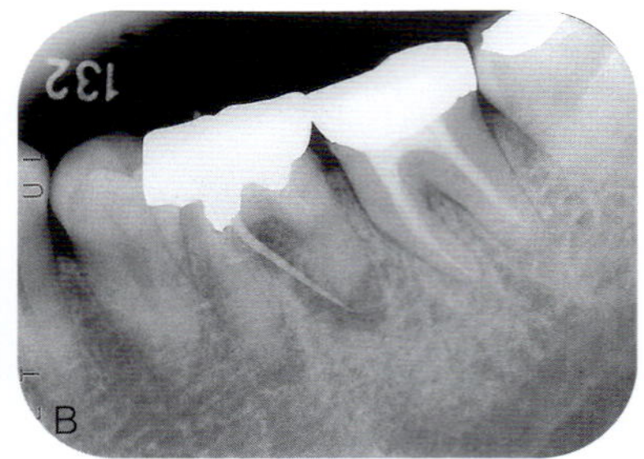

図 9-5　急性化膿性根尖性歯周炎
A：⌐6 には補綴装置が装着されている．
B：ガッタパーチャポイントを瘻孔から挿入して撮影すると遠心根根尖に到達した．
C：補綴装置除去後，根管充填材を除去し，遠心根の根尖孔を穿通すると排膿を認めた．

❸ フレアアップ（flare up：急性発作）

慢性根尖性歯周炎などの臨床症状がない歯の根管治療中に，オーバーインスツルメンテーションなどの不注意な操作が引き金となり，自発痛や打診痛などの急性症状が惹起されることをフレアアップという．患者−歯科医師の信頼関係を失うことも考えられるため，ラバーダム防湿下にて，根尖孔外へ細菌や切削粉を押し出さないよう作業長内での操作を徹底する．フレアアップが発現した場合は，根管内を慎重に滅菌生理食塩液で洗浄し，貼薬，仮封を行う．対合歯との接触を避け，患歯を安静にし，抗菌薬や消炎鎮痛薬を投与する．

❹ 薬剤耐性と抗菌薬の適正使用

薬剤耐性とは，本来なら効果がある薬剤が効かない，もしくは効きにくいことであり，現在，不適切な抗菌薬使用により生じる薬剤耐性菌が歯科を含む医療全体の問題となっている．その中で特に，歯科外来で頻用されてきた第三世代経口セフェム系薬が問題視されている．

歯内治療において抗菌薬の投与を行う症例として，前述の急性化膿性根尖性歯周炎の緊急処置時や，外科的歯内治療後があげられる．本来であれば，細菌検査において原因菌の同定を行い，適正な抗菌薬を投与すべきであるが，これらの感染巣からの分離頻度が高い口腔レンサ球菌や嫌気性菌に対し有効である，ペニシリン系のアモキシシリン水和物を第一選択経口抗菌薬としての投与が推奨されている．

また，「感染性心内膜炎の予防と治療に関するガイドライン」[7] では，感染性心内膜炎高リスク患者における歯科治療に対する予防的抗菌薬投与の推奨に関して，感染根管治療は「予防的抗菌薬投与を行うことを強く推奨する」，抜髄処置に関しては「予防的抗菌薬投与を推奨しない」としている．菌血症を起こす歯科処置として，出血を伴う外科処置やインプラント治療，スケーリングなどとともに，感染根管治療もその1つとして考えられ，アモキシシリン水和物 2g の術前1時間以内の経口単回投与が推奨されている．

（河野　哲）

第10章 根末完成歯の治療

萌出後の幼若永久歯は歯根が未完成であり，完成するまでに3年ほどを必要とする．根未完成歯は根尖部が開大しているため，抜髄や感染根管治療における根管充填の手技がきわめて難しい．また，歯根が短いため，歯槽骨の支持が不十分となる．このような問題を解決するため，根未完成歯の歯髄の生死や炎症の程度を考慮し，アペキソゲネーシス apexogenesis，アペキシフィケーション apexification または再生歯内療法 regenerative endodontics を実施する．

I アペキソゲネーシス

生活歯髄を有する幼若永久歯で，齲蝕や外傷により歯冠歯髄に限局した細菌感染や炎症を生じた場合に応用される．感染や炎症を生じた歯髄のみを除去して歯根歯髄を健康な状態で保存し，歯髄の生理的機能により歯根の完成を促す方法である．

❶ 意義と目的

幼若永久歯の歯根は発育が完了しておらず，根尖が大きく開いている．そのため，抜髄法や根管充填を行う際，器具操作が非常に困難となる．そこで，歯冠歯髄に限局した感染や炎症が生じている場合は，抜髄せず歯冠歯髄のみを除去し，健康歯髄を温存させることによって，歯根の完成を誘導することができる．歯根が完成することによって，咬合の維持をはかることが期待できる．

❷ 術 式

生活断髄法（68ページ，第5章Ⅶ「歯髄疾患の治療法」参照）に準じた術式で実施される．

①口腔内の清掃，消毒を行う．

②注射針刺入部位に表面麻酔薬を塗布した後，浸潤麻酔を行う．

③ラバーダム防湿後，術野の消毒を行う．

④ラウンドバーやスプーンエキスカベーターなどを用いて感染象牙質を完全に除去する．

⑤隣接面や歯頸部に歯質の欠損を生じている場合は，コンポジットレジンやセメントなどで隔壁を形成する．

⑥適切な髄室開拡（髄腔穿孔と天蓋除去）を行う．

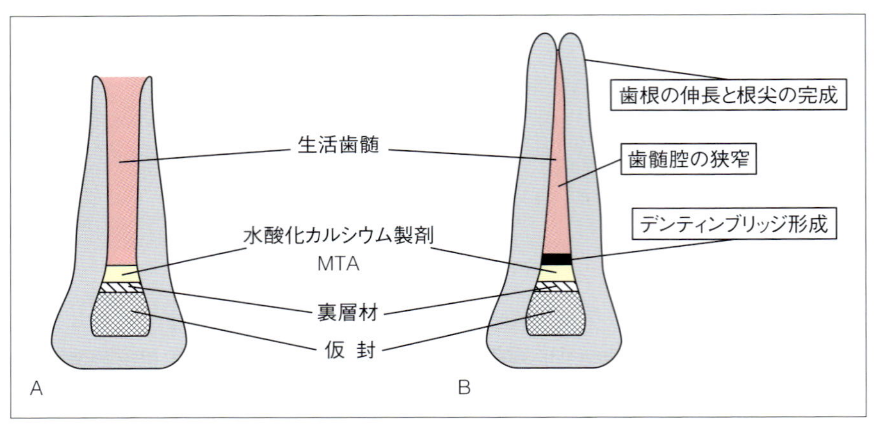

図 10-1 アペキソゲネーシスの術式と予後
A：術直後．感染あるいは炎症歯髄を除去した後，歯髄切断面に水酸化カルシウム製剤または MTA を貼布．B：術後の経過観察時，覆髄剤直下にデンティンブリッジが形成され，歯根の完成や歯髄腔の狭窄化が認められる．

⑦ロングネックのラウンドバーやスプーンエキスカベーターを用いて歯冠歯髄のみを除去する．その際，根管口の直径よりも大きめのラウンドバーを用いて，歯根口部で歯髄を除去すると断髄しやすい．残存させる健康な歯根歯髄を損傷しないよう，細心の注意を払う．

⑧ 2.5～6%次亜塩素酸ナトリウム（NaClO）溶液を用いて歯髄切断面のケミカルサージェリーを行う．

⑨滅菌生理食塩液で洗浄および止血を行い，滅菌綿球や滅菌ペーパーポイントなどで清拭する．

⑩水酸化カルシウム製剤や mineral trioxide aggregate（MTA）を切断面全体に貼付した後，滅菌綿球などを用いて軽圧で密着させる（**図 10-1A，2B**）．

⑪裏層材を充填した後，グラスアイオノマーセメントなどで緊密に仮封する．

⑫疼痛や歯肉の腫脹などの臨床症状を認めない場合は、可及的すみやかに永久修復する．

❸ 経過観察と治癒機転

歯冠歯髄が除去されているため，歯髄の生死を判定することは難しい．そのため，患者への問診，視診，打診やエックス線検査などを行い，炎症が生じていないことを確認する．

良好に経過した場合は，生活断髄法と同様の治癒機転を生じる．また，歯根歯髄は健全な状態が保たれているため，歯根が完成し，エックス線検査によって以下の所見が確認できる（**図 10-1B，2C**）．

① 歯髄の切断面にデンティンブリッジ（被蓋硬組織）が形成される．

② 歯髄腔の狭小化が認められる．

③ 歯根の伸長と根尖の完成が認められる．

④ 根尖歯周組織に透過像を認めない（根尖歯周組織に炎症を生じていない）．

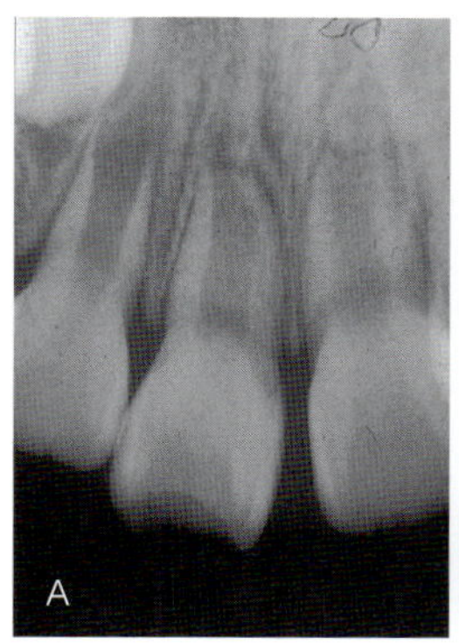

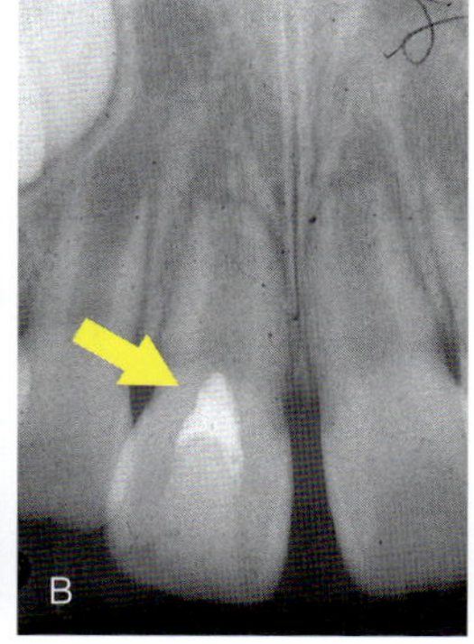

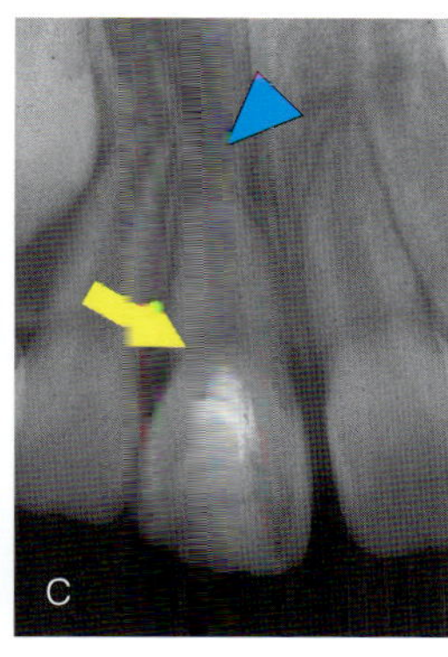

図 10-2　アペキソゲネーシスの臨床例（8 歳男児，1|エックス線写真）
A：術前．歯髄腔が広く，根尖は開大している．B：切断歯髄面に水酸化カルシウム製剤（矢印）を貼薬直後．C：術後 1 年 2 カ月経過．矢印：水酸化カルシウム製剤直下にデンティンブリッジが形成されている．矢頭：根尖が完成している．

なお，経過観察中に自発痛や咬合痛を生じ，不可逆性歯髄炎を生じてしまった場合は，ただちに局所麻酔下で抜髄法を実施する．また，咬合痛や根尖部歯肉の腫脹を生じ，歯髄の失活を招いた場合は，感染根管治療を実施する．その後，両者ともにアペキシフィケーションや再生歯内療法（後述）を実施する．

Ⅱ　アペキシフィケーション

歯髄が失活した根未完成歯が治療対象となる．炎症の原因となる根管内感染細菌や壊死歯髄などを除去した後，根管内に水酸化カルシウム製剤を貼薬し，根尖歯周組織を賦活化することにより，新生硬組織による根尖封鎖を促す方法である．

❶ 意義と目的

アペキソゲネーシスでは健全な歯髄が残存しているため，歯根を完成させることが可能となる．しかし，歯髄が失活している症例では象牙質形成が期待できず，歯根を完成させることはできない．このような症例では，根尖部にセメント質様硬組織あるいは骨様硬組織などの新生硬組織を誘導させ，根尖部の閉鎖を促すことで，根尖歯周組織の機能維持をはかる．これにより，その後のファイル操作や根管充填操作が容易となる．

❷ 術　式

① 口腔内の清掃，消毒を行う．
② ラバーダム防湿後，術野の消毒を行う．
③ 齲蝕検知液を使用し，ラウンドバーやスプーンエキスカベーターなどを用いて感染象牙質を完全に除去する．
④ 隣接面や歯頸部に歯質の欠損を生じている場合は，コンポジットレジンやセメントな

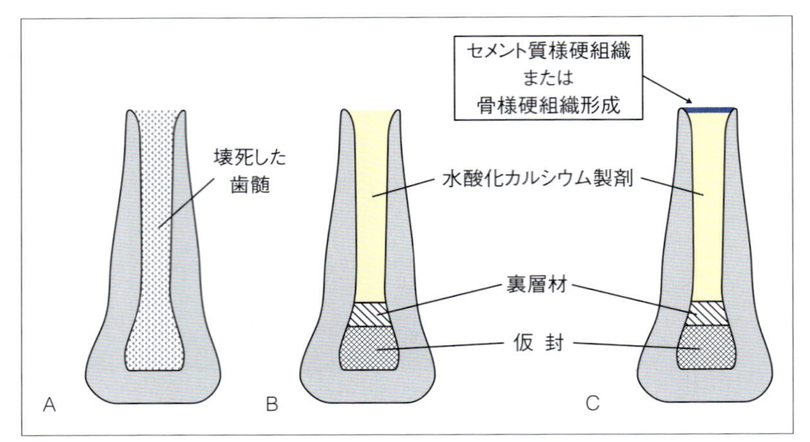

図 10-3 アペキシフィケーションの術式と予後
A：術前．歯髄壊死した根未完成歯．B：術直後．根管の処置を行い，症状が消失した後，水酸化カルシウム製剤を解剖学的根尖孔の手前まで充塡．C：術後の経過観察時．根尖部はセメント質様硬組織あるいは骨様硬組織が形成されている．

どで隔壁を形成する．

⑤ 適切な髄室開拡（髄腔穿孔と天蓋除去）を行う．

⑥ 作業長を決定する際，根未完成歯では正確な電気的根管長測定の実施が難しい．そのため，エックス線検査を併用して解剖学的根尖孔よりもやや短い位置までを作業長とする．

⑦ ファイルを用いた根管拡大と 2.5～6％NaClO 溶液を用いた根管清掃を併用し，根管内細菌や壊死歯髄などの感染源を徹底的に除去する．なお，幼若永久歯は通常の永久歯よりも根管が太く，リーミング操作では根管壁に触れないため，十分な拡大・清掃が行えない．そのため，ファイリング操作（全周ファイリングなど）を主体として行うとよい．ただし，根未完成歯の根管壁は菲薄であるため，過度なファイリングは慎む．また，根尖が大きく開口しているため，ファイルや NaClO 溶液で根尖歯周組織を損傷しないよう，細心の注意を払う必要がある．

⑧ 根管内に EDTA 溶液を満たし，根管壁に形成されたスミヤー層を除去する．

⑨ NaClO 溶液で根管洗浄した後，滅菌ペーパーポイントを用いて根管内を清拭し，レンツロやファイルを用いて水酸化カルシウム製剤を解剖学的根尖孔の手前まで過不足なく注入する（**図 10-3B**）．

⑩ 裏層材を充塡した後，グラスアイオノマーセメントなどで緊密に仮封する．

❸ 経過観察と治癒機転

4～6 カ月ほど経過した後再来院させ，患者への問診，視診，打診やエックス線検査などを実施する．良好に経過した場合は，疼痛や歯肉の腫脹はなく，根尖病変は消失し，根尖にセメント質様硬組織あるいは骨様硬組織などの新生硬組織が形成される（**図 10-3C, 4B**）．新生硬組織形成には，根尖部の開口度や歯根発育の程度，周囲歯根膜の状態，根尖病変の有無

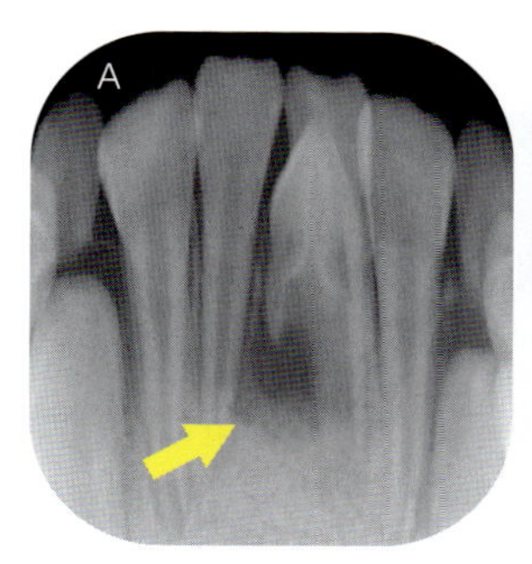

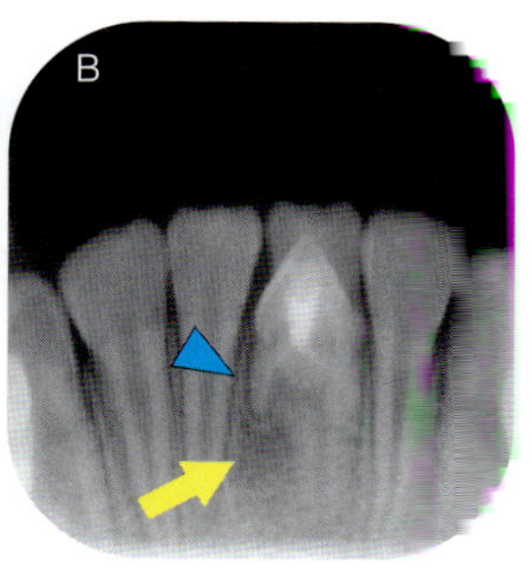

図10-4　アペキシフィケーションの臨床例（9歳女児，下顎左側過剰歯の根未完成）
A：術前．矢印：根尖は開大しており，歯冠大のエックス線透過像を認める．B：術後12カ月経過．矢印：根尖病変は消失している．矢頭：歯根は開大したままであるが，ファイルで根尖付近に新生硬組織を触知した．

や大きさ，薬剤の効果などに差があることから，ときには6～12カ月あるいはそれ以上の期間を要することもある．

硬組織が形成されれば，根尖の閉鎖状態をファイルで触知することが可能となる．根尖部に新生硬組織形成が確認されたら，水酸化カルシウム製剤を除去した後，ガッタパーチャ材とシーラーで根管充塡し，修復・補綴処置を行う．しかし，歯根の伸長や象牙質形成は期待できず，短根化や歯根象牙質の菲薄化など，咬合時の機能維持に影響を及ぼす可能性が残されている（**図10-3C，4B**）．

経過観察の結果，新生硬組織の形成が確認できない場合は，繰り返しのアペキシフィケーションを実施し，さらなる経過観察を行うこともある．

Ⅲ　アペキソゲネーシスおよびアペキシフィケーションの適応症例

❶　幼若永久歯の外傷性歯冠破折

小児が転倒することにより前歯部を強打し，歯冠破折を招くことがある．打撲などに起因する歯冠破折は上顎前歯部に多く認められ，特に上顎中切歯で発生頻度が高い．外傷歯は，世界保健機関（WHO）やAndreasen, EllisとDaveyらによって分類されている．幼若永久歯における歯冠破折では，①露髄の有無，②露出した歯髄の細菌感染や損傷の程度などがその後の治療法の選択に影響を与える．すなわち，露髄面が小さく，感染が疑われない場合は，直接覆髄法を行い，歯髄を可及的に保存して歯根の完成を試みる．しかし，露髄後放置することで細菌感染させてしまったり，露髄面を損傷させたりした場合は，アペキソゲネーシスを実施する．

一方，細菌感染が歯根歯髄にまで及び，不可逆性歯髄炎と診断された場合は，局所麻酔下で抜髄法を行った後アペキシフィケーションや再生歯内療法を実施する．このように，露髄を伴う歯冠部破折症例に対しては，受傷後の迅速かつ適切な初期対応（露髄面の洗浄，止血など）が歯髄の保存と歯根の完成に大きく影響する．

❷ 中心結節の破折症例

歯内治療学的に注意しなければならない歯の解剖学的異常の1つに中心結節がある（第3章Ⅰ「歯と歯髄腔の形態異常」参照）．上下顎小臼歯咬合面中央部にみられる結節で，円錐状や棒状に突出した形状を呈している．特に，下顎第二小臼歯に好発する．髄角が高位に存在する傾向にあり，結節内にまで及ぶ．外傷や咬耗・摩耗などにより萌出早期に破折することが多く，破折部が露髄状態となるため歯髄炎を生じやすい．このような細菌感染を伴った根未完成の幼若永久歯では，アペキソゲネーシスが適用される．しかし，露出象牙質や露髄面に緩徐な細菌感染が生じたり，物理的あるいは化学的に継続的な慢性的侵襲が加わったりすることで，幼若な歯髄は臨床的歯髄炎症状を呈さずに失活状態に移行することがある．このような場合は，アペキシフィケーションや再生歯内療法を実施する．

Ⅳ 再生歯内療法

歯髄が失活した根未完成歯が対象となる．前述したように，アペキシフィケーションが適用される症例であるが，その場合歯根の短根化や歯根象牙質の菲薄化は改善できない．再生歯内療法では，このような症例であっても歯根の成長を促すことが可能となる．現在臨床応用されているのは，リバスクラリゼーション revascularization である．リバスクラリゼーションでは間葉系幹細胞 mesenchymal stem cell，成長因子 growth factor および足場 scaffold を応用し，歯根の成長を誘導する．

❶ リバスクラリゼーションの意義と目的

歯髄が失活した根未完成歯にアペキシフィケーションを実施しても，短根化や歯根象牙質の菲薄化は改善されず，歯根破折を誘発する危険性がある．リバスクラリゼーションでは，根尖歯周組織からの出血を促すことによって根管内に幹細胞（歯乳頭細胞）を流入させ，歯根象牙質の成長を促すことで歯の安定をはかることが可能となる．

❷ リバスクラリゼーションの術式

187ページのアペキシフィケーションの術式①～⑧と同様の処置を行い，水酸化カルシウム製剤の貼薬を適宜行うことで疼痛や根尖部歯肉の腫脹などの臨床症状の消失をはかる．その後，以下の手順に従って行う．

① 血管収縮薬が含まれていない麻酔薬を用いて，局所麻酔を行う．
② ファイルの先端にわずかなプレカーブを付与する．根尖から2 mm程度ファイルを突出させて回転し，根管内への出血を促す．
③ 形成された血餅を足場とし，MTAを血餅上に填入する（**図10-5B，6B**）．

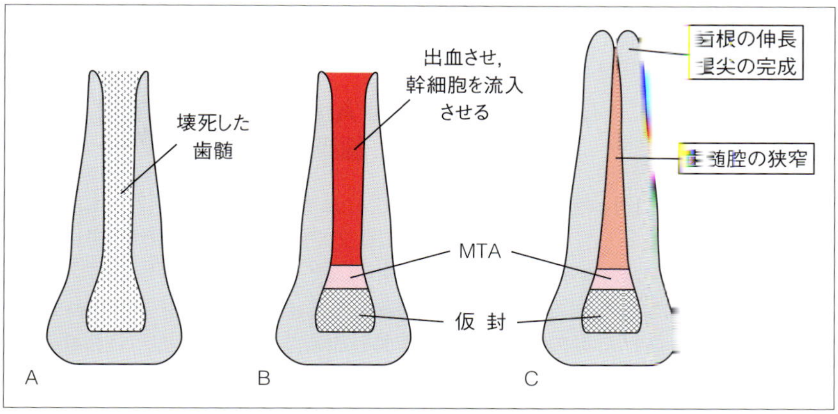

図 10-5　リバスクラリゼーションの術式と予後
A：術前．歯髄壊死した根未完成歯．B：術直後．根管の処置を行い，症状が消失したら，根尖からの出血を促し，血餅上に MTA を填塞する．C：術後の経過観察時，歯根の伸長や歯髄腔の狭窄などが観察される．

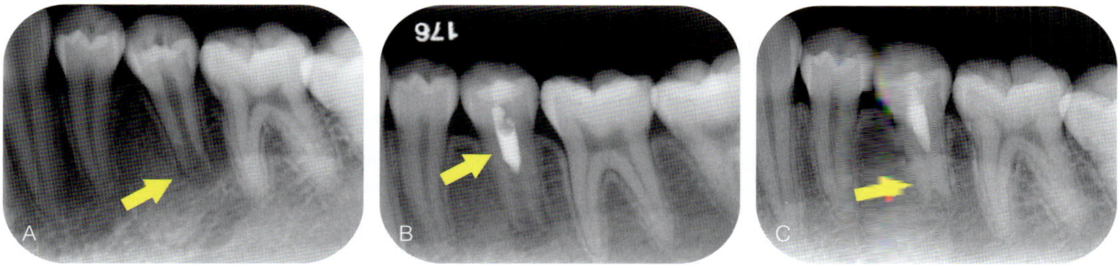

図 10-6　リバスクラリゼーションの臨床例
A：術前．中心結節破折後に放置し，歯髄壊死と歯肉腫脹を生じた．矢印：根尖の開大と根尖病変を認める．B：術直後．矢印：根尖からの出血を促し，血餅上に MTA を填塞直後．C：術後 3 年経過．矢印：根管象牙質の石灰化により，歯髄腔は狭窄している．
（日本大学歯学部歯内療法科　鈴木裕介先生のご厚意による）

④ 裏層材を充填した後，グラスアイオノマーセメントなどで緊密に仮封する．
⑤ 6〜12 カ月程度で再来院させ，経過観察を行う．

❸ 経過観察と治癒機転

リコール時に，患者への問診，視診，打診やエックス線検査などを実施する．良好に経過した場合は，疼痛や歯肉の腫脹はなく，歯根の伸長や歯髄腔の狭小化を認め，根尖の完成が誘導される（**図 10-5C，6C**）．なお，根尖部開口や歯根発育の程度，根尖病変の有無や大きさなどによって，根尖完成までの期間に差があり，1〜2 年程度要することもある．経過観察中に疼痛や歯肉の腫脹を生じる，あるいは根尖の完成を認めない場合は，アペキシフィケーションを実施する．

（武市　収）

Topic

Mineral Trioxide Aggregate（MTA）を用いた最新歯内療法

MTA は Torabinejad ら（米国 Loma Linda 大学歯学部）によって開発され，穿孔部の封鎖材として 1993 年に初めて論文で紹介された．ケイ酸二カルシウム，ケイ酸三カルシウム，アルミン酸三カルシウム，石膏からなる粉末で，造影剤として酸化ビスマスが添加されている．土木建築用ポルトランドセメント Portland cement を応用してつくられたもので，滅菌精製水を加えると硬化する，いわゆる水硬性セメントである．硬化物の主体はケイ酸カルシウム水和物と水酸化カルシウムであり，硬組織形成を促進する作用を有する．

1998 年に MTA が販売された際，パッケージには「Root canal repair material」と記載されており，穿孔部封鎖や逆根管充填法などの特殊な歯内治療に応用可能なセメントとされている．また，良好な生体親和性や空隙封鎖性を示すことから，直接覆髄法，生活断髄法やアペキソゲネーシスなど，さまざまな歯内治療で良好な結果が得られている．なお，日本では直接覆髄法，生活断髄法（アペキソゲネーシス）とシーラーへの応用のみ厚生労働省の認可が得られており，これ以外の治療への応用は適用外使用となる．

MTA の欠点として，酸化ビスマスによる歯や歯肉の変色を招くことがあげられる．そのため，審美性が要求される部位への使用は避けたほうがよい．

近年では，MTA を含めさまざまなバイオセラミックス系の材料が応用可能になってきた．バイオセラミックスの分類として，①生体不活性：アルミナ，ジルコニア，酸化チタンなど，②生体活性（表面反応）：ハイドロキシアパタイト，バイオアクティブガラスなど，③生体活性（生分解・吸収）：リン酸カルシウム，炭酸含有アパタイトなどがある．酸化ビスマスが含まれないバイオセラミックス系材料は，歯や歯肉の変色を生じない．

MTA を用いた歯内治療のトピックスとして，再生歯内療法（p.190）と vital pulp therapy（VPT）がある．VPT は，外傷や齲蝕によって歯髄に傷害や感染を生じた場合であっても，可能なかぎり歯髄を保存し，歯髄の生活および機能を維持することを目的としている．幼若永久歯だけではなく，成熟永久歯にも適用される．これまでは，齲蝕により歯髄が感染した際，感染がどの程度まで及んでいるかの判断が難しく，予防的に歯髄をすべて除去する抜髄法が選択されることが多かった．VPT では，感染や炎症を生じた歯髄を除去し，健康な歯髄を保存することで，歯髄機能の維持だけではなく，歯冠歯質の保存も可能にする．生活断髄法やアペキソゲネーシスと同様の手技で行われるが，マイクロスコープを用いて歯髄を観察しつつ炎症を生じた歯髄を除去するため，よりいっそう手技の難易度が増す．断髄する位置は一定ではなく，感染や炎症の程度により歯冠部から歯根部までさまざまな位置で実施される．VPT が初めて紹介された際に MTA が使用され，良好な結果が得られている．難しい治療でありながらも比較的成功率が高く，その要因は患歯の正確な診断と修復・補綴装置による良好な空隙封鎖によるものである．

（武市　収）

第11章 歯根の病的吸収

歯根の吸収は，歯髄腔側から歯質の吸収が生じる内部吸収 internal resorption と，歯根の外側から生じる外部吸収 external root resorption とに大きく分けられる．

I 内部吸収

内部吸収とは，歯髄の中に出現した肉芽組織に含まれる多核巨細胞によって，歯冠部および歯根部の象牙質が歯髄側から吸収されることをいい，進行するとエナメル質またはセメント質に達し穿孔を起こすことがある．発症頻度は，外部吸収と比較すると非常に低いが，処置が異なるため鑑別が重要である．

❶ 原　因

内部吸収は，歯髄に生じた炎症が原因となるが，その要因として，外傷，生活断髄，象牙質切削時の発熱，齲蝕による歯髄の慢性炎症，歯の亀裂，移植，矯正治療などによる刺激があげられる．これらの刺激によって歯髄内に炎症が生じ，炎症性肉芽組織中に出現した多核巨細胞である破歯細胞によって象牙質が歯髄側から吸収される．しかし，このような破歯細胞が出現する要因は正確には明らかにされていない．

❷ 症状と診断

症状はほとんどなく経過し，定期健診などでエックス線画像を撮影した際に偶然発見されることが多い．エックス線画像では，歯根の中央または根尖付近に，左右対称性の円形の透過像として検出されることが多い．しかし，部位によっては，外部吸収との区別がつきにくいことがあり，このような場合の診断には，歯科用コーンビーム CT（CBCT）が有効となる．また歯冠に生じた場合（internal resorption）は，内部の肉芽組織の増大に伴って歯質が菲薄化すると，歯冠部の一部がピンク色にみえるピンクスポットがみられることがある（**図11-1**）．ただし，このピンクスポットは，後で述べる歯頸部外部吸収にもみられることがあるため，鑑別が重要である．

❸ 処　置

処置の基本は抜髄である．これは，象牙質を吸収する肉芽組織中の破歯細胞への血液供給を絶つためである．しかし抜髄の際，吸収によって，根管壁に陥凹が生じた部位はリーマー

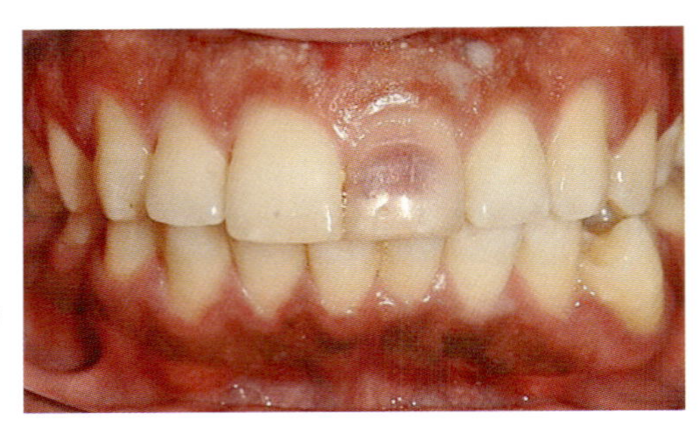

図 11-1 内部吸収によるピンクスポット（|1）
歯冠部に内部の肉芽組織が透けてみえている．
（きし哲也歯科医院 岸哲也先生のご厚意による）

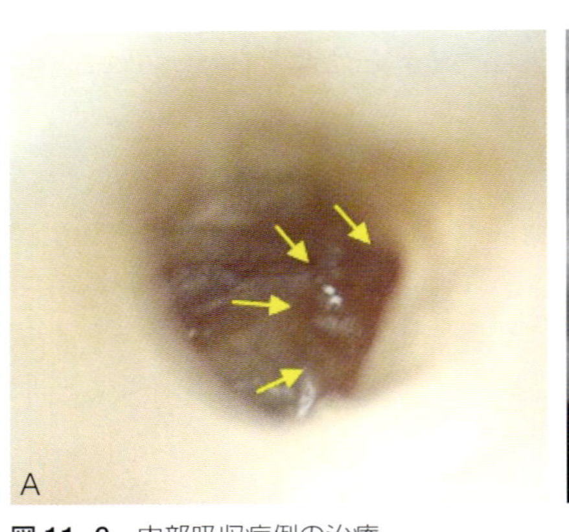
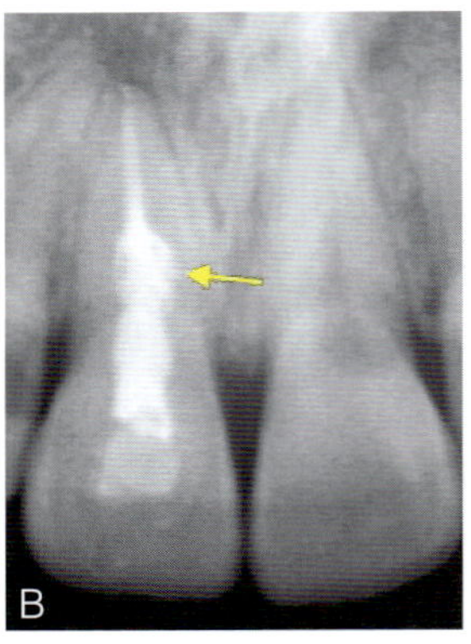
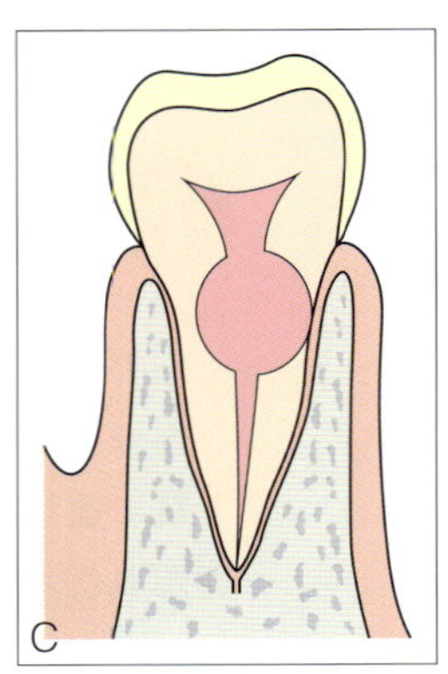

図 11-2 内部吸収症例の治療
A：内部吸収によって生じた陥凹部（→）．B：垂直加圧根管充填法により吸収した部位への充填．C：内部吸収の進行による歯根表面への穿孔のイメージ．

やファイルによる拡大清掃が困難であるため，歯髄や肉芽組織が残留してしまい感染源となりうる（**図 11-2A**）．このため，有機質融解作用のある次亜塩素酸ナトリウム液による根管洗浄ならびに水酸化カルシウム製剤による貼薬や，歯科用実体顕微鏡下で先端が微細な超小型エキスカベーターなどの器具を用いて搔爬を行う方法が有効である．根管充填を行う際は，側方加圧根管充填法では緊密な封鎖を得ることは困難なため，垂直加圧根管充填法（**図 11-2B**）が吸収部位への充填に適している．

吸収が進行し，歯根表面に穿孔が生じた症例（**図 11-2C**）では，根管内の肉芽組織と歯根膜とが癒着し，この肉芽組織の除去が困難となるため，外科的に外部からの処置と封鎖が必要となることがある．ただし，吸収部位や吸収の範囲・程度によっては，歯根の保存が困難となり抜歯を選択することになるため，早期発見と治療が必要である．

Ⅱ 外部吸収

永久歯歯根の外部吸収について，この場合の外部吸収は，歯根表面に生じた炎症により出現した破歯細胞によって，根尖または歯根表面のセメント質から象牙質に向かって吸収されることをいい，進行すると根管に達することがある（**図 11-3**）．

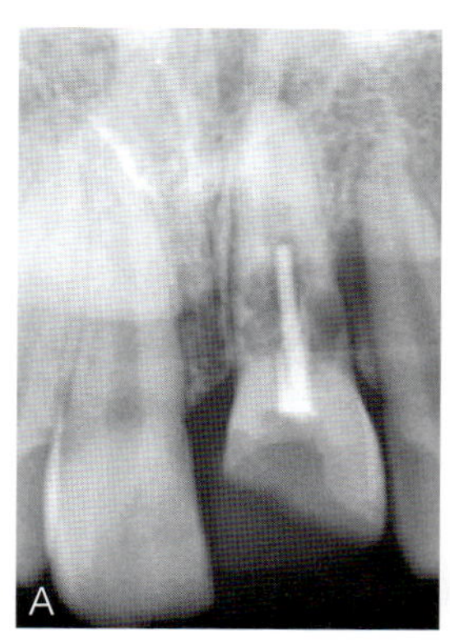

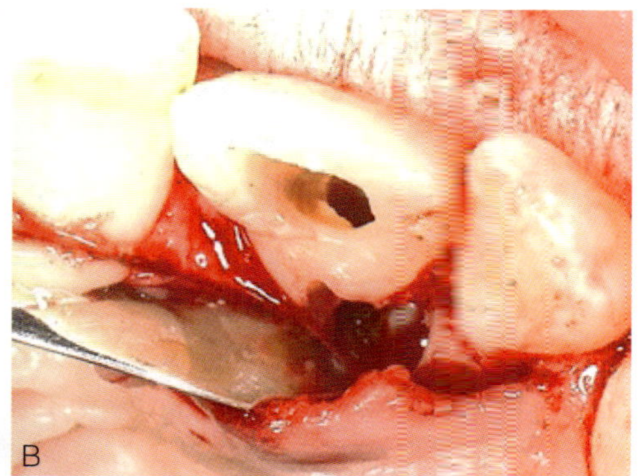

図 11-3　歯頸部外部吸収が進行し歯髄腔内へ穿孔した症例（|1）
A：エックス線画像では歯頸部から根中央部にかけて不整な形態の透過像が観察される．B：口蓋側のフラップを開き，口蓋側からの外部吸収によって根管内に穿孔していることを確認した．

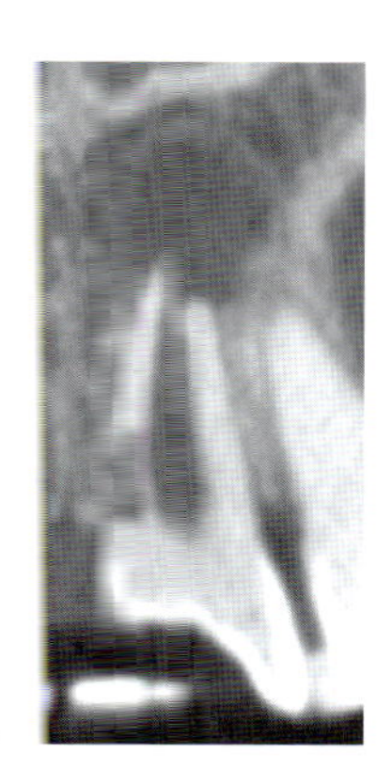

図 11-4　脱臼後に再植した症例の経過（|1）
歯髄壊死による根尖性歯周炎と歯頸部に外部吸収を発症した．

❶ 分　類

さまざまな分類方法があるが，Andreasen が報告した分類が世界的に広く用いられており，これをベースとして他の知見を加えて以下に示す．

1）表面性外部吸収 external surface resorption

歯根表面または歯周組織への局所的な一過性の弱い機械的刺激による損傷によって歯根膜内に炎症が生じ，破歯細胞が出現することで吸収が生じる．刺激が一過性であれば，吸収した部位はセメント質の添加によって治癒が起こり，歯根膜も再生する．矯正治療や埋伏歯，腫瘍や嚢胞などが原因になると報告されている．外部吸収の中では，最も侵襲性が低い．

2）炎症性外部吸収 external inflammatory resorption（図 11-4）

歯髄壊死を起こした場合や根尖性歯周炎を起こした歯根にみられることが多い．歯根尖に吸収がある場合には，歯根長が短縮し不規則な形態を示す．また根尖狭窄部が吸収されると根尖孔のサイズが大きくなる．一方，歯根表面に生じた場合は陥凹が観察される．根管が感染

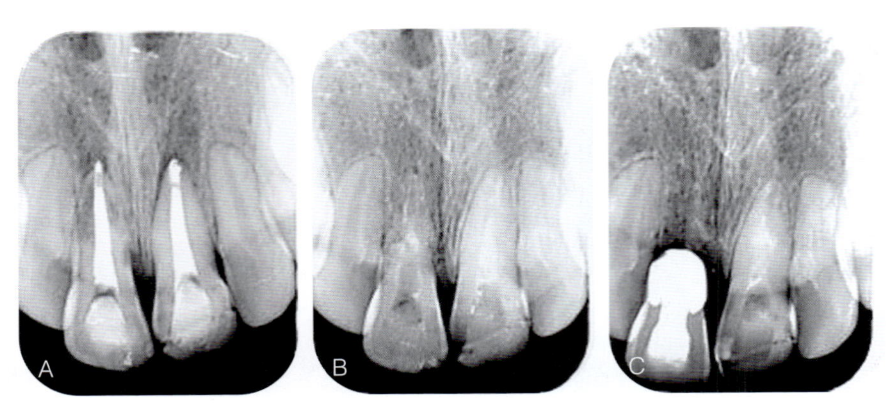

図 11-5 再植後の外部吸収（1|1）
A：完全脱臼により脱落．直後に再植，根管充塡を行ったが，4カ月後，1|には吸収がみられる．|1には異常はみられない．B：その8カ月後には1|歯根全体に吸収がみられるようになった．C：さらに2年3カ月後には1|の歯根はほぼ吸収されている．
（朝日大学 吉田隆一先生のご厚意による）

した状態では，象牙細管を通して感染が吸収窩に広がり，吸収が進行する．こうした吸収の拡大を防ぐためには，感染根管治療が有効である．

3）置換性外部吸収 external replacement resorption（図 11-5）

脱臼，歯の再植・移植の場合にみられる．歯根膜やセメント質の一部または全体が傷害されて歯根表面の吸収された部位に，近傍の歯槽骨が増生して，歯根と骨が結合した状態になる疾患である．アンキローシス ankylosis としても知られている．置換性外部吸収は一過性と進行性の2種類に分けられる．前者は，傷害の範囲が限局した狭小な場合に起こり進行が停止するが，後者では，歯根の吸収と骨の添加が持続的に進行する．この進行を抑制することは困難で，症例によっては歯根のほぼすべてを喪失してしまう場合もある．歯根表面の20%を超えて傷害が生じた場合は，進行性に歯根吸収と骨添加が進むといわれている．

4）歯頸部外部吸収 external cervical resorption（図 11-3，6）

歯頸部の歯根表面から始まり根管に向かって進行する外部吸収であるが，進行の途中で歯軸方向に幾筋かに分かれた複雑な吸収パターンを示すことがある．外傷や矯正治療，歯周治療などによるセメント質への損傷が原因としてあげられているが，ウォーキングブリーチやブラキシズムなどの関与も考えられており，はっきりとした原因が証明されていない．また性別，年齢，地域との関連性もなく発症する．上顎切歯，犬歯，第一大臼歯および下顎第一大臼歯に多くみられ，中でも上顎前歯での発症率が最も高く，1本または多数歯にわたってみられることがある．吸収部位に侵入した肉芽組織によって歯頸部にピンクスポットがみられることがある．1930年に多数歯にわたる原因不明の歯根吸収症例が初めて報告された．

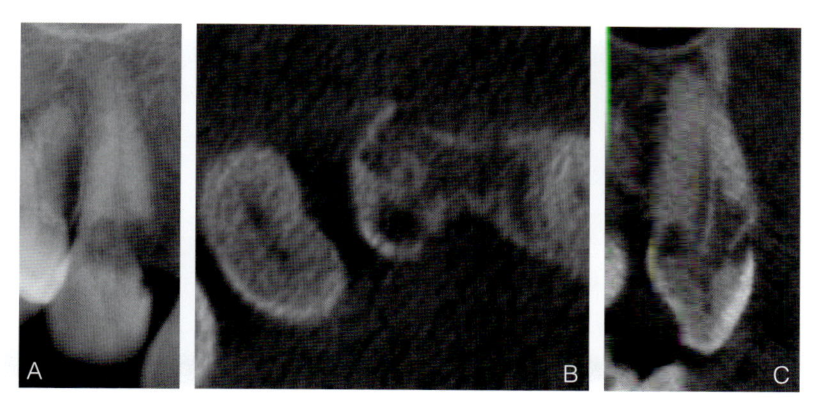

図 11-6　歯頸部外部吸収の症例（3|）
A：エックス線画像では歯頸部に透過像が観察され，歯頸部の齲蝕と誤診されやすい．B：歯科用 CBCT 横断像を示す．根管を取り巻くように歯質の大部分が吸収されている．C：CBCT 歯列直交断像を示す．吸収は垂直的方向に歯根の中央に達している．

5）トランジェント・アピカル・ブレイクダウン transient apical breakdown

不完全脱臼や矯正治療などによる受傷によってまれにみられる歯根吸収で，根尖孔から歯髄への血液供給が影響を受け歯髄反応が消失し，歯髄に変性が生じて炎症が発症する．その結果，破歯細胞が出現して，歯根尖およびその周囲の骨を吸収する．エックス線画像上では，数カ月間にわたって歯根尖周囲の歯根膜腔の拡大がみられる．症例によっては，受傷後約1年程度で，上記の臨床像は消失し，歯髄は生活反応を示すようになるか，歯髄腔の石灰化による閉鎖が観察されるようになる．

❷ 原　因

外部吸収の発症の原因はさまざまで，根尖性歯周炎，歯周病，歯の再植・移植，失活歯の漂白，脱臼，腫瘍・嚢胞および埋伏歯による圧力，外傷や矯正治療による過剰な機械的刺激や咬合力などがあげられる．これらによる炎症によって破歯細胞が出現し，歯根吸収が生じることになる．さらに全身的には，内分泌のアンバランスや，副甲状腺機能低下症，Paget病，低ホスファターゼ症，Turner 症候群などの硬組織の代謝に関わる疾患によって歯根吸収が発症することもある．

(1) 感染

根尖性歯周炎では，根尖周囲に形成された炎症性肉芽組織中の破歯細胞によって歯根尖部が吸収される（**図 11-7**）．根管内から側枝に感染が広がった場合は，側枝の開口部から炎症性外部吸収が生じる．また歯周病では，歯根の側面に感染がある場合には，同様の機序によって吸収が生じることがある（**図 11-8**）．

(2) 外傷

打撲や転倒による不完全脱臼によって歯根膜やセメント質に損傷が生じた場合や，歯根破折によって長期間慢性炎症が持続した場合（**図 11-9**），そして咬合性外傷が長期に持続した

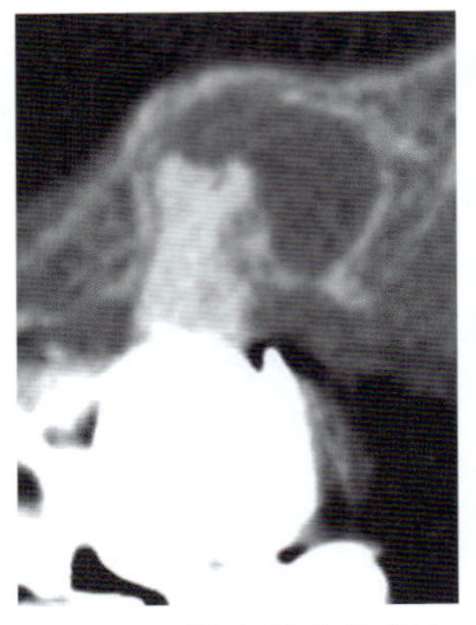

図 11-7 根尖性歯周炎によって根尖部に外部吸収が生じた症例（|7）

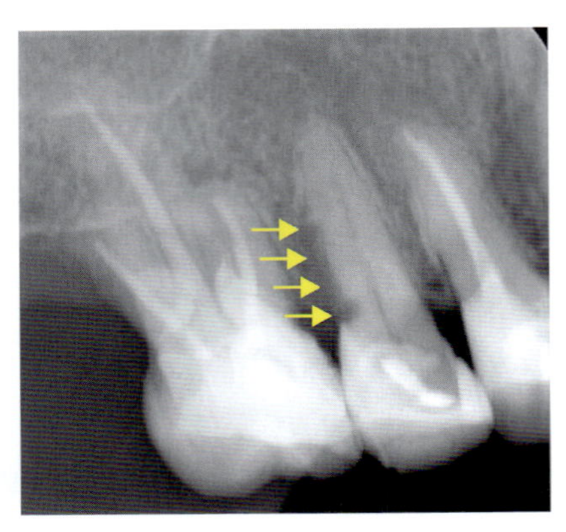

図 11-8 歯周病によって歯根の遠心側に生じた外部吸収（→）（5|）

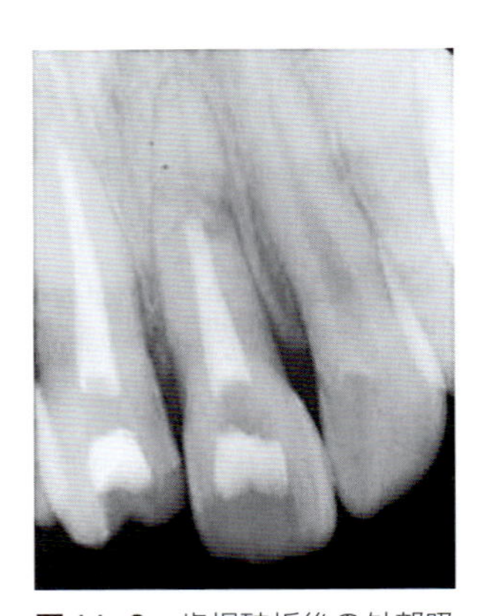

図 11-9 歯根破折後の外部吸収（|1）
（朝日大学 吉田隆一先生のご厚意による）

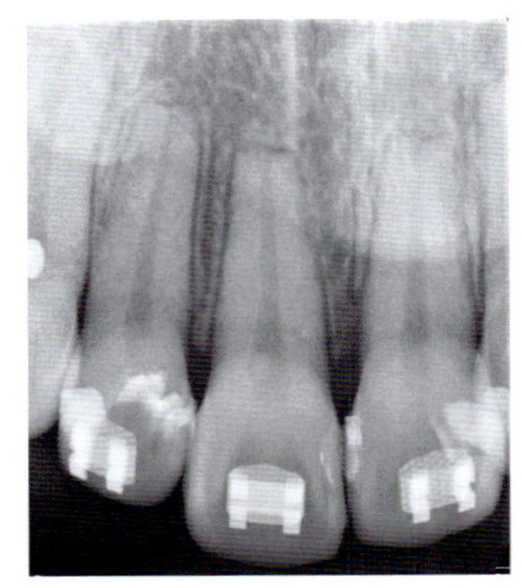

図 11-10 過度の矯正力による根尖の外部吸収（21|1）

場合などで炎症性外部吸収，置換性外部吸収または表面性吸収がみられる．また矯正治療では，矯正力による歯根膜やセメント質への損傷によって，歯頸部外部吸収または表面性外部吸収が生じることがあるが，過度の矯正力が付加された場合，歯根尖が吸収されて歯根が短小化する（**図 11-10**）．

(3) 嚢胞・腫瘍および埋伏歯

顎骨に生じた嚢胞や腫瘍が増大し，歯根に達すると吸収が生じる（**図 11-11**）．また，埋伏歯の萌出力によって，歯根に接触すると吸収が生じる場合がある（**図 11-12**）．いずれも圧力によって，歯根膜およびセメント質が傷害されて，表面性外部吸収が生じる．

(4) 歯の再植・移植

脱臼歯の再植では，脱落から再植までの時間や保存条件，そして汚染の程度によって歯根膜の健康状態が影響を受ける．歯根膜の損傷が著しい場合は壊死に至り，再植後に置換性外

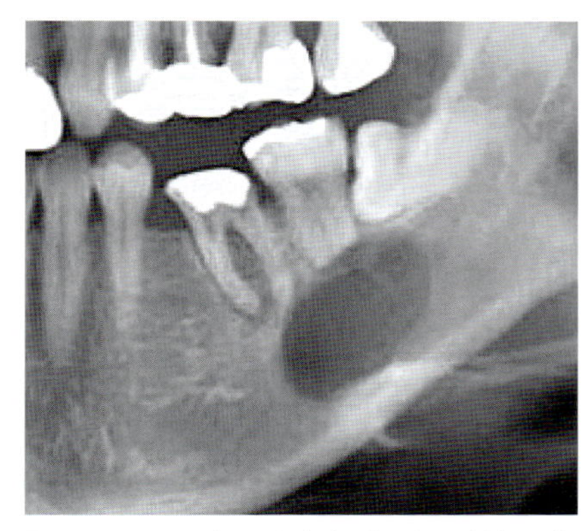

図 11-11　エナメル上皮腫による外部吸収（|7）

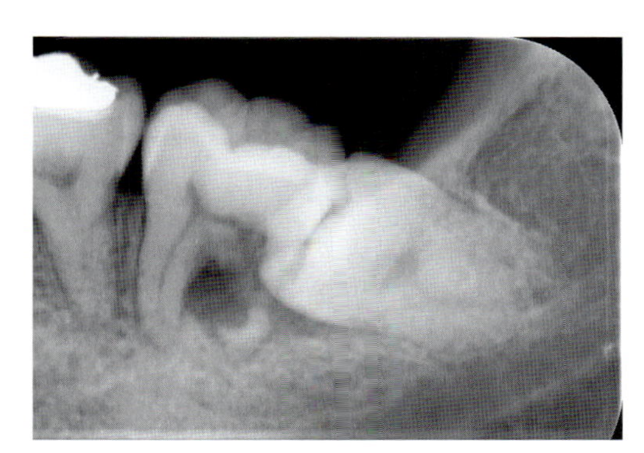

図 11-12　埋伏歯による外部吸収（|7）

部吸収が生じる．また生活歯であった場合，根管治療の開始時期が遅延してしまうと，壊死した歯髄由来の起炎物質が歯根表面まで達し，そこで炎症が惹起されて炎症性吸収が生じることになる．根管治療は再植後 7〜10 日以内に実施する必要がある．ただし，根未完成歯であれば，歯髄への血流が再開する可能性があるため，この場合の歯根吸収は限定的である．

意図的再植あるいは歯の移植においても同様に，病変部位の除去や歯根膜への傷害の程度，また根管治療の時期に応じて歯根吸収が生じることがある．しかし，移植の場合の 6 年経過症例では約 80%が良好な経過を示している．

(5) 失活歯の漂白

変色した失活歯の漂白には，ウォーキングブリーチ法 walking bleach technique が適用されるが，その際，約 30%の高濃度の過酸化水素水を過ホウ酸ナトリウムと混合したペーストを漂白剤として，根管充填された根管口付近に塗布する．これにより歯質内に沈着した色素が分解されるが，象牙細管を通じて歯頸部の歯根周囲に炎症を惹起し，歯頸部外部吸収が生じると考えられている．頻度は低く，発症には数年かかる．また，詳細な発症機序は不明とされている．

❸ 症状と診断

内部吸収の場合と同様に，外部吸収の場合もほとんどが無症状に経過するため，患者は気づかないことが多く，定期検診あるいは他の疾患で撮影したエックス線画像で偶然に発見されることが多い．しかし，炎症性の吸収が進行して歯髄腔に達し感染が生じた場合には，生活歯であれば歯髄炎の症状が出現し，失活歯であれば根尖性歯周炎の症状が出現することもある．

置換性外部吸収の場合は，打診の際に金属音を呈するという特徴的な症状がみられる．また，骨と歯根とが一体化してしまうことによって，生理的動揺がみられなくなる．

歯頸部外部吸収については，他の外部吸収と同様に，ほとんどが無症状に経過し，エックス線検査によって偶然判明することが共通している．しかし，齲蝕と誤診されることがある

表 11-1　歯頸部外部吸収の三次元的分類（Patel S et al, 2018[9]）

垂直的方向への深度	水平的吸収の角度	根管方向への深度
1：セメント-エナメル境付近または骨縁上まで進行	A：≦ 90°	d：象牙質に限局
2：歯根の歯冠側 1/3 で，骨縁下まで進行	B：90°＜，≦ 180°	p：根管への到達
3：歯根の中央 1/3 まで進行	C：180°＜，≦ 270°	
4：歯根の根尖側 1/3 まで進行	D：270°＜	

この分類にしたがうと，**図 11-6** の症例は，3Dd である．

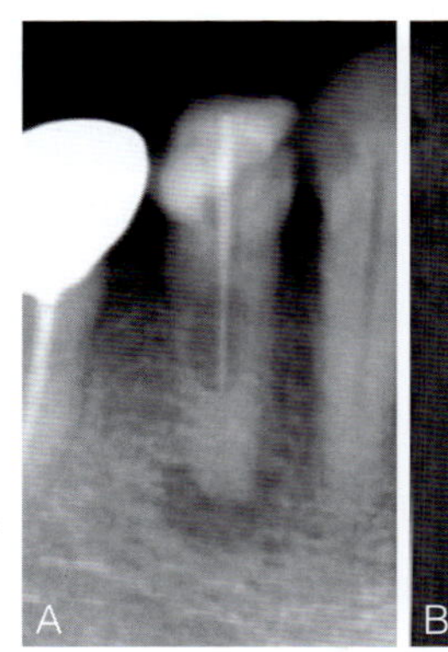

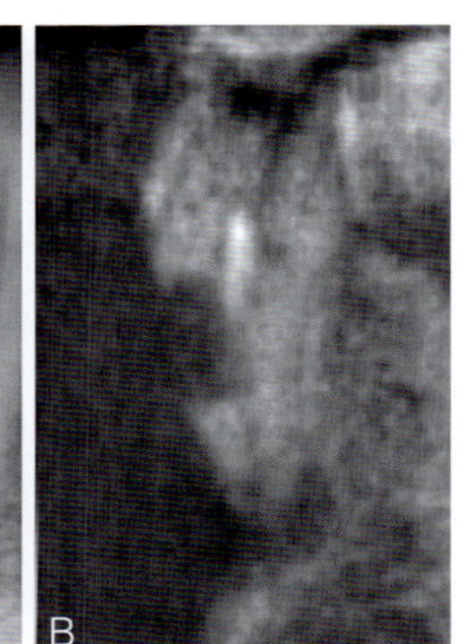

図 11-13　歯科用 CBCT による鑑別（4|）
口内法エックス線画像（A）では内部吸収のようにみえるが，CBCT（B）では外部吸収であることが明らかである．

ため，早期の検出と正確な診断が重要である．また，その分類に関しては，近年，歯科用 CBCT に基づいて，ヨーロッパ歯内療法学会が発表した三次元的分類（**表 11-1**）が用いられるようになった．これは，正確な診断と治療方針の決定に有効である．

診断にあたっては，患者の既往（矯正治療，外傷，歯冠修復，抜髄，失活歯の漂白，埋伏歯の抜歯，患歯の近傍での外科処置，歯周病やその治療の有無など），さらに吸収の位置や範囲，タイプを把握することが重要である．また歯科用 CBCT は，口内法エックス線画像と比較して，内部吸収との鑑別や，吸収部位の位置や範囲を正確に把握できるため，きわめて有効である（**図 11-13**）．

❹ 処　置

病変が進行しない場合は経過観察となるが，緩やかであっても進行する場合は，破歯細胞の活性を抑えて吸収を止める処置が必要となる．

(1) 経過観察

トランジェント・アピカル・ブレイクダウンでは特に治療を必要としないが，進行の有無を確認しておくためにエックス線検査による経過観察が必要である．

(2) 非外科的処置

矯正治療による吸収が生じている場合は，矯正力を弱める必要がある．また，歯髄壊死や細菌感染が生じている場合は，感染根管治療が必要となる．しかし，吸収された歯根形態が回復されることはない．歯根膜やセメント質に傷害が生じている場合は，非外科的治療では治癒が困難である．また，失活歯の漂白に用いる漂白剤が原因の吸収に対しては，漂白処置

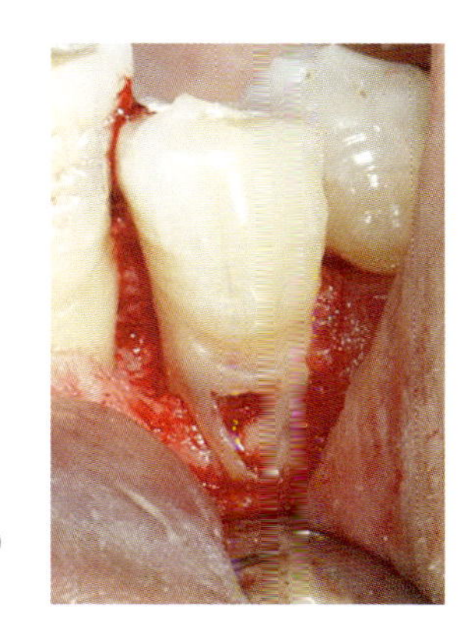

図 11-14　頬側歯頸部に生じた外部吸収（|4）
外科的に外部吸収部位の肉芽組織を除去した.

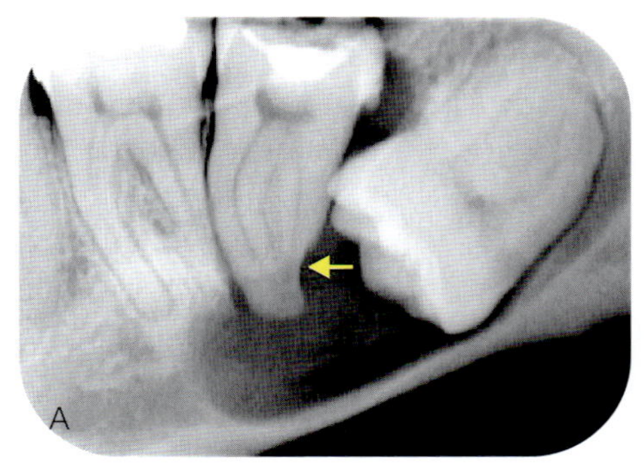

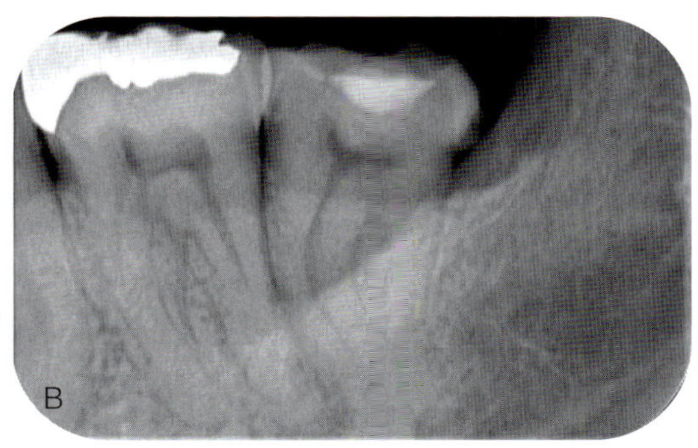

図 11-15　嚢胞による外部吸収の外科的処置
A：|8 含歯性嚢胞による外部吸収（→）. B：摘出後 2 年経過（|7）.

の際に予防処置を行っておくことが重要である. 漂白剤の塗布前に, 根管口部をレジンまたはグラスアイオノマーセメントで封鎖し, また漂白終了後は窩洞に水酸化カルシウム製剤を1週間程度塗布しておくことが望まれる.

(3) 外科的処置

感染根管治療が困難な症例や予後が不良な場合では, 歯根尖切除法を行って病変部を除去し, 吸収の進行を停止させる. 外傷などで炎症性の吸収がみられる場合, 歯頸部付近であれば, 外科的に病変部を除去して（**図 11-14**）, セメントやレジンで封鎖する. 嚢胞・腫瘍および埋伏歯などが原因の場合は, これらの摘出処置が必要となる（**図 11-15**）. 歯頸部外部吸収の場合は, フラップをあけて病変部を掻爬後, 修復物の充填を行う処置が紹介されているが, それでも進行を止めることができない場合があり, その際の最も確実な治療法は抜歯となる.

歯根吸収は, 緩やかに進行していくことが多いが, 炎症性外部吸収の場合には進行が早い場合もある. 定期的な検診とその際のエックス線検査による早期発見が重要であり, 治療を開始する時期の判断が求められる.

（前田英史）

第12章 外傷歯の診断と処置

歯の外傷では，部位，加わった力の方向と大きさなどによって，歯あるいは支持組織にさまざまな種類の損傷性変化が惹起される．本章では，受傷後に咬合や歯列のずれが生じる骨折が疑われるような重症例を除いた，歯の外傷について述べる．

一般的に歯の外傷の場合は，一瞬にしてさまざまな部位に亀裂や破折が起こり，さらに歯根膜の断裂が生じる．これにより歯の歯槽窩からの逸脱や移動が起こり，最終的には歯が歯槽窩から完全に脱落した状態（歯の完全脱臼）となる場合がある．このように，歯の外傷にはエナメル質に限局した軽微なものから，歯が完全に歯槽窩から脱落してしまう重度なものまで，その原因や状況によってさまざまな症状が想定される．一方，その処置についてはきわめて迅速かつ正確に対処しなければならない切迫した状況下である場合が多いことから，十分な知識のもと，それぞれの症例に応じた的確な対応をしなければならない．

歯の外傷の分類はさまざまなものがあるが，ここでは「歯の亀裂と破折」「歯の脱臼と陥入」のそれぞれについて，代表的なAndreasenの分類について述べる．

Ⅰ 外傷歯の分類

❶ Andreasenの分類

1）歯の亀裂と破折

① エナメル質の亀裂（**図12-1A**）

② エナメル質の破折（**図12-1B**）

③ エナメル質-象牙質破折（非露髄）（**図12-2A**）

④ エナメル質-象牙質破折（露髄）（**図12-2B**）

⑤ 歯冠-歯根破折（非露髄）（**図12-3A**）

⑥ 歯冠-歯根破折（露髄）（**図12-3B**）

⑦ 歯根破折（水平，斜め方向と垂直）（**図12-4**）

2）歯の脱臼と陥入

① 振盪 concussion

② 弛緩 loosening

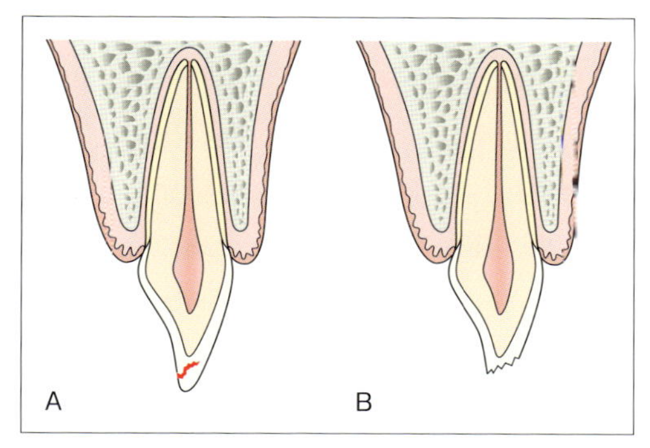

図 12-1　エナメル質の亀裂・破折
A：エナメル質に限局する亀裂．
B：エナメル質に限局する歯質欠損．

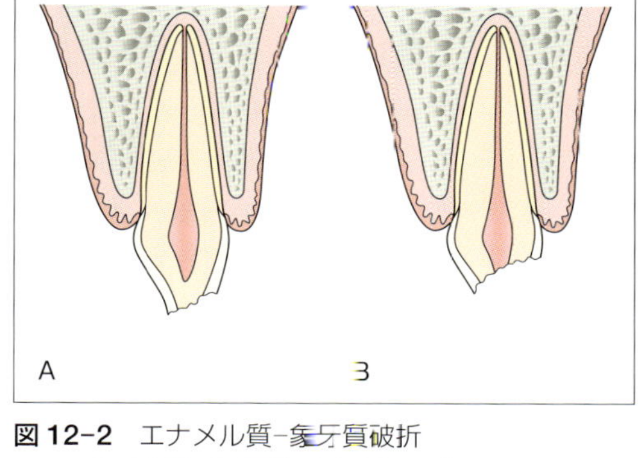

図 12-2　エナメル質-象牙質破折
A：エナメル質-象牙質破折（非露髄）．
B：エナメル質-象牙質破折（露髄）．

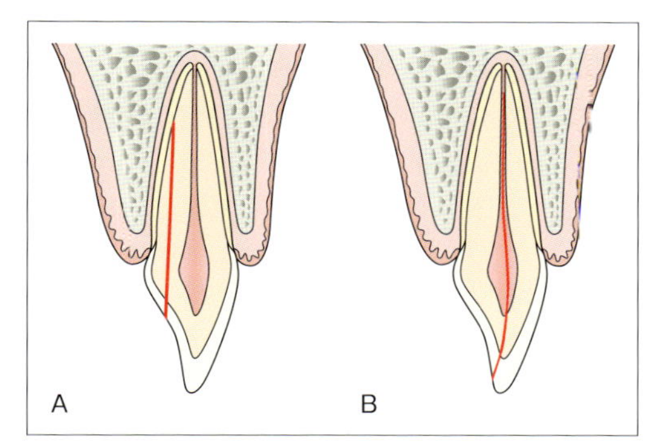

図 12-3　歯冠部から歯根に達する破折
A：歯髄腔を含まない破折（非露髄）．
B：歯髄腔を含む破折（露髄）．

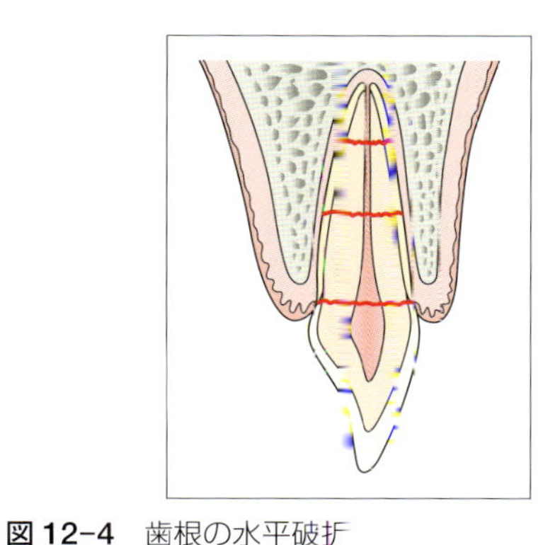

図 12-4　歯根の水平破折
A：歯頸部付近での破折．B：歯根中央部での破折．
C：根尖部付近での破折．

③ 挺出 extrusive luxation
④ 側方脱臼 lateral luxation
⑤ 陥入 intrusive luxation
⑥ 完全脱臼 avulsion

❷ 分類と臨床症状

外傷歯の症状については，生活歯（有髄歯）と失活歯（無髄歯）では異なり，特に亀裂や破折の場合には，歯髄へのダメージの有無によって発現する症状が異なる．一般的に症状に差異がみられるのは生活歯であることから，以下，生活歯について言及する．失活歯の歯根破折については本章Ⅳ「失活歯の歯根破折」を参照．

1）エナメル質の亀裂・破折 enamel crack・enamel fracture（図 12-1）

この場合には歯自体の症状はほとんど発現しない．

2）エナメル質−象牙質破折 enamel-dentin fracture（図 12-2）

破折片が残存している場合には破折片の動揺が認められ，喪失している場合には硬組織の欠損が認められる．この場合の自覚症状としては，露髄していない場合には冷水痛などが発現する場合があるが，露髄している場合には，冷水痛のほかに接触痛やときに自発痛が発現している場合がある．また他覚症状として，露髄部からの出血を認める．

3）歯冠−歯根破折 crown-root fracture（図 12-3）

歯冠部から歯根に達する破折の場合，その部位によって症状が異なる．歯髄腔を含まない破折の場合には，主に破折片の動揺と接触痛を主とした症状を認めるにとどまるが，歯髄腔を含む破折の場合には歯髄が感染をきたしているため，歯髄炎様症状の発現を認めることがある．また，他覚症状として歯周組織からの出血が顕著な場合もある．

4）歯根破折 root fracture（図 12-4）

ほとんどの場合，破折が歯髄・歯根膜に及んでおり，患歯には動揺や挺出がみられ，咬合痛などの疼痛や，ときに歯肉の発赤・腫脹が発現する．また，陳旧性の場合には瘻孔を伴う場合や，まったく症状が認められずにエックス線画像でのみ確認できる場合もある．

Ⅱ 外傷歯の検査

外傷歯の検査は，局所的な患歯のみならず患歯周囲の軟組織や口腔内全体，さらには顔貌などの口腔外の状態も慎重に診る必要がある．また，外傷歯の処置を行う際に最も注意を払わなければならないのは，外力がどのようなものであったのか，歯髄組織のダメージがどの程度なのかについて，できるだけ正確な情報を把握することである．臨床的に，歯質の欠損あるいは亀裂などがエナメル質に限局していると判断されても，歯髄組織の損傷が大きい場合や，時間の経過とともに歯髄の生活力が低下していることもある．

このように，実際の臨床では歯髄の損傷程度や病態について正確に把握することは非常に困難である．そのため，種々の検査を行い，その結果を複合的に勘案して，的確な診断をしなくてはならない．

❶ 問　診

外傷後の受診の場合，まず「いつ」「どこで」「どのような状況で」受傷したかについて問診を行い，確実な情報を得なければならない．すなわち，受傷時の環境（原因，清潔あるいは不潔，来院までの応急処置の有無など）と受傷してからの経過時間を確実に問診する．

❷ 視　診

視診では，まず受傷した歯の状態を確認する．歯科用実体顕微鏡を応用すると微細な亀裂（図 12-5）も見落とすことなく，破折断面の状態も詳細に観察可能である．一方，軟組織に

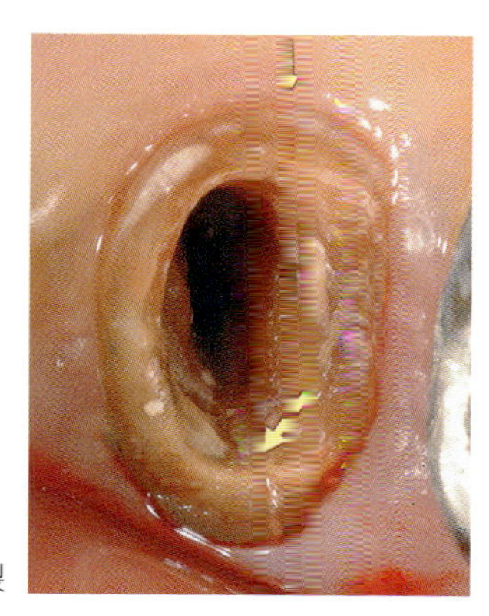

図 12-5　歯科用実体顕微鏡で確認された亀裂

ついても出血や裂傷の有無を確認する必要があり，場合によっては歯の処置よりも先に軟組織の縫合を行わなくてはならないため，受傷程度を把握することが非常に重要である．

❸ 歯髄生死の判定

受傷直後では，生活歯でも歯髄電気診や温度診に陰性反応を示す場合があり，数回にわたって検査を実施する必要がある．特に根未完成歯の場合にその傾向が強く，数週間後に生活反応が回復することが多いため，即日に歯髄壊死と診断して早急な根管治療を行うことはすべきではない．長期的に歯髄電気診を行い，経過観察を続ける必要がある．また，受傷数カ月後の検査で陰性が続き根尖部にわずかなエックス線透過像を認めた場合でも，特に根未完成歯では，トランジェント・アピカル・ブレイクダウン transient apical breakdown の可能性もあり，慎重に経過観察を行う．なお，歯冠の変色の傾向がみられる場合などでは，歯髄が壊死したものと判断して可及的すみやかに根管治療に移行しなければならないこともある．

❹ 透照診

歯質に亀裂や破折などが生じて不連続な部分ができた場合，透照診（透過光線試験）を行うと透過光が屈折することによって発見できる場合がある．

❺ エックス線検査

エックス線検査は，歯の外傷を診断するにあたっても非常に重要な検査法である．亀裂線や破折線などはエックス線画像上でも確認することができるが，エックス線画像の解像度，すなわちフィルム写真かデジタル画像か，撮影装置やフィルムの種類などによって，それらが不明瞭となる場合がある．また，亀裂や破折の部位や方向によっても明瞭な像を得ることが困難な場合があり，確定診断が不可能なこともある．さらに，受傷直後では明確ではなかった破折線が，時間の経過とともにエックス線画像上で明確になることもあるため，経過観察時に必ずエックス線画像を撮影し，前回の画像と比較することが大切である．

また，歯科用コーンビーム CT（CBCT）による三次元的な画像検査では，二次元画像で判

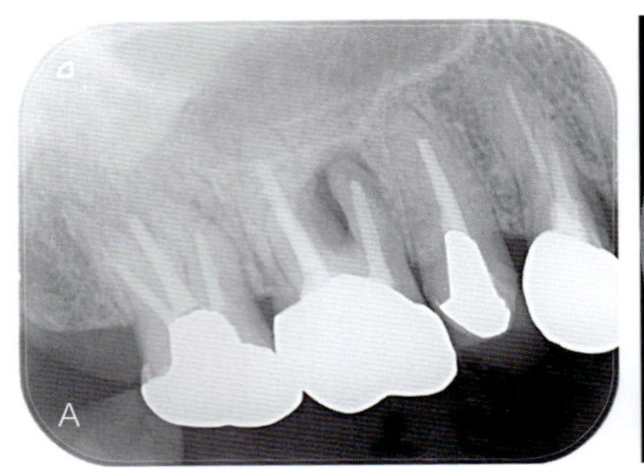

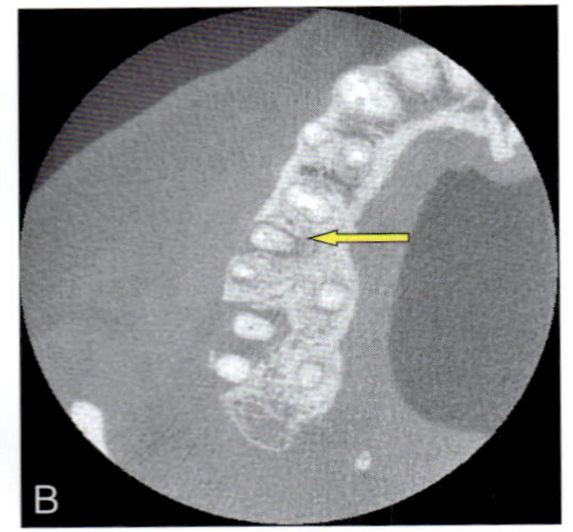

図 12-6　6|の近心根における歯根破折
45 歳女性．A：エックス線画像．歯根を取り囲むような暈(かさ)状の透過像を認めるが，破折線は明瞭ではない．B：歯科用 CBCT．明瞭な破折線が確認できる（矢印）．

別不可能な破折や亀裂を発見することができ，確定診断に大変有効である（**図 12-6**）．

Ⅲ 外傷歯の治療

❶ エナメル質に限局する亀裂・破折（図 12-1）

まず咬合状態を十分に検査し，患歯にどの程度の咬合圧が加わっているかを把握しなければならない．

咬合・咀嚼に直接関与せず，エナメル質に限局したきわめて微小な亀裂では，経過観察を行うか，レジンプレグネーション法を用いて接着性レジンを浸透させたり，亀裂部を含む歯質を一部削除してコンポジットレジン修復を行う方法を選択する．また，エナメル質に限局した破折の場合もコンポジットレジン修復を行い，患者にはその部位に咬合圧が加わらないように，十分注意するように伝える．一方，咬合圧が加わる部位の亀裂の場合では，クラウンの製作などの歯の全周を固定することを考慮した歯冠修復処置で症状が悪化しないように配慮する必要がある．

❷ 歯の破折

1）エナメル質―象牙質破折（非露髄）（図 12-2A）

エナメル質から象牙質に至る破折で露髄していない場合は，基本的に歯髄処置を行う必要はない．患者が破折片を持参した場合には，4-META/MMA-TBB 系接着性レジンセメントで破折片をもとに戻して接着する．また，破折片を紛失している場合にはコンポジットレジン修復を行う．いずれの場合も患者に定期的な通院を指示し，歯冠の変色などの変化がみられないか注意深く経過観察を行うことが重要となる．

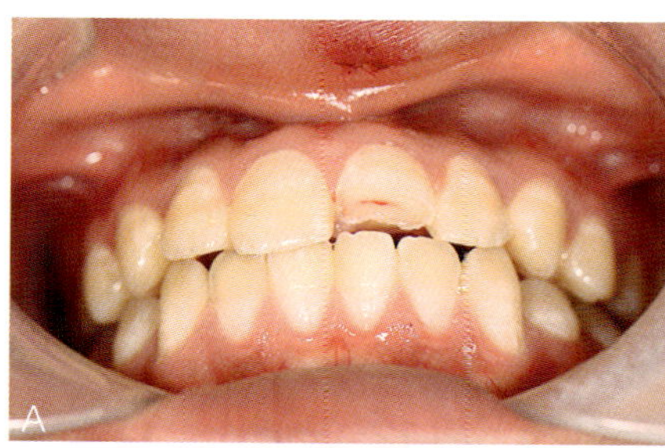

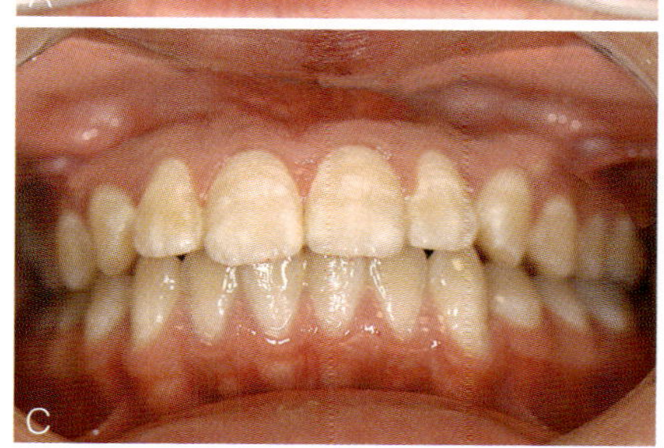

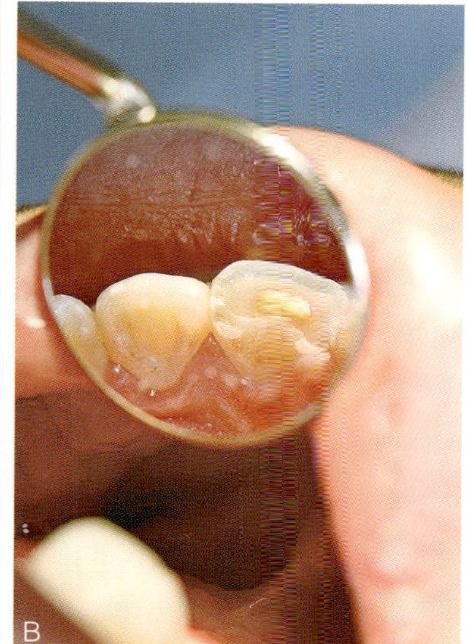

図 12-7　エナメル質―象牙質破折（露髄）の治療
17 歳男性．交通事故により受傷．
A：⌊1 に露髄を伴う歯冠破折が認められた．
B：ただちに次亜塩素酸ナトリウム液にて消毒を行った後，水酸化カルシウム製剤を貼薬した．
C：患者が持参した破折片の内面を 1 層削除した後，そのまま接着性レジンセメントにて接着した．予後は良好に経過している．

2）エナメル質―象牙質破折（露髄）（図 12-2B）

露髄を伴う症例では，受傷の状態，受傷後の経過時間，露髄面の大きさ，露髄面の状態，さらには患者の年齢などに留意して，慎重に処置方針を決定しなければならない．

(1) 露髄面の大きさが約 2 mm 未満の場合

露髄面がごく小さい場合で，受傷後の経過時間が短時間である場合でも，露髄面が汚染されているものとして処置を行う必要がある．露髄面が約 2 mm 未満の場合には，基本的に直接覆髄法に準じた方法で処置を行う．すなわち，まず露髄面に対して次亜塩素酸ナトリウム液（2.5〜6%）を用いた清掃・消毒を行い，その後オキシドール（3%過酸化水素水）で中和，滅菌生理食塩液で十分に洗浄し，乾燥させる．このような操作（ケミカルサージェリー）を行った後に，直接覆髄剤（水酸化カルシウム製剤など）をできるだけ無圧下に貼薬する．

次に，患者が破折片を持参している場合は，そのまま接着性レジンセメントで慎重にもとに戻して接着する（**図 12-7**）．破折片がない場合には当該部位にコンポジットレジン充填を行う．

(2) 露髄面の大きさが 2 mm 以上の場合

露髄面が 2 mm 以上で大きい場合には，まず歯根歯髄を温存させるか否かによって，処置法が異なる．すなわち，歯冠のダメージが少なく破折片の接着やコンポジットレジンで修復可能な場合や，根未完成歯の場合には積極的に生活断髄法の応用を試みる．一方，歯冠の半分以上が喪失している場合など，歯冠修復のためにポスト形成を伴う支台築造の必要性がある症例では抜髄処置を行わなければならない．

いずれの場合も患者に定期的な通院を求めて，歯冠の変色などの変化がみられないか注意深く経過観察を行うことが重要となる．

3）歯冠部から歯根に達する破折（図 12-3）

歯冠部から歯根への垂直的あるいは斜め方向の破折では，生活歯の場合には露髄の有無によって処置法も異なってくる．また，歯髄腔を含み完全に垂直的に破折している状態では，一般的に抜歯の適応となる．しかし近年，破折歯を意図的に抜去した後，接着性レジンセメントを用いて口腔外で接着し，再植を行ういわゆる接着再植法を行うことによって，破折後間もない新鮮な破折面を有する症例では，患歯の保存が可能な場合もある．歯冠部から歯根に達する破折の原因には，外傷のほかに不適切な補綴装置（方向不良のポストなど）や歯内治療中の不適切な仮封，暫間的歯冠修復物の不備などがあげられる．

以下，破折の程度による処置法について述べる．

(1) 歯髄腔を含まない破折（非露髄）（図 12-3A）

歯頸部まで破折していて露髄を認めない症例で，患者が破折片を持参している場合には，破折片を接着性レジンセメントで接着して経過観察を行う．また破折片を紛失した場合には，当該部のコンポジットレジン修復を行う．いずれの場合も，極力歯髄を温存する処置を行う必要がある．しかし，破折が臼歯部などの咬合力がかかる部位であった場合や，髄角にきわめて近接した部位である場合などでは，予後を勘案して歯髄処置を行ったほうが無難な場合もある．

(2) 歯髄腔を含む破折（露髄）（図 12-3B）

露髄を伴う破折では，露髄部の面積が重要となる．露髄がごく小さな場合には，直接覆髄が可能であるが，露髄面が大きく出血が多い場合は，患歯の部位や状態，すなわち幼若永久歯の場合や歯冠補綴の必要性などによって，生活断髄法や抜髄法が適応となる．

(3) 垂直歯根破折

垂直的な歯根破折は，臨床的には突発的な外傷によるものよりも咬合性外傷によるものがはるかに多い（**図 12-8**）．歯冠部から歯根にかけて垂直的に破折（**図 12-9**）をすると，破折部が口腔に連なることから持続的に口腔内細菌の感染をきたし，良好な予後が期待できない．この場合の処置は，基本的には抜歯である．しかし，当該部を歯科用実体顕微鏡下で接着し，感染根管治療を行うことで患歯の延命処置をはかることが可能な症例もある．

また近年，接着再植法の進歩によって，陳旧的な破折ではなく新鮮な破折であれば適応症となることもありうる（p.216,「意図的再植法による治療」参照）．患者の希望と一口腔単位での最終補綴処置までを考慮したうえで，本当に抜歯が必要な症例なのか否かを総合的に診断し，処置方針を決定するべきである．

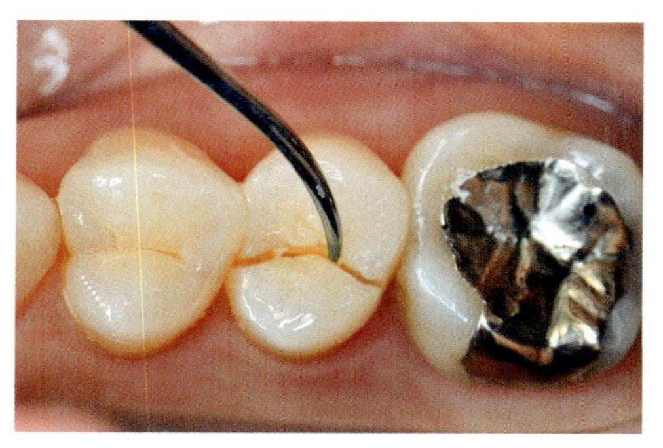

図 12-8 垂直歯根破折
35 歳男性．|5 の咬合時痛を主訴に来院．近遠心的な破折が認められる．

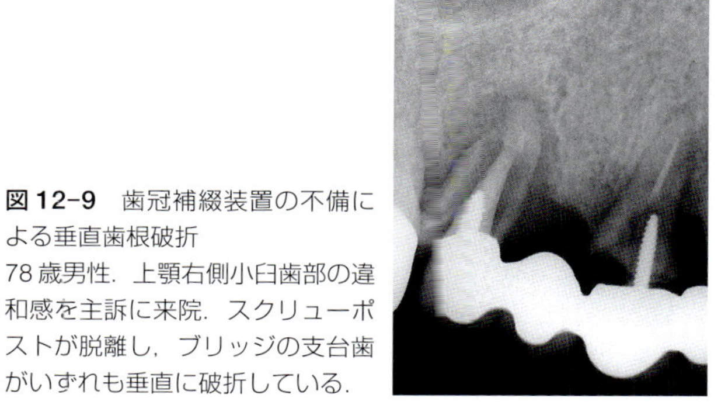

図 12-9 歯冠補綴装置の不備による垂直歯根破折
78 歳男性．上顎右側小臼歯部の違和感を主訴に来院．スクリューポストが脱離し，ブリッジの支台歯がいずれも垂直に破折している．

4）歯根の水平破折（図 12-4）

歯根の水平破折では，破折した位置によって処置法が異なる．以下，破折部位別の処置法について述べる．

(1) 歯頸部付近での破折

生活歯の歯頸部付近での破折では，歯髄が感染していることが予想されるため，抜髄処置が必要となる．患者が破折片を持参した場合には，接着可能であれば応急的に接着して暫間被覆冠として応用することが可能である．また，破折が歯肉縁下に及んでいる場合（**図 12-10**）には，**図 12-11** に示すような方法で歯根挺出を試みることもある．

(2) 歯根中央部での破折

破折が歯根中央部で生じていることがエックス線画像上で確認された場合（**図 12-12**），まず接着性レジンセメントを用いて隣在歯と固定を行い，経過観察を行う．特に根未完成歯の場合にはいたずらに抜髄処置を行うことなく，経過を追うことが大切である．ただし，自発痛などの症状が発現した場合にはすみやかに抜髄を行わなければならない．また，歯髄の生活反応が回復しない，あるいは歯髄壊死の兆候が確認された場合も，すみやかに感染根管治療に準じた処置を行う．この場合の貼薬剤は水酸化カルシウム製剤が適している．

(3) 根尖部付近での破折

破折が根尖部付近で生じていることがエックス線画像上で確認された場合には，前述の場合と同様に一定期間，患歯の固定を行い，経過観察を行うのが基本である．その際，来院のたびにエックス線検査，歯髄電気診および温度診などの検査を実施するとともに，患歯の色調などに変化がないかを確認する．もし，歯髄が壊死している徴候が認められた場合には，すみやかに感染根管治療に準じた処置を行う．この場合も水酸化カルシウム製剤の貼薬を行うことが好ましい．なお，この後の経過観察で予後不良と診断された場合には，外科的歯内治療，特に歯根尖切除法を実施することが多い．

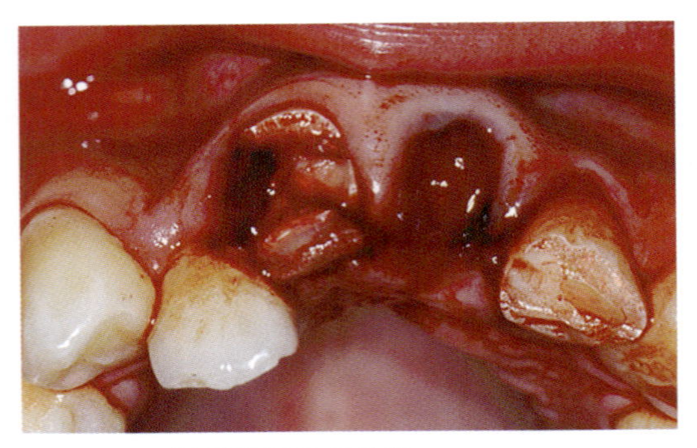

図 12-10　歯頸部付近での破折
23 歳男性．交通事故により受傷．1|は歯頸部から破折していた．

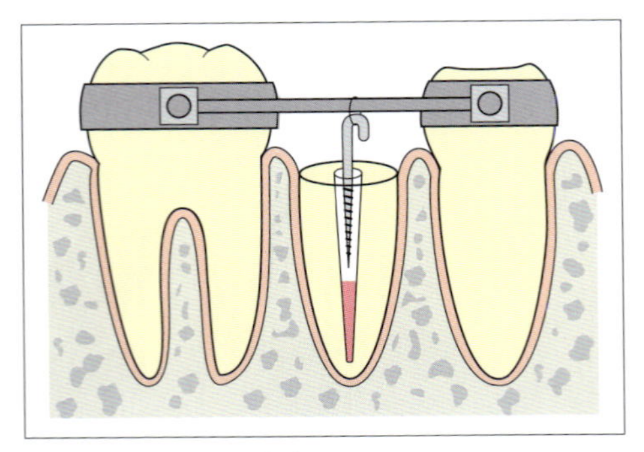

図 12-11　歯根挺出法

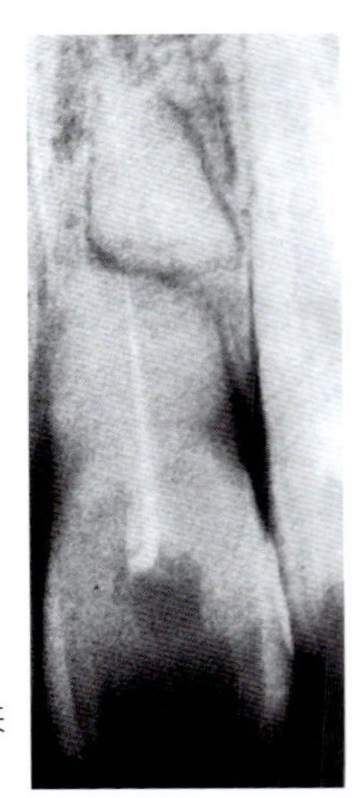

図 12-12　歯根中央部での破折
50 歳男性．上顎中切歯の外傷で来院．|1 の歯根中央部に破折を認めた．

❸ 歯の転位

1）振盪・弛緩・挺出・側方脱臼

歯に加わる外力の程度が比較的弱ければ，歯が歯槽窩から動くことはない．歯の変位，動揺を伴わない歯周組織へのわずかな傷害に止まる振盪では，歯根膜への血流障害がほとんどないため，基本的には咬合調整を行った後に経過観察を行う．しかし，外力が加わった歯が多数歯にわたっている場合には固定が必要なこともある．

歯にかかる外力が強いと，歯が歯槽窩から移動して弛緩した状態となり，さらに強い外力が加わった場合には歯が歯槽窩から浮き出て挺出という状態となる．また，歯軸方向以外の方向に脱臼した場合は側方脱臼とよばれる．これらの場合，歯根膜への血液供給は完全に離断されていないが，歯髄への血流が離断されている可能性がある．したがって，十分な検査の後，患歯の整復・固定を優先して経過観察を行い，症状が安定した後に歯髄の生死の判定

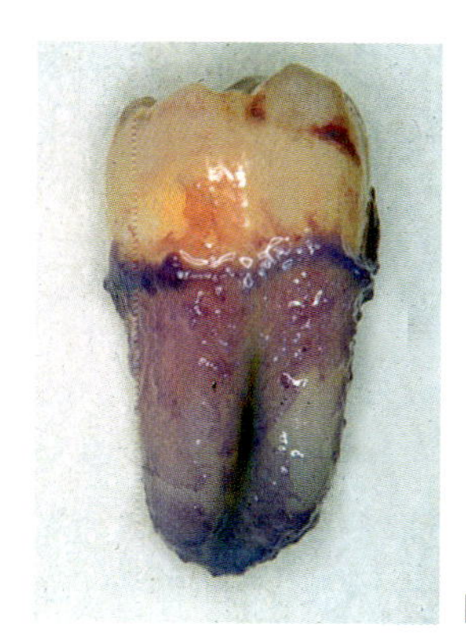

図 12-13　歯根膜組織の温存

を行って，歯内治療を行うかどうかを決定する．

2）陥　入

陥入は，外傷による強力な外力によって歯が歯槽骨内に埋入された状態になることであり，重度の場合には歯根が歯槽骨に対して楔の作用を発現して骨折を生じることがある．いずれの場合も，まず視診とエックス線画像による十分な検査を行う必要がある．陥入歯の挺出を行う際には，基本的にはまず矯正による挺出を試みる．麻酔下で粘膜骨膜弁を形成し，陥入した歯をいったん脱臼させた後，ブラケットを装着する．なお，矯正は受傷後1カ月後に開始する．この際，歯根膜および根尖部の組織に断裂が生じていることが予想されるため，症状が安定した後に歯髄の生死の判定を行って，歯内治療を行うかどうかを決定する必要がある．

3）完全脱臼

外傷による完全脱臼歯の場合，最も重要なことは歯に付着した歯根膜組織の温存である（**図 12-13**）．歯根膜組織がいかに良好な状態で保存されているかが，患歯の予後を大きく左右する．すなわち，受傷直後（30分以内）であれば歯根膜細胞は生存しており，脱臼歯再植法を行うことで，断裂した歯根膜組織が癒合・再生して患歯を温存することが可能である．一方，受傷後の放置時間が長く歯根膜組織の乾燥が著しい場合には，たとえ再植法を行ったとしても歯根膜細胞が再生せず，患歯と歯槽骨とが骨性癒着を起こし，最終的には歯が骨によって徐々に置き換えられる置換性吸収を惹起して，患歯は数年あるいは十数年で吸収脱落する経過をたどる．したがって，完全脱臼歯では，受傷後の歯根膜組織の状態が良好な場合には歯根膜が再生するが，歯根膜組織が再生できない環境下にあった場合には，いずれ吸収が起こる可能性があることを知っておくべきである．

なお，完全脱臼歯の治療までの保存法としては，まず流水下で歯の表面の汚染物の清掃を行った後，生理食塩液や歯牙保存液にただちに保管することが望ましいが，事故は突発的でこれらの入手が困難な場合が多いことから，一般的には適切な浸透圧を有する牛乳にただちに浸漬して保管するか，誤飲や気管内吸引に注意しつつ唾液の存在下である口腔内の口腔前庭や舌下に保存する方法が，患歯の予後を良好に保つための絶対条件である．このようにして保管した後にただちに歯科医院を受診すれば，歯根膜組織を温存できる可能性が高くなる．

④ 脱臼歯の再植の処置

完全脱臼歯を持参した患者に対しての処置としては，まずは脱臼歯を滅菌生理食塩液に浸漬後，通法どおり医療面接を行い，脱臼箇所以外の身体的損傷が大きくないことを確認したうえで，受傷した歯槽窩内および脱臼歯を滅菌生理食塩液で清掃する．その後，滅菌生理食塩液を浸したガーゼで脱臼歯を把持してもとの位置に戻す．この際，抵抗を感じて完全にもとの位置に戻すことが困難な場合には，骨折の可能性があるため歯槽窩内を精査する必要がある．骨折が確認された場合には，移動した骨片をもとに戻すなどして歯槽窩内を整備する．

脱臼歯が適切な位置に整復された場合は，全顎的な咬合をよく診たうえで正しい位置に戻ったかを確認する．なおこの際，根管治療や根尖切除，逆根管充塡などの口腔外での処置は基本的には行う必要はない．生着した後に根管治療および根管充塡を施すことによって，患歯を温存させることが可能である．

また，脱臼歯が根未完成の場合では，特に歯髄の再生を期待してそのままもとの位置に戻す場合が多い．ただし，この場合には数カ月にわたって歯髄電気診を実施し，詳細に経過を追う必要があるが，もし明らかに歯髄の再生が認められない場合には，可及的すみやかにアペキシフィケーションの処置に移行する．

なお，再植後の固定については症例にもよるが，長期間強固に固定することによって歯根吸収の可能性が高まることが指摘されており，通常 2 週間以内にとどめておくのがよいとされている．

（古澤成博）

Ⅳ 失活歯の歯根破折

垂直歯根破折は歯頸部から始まって根尖側に破折が伸展していく場合と，根尖部から歯頸側に破折が進行していく場合があり，歯根の中間部から破折が始まる症例は少ない．垂直歯根破折は基本的に抜歯が選択されるが，早期に治療が行われれば保存可能な症例も多く，正しい知識による診断と治療が求められる．

❶ 垂直歯根破折の原因

生活歯に比較して失活歯に圧倒的に多く発生する．歯髄の喪失による象牙質の強度の低下，根管拡大形成による歯質の喪失，ニッケルチタン（Ni–Ti）製ロータリーファイルによる根尖孔部でのクラック発生，根管充塡時の過剰な加圧，支台築造のポストの材質と象牙質との弾性の違いによる応力集中，強い咬合力など，多くの因子が関与していると考えられているが，不明確な点も多い．

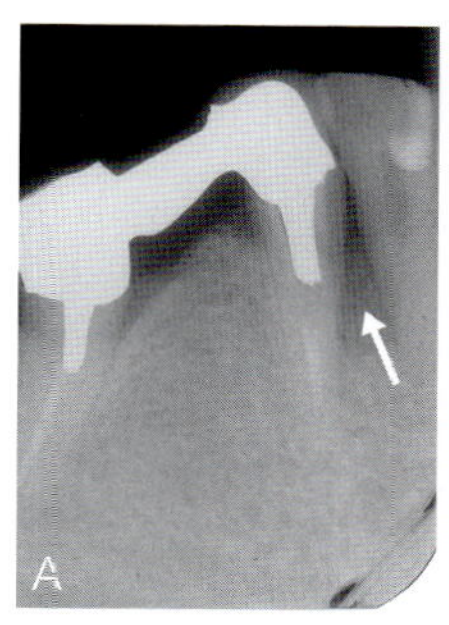

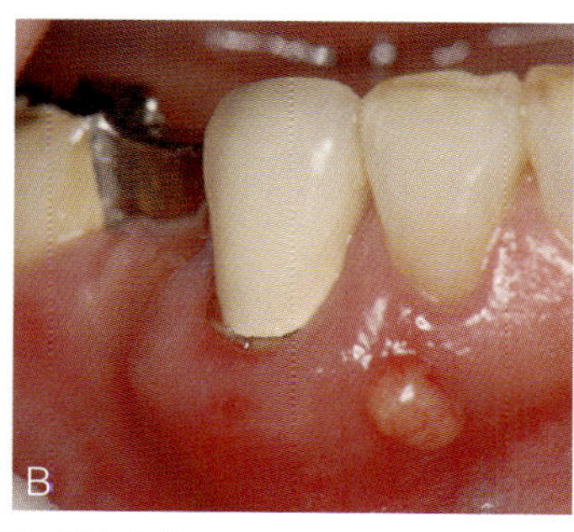

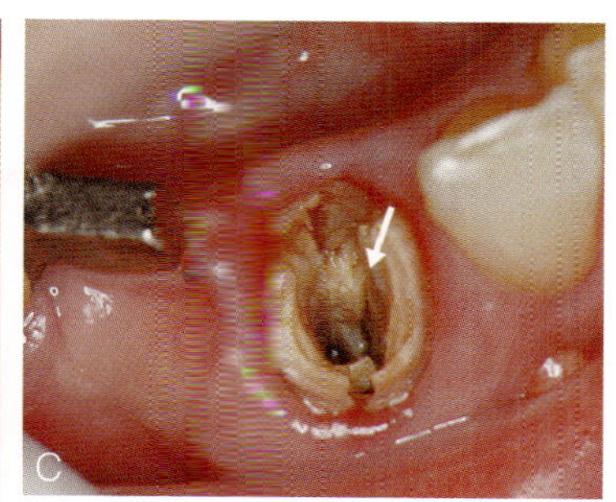

図12–14 垂直歯根破折（陳旧例）
A：初診時エックス線画像．$\overline{3|}$近心に垂直性骨欠損がみられる（矢印）．
B：口腔内写真．$\overline{3|}$近心に膿瘍の形成を認める．
C：ポスト除去後．頬舌側に破折線がみられる（矢印）．

❷ 臨床症状

1）新鮮例

強い衝撃が歯に加わって破折した場合には，自発痛や圧痛，咬合痛などが出現する．斜め方向への破折では，小さい破折片は動揺することがあるが，垂直方向の破折では一般に動揺が生じることはない．疲労性に破折した場合には無症状であったり違和感程度であったりすることが多く，セメントが崩壊して築造体が脱離したり，ブリッジの支台や連結冠の一方のみが動揺していたりしていることもある．

2）陳旧例

破折部位によってさまざまな症状を示し，歯頸部から破折した場合に歯肉辺縁が破折部に限局して発赤，腫脹したりするが，炎症が生じないこともある．炎症が拡大すると歯肉の腫脹が増大したり瘻孔を形成したりする（**図12–14**）．

根尖部から破折した症例では，無症状のことや，歯肉が腫脹したり瘻孔を形成したり，打診痛が生じたりと，根尖性歯周炎に似た症状を示すことが多い．

❸ 検査

1）プロービング深さ

歯頸部から破折した症例では，炎症が生じてくるとプロービング深さが破折線に沿って1カ所のみ限局的に深くなる．時間が経過して炎症が拡大すると，プロービング深さが深い部位は歯面全体へと拡大し，さらに歯根全周に広がっていく．

根尖部から破折した症例では，根尖部に炎症が限局している間にプロービング深さが深くなることはない．破折が根尖部から歯頸部付近に伸展し，炎症が歯頸部まで拡大するとプロービング深さは急に深くなり，ポケットプローブが根尖まで及ぶようになる．

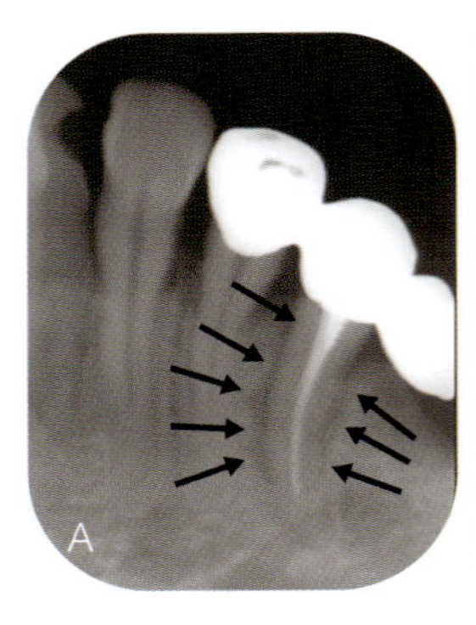

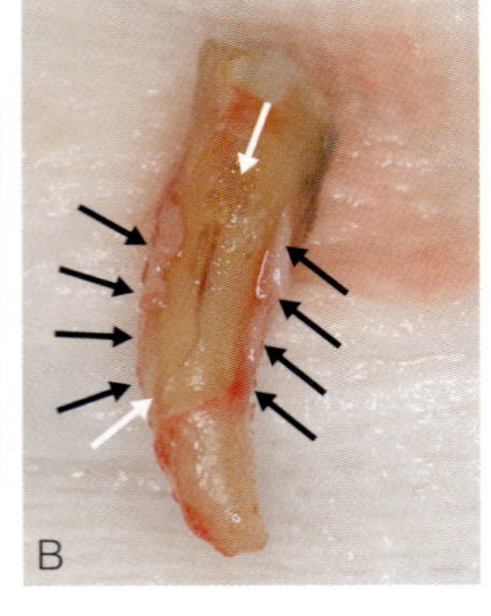

図 12-15 垂直歯根破折による暈状骨欠損（菅谷勉，2022[1]）

A：5̅| 歯根周囲に暈状骨欠損がみられる（矢印）．

B：抜去歯．頬側面の歯根膜が喪失し（黒矢印），破折線がみられる（白矢印）．

2）エックス線画像検査

(1) 口内法エックス線画像

口内法エックス線画像で破折線がみえるのは，破折間隙が広がってからであり，さらに破折線が頬舌側面で，画像上でポストや根管充填材と重ならない場合に限られる．

近遠心面の歯頸部から生じた破折で骨欠損が生じると，歯根膜腔拡大や垂直性骨欠損として観察される（**図 12-14**）．しかし，頬舌側面では骨欠損が歯根と重なるので，歯根幅と同程度以上に骨欠損が拡大するまで認識は困難で，歯根幅より拡大した時点で歯根の外側に不明瞭なわずかな骨欠損（暈状骨欠損）として観察される（**図 12-15**）．

根尖部から破折した場合には，初期には根尖性歯周炎と同様の骨欠損となる．頬舌面の破折が歯冠側に伸展して骨欠損も拡大してくると，暈状骨欠損がみられるようになり，さらに根尖部から根側部へと骨欠損が拡大する．

(2) 歯科用コーンビーム CT

歯科用コーンビーム CT（CBCT）は口内法エックス線画像より分解能が低いため，破折線の観察は口内法エックス線画像より困難な場合が多いが，破折線に沿った幅の狭い骨欠損の観察には有効である．骨の厚みが薄い部位では裂開状の骨欠損となり，骨が厚いと狭い垂直性骨欠損となる（**図 12-16**）．金属ポストや太い根管充填材がある場合にはアーチファクトが強く出現するため，症例を十分に検討して撮影する必要がある．

3）破折線の確認

他疾患との鑑別には破折線を確認することが重要で，歯根表面または根管壁を調べることになる．

歯頸部に歯根が露出している場合には注意深く歯根表面を観察すればよいが，歯冠補綴装置が歯肉縁下に及んでいる場合には，歯肉を圧排して根面を観察する．それでも歯根がみえない場合には歯肉弁を剝離して歯根を露出させて診断する（外科的診断）（**図 12-17**）．

根管壁を確認するには，補綴装置と根管充填材を除去することが必要となる．歯科用実体顕微鏡を使用すると精度が向上し，特に根尖近くの根管壁を確認するには歯科用実体顕微鏡は必須である．破折線を齲蝕検知液やメチレンブルーなどで染色すると視認性が向上する．

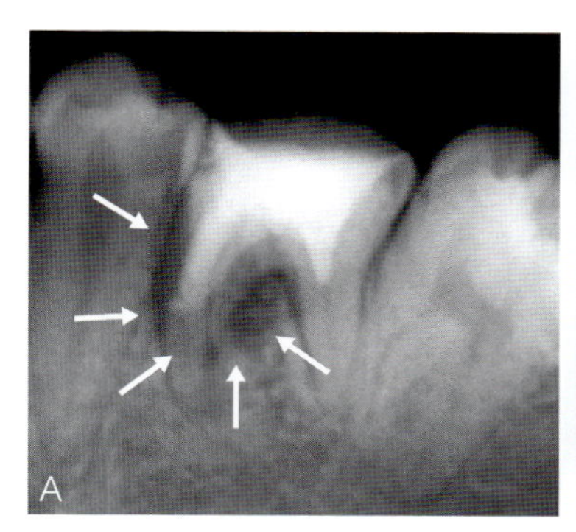

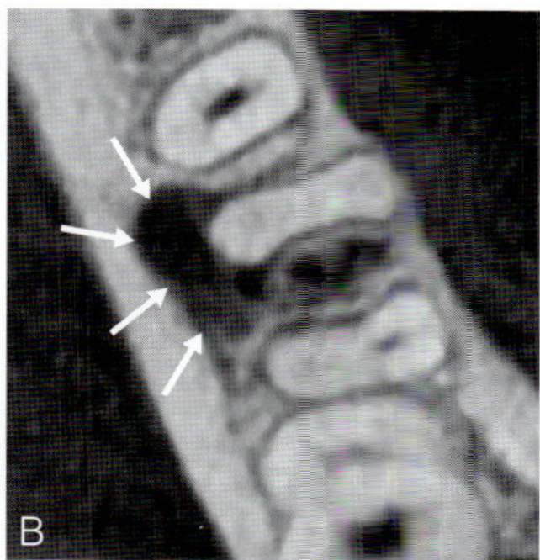

図 12-16 垂直歯根破折の口内法エックス線画像と歯科用 CBCT（菅谷勉，2022[1)]）

A：口内法エックス線画像．分岐部と近心根周囲の骨欠損がみられる（矢印）．

B：歯科用 CBCT 横断像．狭い垂直性骨欠損がみられる（矢印）

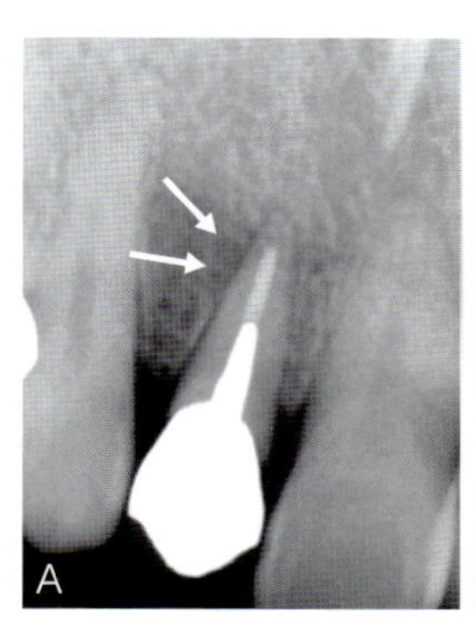

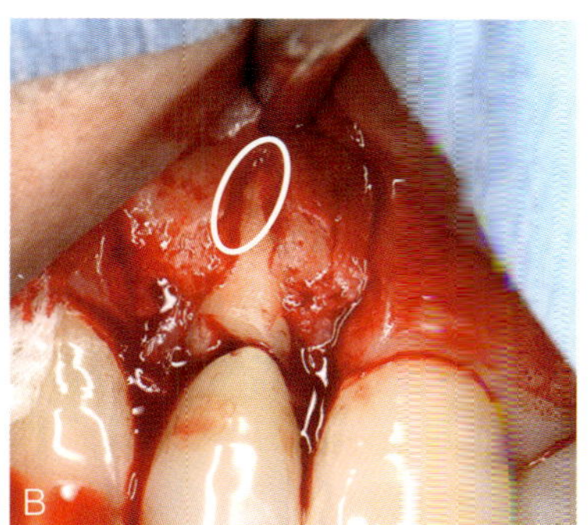

図 12-17 外科的診断法

A：口内法エックス線画像で根側部に骨欠損を認める（矢印）．

B：歯肉弁剥離後．根面に破折線がみられる（白丸）．

❹ 治療法

1）切除的治療

垂直歯根破折が歯頸部の数 mm に限局している場合には歯冠長延長術や挺出を行って破折線を歯肉縁上にしたり，根尖部のみが破折している症例では根尖切除を行って破折部位の歯根を切除したりすることが可能である．

多根歯で 1 根または 2 根が垂直破折している場合には，ヘミセクションやトライセクション，歯根切除法を行って，破折していない歯根のみを保存する方法が選択可能である．

2）保存的治療

(1) 基本的考え方

イヌの歯根を垂直破折して歯周組織の炎症状態を経時的に観察した実験では，破折線を中

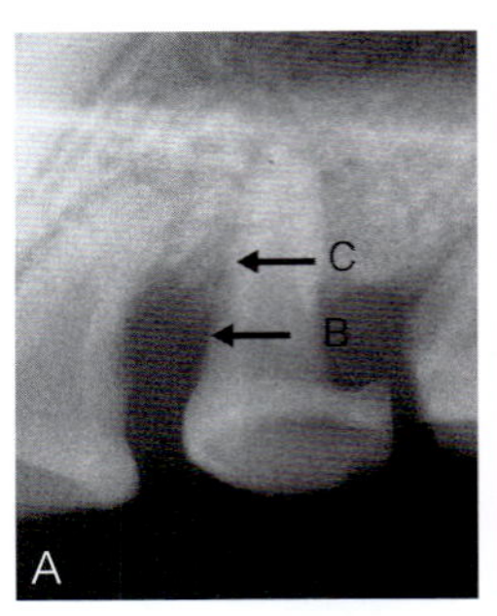

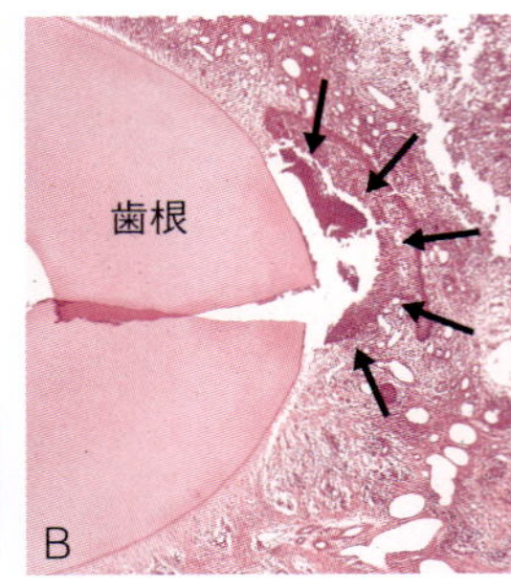

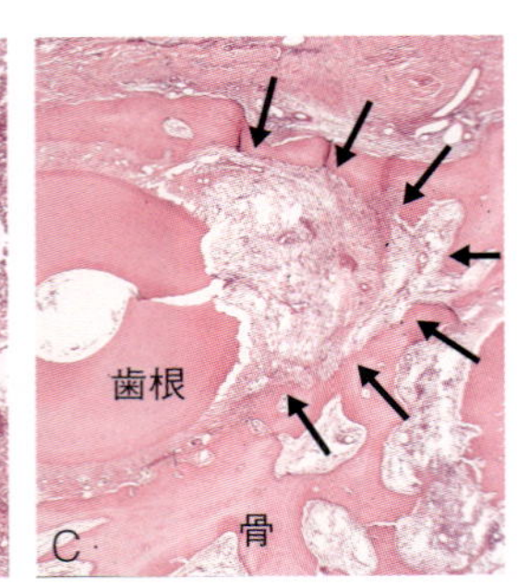

図 12-18 イヌの歯根を垂直破折した後の歯周組織破壊（菅谷　勉，2022[1]）
A：4 週後エックス線画像.
B：セメント-エナメル境付近の組織像．矢印はポケット上皮を示す.
C：骨欠損底部付近の組織像．矢印は垂直性骨欠損を示す.

心とした狭い垂直性骨欠損が徐々に拡大してプロービング深さが深くなったが，ポケット上皮の根尖側移動はほとんどなかった（**図 12-18**）．すなわちポケットプローブは炎症性結合組織を穿通しているのみで，歯周病のように歯周ポケットが深くなって根面にプラークが増殖しているわけではなかった．炎症の原因は根管や破折間隙の細菌であったことから，根管を清掃することで根尖性歯周炎が治癒するように，垂直歯根破折は根管や破折間隙の細菌を除去することにより炎症が消失して骨欠損が改善することが期待できる．さらに，破折間隙を封鎖して再感染を阻止するとともに，根管内を接着性レジンセメントで充填したり長いポストを接着したりして再破折を防止することが必要となる.

しかし，破折後長期間経過していると，破折間隙から歯根表面に細菌が増殖してバイオフィルムを形成し，歯根膜や歯槽骨の喪失範囲も拡大する．この場合には，歯根表面のバイオフィルムも除去する必要があり，さらに歯根膜や歯槽骨の喪失範囲が広くなると，術後に深いポケットを形成したり咬合支持力が不十分となって予後が悪化する.

(2) 意図的再植法による治療

歯根がすでに分離して破折間隙が広い場合には，破折間隙に炎症性肉芽組織が侵入していて根管内からの治療は困難である．また，歯根表面にバイオフィルムが形成されている場合には根管内からの治療では炎症が改善しない．これらの症例ではいったん抜歯して，分離した歯根を口腔外で接着して原型を回復し，歯根表面のバイオフィルムを除去してもとの抜歯窩に再植する方法が行われる（**図 12-19**）．使用する接着性レジンセメントは，歯周組織に直接接触するため高い生体親和性が必要で，今のところ 4-META/MMA-TBB レジンが最も適していると考えられる.

(3) 根管内からの治療

まず，破折間隙に増殖した細菌を取り除き，レジンセメントを浸入させて間隙を封鎖するために，破折線を超音波チップで根管内から切削する．破折線の切削は歯根膜に達するまでできるだけ狭い幅で行い，切削部を洗浄，根管貼薬して炎症が消失したら，接着性レジンセメントで破折間隙を封鎖する.

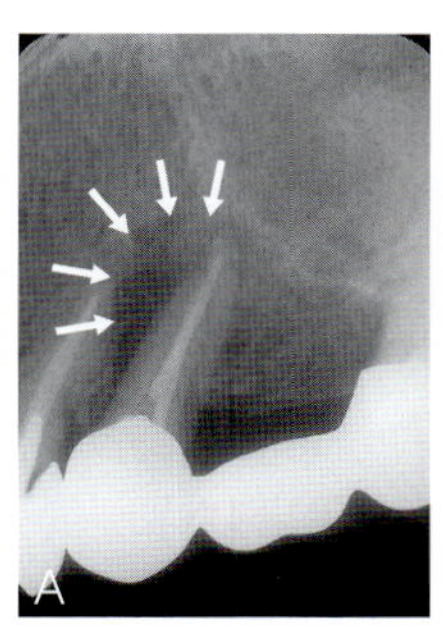

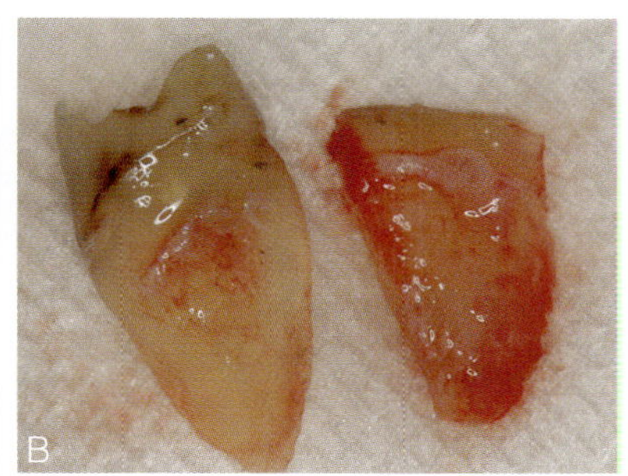

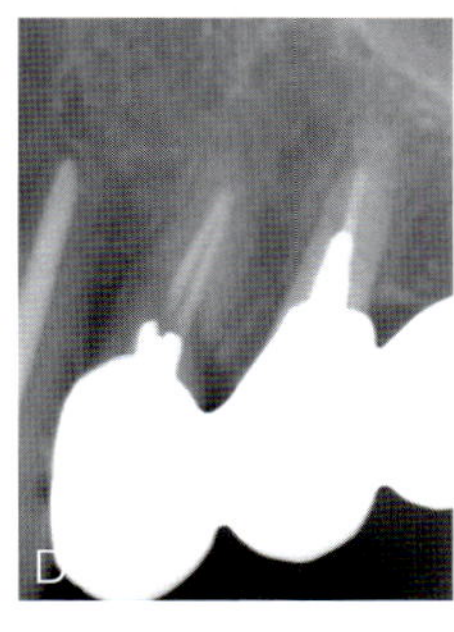

図 12-19　意図的再植法による治療
A：初診時エックス線画像．骨欠損を認める（矢印）．
B：抜去した歯根．
C：接着した歯根．
D：術後 3 年のエックス線画像．

(4) 歯肉弁を剥離して行う治療

破折が唇頬側面の場合には，歯肉弁を剥離して歯根表面側から感染組織を切削して破折線の汚染を除去するとともに，レジンセメントの浸入スペースを形成し，レジンセメントで破折間隙を封鎖する方法がある．根管壁にポストが接着されていないと再破折して炎症が再発するので，まずポストを接着しておくことが必要である．

(5) 歯冠補綴やメインテナンス

破折を防ぐためのポストの材質や接着方法，フェルールの確保，負荷される咬合力に配慮した歯冠補綴などが，垂直歯根破折歯の予後に大きく影響する．さらに，限局的に深い歯周ポケットが残った場合には，ポケットへのプラーク増殖を阻止したり，わずかな歯の移動に伴い早期接触が生じた場合には咬合調整を行うなど，メインテナンスも重要である．

(6) 治療成績

術前の骨欠損の大きさや負荷させる咬合力によって，治療後の生存率は異なっている．術前にプロービング深さが浅く骨欠損がない症例，すなわち根管治療時に偶然発見されたような症例では成功率は高い．しかし，歯頸部から根尖部まで骨が欠損している症例では短期間で多くが抜歯となっている．また，咬合力が大きく負荷される症例も予後が悪い．

垂直歯根破折は的確な診断と症例に応じた治療法の選択が重要である．

（菅谷　勉）

第13章 外科的歯内治療

I 外科的歯内治療の適応症と種類

歯内治療は，根管空隙を無菌化して，緊密に充填することにより，歯周組織に対して為害性を生じることなく，歯を保存し機能させるために行われる．通常は，根管を経由して治療が行われるが，根管空隙は複雑な形態をしているので，必ずしも理想どおりの処置が行えるとはかぎらず，歯内治療の成功率は，抜髄症例でおよそ90%以上，感染根管治療症例でおよそ70〜90%と報告されている．この成功率は高いとも考えられるが，残念ながら治癒に至らない症例が存在することは事実である．そのような根管を経由しての治療が困難な歯や歯内治療の経過不良な症例に対して，歯を保存する最後の方法として行われる処置が外科的歯内治療である．

歯科治療は多くの治療が感染源の除去であるので，人体に対してなんらかの行為を施すという意味では，そのほとんどが広義の意味での外科処置に含まれるが，外科的歯内治療という場合は，歯の根管を経由せずに，主に歯周組織を経由して歯の外部から処置を行うことにより歯の保存をはかる処置を意味する．歯周組織を経由するので，歯周治療に関する知識や診断も必要になることが多い．

❶ 適応症

通常の歯内治療では治癒が困難であり，外科的歯内治療の適応症であると考えられている主な症例を以下に示す．

① 根管形態が複雑であるため，根管の完全な清掃・消毒が困難または不可能であり，自覚的，他覚的に症状を呈している症例

② 歯内由来の原因で歯根表面に感染源が存在しており，根管を経由した治療では感染源の除去が行えない症例

③ 根管の閉塞や器具の破折片などが存在し，根管を経由した通常の歯内治療が不可能な症例

④ 歯根吸収や歯の外傷などにより，歯根の形態が不規則になった症例

⑤ 歯冠修復処置が行われた後に，根尖病変が再発した症例で，修復物や支台築造を撤去することが困難な症例

⑥ 歯内治療中に器具や齲蝕により穿孔が生じた症例や，歯根破折が生じた症例

❷ 種　類

外科的歯内治療は，種々の分類が知られているが，本書では以下のように分類して述べる．

① 外科的排膿路の確保 surgical drainage
② 根尖搔爬法 apicocurettage
③ 歯根尖切除法 apicoectomy
④ 歯根切除法 root amputation
⑤ ヘミセクション hemisection・トライセクション trisection
⑥ 歯根分離法 root separation
⑦ 歯の再植法 tooth replantation
⑧ 歯の移植法 tooth transplantation

Ⅱ 外科的歯内治療の術式および治癒機転と予後

❶ 外科的排膿路の確保

根尖性歯周炎が原因で膿瘍が形成されるなどして急性症状を呈しているときに，根尖病変部の内圧の軽減や排膿を促進するために，歯槽骨や歯肉などに外科的に人工的な排膿路をつくる方法である．内圧の軽減などにより，疼痛の緩和などの急性症状の軽減が期待される．①切開法 incision and drainage，および②穿孔法 trephination に分けられる．根尖性歯周炎の進行状況により行う処置が異なるので，検査により病態を的確に診断して処置を行う．いずれの処置も急性症状に対する対症療法であるので，原発病変の治療には，通常の根管治療を併用する．急性症状の有無は，通常の歯内治療および外科的歯内治療の成功率に影響を及ぼさないとされている．

1）切開法（図 13-1）

急性化膿性根尖性歯周炎が骨膜下期から粘膜下期に進み，歯肉の腫脹部分に波動を触れる症例に行う．時期が適切でない場合に行うと，切開しても排膿せず，患者に苦痛を与えるだけの結果になるので術前の的確な診断が必要である．局所麻酔は，炎症の拡散や膿瘍内の圧の上昇を避けるために，膿瘍周囲に浸潤麻酔（あるいは伝達麻酔）を行う周囲麻酔法を用いる（図 13-2）．膿瘍が自潰寸前のときは，無麻酔か表面麻酔で切開を行える場合もあるが，膿瘍腔の搔爬や洗浄が不十分にならないように注意する．

切開は口腔外と口腔内から行う方法があるが，口腔外の場合は，皮膚割線の方向に一致させる．口腔内の場合は，オトガイ孔などの神経や血管の開口部に注意する．時期が適切であれば，メスを用いて切開すると自然に排膿する．鋭匙などを用いて搔爬を行い，滅菌生理食塩液などで十分に洗浄する．病変が大きい場合には，ドレーンを挿入して排膿路の閉鎖を防止するとともに，持続的な排膿を促す．膿瘍切開とよばれることもある．

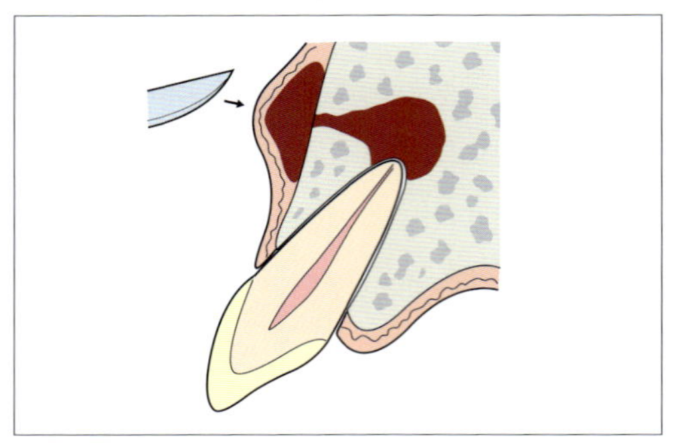

図 13-1　切開法

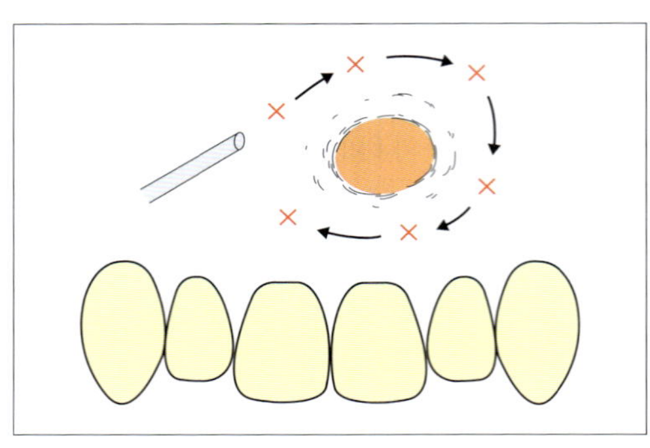

図 13-2　周囲麻酔法

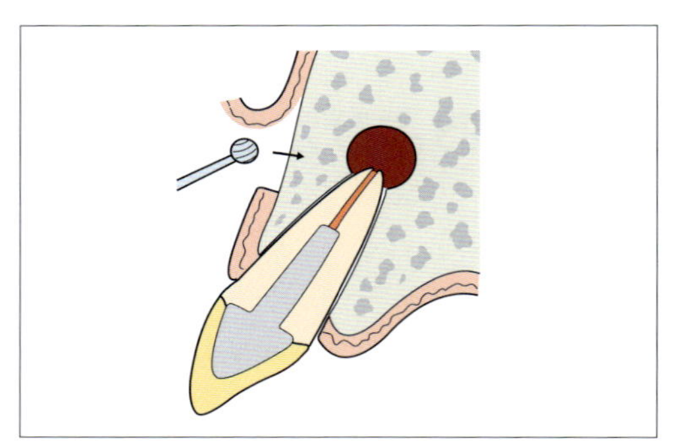

図 13-3　穿孔法
ラウンドバーなどを用いて，歯槽骨を穿孔する．

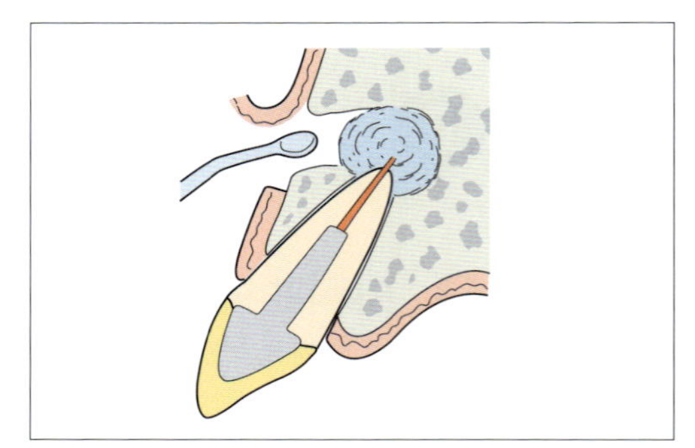

図 13-4　根尖掻爬法
根尖部の肉芽や嚢胞壁を鋭匙などで掻爬する．

2）穿孔法（図 13-3）

急性化膿性根尖性歯周炎が骨内期にあり，内圧が亢進して拍動性の激痛がある症例で，根管経由の排膿が困難であり，抗菌薬や消炎鎮痛薬の投与を行っても症状が緩和しない症例に行う．根管治療や抗菌薬の進歩により，適応となる症例は以前より減少している．粘膜骨膜弁を剝離し，ラウンドバーなどで歯槽骨を穿孔して病変部を開放し，内圧の減少を期待する．穿孔時に歯根を傷つけないように注意する．

❷ 根尖掻爬法

病変が生じている根尖部の歯根表面とその周囲の組織を掻爬する方法である（**図 13-4**）．次項の歯根尖切除法とは異なり，根尖の切除は行わない．

適応症は，通常の根管治療では治癒が困難か，あるいは不可能な症例で，かつ，根管内の感染源の除去ならびに根尖部の封鎖が確実な症例である．たとえば，根管充塡材が根尖孔から溢出して刺激源となっている症例などである．

歯根を切断しないため，術後の歯冠・歯根比が良好に保たれることが利点であり，特に歯根の短い歯や歯周病により支持歯槽骨が減少している歯の場合は有効である．しかし，根尖孔や根管の根尖分岐や側枝の封鎖が完全でなければ良好な予後が得られないので，術前および術中における病変の原因の確定が重要である．通常，粘膜骨膜弁を剝離して唇側より肉芽

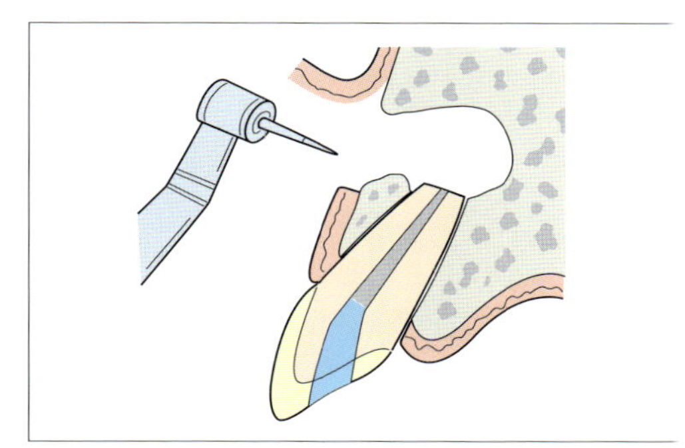

図 13-5　歯根尖切除法
根尖の切除と周囲の肉芽組織の搔爬を行う．

組織の搔爬を行うが，裏側にあたる舌側の搔爬は困難なことが多く，感染源を取り残すおそれがあるので注意が必要である．骨の開拡範囲を広げて器具の操作性を改善すると，効果的な肉芽の除去が可能となる．ただし，根尖部に病変の原因となる問題が発見された場合には，次項の歯根尖切除法の適用を考慮する必要がある．

❸ 歯根尖切除法（図 13-5）

根尖部の切除および根尖病変の搔爬により，感染源を除去して，歯を保存し機能させる方法である．さらに緊密な根尖部の封鎖を得るために，切断後に根尖側から逆根管充填窩洞を形成して逆根管充填を併用することが多い（**図 13-6**）．歯科用実体顕微鏡や，超音波振動装置に装着する逆根管形成用チップ（レトロチップ）の利用，歯科用コーンビーム CT（CBCT）による正確な術前検査を行うことで成功率の向上が見込まれる．

1）適応症

通常の根管治療により治癒が得られないか，あるいは不可能な歯が適応である．根管内の感染源の確実な除去が期待できず残留する症例においては，逆根管充填法を適用することが必須である．具体的には以下のような条件の歯が対象となる．

① 根尖部に病変が存在する歯で，歯根の彎曲や狭窄，器具の破折，深い支台築造などにより，根管を経由した通常の根管治療が不可能な症例
② 根尖部に根管の分岐や側枝が存在し，根管からの治療では感染源の完全な除去が望めない症例
③ 歯根吸収や以前の処置により根尖孔が大きく開いており，感染が根尖孔外に及んでいると予測される症例や，滲出液や膿が止まらない症例
④ 根尖部の根管側壁に穿孔が生じている症例
⑤ 大きな歯根嚢胞が存在している症例

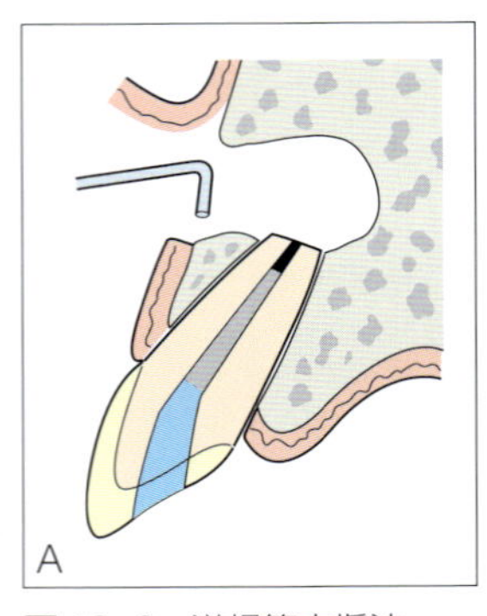

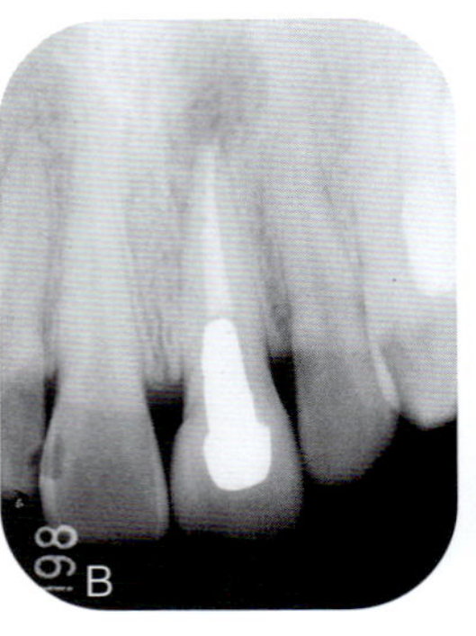

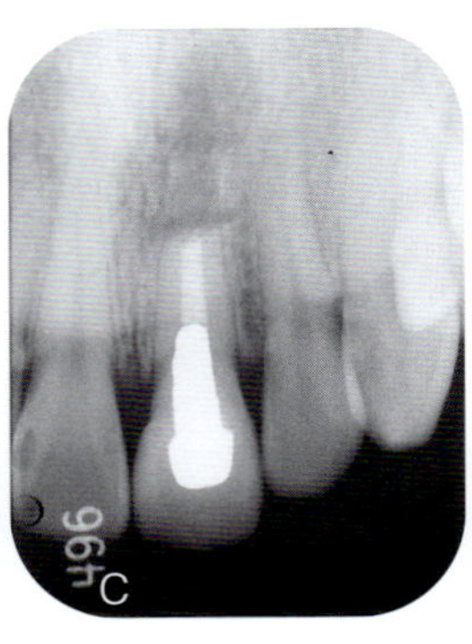

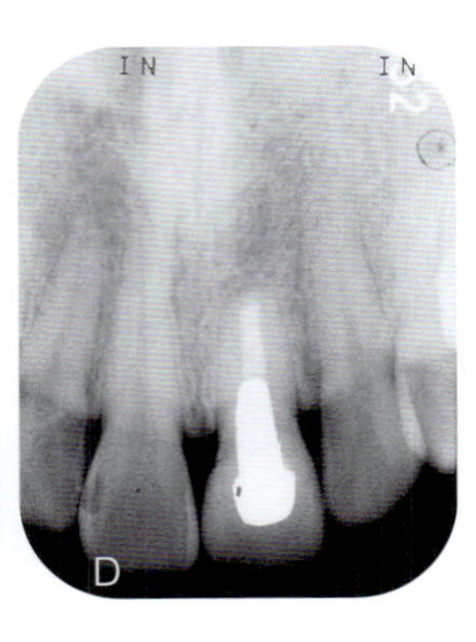

図 13-6　逆根管充塡法
A：根尖部を切断後に，逆根管充塡窩洞を形成し，逆根管充塡を行う．レトロチップや専用プラガーを用いると根管に沿った逆根管充塡窩洞の形成，充塡が可能である．B：22 歳女性，$\underline{|1}$，術前．C：1 週間後．D：2 年後．

2）禁忌症

全身状態が外科処置に適さない場合のほかに，局所的には以下の場合が該当する．ただし，十分な知識と技術の習得により，解剖学的な制約は少なくなる．

① 歯根が上顎洞やオトガイ孔などに近接している症例
② 大臼歯など根尖部への外科的な到達が物理的に困難な症例
③ 歯根が短い歯や歯周病が進行していて，歯根切除を行うと術後の歯冠・歯根比が不良となり，歯の保存が困難となる症例

3）術　式

（1）術前検査

口内法エックス線検査および歯科用 CBCT による検査を含む各種検査を行い，適応症であることを確認する．特に歯根破折との鑑別診断は困難な場合も多いので注意を要する．根尖病変の範囲，周辺歯肉の状態などの局所の状態はもちろん，患者の全身状態の把握も重要である．重度の糖尿病，循環器疾患，出血性素因などは特に注意が必要である．

（2）インフォームド・コンセント

患者に対する説明は特に重要である．病状や外科処置の内容と，予測される治癒経過や問題点などを説明し，患者が十分に理解したうえで，同意を得る．

（3）手術野の消毒および麻酔の施術

第 4 章「歯内治療における基本術式の概要」参照．

（4）切開と粘膜骨膜弁の形成

根尖病変の範囲や辺縁歯周組織の状態を確認して，症例に適した切開線を設定する（**図 13-7**）．そして，骨膜剝離子を用いて粘膜骨膜弁の剝離，翻転を行う．通常は全層弁の形成を行う．

（5）根尖病変部の肉芽組織の掻爬，除去

探針などを用いて病変部を確認した後，骨削除を行い，根尖部の炎症性肉芽組織や囊胞を

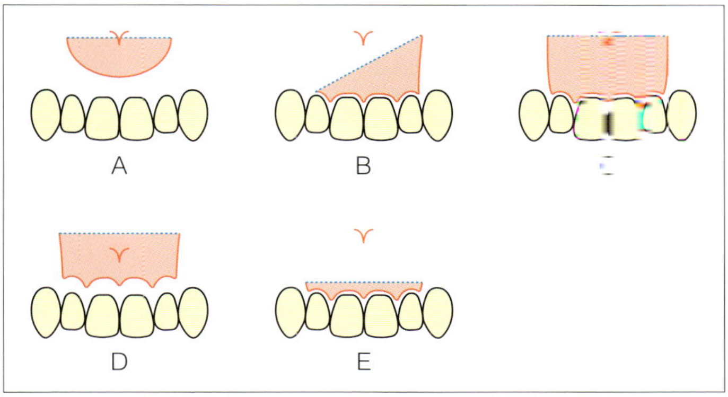

図 13-7　各種切開線
A：半月形切開 semiluminar，B：三角形切開 triangular，C：矩形切開 rectangular，D：Ochsenbein-Luebke 切開，E：歯肉溝切開 gingival.

除去する．次に行う歯根尖切除のために骨窩洞形成を同時に行うこともある．

(6) 歯根尖の切除

従来は唇側に約 45° の角度をつけて斜めに根尖を切除することにより，歯根切断部に十分な視野が得られると考えられてきたが，根尖部の封鎖不良や根管の見落としなどの問題が生じる危険性がある．可能であれば，歯根切断端のベベルは 10° 以下で切除することが望ましい（**図 13-8**）．歯科用実体顕微鏡を応用すれば，0° の角度の切除を実施することが可能である（第 14 章「歯科用実体顕微鏡を応用した歯内治療」参照）．感染源になりやすい側枝や分岐が根尖部 3 mm に集中するとされることから，原則として根尖 3 mm を切除する．その後，切断面の観察を行い，根管経由の根管充填が緊密であれば，歯根尖切除法として骨窩洞内の肉芽組織と感染源の除去を行う．

(7) 逆根管充填窩洞の形成

歯根尖切除後に，根管充填が不十分な部位や，根管と根管を結ぶイスムスなど緊密に封鎖されていない部位があれば，逆根管充填窩洞の形成を行う．以前は逆根管充填窩洞形成にラウンドバーなどの回転切削器具が使用されていたが，最近は，超音波振動装置に装着した専用チップを用いる方法がしばしば用いられる．この方法を用いると，歯根長軸に垂直な切断面に，根管方向に追従した逆根管充填窩洞の形成が可能である（**図 13-8**）．逆根管充填窩洞の深さは 3 mm を基準とする（**図 13-9**）．

(8) 逆根管充填

逆根管充填窩洞を乾燥した後，逆根管充填を行う．逆根管充填材には，強化型酸化亜鉛ユージノールセメント（EBA セメント）などが用いられる．近年，ケイ酸カルシウムなどを主成分とする MTA（mineral trioxide aggregate）セメントが良好な成績を示しており，逆根管充填材として国内外で高く評価されている．

(9) 縫　合

根尖周囲の洗浄を行った後，粘膜骨膜弁を戻し，縫合する．縫合後は，剝離した粘膜を骨

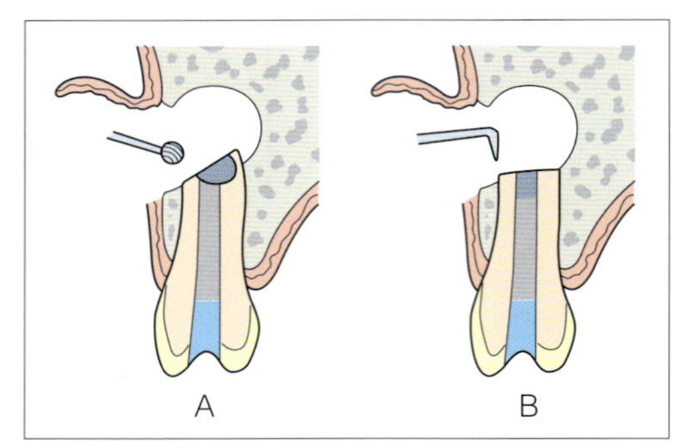

図 13-8 歯根切断の角度の違いによる影響
断面に対する角度が 45°（A）と 10°（B）の例.

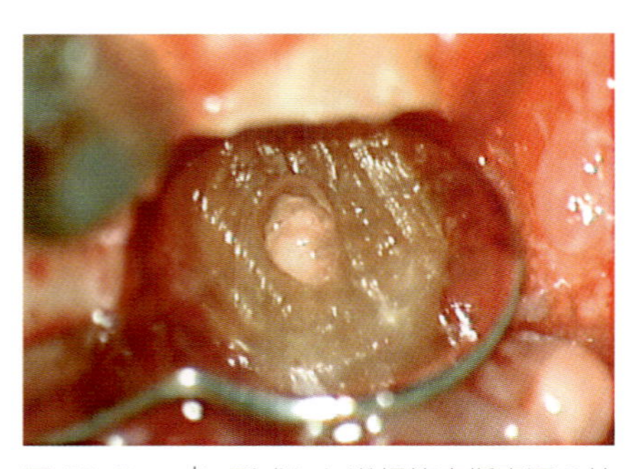

図 13-9 1|に形成した逆根管充填窩洞の拡大図
超音波振動装置にレトロチップを装着して形成を行った．根管の走行に沿った深さ 3 mm の円筒型の窩洞.

面によく圧接して，創傷の一次治癒を確実にする.

4）治癒機転と予後

根尖部の感染源が除去されれば，骨窩洞には骨が造成する．小さい骨窩洞であれば再生した骨により満たされるのが，数カ月後にはエックス線画像上で確認できる．しかし，大きな欠損の場合は，再生した骨で満たされるには1年程度の期間が必要である．さらに，治癒過程で瘢痕組織 scar tissue が生じると，エックス線画像上では透過像が根尖に残存する結果となる．エックス線検査により，患歯の歯根膜腔の存在の有無を調べたり，口腔内の検査を行うことにより，瘢痕組織か根尖病変の存続・再発かを診断する．瘢痕組織であれば，症状も発現せず，経年的な変化もないと報告されているので，臨床的には治癒と考えて問題はない.

従来法の歯根尖切除法では，成功率は約 70% と報告されてきたが，歯科用実体顕微鏡を使用した最近の術式によると 90% を超える成功率が示されている．ただし，根尖を切除することにより，歯冠・歯根比の悪化や歯根破折が生じる危険が高まるので，修復や咬合の状態が予後に大きく影響すると考えられる.

❹ 歯根切除法

複根歯に適用される外科的歯内治療で，歯冠には触れずに保存し，一部の保存不可能な歯根のみを切除する方法である（**図 13-10**）．根分岐部より根尖側に治療困難な原因が存在し，かつ，分岐部が歯内・歯周治療上健全な症例に適用される．根尖部に原因がある場合は，前項の歯根尖切除法が適応になるので，具体的には，吸収や器具による根中央部の穿孔などが歯根切除法の適応症となる.

術式は，まず抜去予定の歯根の根管口を確実にセメントやレジンで封鎖しておく．粘膜骨膜弁を形成後，骨削除を行い，歯根を露出させる．歯根を切断後，必要があれば逆根管充填を行う．歯根を切断しただけでは断面が切株状になり，鋭縁が残る場合があるので，切断面や歯冠の形態を周囲と移行的になるように修正する．まれに，歯周疾患が原因の場合，生活

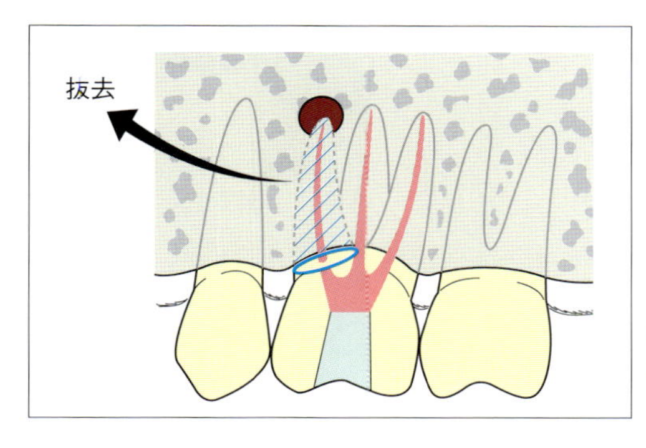

図 13-10　歯根切除法
歯冠には触れずに保存し，保存不可能な歯根のみを切除する．

歯に対して，歯根切除法を施すことがある．この場合は，抜髄など適切な歯内治療を事前に施した後に行うことが推奨される．

術後は，切断面が鼓形空隙と一体化して非生理的な形態となるため，歯間ブラシの使用を中心としたプラークコントロールが，歯周疾患や齲蝕予防のために必須となる．

❺ ヘミセクション・トライセクション

複根歯に適用される外科的歯内治療で，歯を根分岐部で分割し，一方の歯根を上部歯冠とともに除去する方法である（**図 13-11**）．通常，下顎大臼歯に適用され，歯を半分除去するのでヘミセクション hemisection とよばれる．上顎大臼歯は通常 3 根を有するので，1 根をその上部の歯冠とともに除去して，他の 2 根を保存する場合は，トライセクション trisection とよばれる．

歯の保存が困難な原因が一方の歯根に限局しており，かつ歯冠部の保存も困難な場合が適応症となる．歯冠部の保存が可能な場合は，前項の歯根切除法が適応となる．具体的には，一方の歯根が以下のような状態にあり，他の歯根が保存可能な症例が適応となる．

① 症状があるにも関わらず，根管の彎曲，石灰化や器具の破折により歯内治療が困難な場合
② 歯根破折が存在する場合
③ 歯内－歯周疾患により歯周ポケットが根尖まで達した場合
④ 根分岐部付近に穿孔が生じた場合
⑤ 重度な根面齲蝕の場合

術式は，根分岐部を確認した後，分岐部に沿って歯根をバーで切断する．保存する予定の歯根を切削しすぎるのはよくないが，保存をはかるあまり分岐部の突出部を残すと，のちの歯冠修復が困難となったり，清掃性が悪くなるので注意する．その後，保存不可能な歯根を抜去する．歯根の彎曲や肥大があるときは，抜去が困難なこともあり，歯根や骨の削除が必要な場合もある．

ヘミセクションを施した歯は，ブリッジなどの修復処置が必要になるが（**図 13-12**），通常のブリッジに比べると予後に問題が生じやすい．その原因としては，齲蝕，歯周病，歯根破折などがあげられる．まず，分岐部の切断面に露出した象牙質をすべて修復物で被覆する

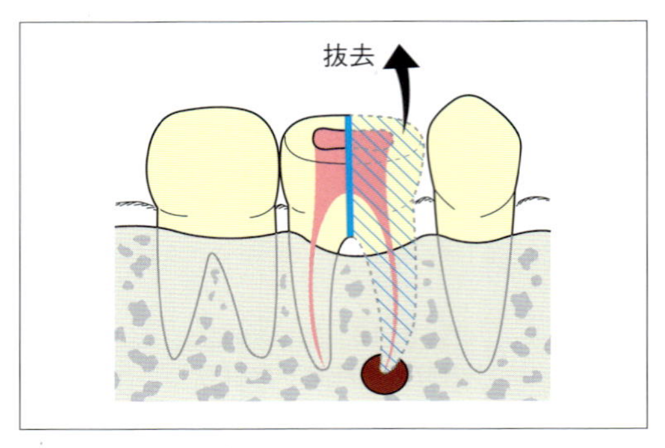

図 13-11　ヘミセクション
歯を根分岐部で分割し，一方の歯根を歯冠ごと除去する．

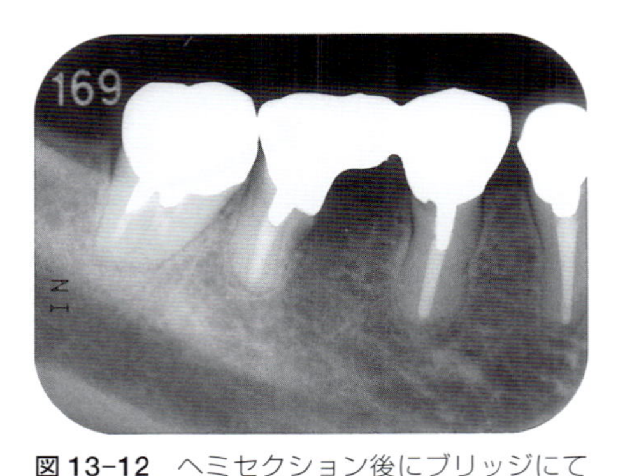

図 13-12　ヘミセクション後にブリッジにて修復した6┐の症例
8 年経過後のエックス線画像．骨の状態や修復物の適合が良好である．

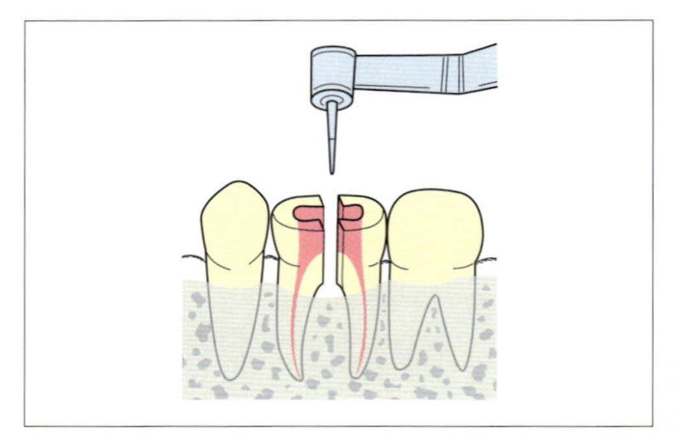

図 13-13　歯根分離法
歯根を抜去することなく，両方の歯根を保存する．

ことは困難なため，根面に齲蝕が生じやすい．次に，分岐部の歯根が歯冠部と移行的になりにくい形態をしているので，プラークが滞留しやすく，歯周病に罹患する危険性が高い．また，ヘミセクションが施術された大臼歯は，咬合力による大きな負荷を受けているため，欠損部を修復するブリッジの支台歯に歯根破折を生じることが多い．

❻ 歯根分離法

複根歯に適用される外科的歯内治療で，髄床底部で歯根を分割するが，歯根を抜去することなく，両方の歯根を保存する方法である（**図 13-13**）．分岐部にのみ病変が存在し，根尖部は健全で，それぞれの歯根の骨植が良好な症例が適応症となる．髄床底部の齲蝕などによる穿孔の症例が適応症であるが，歯周病由来の分岐部病変に対しても適応されることがある．いずれの歯根も保存するので，分岐部の分割時には，過不足のない歯質削除が必要である．通常，修復は連結冠が用いられる（**図 13-14**）．

以上の複根歯に適用される❹〜❻の外科的歯内治療は，歯根の骨植状態とともに，歯根の分岐状態の診断が非常に重要である．歯根の離開度やルートトランク（歯頸線から根分岐部までの長さ）の長さ，樋状根管などに注意する必要がある（**図 13-15**）．外科的処置に有利

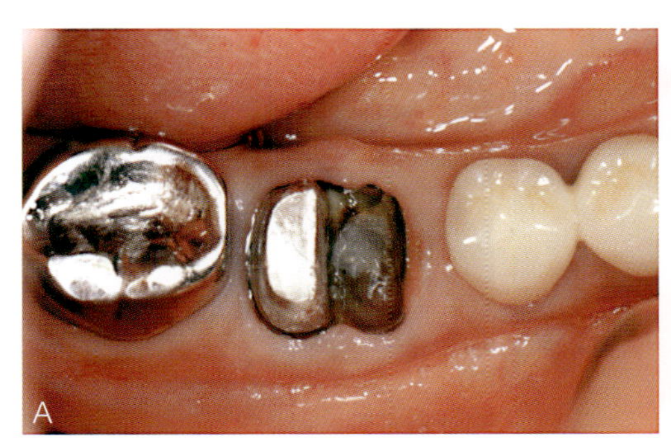
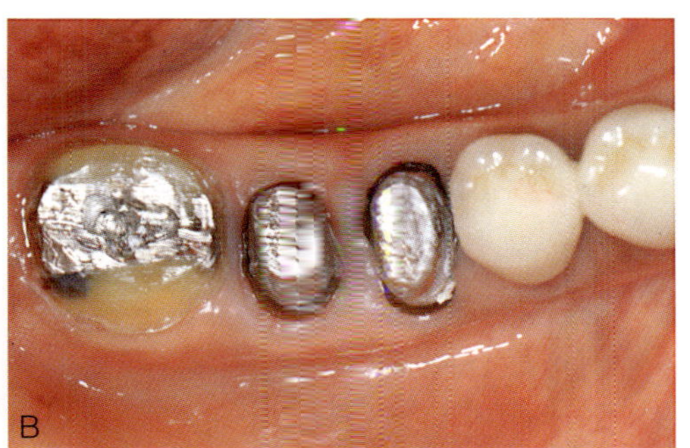

図 13-14　歯根分離法の口腔内写真
A：歯根分離前，分岐部に微小破折が存在した．
B：歯根分離後，歯根の挺出および位置修正のための部分矯正を行い，支台築造を行った状態．

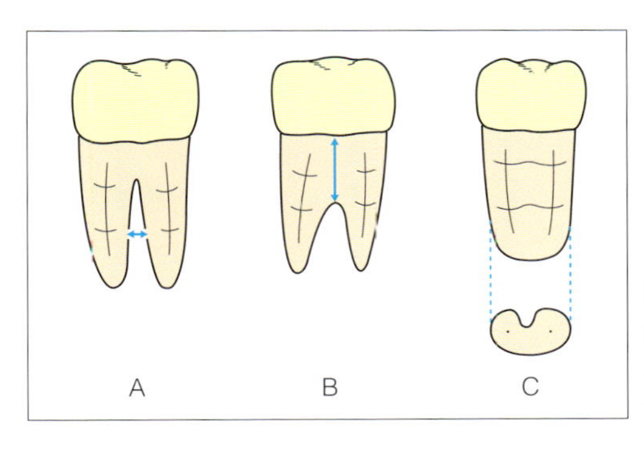

図 13-15　歯根を切除せずに分割する外科的歯内治療において，考慮すべきさまざまな歯根の分岐状態
A：離開度が小さいと不利である，B：ルートトランクが長いと不利である，C：樋状根管は不適応である．

な条件として，①歯根離開度や歯根間距離が大きい，②ルートトランクが短い，③歯根の彎曲が少ないことがあげられる．

❼ 歯の再植法

歯の再植法は，歯槽窩から脱臼して一度口腔外に出た歯を，再び元の歯槽窩に戻して保存する方法である．脱臼歯の再植と意図的な再植に分類される．

1）脱臼歯 avulsed tooth の再植

外傷などが原因で過大な力が歯に加わり，歯槽窩から偶発的に脱臼した場合に行われる処置である．脱臼から再植までの時間や歯の保存状態による歯根膜組織の損傷程度の違いにより治癒機転が異なり，予後にも大きく影響する．外科的歯内治療の範疇には入らないが，歯内治療との関連としては，歯根膜組織の保護を優先に考え，できるだけ歯槽窩外の処置時間を短縮すること，口腔外での歯内治療を控えることなどがあげられる（第12章「外傷歯の診断と処置」を参照）．

2）意図的再植法 intentional replantation

根管を経由した歯内治療が困難な症例で，解剖学的条件や全身的条件などによって歯根尖

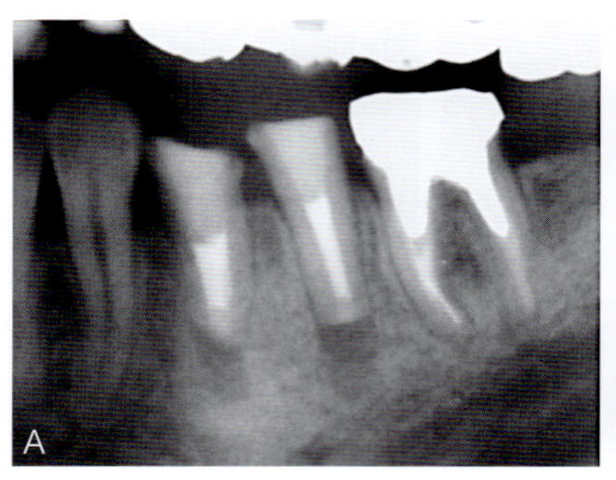

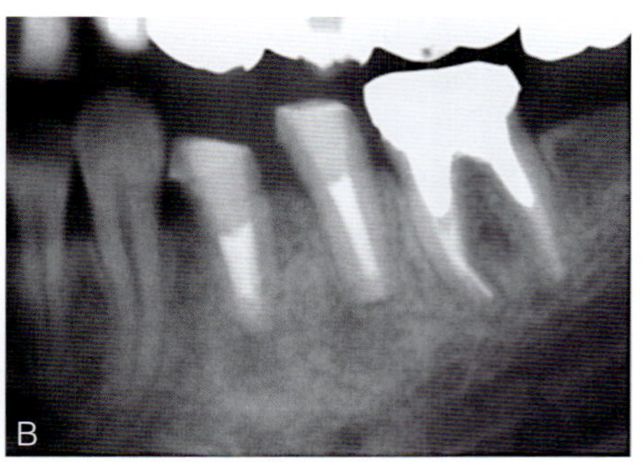

図 13-16　歯の意図的再植法（$\overline{45|}$）
A：抜歯後に口腔外で歯根尖切除と逆根管充塡を行った後再植を施行した直後.
B：1 年後. 根尖部の骨が再生しているのが確認できる.

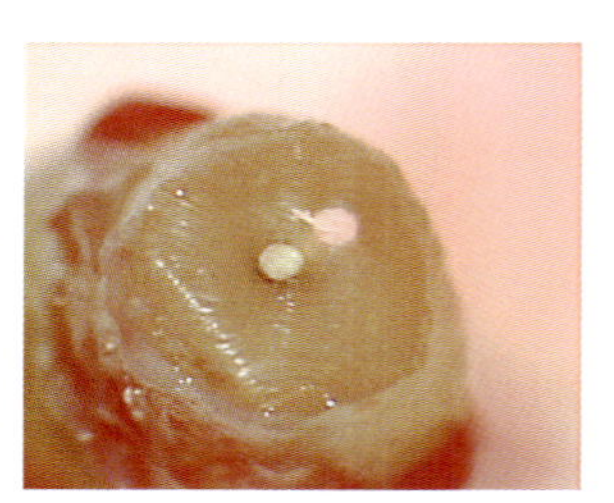

図 13-17　歯の意図的再植法により，根尖の切除を行った状態（$\overline{5|}$）
根管充塡が本来の根管から変位して行われているのが確認される. 口腔外であるので，根尖の確認が確実に行える.

切除法などの外科的歯内治療も適応できない場合に行う方法である（**図 13-16**）. 通常の歯内治療の予後がよくないからといって安易に適用するべきではなく，抜歯を回避するための最後の手段と考えるべきである. 歯を脱臼させ抜去した後に，根尖部などの要処置部位に対して明視下で処置を行い，再植を行う. しかし，再植法を行うことにより，歯根の破折や術後の歯根吸収のおそれがあるので，他の外科的歯内治療との適否をよく検討してから施術する. 歯根に肥大，彎曲，離開などがある歯は，抜歯や再植操作が困難あるいは不可能になる場合があるので，術前の検査が重要である.

(1) 術式および注意点

① 歯根膜組織を傷つけないように注意して，歯を脱臼させ抜去する. しっかりと把持できるよう嘴部内部に滑り止めのダイヤモンドが電着された鉗子を用いることもある.
② 抜去した歯は，滅菌生理食塩液や歯の保存液に浸漬しながら，検査や処置を行う.
③ 歯根膜組織に触れないように気をつけて歯を保持しながら，感染源の除去（歯根の掻爬や切除），逆根管充塡窩洞形成，逆根管充塡などを口腔外で行う（**図 13-17**）.
④ 根尖孔や側枝，穿孔部をバーにより形成した場合は，汚染物や切削片が歯根膜に残らないようによく洗浄する.
⑤ 形成した根管を充塡するときは，窩洞周辺への歯面処理剤や充塡材料の溢出を最小限にする.
⑥ 再植後に，通常はレジンやワイヤーを用いて暫間固定を行う. 置換性吸収のおそれがあるので，強固な固定は行わない.

術後経過は，脱臼歯の再植と同様の機転をとるが，さらに，歯根周囲の炎症状態や歯根に充塡された材料の影響が加わる．歯根周囲の炎症が重篤であったり，充塡材料が生体組織に対して為害性があったりすると，歯周組織の再生が阻害され，予後に悪影響がある．

❽ 歯の移植法

さまざまな理由により抜歯が行われた部位，あるいはすでに存在する歯の欠損部位に，口腔内で機能していない第三大臼歯などを抜去して移植する方法である．前項までの外科的歯内治療が，感染源の除去を目的とした処置であるのに対して，歯の移植法は歯の欠損部（移植床）に別の部位にある歯を移植して，機能させ保存することを目的とするので，適応症や術式が大きく異なる．しかし最近は，歯を保存する究極の方法として，外科的歯内治療の項目として示されることが多いので，本書でもここで述べる．

移植歯の根尖孔が閉じているか開いているかにより，歯髄組織の予後が異なる．根尖孔が1〜2 mm 程度開いていれば，歯髄組織は生存する可能性があるが，根尖が閉鎖している場合では歯髄組織は壊死に陥るので，移植後に歯内治療が必要となる．

1）適応症

保存困難な歯あるいは歯の欠損部（受容側 recipient site）があり，その受容側に適合する咬合に関与していない歯（移植歯 donor tooth）がある症例である．たとえば，第三大臼歯を第一大臼歯部へ移植する症例などがあげられる．転移歯や矯正治療により便宜抜去される歯を移植歯として利用することもある．外科的処置であるので，全身状態が処置に耐えられることも必要である．

2）標準的な術式（受容側の抜歯と移植を同日に行う場合）

① 受容側の抜歯を行う．病変があれば掻爬を行うが，抜歯窩の歯根膜は可及的に保存する．
② 次いで，移植歯の抜去を行う．歯根膜を損傷しないように気をつける．
③ 抜去した移植歯の形態を観察し，根の分岐や彎曲，歯根表面の状態を精査する．
④ ラウンドバーなどを用いて，受容側に移植床を形成する．
⑤ 移植歯を移植床に挿入して，試適を行う．咬合の確認も行う．
⑥ 移植床を修正して，適合が良好になれば，歯肉の縫合を行う．
⑦ 縫合した歯肉の間に，移植歯を植立して，縫合糸やワイヤーとレジンを用いて固定を行う．
⑧ 約1週間後，縫合糸の除去を行う．
⑨ 約3週間後，固定の除去を行う．移植歯が根完成歯の場合は，歯内治療を開始し，水酸化カルシウム製剤を貼薬する．
⑩ 歯周組織の安定を待って，通法のガッタパーチャポイントとシーラーによる根管充塡を行う．
⑪ 必要に応じて，修復処置を行う．

上記は，標準的な術式であるが，症例により術式にはかなりのバリエーションがある．た

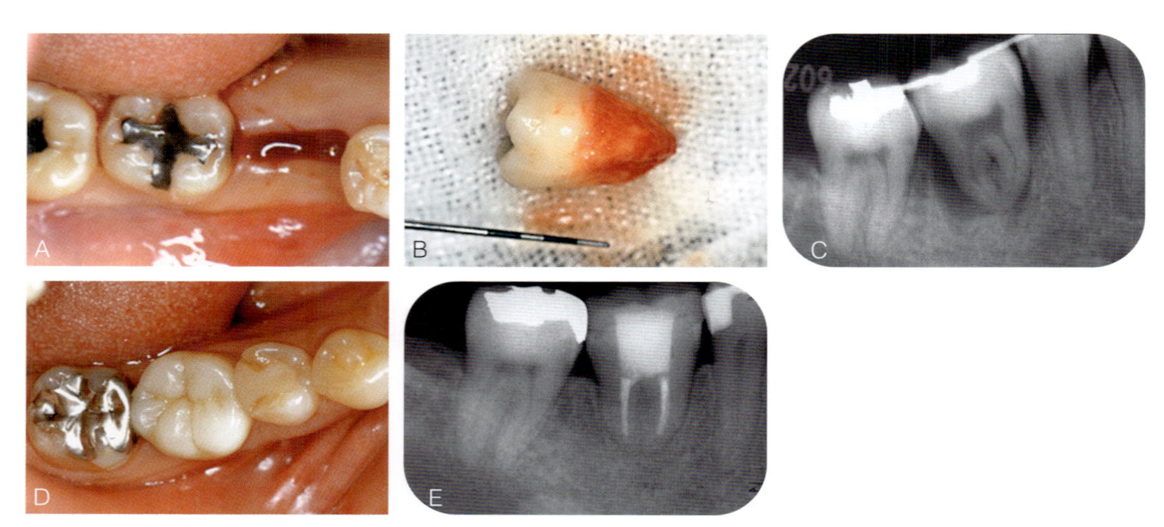

図 13-18　歯の移植
A：28 歳女性．$\overline{6|}$が齲蝕で崩壊し，抜歯となった．B：機能していなかった$\overline{8|}$を移植歯とした．C：移植直後のエックス線画像．D：移植術後 8 年経過時．E：移植術後 8 年経過時のエックス線画像．

とえば，受容側の歯周状態が不良である場合は，移植後の感染が生じやすくなるので，受容側の抜歯後，歯肉の治癒を待ってから移植を行うことが多い．また，移植歯が根未完成歯の場合，歯髄が生活力を保った状態での治癒を期待するが，経過観察を続け，歯髄壊死が確認されれば，アペキシフィケーションを期待した歯内治療を行う．

3）治癒機転

理想的な移植後の治癒機転は，正常な歯根膜組織による治癒である．いわゆる歯根膜の再生といわれるもので，歯根表面の歯根膜が治癒して再生する歯槽骨と再付着する．歯根表面の歯根膜組織が部分的に損傷した場合には，セメント質または象牙質に限局した吸収が生じるが，いずれは近接した健全な歯根膜組織により修復され，表面吸収を伴った治癒の形態をとる．歯根膜組織の損傷と象牙細管を通じた感染物質による刺激が共存すると，歯根表面に炎症性吸収が生じる．根管内の無菌化が行われれば，吸収は停止する．歯根膜組織の損傷が広範囲に及ぶ場合は，歯槽骨の吸収と添加の代謝に歯根が含まれてしまい，置換性吸収が生じる．その進行を停止させることは困難である．（第 11 章「歯根の病的吸収」参照）

4）予後経過

近年明らかにされてきた歯根膜の創傷治癒機転を理解して行われた歯の移植は，高い成功率を示している．しかし，歯の移植法は，抜歯および歯周外科的処置，歯内治療，修復処置のすべてにおいて，適切な処置が必要であるので，基本的な知識と手技を習得した術者が，的確な診断のもとに処置した場合に高い成功率を示していることを理解すべきである（**図 13-18**）．

（大嶋　淳，林　美加子）

第14章 歯科用実体顕微鏡を応用した歯内治療

I 歯科用実体顕微鏡による検査

歯科用実体顕微鏡 dental operating microscope は1990年代から歯内治療をはじめとする歯科医療に取り入れられており，一般に，歯科用実体顕微鏡を応用した歯内治療をマイクロエンドドンティクス microendodontics，外科的歯内治療をエンドドンティックマイクロサージェリー endodontic microsurgery という．歯科用実体顕微鏡を歯内治療に応用することで，手指感覚に頼り盲目的に進めていた髄室や根管などの微細構造に対する多くの処置を直接観察しながら行うことが可能になる．現在，歯科用実体顕微鏡は高精度な歯内治療を実施するうえで必須の機器となっている．

1 特　徴

治療時の視野を拡大する機器として，双眼ルーペおよび歯科用実体顕微鏡がある（**図14-1**）．いずれの機器も診断・治療精度を向上させるが，以下の点で特徴的な違いがある．視野拡大倍率は双眼ルーペで2〜10倍程度，歯科用実体顕微鏡で3〜20倍程度である．双眼ルーペは1つの固定倍率のため，ルーペ自体を変えないかぎり倍率の変更はできないが，歯科用

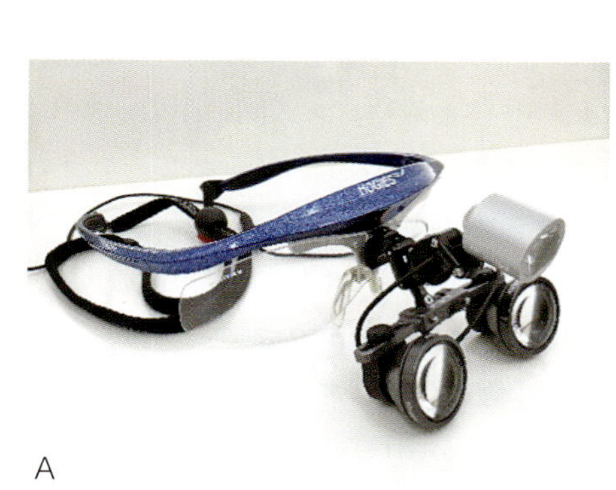

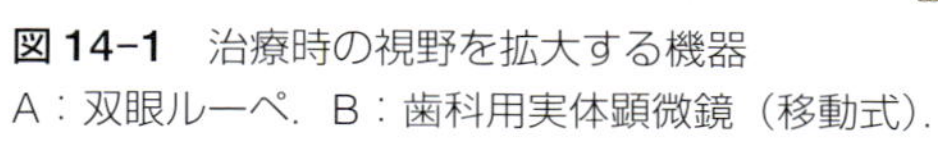

図14-1　治療時の視野を拡大する機器
A：双眼ルーペ．B：歯科用実体顕微鏡（移動式）．

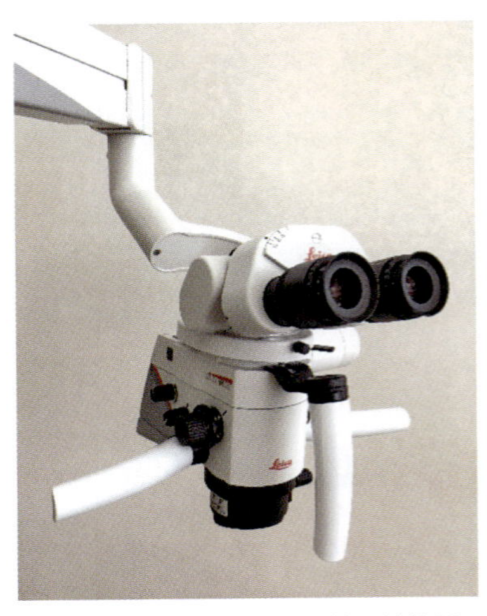

図 14-2　歯科用実体顕微鏡の鏡筒部

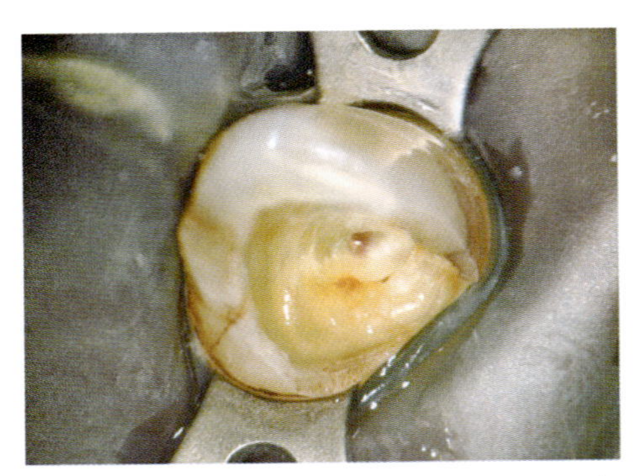

図 14-3　歯科用実体顕微鏡を使用した抜髄（3）
歯科用実体顕微鏡下では残存する感染歯質や亀裂，露髄などの微細構造が確認できる．

実体顕微鏡は治療中の対象や治療手技に応じて拡大倍率を変更できる．照明は，双眼ルーペでは照明機器が付属しており術野全体を照らすが，局所・細部を明瞭にすることは難しい．一方，歯科用実体顕微鏡では髄室や根管口部などの構造を明瞭にする照明光を得ることができる．さらに，治療プロセスの記録については，双眼ルーペでは基本的にできないが，歯科用実体顕微鏡では動画あるいは静止画の記録が可能である．このように，処置内容に応じて治療中にも変更可能な視野拡大率，細部を的確に処置できる照明光量，そして治療プロセス記録の3点が双眼ルーペでは得られない歯科用実体顕微鏡の利点である．

❷ 歯科用実体顕微鏡の構造，機能，設置

歯科用実体顕微鏡の精度を左右する構造は光学系と照明系である．光学系は対物レンズと双眼型の接眼レンズから構成され（**図 14-2**），対物レンズを通してとらえた被写体は接眼レンズを介して結像する．接眼レンズ部が双眼であることにより，術野にある髄室壁や根管口といった被写体構造を立体的に把握することが可能になっている．対物レンズ自体が変更可能であるため，被写体と対物レンズ間の作動距離を術者に適した状態にできる．高機能機種では深い焦点深度を有しており，被写体と対物レンズ間の距離が多少変わっても鮮明な画像が維持される．照明系は落射光型で光源（LED ランプ，キセノンランプ，ハロゲンランプ）から光ファイバーを通して対物レンズの光軸線に沿った落下光として被写体に照射される．光学系と照明系からなる鏡筒部には，固定式と一定範囲で角度を変更できる可動式がある．マイクロエンドドンティクス，エンドドンティックマイクロサージェリーを実施するうえで，すべての歯種に対応するには可動式が適している．その他，術野に鏡筒を到達させるアーム，鏡筒とアームを支えるスタンドが歯科用実体顕微鏡の基本構造であり，機種によってはオートフォーカス機能やフットコントロール機能，照射光の色調変更が可能なフィルターが付属しているものがある．

歯科用実体顕微鏡の設置形態には床面に設置する移動式と天井から吊り下げる固定式がある．移動式は診療台間の移動が可能であるが，診療台やアシスタントとの位置関係に配慮して設置する必要がある．天井から吊り下げる固定式では術者・アシスタントの移動を邪魔しないが，本体を移動することはできない．

Ⅱ　歯科用実体顕微鏡による処置の特徴

歯科用実体顕微鏡を応用した歯内治療の特徴として治療精度を高くする処置倍率と照明，そして治療プロセスの記録が可能であることがあげられるが，加えて使用する器具やアシスタントワークについても通常の歯内治療とは異なる特徴がある．

❶ 処置倍率

歯科用実体顕微鏡の拡大倍率は約3〜20倍の間で可変であり，対象や手技に応じて倍率を変更できる．通常の歯内治療では10倍程度までの拡大倍率で十分なことがほとんどである（**図14-3**）．髄室開拡の段階では比較的低倍率を利用し，根管系の探索や穿孔処置，破折器具の除去といった処置では高倍率を利用する．

視野拡大に伴い治療器具も変更する必要がある（**図14-4**）．デンタルミラーは光を直接反射して像が二重にならないフロントサーフェイス（表面反射）ミラーを，歯根尖切除法における切断面などの観察では術野に挿入可能なマイクロミラーを用いる．タービンやエンジン用のバー・ポイント類は拡大視野を遮らないロングネックタイプを使用する．

❷ 照　明

歯科用実体顕微鏡の光源は強力で，通常，十分な照明光量が得られる．これにより，根管

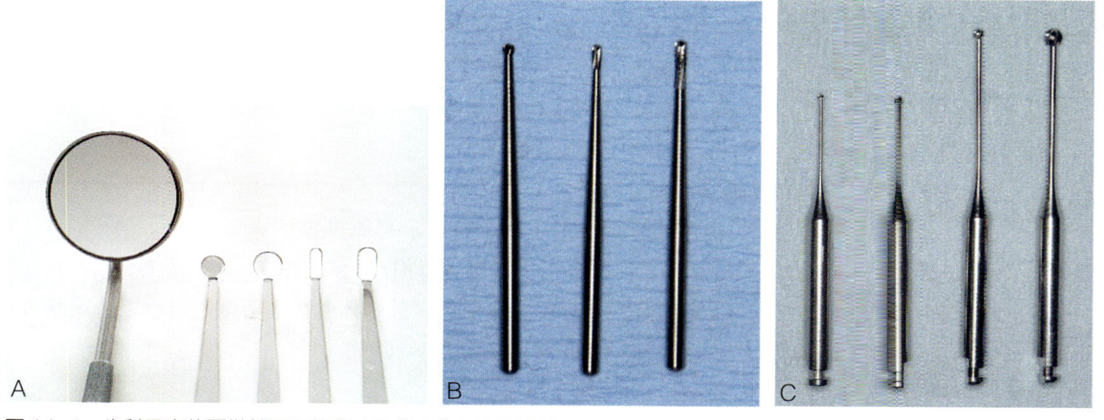

図14-4　歯科用実体顕微鏡下で使用する代表的な専用器具

A：各種ミラー．フロントサーフェイス（表面反射）ミラー（左）とマイクロミラー4種類．B：各種FG用バー．C：各種エンジン用バー．

（北村知昭，2013[5]）

口や根管中央付近までは微細構造の検出や破折器具の除去は可能であるが，根尖孔付近では照明光量が不足することがあるため，処置時に補助照明を必要とすることもある．

❸ 記　録

歯科用実体顕微鏡では治療プロセスを動画あるいは静止画で記録することができる．記録装置には本体に内蔵されているものと外部装置として本体に接続するものがある．治療プロセスの記録により，患者への情報提示やほかの歯科医師への情報発信が可能になる．また，モニタを接続することで，治療中に根管壁に存在する破折線などの微細構造を患者，アシスタント，および歯学生に提示・説明することも可能である．

❹ アシスタントワーク

歯科用実体顕微鏡下の治療では，術者が接眼レンズから目を離さないで処置することが多い．アシスタントは常に治療内容を把握し，術者が次に何を行うのかを予測して器具の受け渡しなどを行うとともに，患歯の部位によっては術野確保のためバキュームやスリーウェイシリンジを用いて頬粘膜や舌を排除する．また，治療中に患者は症状・感覚を手足で表現することがあるが，歯科用実体顕微鏡下の治療時には術者が患者の動きを把握できないことが多い．治療中に患者が示す合図を術者に伝えることもアシスタントワークとして重要である．

Ⅲ 診療ポジション

歯科用実体顕微鏡の能力を最大限に引き出すには，機器の的確な調整と，患者・術者・アシスタントが適切な位置関係にあることが必要である．

❶ 機器の焦点調整

最初に歯科用実体顕微鏡接眼レンズ部の眼幅調整と視度調整を行う．術者によって眼幅や視力は異なるので接眼レンズ部を動かして調整する．その後，口腔直上に鏡筒部を移動して焦点調整を行う．

❷ 患者の位置づけ

水平位診療台上で患者頭部を後方に傾斜させ，対象部位によって左右に顔を傾ける（**図 14-5A**）．臼歯部に歯根尖切除法などを適用する場合，対象部位が上方になるように患者の体全体を回転させる（**図 14-5B**）．患者負担を軽減し体動による位置ずれを防止するため，患者頸部や背部に枕やクッションを挿入することもある．

❸ 術者の位置づけ

術者は患者頭頂部を中心とした位置で治療を行うが，臼歯の歯根尖切除などでは患者体軸から 90 度の位置に術者が移動することがある．精密な治療を行うため，術者の体軸が床と

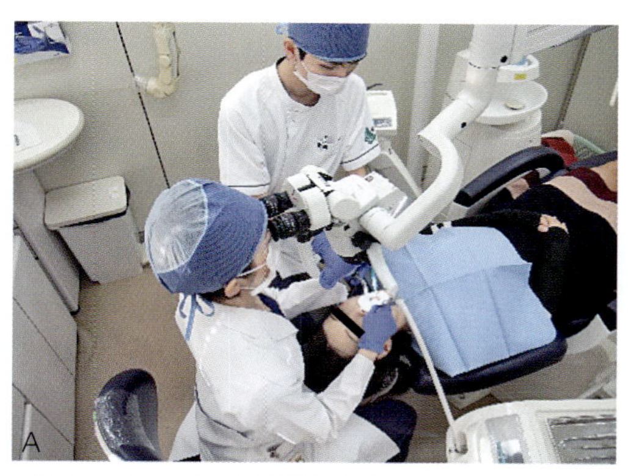

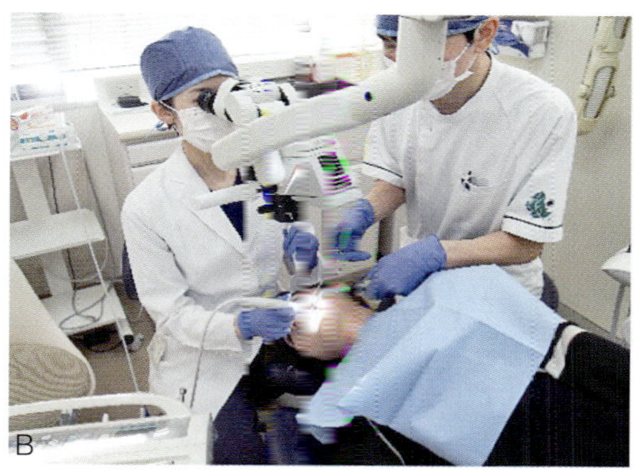

図14-5 歯科用実体顕微鏡を応用した歯内治療時における患者，術者，アシスタントの位置関係
A：通常の位置関係．B：臼歯部に対する外科的歯内治療時における位置関係．アシスタントが頬粘膜排除用リトラクターで，術者が粘膜骨膜弁保持用リトラクターで術野を明示している．

垂直になる体勢をとり，手指の可動範囲が少なくなるようにする．また，椅子にアームレストを装着し肘を固定することで，手指の可動範囲を制限して手技の安定性を高めることができる．

❹ アシスタントの位置づけ

術者の左側で，頬粘膜・舌の排除やバキューム操作が行いやすく，かつ歯科用実体顕微鏡へ接触せずに術者の視野を遮らない位置でアシスタントワークを行う．

Ⅳ 適応症

歯科用実体顕微鏡の適応は歯髄保存療法から歯根尖切除法まで幅広い．穿孔封鎖や破折器具の除去といった偶発症への対応にもその威力を発揮する．

❶ 歯髄の処置

覆髄などの歯髄保存療法では，感染象牙質を可及的に除去するとともに歯髄傷害を最小限に留める必要がある（第5章「歯髄疾患」参照）．歯科用実体顕微鏡下では露髄の範囲を的確にとらえられることから，歯髄損傷を最小限に抑えることができる．

❷ 根管の処置（根管系の探索・偶発症への対応）

1）根管系の探索

根管探索に歯科用実体顕微鏡の応用は必須である．口内法エックス線画像や歯科用コーンビーム CT で根管系の形態や根管口の位置を把握した後，歯科用実体顕微鏡下で視野を遮らないロングネックタイプのバー類を用いて天蓋を除去し，髄室開拡を行う（**図14-6**）．特に高齢者では髄室が狭窄していることも多く，天蓋除去時に誤って髄床底を損傷することもあ

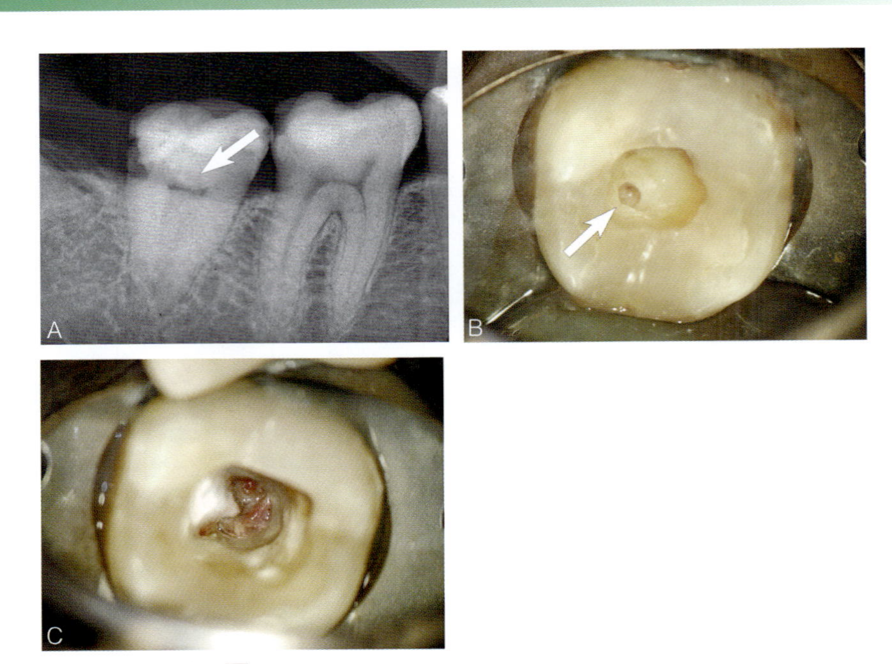

図 14-6　抜髄中の7┐
A：術前エックス線画像．狭窄した髄室が確認できる（矢印）．B：天蓋穿孔（矢印）時．
C：天蓋除去後．歯髄と樋状根管が確認できる．

るので，歯科用実体顕微鏡下で慎重に天蓋を除去する．また，髄室壁から膨隆した象牙質隆起下に根管口が隠れていることも多い．歯科用実体顕微鏡下で直接見ながら象牙質隆起部を除去し，マイクロファイルなどを用いて根管口を探索する（**図 14-7**）．画像診断時に，根管口部が狭窄してその下に根管が見られるときは，超音波チップなどを用いて狭窄した根管口部を穿通させる．

2）偶発症への対応

(1)　穿孔部の封鎖

歯根内部・外部吸収などの病的原因によって生じた穿孔や治療が原因で生じた穿孔（第 19 章「歯内治療における安全対策」参照）に対して歯科用実体顕微鏡下で封鎖を行う．穿孔直後の場合，局所を止血・乾燥後，封鎖材にて穿孔部を封鎖する．陳旧性穿孔では根管内に肉芽組織が侵入しているので，炭酸ガスレーザーなどで侵入した肉芽組織を除去し，ケミカルサージェリーによる止血後に穿孔部を封鎖する（**図 14-8**）．穿孔が根尖に位置し器具の到達が困難なときは，根管充填と同時に穿孔部を封鎖することになるが，予後が思わしくない場合は歯根尖切除法を適用する．

(2)　破折器具の除去

手用根管切削器具やニッケルチタン（Ni-Ti）製ロータリーファイルの不適切な使用（第 19 章「歯内治療における安全対策」参照）により根管内で破折した器具の除去を歯科用実体顕微鏡下で行う．特に，破折器具が根管中央から根尖側に位置する場合は，歯科用実体顕微

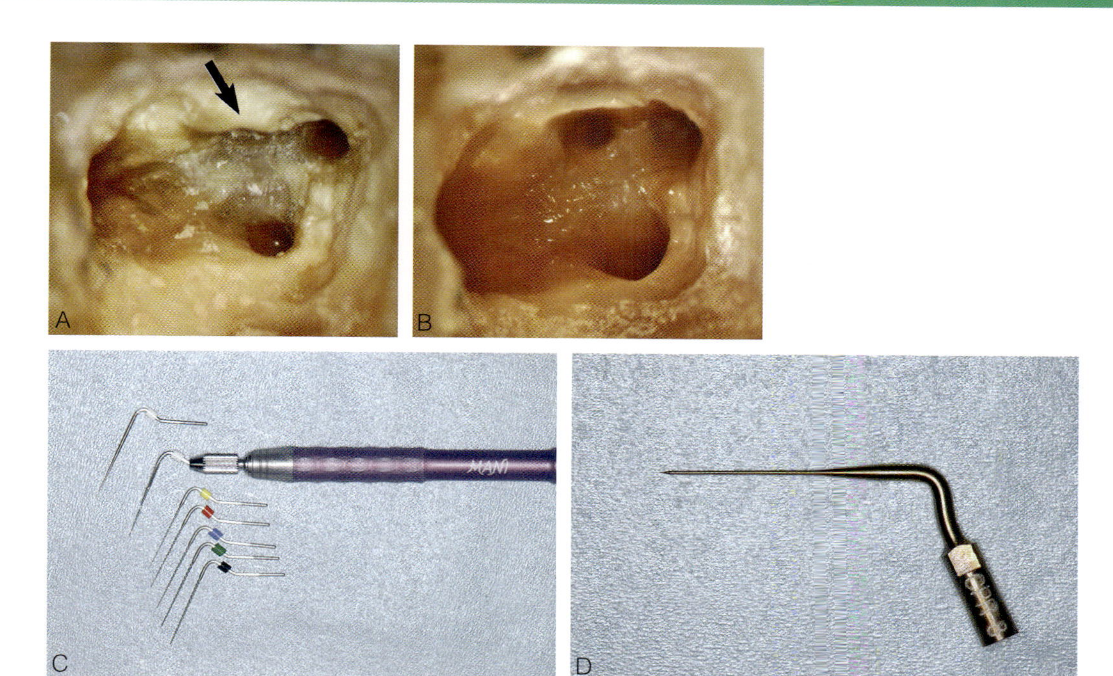

図 14-7 感染根管治療中の 6|
A：髄室壁の近心頬側から張り出した象牙質隆起部（矢印）が確認できる．B：象牙質隆起部除去後にすべての根管を拡大形成．C：マイクロファイル各種．D：超音波チップ．（C，D は北村知昭，2013[E] より）

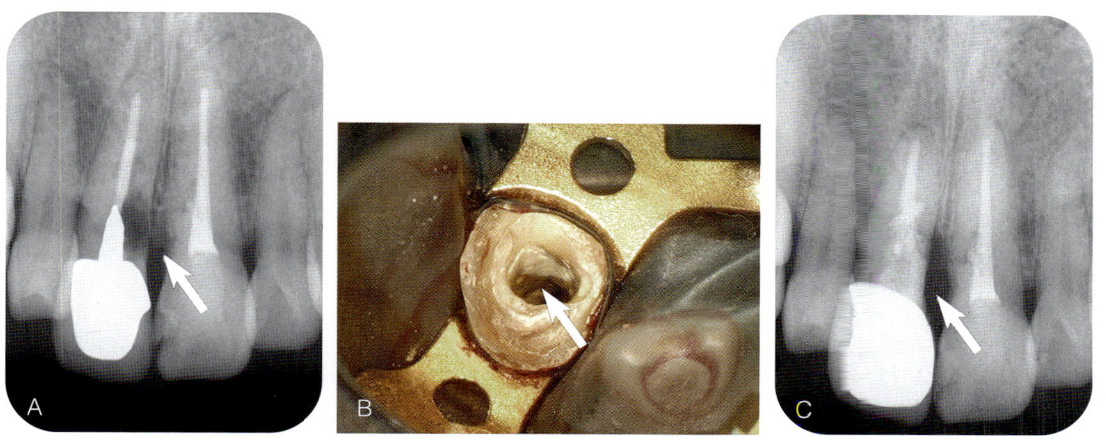

図 14-8 1|の歯根内部吸収によって生じた穿孔に対する封鎖処置
A：術前エックス線画像．内部吸収（矢印）がみられる．B：MTA セメントによる穿孔部封鎖（矢印）後．C：術後エックス線画像．内部吸収は封鎖されている（矢印）．

鏡下で行わないかぎり除去することは困難である．破折器具は刃部が根管壁に食い込んでいるので，周囲の根管壁を切削して破折器具を除去する．エックス線画像などで破折器具の位置を確認した後，まず破折器具断端を確認する．超音波チップなどを用い，破折器具周囲の根管壁を慎重に切削する．根管壁への食い込みがなくなり破折器具が根管内で動くように

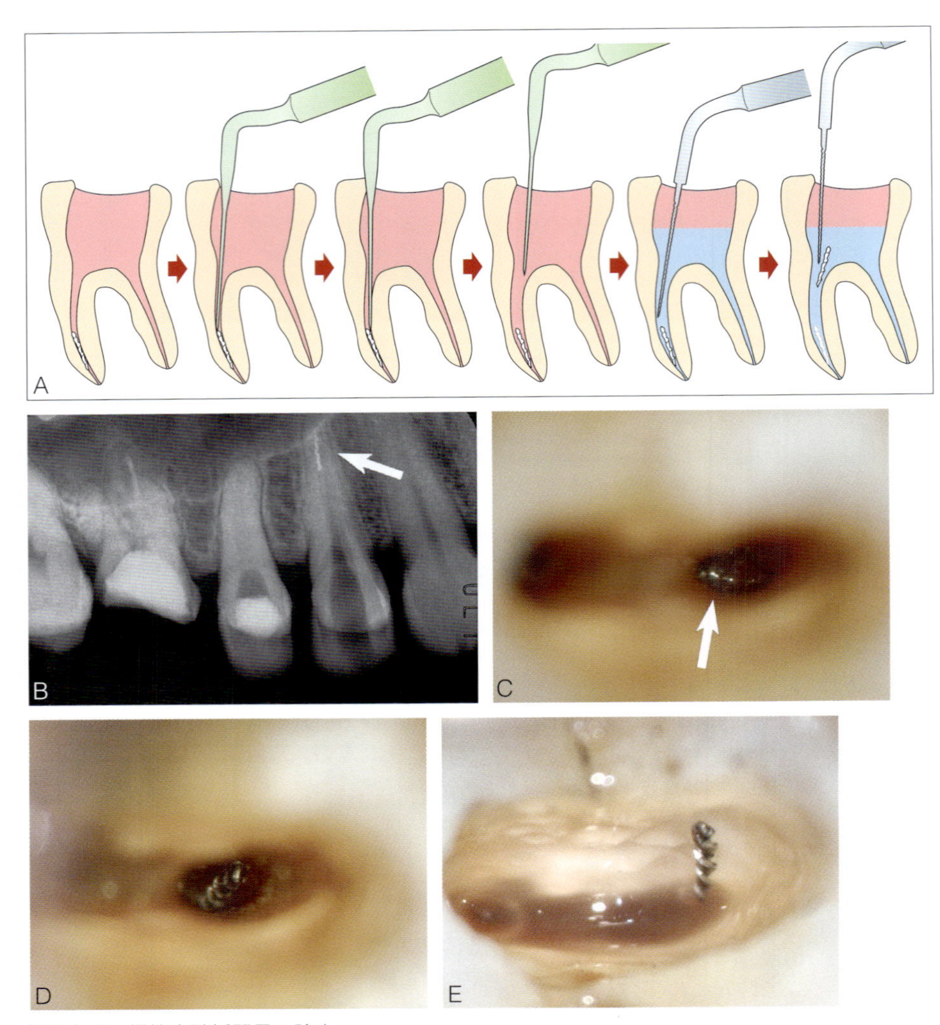

図 14-9 根管内破折器具の除去

A：根管内破折器具除去の流れ（北村知昭，2013[5] より改変）．チタン製超音波チップ（図 14-7D，図では緑色のチップ）による破折器具周囲の歯質削除後に根管内を滅菌生理食塩液などで満たし，根管洗浄用超音波チップ（図では青色のチップ）で水溶液の対流により破折器具を除去する．B：術前エックス線画像．4|の根尖部に破折器具（矢印）が認められる．C：歯科用実体顕微鏡下で確認できる破折器具の断端（矢印）．D：破折器具周囲の歯質削除後．E：超音波機器による破折器具除去後．

なったら，滅菌生理食塩液などを根管内に満たした状態で根管洗浄に用いる超音波チップを挿入し，水溶液の対流により破折器具を取り出す（**図 14-9**）．このほか，根管内破折器具の除去専用に工夫された器具もある．歯根・根管の彎曲が大きく除去器具の到達が困難な場合や，破折器具が根尖孔から突き出して根管内からの除去が困難な場合は，外科的歯内治療により除去する．

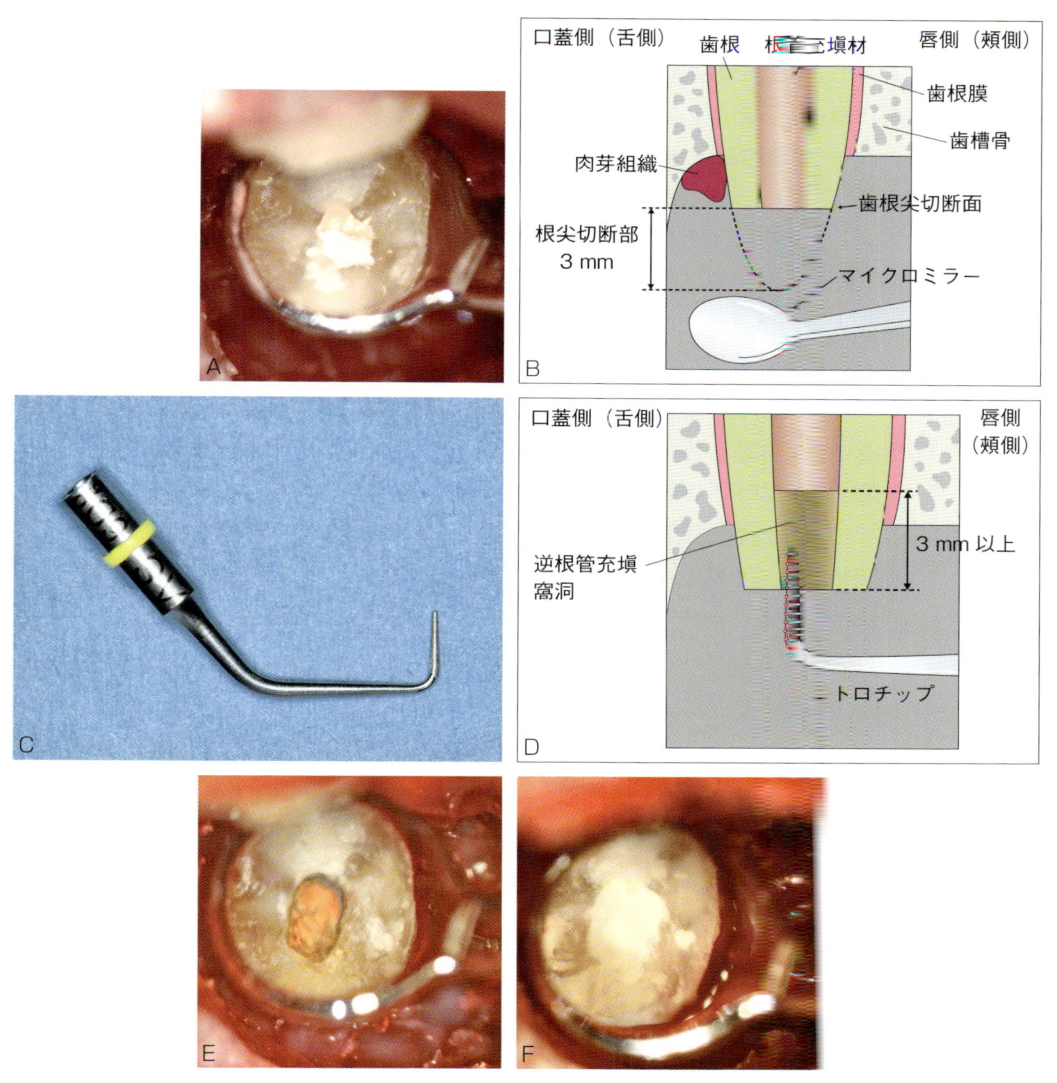

図 14-10 2⏌に対する歯根尖切除

A：歯根尖切断面．B：マイクロミラーによる歯根尖切断面および残存肉芽組織の観察．C：逆根管充填窩洞形成に使用する超音波用レトロチップ（北村知昭，2013[5]）．D：レトロチップによる逆根管充填窩洞の形成．E：形成された逆根管充填窩洞．F：逆根管充填終了時．

❸ マイクロサージェリーによる歯根尖切除法

複雑な根管系の前では歯科用実体顕微鏡下の抜髄・感染根管治療にも限界があるため，症例によっては歯根尖切除法を選択する（第 13 章「外科的歯内治療」参照）．歯科用実体顕微鏡および専用器具を応用する歯根尖切除法では，従来法における問題点が解決され成功率が大きく向上している．

歯科におけるマイクロサージェリーでは，歯肉切開から縫合に至るまでの全過程を歯科用実体顕微鏡下で実施するための専用器具がある．専用器具を用いることで狭い局所における操作がしやすくなり，手術侵襲を低減できるため，術後経過が良好になる．歯根尖切除法においても同様であるが，特に歯根尖切除から逆根管充塡のプロセスでは歯科用実体顕微鏡と専用器具の併用が必須である．

エックス線画像や歯科用コーンビーム CT などの画像診断で骨欠損の位置や範囲を特定した後，局所への血液供給と歯肉退縮軽減を念頭に，切開を入れて粘膜骨膜弁を剝離・翻転し，根尖にアクセスするため骨を削除・整形する．病変部に存在する肉芽組織を歯根尖が露出するまで除去し，歯科用実体顕微鏡下で根尖側 3 mm 程度の位置で歯根尖を切断した後，術野に挿入可能なマイクロミラーを用いて切断面や病変内肉芽組織の状態を確認する．次に根管充塡されている主根管およびイスムスなどの微細構造を確認し，超音波機器に装着したレトロチップで窩洞形成を行うが，窩洞デザインは深さ 3 mm 以上でイスムスなどの微細構造を含むようにする．その後，逆根管充塡材を用いて窩洞を封鎖する．滅菌生理食塩液で余剰な充塡材を除去するとともに，術野を明示して再度切断面周囲をマイクロミラーで観察し，残存する肉芽組織を除去する（**図 14-10**）．歯根尖切除と逆根管充塡，肉芽組織の除去を行った後は，十分な量の滅菌生理食塩液で術野を洗浄し，粘膜骨膜弁を戻して縫合を行う．死腔を減少させるために行う数十秒程度の綿球などによる局所圧迫は，止血や感染予防の観点から効果的とされている．

（北村知昭，鷲尾絢子）

第15章 変色歯の漂白

I 概要

変色歯は日常臨床で比較的多く遭遇する状態（症状）である．変色の原因，局所性（広がりの程度），進行度（変色の度合い）や用いられている歯科材料の性質などにより，病態もさまざまである．

他の医療行為と同様に，「診察と検査，そして診断」の基本的手順を踏んだうえで処置を行わないと，十分な治療効果は得られない．変色歯への対応では，変色の原因および誘因を十分に理解しておくことが診断に重要である．

本章では変色歯の原因の分類整理と歯内治療を行った歯（失活歯）の漂白処置を中心に述べる．

II 漂白の歴史

失活歯の漂白は19世紀より報告がある．当初は次亜塩素酸カルシウム〔$Ca(ClO)_2$，さらし粉〕が用いられたが，その後，シュウ酸（HOOC-COOH），次亜塩素酸ナトリウム（NaClO），そして過酸化水素（pyrozone，25% H_2O_2 in 75% ether）や過ホウ酸ナトリウム（$NaBO_3 \cdot nH_2O$，**図15-1**）が用いられるようになった．

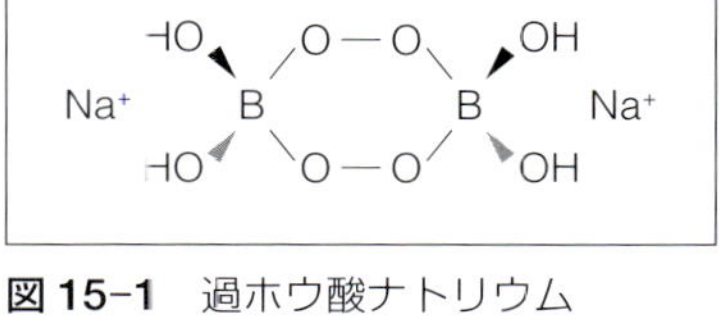

HO　O—O　OH
Na⁺　B　B　Na⁺
HO　O—O　OH

図15-1　過ホウ酸ナトリウム

III 歯の色（変色のメカニズム）

歯冠色は，エナメル質，象牙質のそれぞれが本来もつ色と，歯の表面に存在する物質の色，そして，外界から歯に当たり反射（および透過）してくる光により決定されている．すなわち，歯の内部にある因子と歯の表面にある因子，そして色を伝える光という要素から成立している（**図15-2**）．

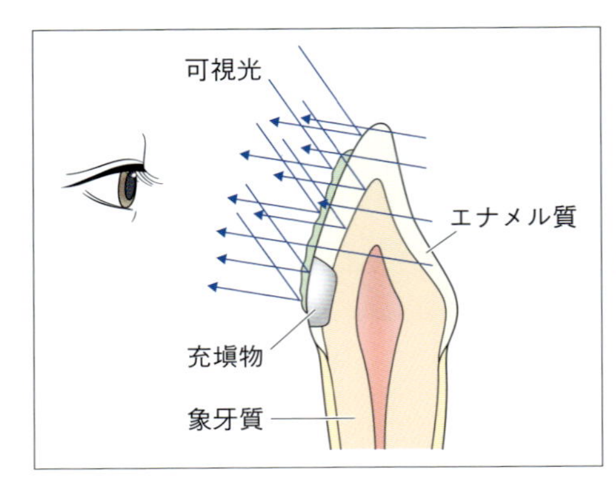

図 15-2 歯冠色の決定要素
歯を構成する各部分，その表面に存在する物質のもつ色，それらに反射や透過してくる光によって歯の色は決定される．「変色している部分がどこにあるか」，表面か内部なのかを見極める必要がある．場合によっては表面だが，観察面の裏側に変色が局在している可能性も考慮する．

Ⅳ 原因と分類

原因の分類は診断には欠かせず，処置方針の決定に影響を与える．変色は前述のメカニズムを考えると，変色の原因となる色素の沈着が，歯の表面（表在性 extrinsic），歯質の内部（内在性 intrinsic）に存在するかで分類される．

❶ 歯面の着色 pigmentation

歯の表面への色素性物質の沈着には，歯の形態･色素性物質･歯質の親和性が影響しており，

・静電作用
・ファンデルワールス力
・水和力
・疎水性相互作用
・双極子作用
・水素結合など

が相互に影響して親和性を決定している．具体的には，

① 食品由来：コーヒーやワインなど，高頻度で習慣的に摂取するものに含まれる色素など
② 細菌由来：清掃不良などで長期間歯面上に滞留することで細菌などにより生成される物質

があげられる．

❷ 歯質の変色 intrinsic discoloration

歯質の変色は，歯の形成期（萌出前 pre-eruptive）もしくは萌出後 post-eruptive に，着色物質がエナメル質や象牙質内部に取り込まれて存在しているために生じる（**表 15-1**）．

1）歯の形成期

全身的（systemic）な要因により，広範囲に変色が出現することが多い．代表的なものとして以下のものがあげられる．①，②については歯の色だけでなく硬組織の構造異常も伴う．

(1) 全身的に投与された薬剤などに関連するもの

・テトラサイクリンの沈着による黄暗色変化

(2) 歯の形成期の代謝障害によるもの

・歯のフッ素症

・エナメル質形成不全，象牙質形成不全など

(3) 遺伝性疾患によるもの

・エナメル質形成不全症 enamel hypoplasia

・象牙質形成不全症 dentinal dysplasia

・高ビリルビン血症 hyperbilirubinemia

・先天性骨髄性ポルフィリン症 congenital erythropoietic porphyria

・嚢胞性線維症 cystic fibrosis

2）萌出後

萌出後に，個々の歯の内部に色素沈着が生じた場合であり，局在性の変色 local discoloration を呈する．代表的なものとして以下のものがあげられる．

表15-1　内在性の変色とそのメカニズム

		主な内在性の変色	変色のメカニズムなど
全身性	①	全身的に投与された薬剤などに関連するもの（テトラサイクリンなど）	テトラサイクリン（黄色）が歯質形成中のCaと結合することで生じる．萌出後も紫外線で変色は進行する．
	②	歯の形成期の代謝障害によるもの・歯のフッ素症・エナメル質形成不全，象牙質形成不全など	エナメル質の石灰化期に慢性的な高濃度フッ素への曝露により生じる．高濃度フッ素含有の飲用水の地域などに多い．重症化により歯の形態にも影響する．
	③	遺伝性疾患によるもの a) エナメル質形成不全症 b) 象牙質形成不全症 c) 高ビリルビン血症 d) 先天性骨髄性ポルフィリン症 e) 嚢胞性線維症	a) b) 遺伝子異常により歯質形成に異常を生じる． c) 新生児黄疸など，血中ビリルビン濃度の異常上昇により，ビリベルジン（緑色）が形成中歯質に沈着する（青，紫または黄色）． d) ポルフィリン体または前駆体が形成中の歯質に沈着し生じる． e) 歯の変色のメカニズムは不明である．
局所性	①	歯髄壊死	変性融解した歯髄組織の象牙細管内への流入が原因となる．
	②	歯髄内出血	血管破綻により赤血球が放出され，細管内に流入・停滞することによる．ヘモグロビン中の鉄と硫化鉄の沈着が変色の原因とされる．
	③	歯内治療後の組織残存	
	④	根管充填材などの残存	再治療歯などでシーラーの除去不十分によりみられる．
	⑤	歯冠修復材および接着界面の辺縁漏洩など	アマルガムなど，材料から溶出した金属イオンなどが近接歯質に沈着することによる． 歯質接着性材料の界面劣化により色素性沈着物が侵入することでも変色することがある．
	⑥	歯根吸収	吸収初期に歯頸部（セメント-エナメル境）付近にピンク状の変色を伴うことがある（ピンクスポット）．
	⑦	加齢による変化	加齢に伴い，第二象牙質の添加により透過性が減少する．

① 歯髄壊死 pulp necrosis
② 歯髄内出血 intrapulpal hemorrhage
③ 歯内治療後の組織残存 pulp tissue remnants after endodontic treatment
④ 根管充塡材などの残存 endodontic materials
⑤ 歯冠修復材の辺縁漏洩 coronal filling materials
⑥ 歯根吸収 root resorption
⑦ 加齢による変化 aging

対応

❶ 歯面の着色

歯質の形態，歯質との親和性により変色の程度は異なるが，原則的には歯質表面の付着物に対して，研磨性材料を利用して除去することが基本的対応となる．歯面の研磨清掃で効果が不十分な場合には，主に過酸化水素や過酸化尿素を主剤とした漂白剤を歯の外側から浸透させる方法（オフィスブリーチング office bleaching，ホームブリーチング home bleaching）を応用することもある．

良好な予後を得るためには，生活習慣や口腔清掃法などへの指導が重要となる．

歯科材料の表面性状の変化や辺縁不適合なども影響している場合は，齲蝕の有無なども考慮して検査を行う必要がある．

課題

過酸化水素，過酸化尿素などの漂白成分は適正濃度で指示通りに使用されれば安全であることは証明されている．ただし，副作用として，知覚過敏，歯頸部歯肉の刺激を生じることも報告されている．

漂白剤が，既存の修復材の接着界面，表面劣化，歯質脱灰作用などの長期的予後に与える影響については，今後さらに研究が必要と考えられている．

❷ 歯質の変色

(1) 全身性因子の場合

変色が広範囲（多数の歯）に及ぶことが多い．変色が比較的軽度の場合，オフィスブリーチングやホームブリーチングで審美性をある程度改善できることもある．

変色が重度（テトラサイクリン変色歯で Feinman の分類Ⅲ度以上）の場合，ラミネートベニアや歯冠補綴装置による侵襲的処置が適応となることが多い．

フッ素症の歯では，エナメル質表面をエッチング後，十分に中和（NaClO 塗布），水洗し，光重合型ボンディング材を用いて滑沢化する方法が有効との報告がある．

(2) 局所性因子の場合

多くは歯髄腔から象牙細管内に色素性物質が沈着して変色を生じているので，細管内への薬剤の浸透を考慮して処置を行う（代表的な方法として，ウォーキングブリーチ法が用いられることが多い）．

色素沈着の時間が長いほど変色の程度は強く，漂白効果は得られにくいとされている．

Ⅵ 変色無髄歯の漂白(ウォーキングブリーチ法Walking Bleach Technique,WBT)

❶ 適応と禁忌

1）適応

① 十分な根管充填が施されており，唇頬側の形態回復を必要としない変色歯

② 象牙質側，歯髄側に変色の原因がある場合

2）禁忌あるいは慎重施術

① 根未完成歯

② 緊密な仮封が困難な歯

③ 重金属による変色歯

❷ 偶発症

変色無髄歯の漂白では，内側から作用させた薬剤により，歯肉退縮を生じることがあると報告されている．また，歯根の外部吸収が起こることもあるので注意が必要である．

❸ ウォーキングブリーチ法の手順

① 根管充填状態および経過が良好であることを確認する．

② 髄室内の強着色の冠部象牙質を1層削除する．

③ 根管上部の根管充填材を除去（歯槽骨上縁付近まで）し，歯質接着性材料で厚さ2mm程度の裏層を行う．象牙細管の走向に沿って薬剤が浸透することを考慮して，根管充填材除去と裏層を行う必要がある．

④ 約30%の過酸化水素水と過ホウ酸ナトリウムを練板上で混和し，ラバーダム防湿下で当該歯に填入する．過剰な液成分は綿球で軽く拭き取る．

⑤ 漂白剤上に綿球を置き，セメントを用いて二重仮封を行う（**図15-3**）．

以上の操作をおおむね1週間ごとに3〜4回行う．

⑥ 漂白効果が得られたら（**図15-4**），髄室内は十分に洗浄を行い，二週間程度水酸化カルシウムなどで中和した後に歯質接着性材料で修復を行う．

⑦ 無髄歯でのウォーキングブリーチ法は処置後の窩洞閉鎖が十分に行われれば漂白効果は

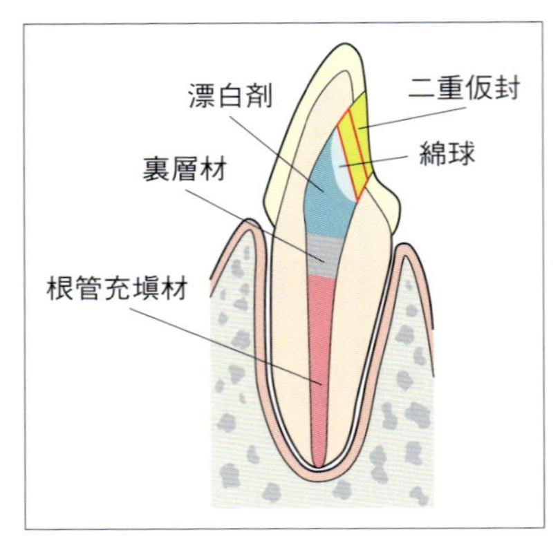

図 15-3　ウォーキングブリーチ法の模式図

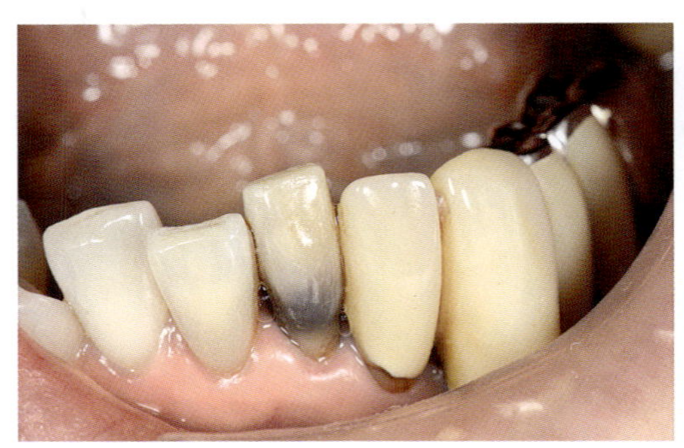
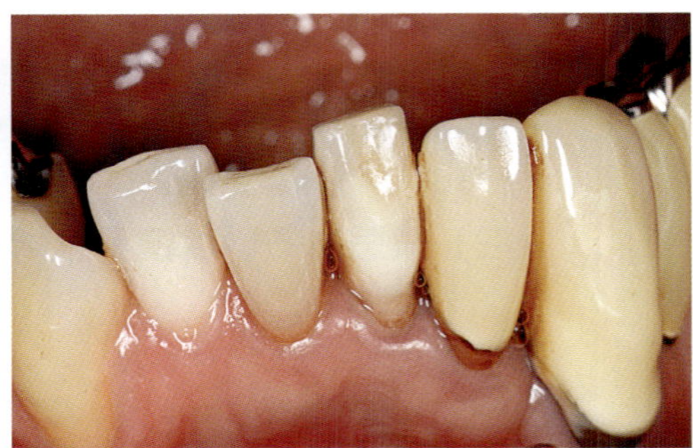

図 15-4　ウォーキングブリーチ法の実際
42 歳女性．A：漂白前．B：2 回施術後．

維持される．しかし，経時的にある程度の漂白効果の後戻りは生じるので，予後経過について十分に説明を行う．

（野田　守）

第16章 歯内−歯周疾患

I 歯内疾患と歯周疾患の関連性

歯内−歯周疾患 endodontic and periodontal disease は，歯髄・根尖歯周組織の病変と辺縁歯周組織の病変が交通した複雑な臨床症状を示す疾患である[1]．

歯内疾患の代表的な原因は齲蝕からの細菌感染であるが，非齲蝕性の摩耗，咬耗などによって硬組織欠損が生じた場合も，口腔内常在菌が象牙細管を経由して歯髄に波及することがある．それらの細菌が産生する毒素，酸，代謝産物などによって歯髄炎が生じ，進行すると歯髄壊死に陥る．さらに，歯髄腔内の細菌や壊死産物が根尖孔，側枝，髄管から漏出すると，これらに対する生体防御反応として根尖性歯周炎が生じる．炎症が持続すると結合組織破壊，骨吸収などの組織破壊が進行し，辺縁歯周組織まで拡延すると歯内−歯周疾患となる．

歯周疾患は，歯面に付着したプラークによって歯肉炎が発症し，炎症が歯根膜や歯槽骨に及ぶと結合組織性付着の喪失，歯槽骨の吸収を伴う歯周炎へ移行する．歯周炎が進行し，付着の喪失が根尖方向に進行することによって，生活歯の場合は，歯周病原細菌が根尖孔，根管側枝などから歯髄腔内に侵入し，歯髄炎を発症する．この場合も歯内−歯周疾患となる．

このように，歯内疾患と歯周疾患はその発症と進行によって，互いの疾患の病因になることから，歯内−歯周疾患を疑う場合は適切な検査を行い，その疾患の原因を突き止め診断する．その後，歯内治療と歯周治療の実施時期を考慮した治療計画を立案する．

II 歯内−歯周疾患の分類と臨床症状

歯内−歯周疾患は，成因によって3つに分類される（**図 16-1**）[1~7]．クラスⅠ病変は歯内疾患由来で，根尖孔，側枝あるいは髄管を通して根分岐部を含む歯周組織へ細菌感染が波及した状態である．クラスⅡ病変は歯周組織の破壊の結果，歯周組織の細菌感染が，根尖孔，側枝あるいは髄管を通して歯髄に波及し，歯内疾患が継発した状態である．クラスⅢ病変は歯内疾患と歯周疾患の両方が存在する患歯において，独立した2つの炎症病変が進行し，合併した病変である．歯内−歯周疾患の分類として他に，2018年に米国歯周病学会（AAP）/ヨーロッパ歯周病連盟（EFP）が定めた歯内−歯周疾患の分類（「歯根損傷（外傷や医原性因子）を伴った歯内−歯周病変」と「歯根損傷を伴わない歯内−歯周病変」に大別された分類）[1,8,9]と Simon の分類[10]がある．本書では，臨床的に理解しやすいことから**図 16-1** に示した分

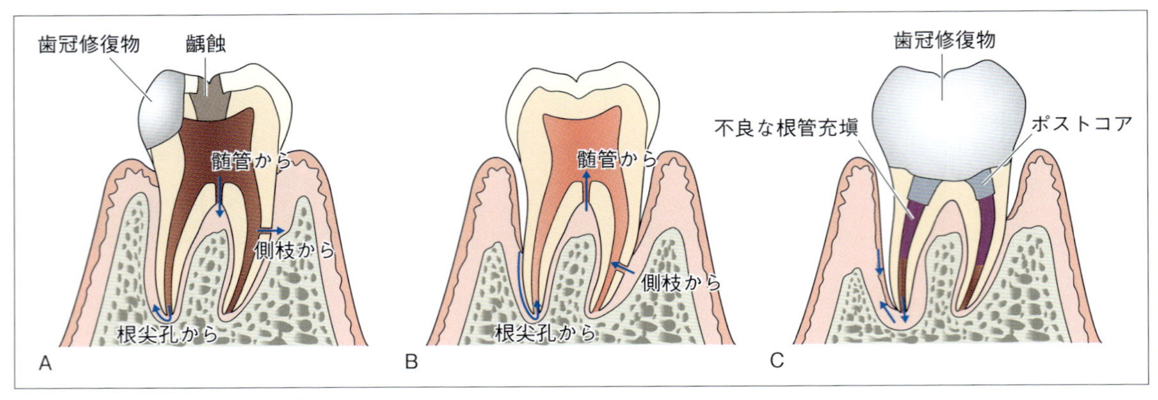

図 16-1 歯内–歯周疾患の分類
A：クラスⅠ（歯内疾患由来型病変），B：クラスⅡ（歯周疾患由来型病変），C：クラスⅢ（合併型病変）．
矢印は感染が拡延する方向を示す．

類に基づいて，臨床症状と治療方針を解説する．

❶ クラスⅠ病変

1）患歯の状態

患歯には齲窩，大きな歯冠修復物あるいは亀裂線（破折線）がある．歯の変色が認められる場合もある．

2）歯髄の生活反応

歯髄は基本的には失活している．複根歯の場合，他の検査所見から根管未処置歯のクラスⅠ病変と診断されるが，歯髄生活反応を示すことがある．これは歯髄の部分的壊死などに起因している．

3）歯周ポケット

瘻孔が歯肉あるいは歯肉溝に形成される．歯肉溝に形成された瘻孔は，1部位に限局した入口が狭く深い歯周ポケットとして存在し，排膿路として機能する．

4）エックス線画像所見

歯髄に近接した修復物や覆髄剤（セメント類）が認められることが多い．既根管治療歯の場合，感染が疑われる不良な根管充塡が観察される場合がある．類円形のエックス線透過像が根尖孔を中心としてみられる．また，U字型の歯槽骨吸収像が歯根周囲に認められる．髄管や側枝経由で歯周組織に細菌感染が広がる場合，根分岐部病変類似の口内法エックス線画像を示すことがある．歯肉の瘻孔の開口部から，ガッタパーチャポイントを挿入すると根尖孔部あるいは側枝開口部に到達する．

5）その他

歯肉腫脹が根分岐部にみられる場合がある．

❷ クラスⅡ病変

1）患歯の状態

患歯に大きな齲窩はない．

2）歯髄の生活反応

根尖孔，側枝あるいは髄管から細菌およびその代謝産物が歯髄へ侵入し，歯髄に炎症が生じる．歯髄には生活反応があるが，歯髄電気診を行った場合，閾値が上昇していることがある（上行性歯髄炎）．また，歯髄に生活反応がない場合もある．

3）歯周ポケット

患歯には，6点法のプロービングで2部位以上に深い歯周ポケットが存在することが多い．歯周ポケット内の根面には歯石・プラークが付着し，歯根面に粗造感を認める．隣在歯や他の部位にも，歯周ポケットを有する歯周炎罹患歯が複数存在することが多い．

4）エックス線画像所見

根管は未処置である．歯髄腔に近接する修復物や覆髄剤（セメント等）が認められないことが多い．中等度から重度の歯周組織の破壊が認められ，多くは歯槽骨吸収が根尖部まで到達している．初期では根尖孔を中心とした類円形の透過像がみられないが，根尖部歯根膜腔の拡大や歯槽硬線の消失は観察できる．歯周疾患由来の垂直性骨吸収に伴うV字型の歯槽骨吸収と，患歯以外の歯にも歯槽骨吸収像を認めることが多い．

5）その他

上行性歯髄炎の急性化症例では，急性化膿性歯髄炎の症状を呈し，温刺激に対して鋭敏になり，激しい自発痛が生じる．歯周炎の増悪因子である根面溝，口蓋裂溝などの解剖学的形態にも注意を払う必要がある．

❸ クラスⅢ病変

1）患歯の状態

患歯には齲窩，大きな歯冠修復物あるいは亀裂線（破折線）がある．歯冠の変色が認められる場合がある．

2）歯髄の生活反応

患歯は失活歯である．

3）歯周ポケット

患歯には，6点法のプロービングで2部位以上に深い歯周ポケットが存在することが多い．歯周ポケット内の根面には歯石・プラークが付着し，歯根面に粗造感を認める．隣在歯や他の部位にも，歯周ポケットを有する歯周炎罹患歯が複数存在する．

4）エックス線画像所見

歯髄に近接した修復物，覆髄剤（セメント類）あるいは不良な根管充填が認められることが多い．歯槽骨頂部から根尖部に連続した広範囲なU字型の歯槽骨吸収像を認める．患歯に加えて，複数の歯に歯槽骨吸収がある．

5）その他

難治症例が多い．

Ⅲ 歯内–歯周疾患の診断と治療

❶ 歯内–歯周疾患の診断

歯周疾患はあまり自覚症状を示さないことが特徴であるために，歯内–歯周疾患を有する患者の多くは歯内疾患の臨床症状を主訴として来院する場合が多い．歯内–歯周疾患の診断のため，打診，触診，歯の動揺度，咬合検査，切削診，歯髄生活反応検査，プロービング検査およびエックス線検査などの検査を行う．特に必要な検査は歯髄生活反応検査，プロービング検査およびエックス線検査である．急性症状に対する緊急治療の必要性についても判断する[6)]．

1）歯髄生活反応検査

歯髄の生死は歯髄電気診と温度診（主に寒冷診）を行う．両者を単独で実施するのではなく，両者を併用し，結果が一致するかどうかを確認することによって歯髄の生死の判定の信頼性が高まる．判定が困難な場合，たとえば，高齢者など歯髄腔に強度の狭窄がある場合などでは，繰り返し2つの検査を実施し，必要に応じて切削診を行う．

2）プロービング検査

6点法を用いたプロービング検査において，患歯の1部位に深い歯周ポケットがあるか，あるいは2部位以上の深い歯周ポケットがあるかを調べる．また，全顎的にプロービング深さを測定し，歯周炎罹患状態を把握する．

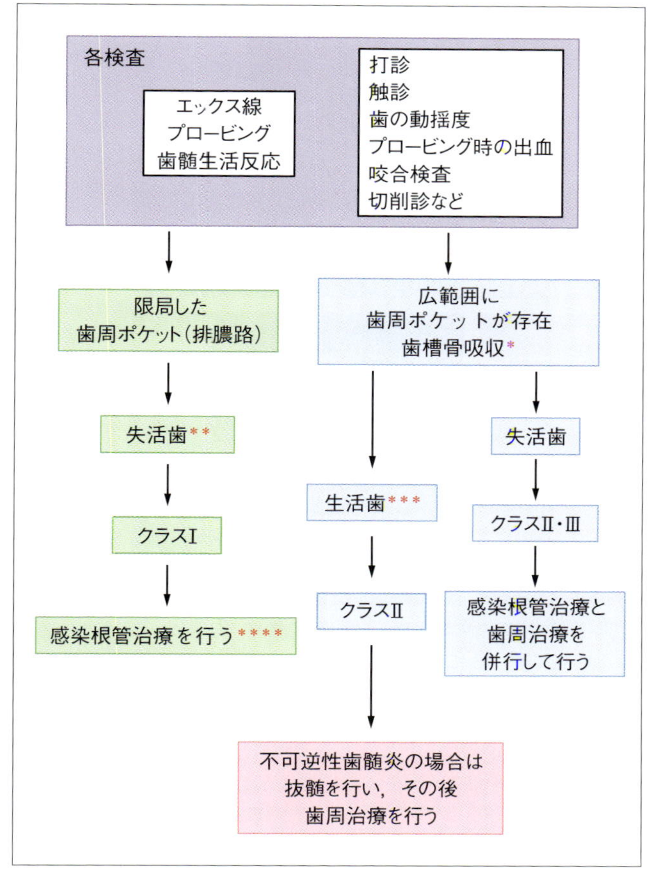

図 16-2 歯内-歯周疾患の治療の概略
・歯内治療と歯周治療の両方が必要な場合，2つを併行して行ってもかまわないが，歯肉縁下に対する治療は，根管治療後に行う場合が多い．
・感染根管治療や抜髄後に外科的歯内治療を行う場合がある．
・歯周基本治療に加えて，歯周組織再生療法を含む歯周外科を行う場合がある．
*クラスII病変の場合は，V字型の歯槽骨吸収が，クラスIII病変の場合は，歯槽骨頂から根尖部周囲に及ぶ広範囲の歯槽骨吸収（U字型）が認められることが多い．
**生活歯髄と失活（壊死）歯髄が混在し，生活反応を示すことがある．
***失活歯髄が混在している場合がある．
****口腔衛生状態が良好であること．

3）エックス線検査

齲蝕の有無，修復物の歯髄腔への近接の程度，全顎的な歯周炎罹患状態，根管の処置状態，根尖部，根側部あるいは根分岐部の病変の有無を調べる．また，瘻孔があり患歯の判定が困難な場合はガッタパーチャポイントを挿入し，その走行と到達点を観察する．歯槽骨吸収像は，歯内疾患と歯周疾患が交通する部位（根尖孔，髄管，側枝）によってさまざまである．歯科用コーンビーム CT（CBCT）は，口内法エックス線画像と比較して，根尖性歯周炎による歯槽骨吸収と歯周炎による歯槽骨吸収のつながりを正確に把握できる．

❷ 歯内-歯周疾患の治療

歯内-歯周疾患の治療を行う際は，どのクラスの病変であるかを正確に診断し，歯内疾患（歯周疾患）の積極的な治療によって歯周疾患（歯内疾患）の症状が緩和，軽減するような治療計画を立てる必要がある．そこで，歯内-歯周疾患の分類に従って，その基本的治療方針を説明する（**図 16-2**）．また，病態によっては外科的歯内治療，歯周組織再生療法などが必要となる症例も少なくないので，その適応については第 13 章「外科的歯内治療」や歯周病学関連の成書を参考にされたい．

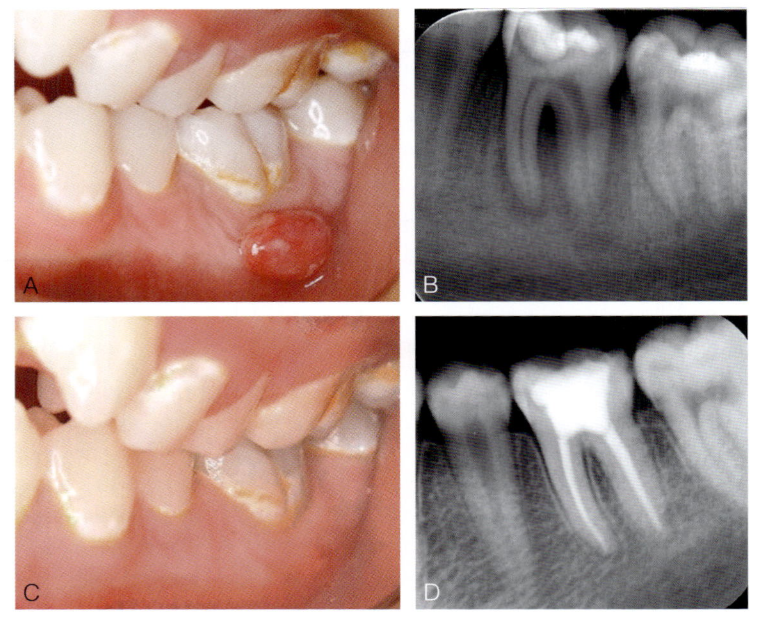

図 16-3 クラスⅠ病変症例（歯内疾患由来型病変）（10 歳代男児，$\lceil 6$）

A：初診時の口腔内写真．初診 2 年前，$\lceil 6$ に冷水痛を自覚し，近医にて咬合面齲蝕の診断でグラスアイオノマーセメント修復を受けた．初診 2 カ月前から歯肉腫脹を自覚するようになり当院を受診した．プラークコントロールは不良で，歯頸部にエナメル質限局の齲蝕が口腔内に散見された．プロービング深さは頬側近心部が 5 mm で他は 3 mm で，動揺度は 1 度であった．歯髄電気診に生活反応を示さなかった．頬側の辺縁歯肉に腫瘤を認めた．

B：初診時の口内法エックス線画像．充塡されたグラスアイオノマーセメントは，比較的歯髄に近接していた．近心根と遠心根を取り囲む透過像と根分岐部の透過像が認められたが，歯槽骨頂は維持されていた．歯内–歯周疾患クラスⅠ病変と診断して，感染根管治療を行った．

C：根管充塡 4 カ月後の口腔内写真．頬側の辺縁歯肉に発赤，腫脹などの炎症所見は認められなかった．

D：根管充塡 4 カ月後の口内法エックス線画像．透過像は消失し，$\lceil 6$ のプロービング深さは全周 3 mm 以内であった．

1）クラスⅠ病変（症例：図 16-3）

患歯を含めて全顎の口腔衛生状態が良好であることを確認した後，歯内治療（感染根管治療）を行う．基本的に歯内治療のみで，瘻孔や歯周組織の炎症は消失し，治癒が期待できる．歯周ポケットや根分岐部にエックス線透過像があるという理由で，歯周処置を行うべきでない．ただし，根尖性歯周炎の発症から長い時間が経過し，瘻孔に接する歯根表面に汚染を伴う場合などは，歯内治療だけでは歯周ポケットは消失しない．その場合は，歯肉縁下に対して歯周治療を行う．

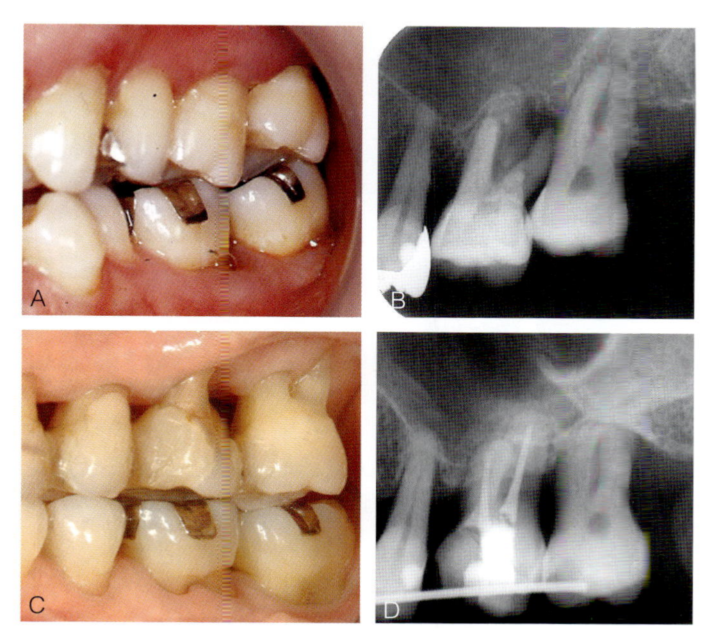

図 16-4　クラスⅡ病変症例（歯周疾患由来型病変）（50 歳代女性　⌊6）

A：初診時の口腔内写真．⌊6 は歯髄電気診では生活反応を示した．⌊567 に全周 4〜8 mm の深い歯周ポケットを認めた．⌊567 ともに動揺度 2 度であった．

B：初診時の口内法エックス線画像．⌊567 の歯槽骨は著しく吸収し，特に ⌊6 遠心頬側根周囲の歯槽骨は，根尖周囲を取り囲むように吸収されていた．歯冠修復や齲蝕は認められなかった．歯周基本治療中に ⌊6 に強い冷温水痛と自発痛が出現したため，上行性歯髄炎（不可逆性歯髄炎，歯内-歯周疾患クラスⅡ病変）と診断し，抜髄した．⌊6 遠心頬側根は歯周組織の破壊が著しいため，⌊567 フラップ手術時にトライセクションを行った．引き続き A スプリント固定を施した．

C：トライセクション後 10 年の口腔内写真．辺縁歯肉に発赤，腫脹などの炎症所見は認められなかった．

D：トライセクション後 10 年の口内法エックス線画像．⌊567 は A スプリント固定している．⌊6 のプロービング深さは全周 2〜3 mm であった．

2）クラスⅡ病変（症例：図 16-4）

基本的には歯内治療と歯周治療の両方を行う．歯髄の変化が軽度の場合，すなわち可逆性歯髄炎の場合は歯周治療のみで治癒可能である．激しい自発痛を伴う上行性歯髄炎が発症した場合は，患者の苦痛を取り除くことを優先し抜髄処置を行う．その後，並行して歯周炎の治療を行う．深い骨縁下ポケットや根分岐部病変が存在するため，歯周基本治療後にフラップ手術，歯根分離，ヘミセクション，歯根切除法などを行う場合が多い．動揺度が 2 度以上ある患歯に対しては，安静に保つため固定・咬合調整を行う．

3）クラスⅢ病変（症例：図 16-5）

歯内治療と歯周治療の両方を行う．歯内疾患に起因する瘻孔が存在する状態で，排膿や出

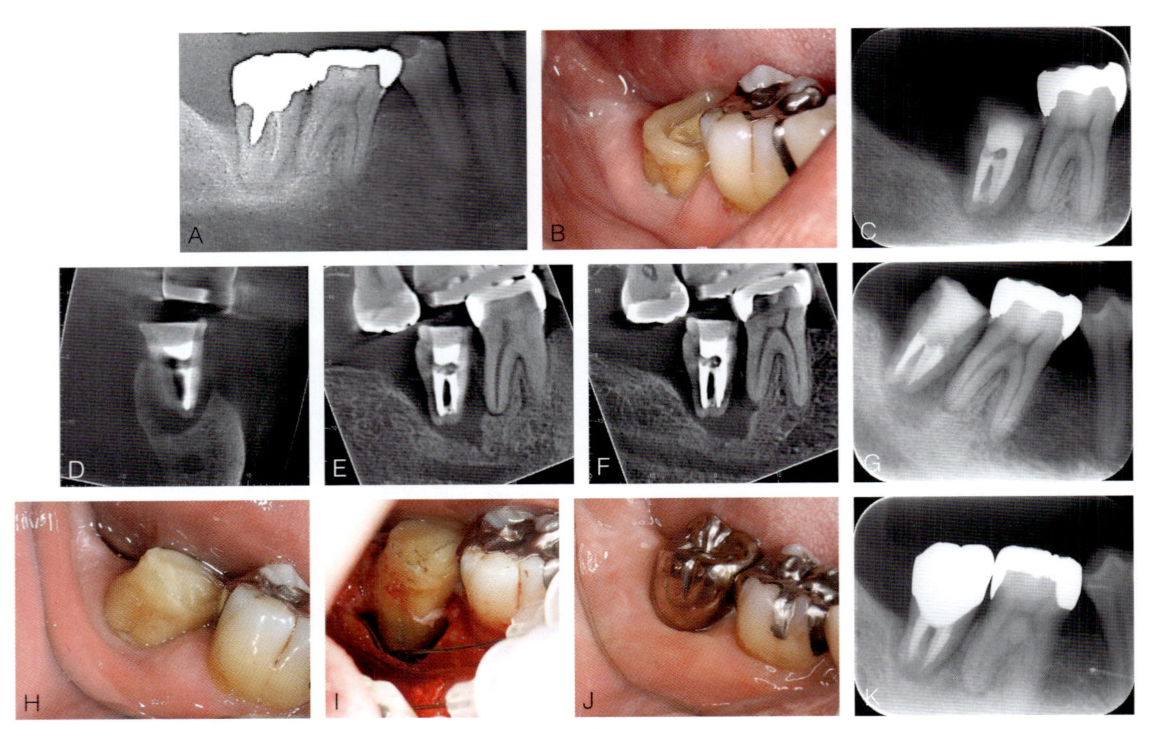

図 16-5 クラスⅢ病変症例（合併型病変）（50 歳代男性，7|）（永原隆吉・他，2022[4]）

A：紹介元で撮影された7|の感染根管治療前のエックス線画像（パノラマエックス線画像の一部）．「疼痛と腫脹が認められることから感染根管治療を開始したが，歯周ポケットからの排膿がある」ため当院へ紹介された．患歯である7|の根管充填は不十分で，根尖部透過像が認められた．

B：初診時の口腔内写真．7|のプロービング深さは頬側近心部から，⑤mm，⑬mm，④mm，舌側近心部から 3 mm，3 mm，3 mm（○は出血部位，頬側中央部から排膿あり）であった．4〜5 mm の歯周ポケットが 5.6%，6 mm 以上の歯周ポケットが 0.6%であった．プロービング時の出血の割合は 6.2%だった．動揺度は 2 度であった．

C：初診時の口内法エックス線画像．紹介元で7|の根管内には造影性の水酸化カルシウム製剤が貼薬されていた．7|の歯根周囲の透過像は6|の遠心根根尖まで及んでいたが，6|には歯髄生活反応が認められた．

D〜F：初診時の歯科用 CBCT（D：歯列直交断像，E，F：歯列平行断像）．7|には歯槽骨頂から歯根周囲に及ぶ透過像と根尖部を中心とした透過像が認められ，歯周病変と歯内病変が合併したクラスⅢ病変と診断して，感染根管治療と歯周基本治療を行った．

G：根管充填後の口内法エックス線画像．

H：根管充填から２カ月後，歯周基本治療終了後の歯周外科手術前の口腔内写真．7|頬側中央部に 11 mm の歯周ポケットが残存し（他部位は 3 mm），排膿も認められたため，歯周組織再生療法を実施することとした．

I：骨欠損部位への塩基性線維芽細胞増殖因子（FGF-2）製剤投与時の口腔内写真．

J：初診から２年 10 カ月経過後の口腔内写真．7|頬側中央部の歯周ポケットは 5 mm に減少し，辺縁歯肉の著明な発赤，腫脹は認められなかった．

K：初診から２年 10 カ月経過後の口内法エックス線画像．歯槽骨頂から根尖部周囲の広範囲に認められた透過像は改善していた．動揺度は 0 であった．

血がある歯周ポケットに対してスケーリング・ルートプレーニングなどの歯周治療を行っても歯周治療の十分な効果は期待できないため，まず歯内治療を行い，効果を評価してから歯肉縁下に対する歯周治療を開始する．急性症状を認めない重度歯周炎患者で患歯に明らかな排膿や出血がない場合は，安定化を目的として，プラークコントロールの確立，プラークリ

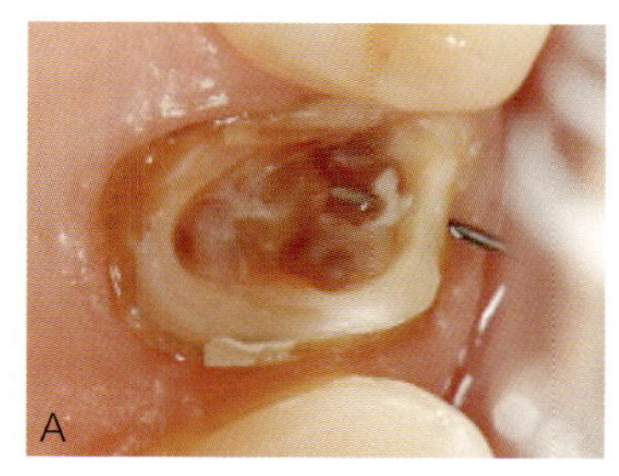

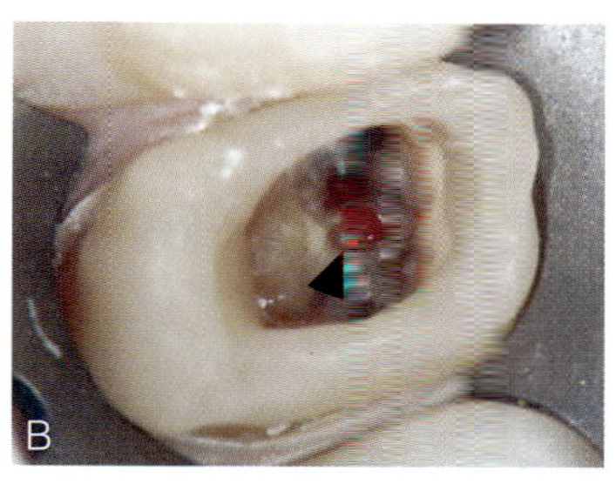

図 16–6　穿孔（40 歳代女性，6|）
A：髄床底の口腔内写真．穿孔（ポケットプローブ挿入部位）を確認した．
B：穿孔部封鎖を試みるためコンポジットレジンで隔壁を形成し，ラバーダムを装着した．矢頭：頬側根分岐部付近の穿孔部．

テンションファクターの除去，咀嚼・咬合機能の回復などの歯周基本治療を先行する場合もある．合併型病変のため難治症例となることが多く，歯の保存の可否に関して十分に考慮する必要がある．また，治療ごとに予後を判定しながら各治療を進めていくべきである．

❸ 歯内–歯周疾患との鑑別が必要な病変

1）根管壁または髄床底の穿孔（図 16–6）

根管治療中に生じた根管壁あるいは髄床底への穿孔は歯内–歯周疾患のクラスⅠ病変と類似した臨床症状を示す．口内法エックス線画像所見では穿孔部の周囲に骨吸収像が認められる．髄床底から根分岐部にかけての穿孔では，透過像が根分岐部に限局している場合，あるいは透過像が根分岐部から根尖方向へ拡大している場合がある．歯根象牙質の菲薄化の有無も確認する．瘻孔がある場合，挿入したガッタパーチャポイントの先端が穿孔部に到達する場合が多い．

2）歯根破折（図 16–7）

歯根破折は，打撲や外傷性咬合などによって引き起こされ，ポストコアが装着された歯冠修復歯に多く認められる．病変は破折部位に面する歯周組織に形成される．臨床症状としては，歯の動揺，咬合痛，歯肉の発赤・腫脹，歯周ポケットからの排膿および瘻孔の存在などがあげられる．プロービング深さを測定したときに，1 点のみに深い歯周ポケットがある場合，歯根破折あるいは歯内–歯周疾患のクラスⅠ病変を疑うことができる．ただし，歯根が完全に割れた場合，破折線に相当する深い歯周ポケットが 2 点になることが多い．破折線の観察にはメチレンブルー染色が有用である．歯科用実体顕微鏡や歯科用CBCT も歯根破折を発見するツールとなる．歯根破折の場合は，クラスⅠ病変とは異なり歯内治療を行っても，深い歯周ポケット（瘻孔）は消失しない．水平歯根破折および歯根の中央 1/3 や根尖側 1/3 に限局している垂直歯根破折の場合，歯周ポケットが形成されにくいので注意する．

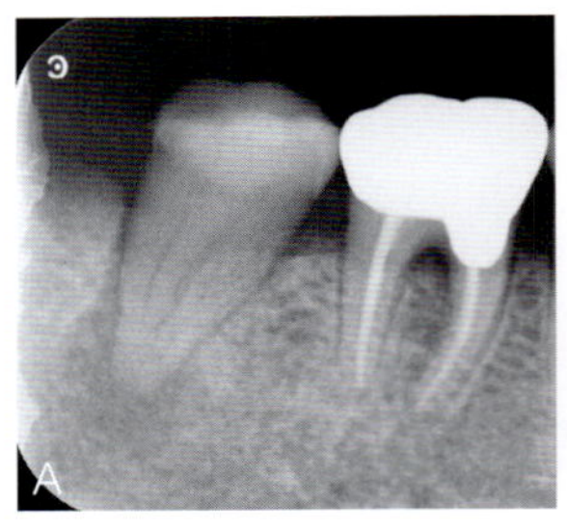

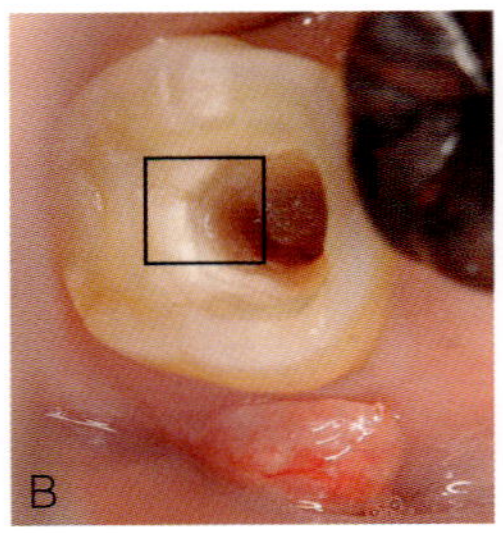

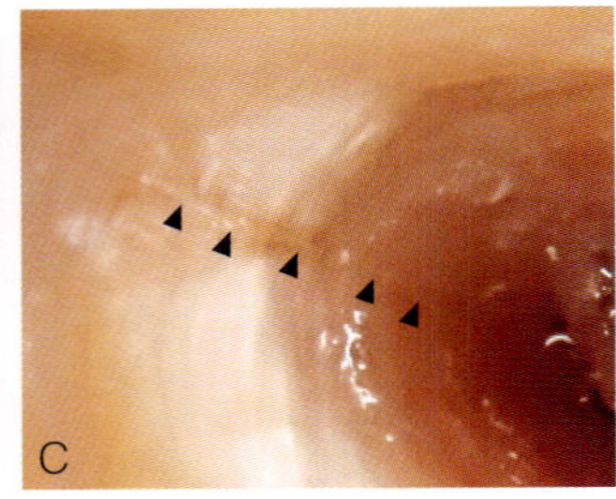

図 16-7　歯根破折（70 歳代女性，7⌉）
A：口内法エックス線画像．根尖部透過像と遠心の歯根膜腔拡大を認める．遠心部のプロービング深さは 6 mm であった．
B：髄室開拡時の口腔内写真．頬側歯肉に腫瘤を認めた．髄室開拡前，歯髄電気診で生活反応を示さなかった．
C：B の枠内の拡大写真．矢頭：破折線．

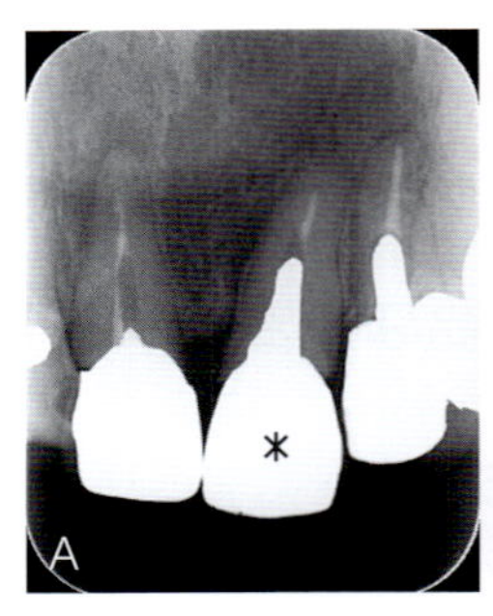

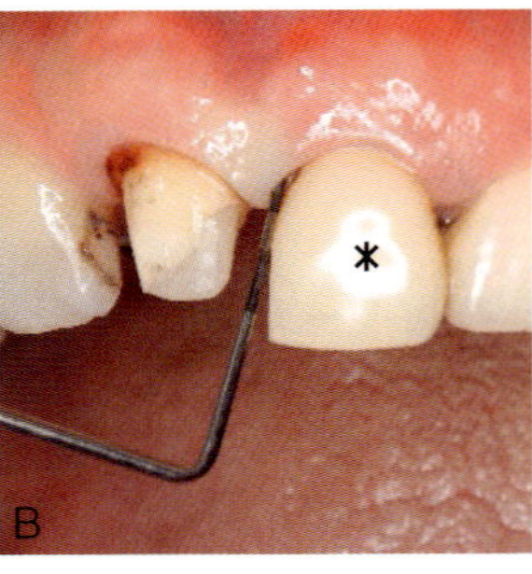

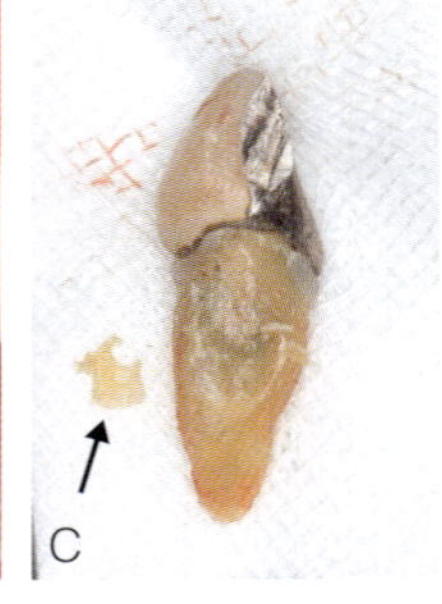

図 16-8　セメント質剝離〔70 歳代女性，⌊1（*）〕
A：初診時の口内法エックス線画像．⌊1 歯根中央部の近心側に透過像を認めた．
B：初診時のポケットプローブ挿入時の口腔内写真．⌊1 のプロービング深さは近心唇側 5 mm で他は 2〜3 mm であった．ビスホスホネート製剤の投与を早急に開始する必要があり，⌊1 保存治療の予後が不確実なため抜歯することとした．
C：抜歯した⌊1 と剝離セメント質片（矢印）．

3）セメント質剝離（図 16-8）

セメント質剝離は，セメント-象牙境またはセメント質の成長線に沿って不完全または完全にセメント質が剝離する病態である[11]．近年，セメント質剝離に起因する歯周組織破壊症例が報告されるようになり，歯内-歯周疾患や根尖性歯周炎などとの鑑別が必要となっている[12, 13]．

4）侵襲性歯頸部外部吸収

侵襲性歯頸部外部吸収は外部吸収の 1 つに分類され，歯頸部付近の歯根吸収を示す疾患である．明らかな原因は不明であるが，矯正治療，外傷，パラファンクション，歯周治療などが要因として示唆され，疾患の進行とともに予後は不良となる[14]．詳細は第 11 章「歯根の病的吸収」を参考にされたい．

（柴　秀樹，武田克浩）

第17章 高齢者・有病者の歯内治療

ヒトは受胎してから胎生期，発育期，成熟期，衰退期を経て，ついには死に至るが，この時間の経過とともに起こる生体の変化を加齢 aging という．一方，老化 senescence とは，発育の完成した成熟期以降に個体の機能が徐々に低下し，死に至るまでの状態をさし，加齢の一部といえよう．このように加齢と老化は厳密な意味では異なるが，加齢を老化と同じ意味で用いることも多い．また，老化を老化現象または老人性変化ということもある．

社会の高齢化が進み健康寿命の延伸が課題となっている．歯質そして歯の保存が高齢者の健康状態，さらには生きがいへの貢献とつながるという観点からの歯内治療も重要である．

I 高齢者の心身における特徴

高齢者の歯内治療を行うにあたり，まず，身体的な老化に対する理解を深めるとともに，さらに高齢者の心理的・精神的な特性を理解する必要がある（**表17-1，2**）．

また，高齢者の心理的・精神的なバックグラウンドとして次に示す可能性が考えられ，これらに留意して診察を行う必要がある．

① 喪失体験（配偶者や近親者との死別，離婚，社会的地位や役割の喪失など）による大きな悲しみとストレスを抱えている可能性

② 脳の老化による記銘力や学習機能など精神的な機能の低下の可能性

③ 身体疾患および身体機能の低下による精神的な変化の可能性

高齢者の心理的特性は個人差が大きく，上記のバックグラウンドに一概には当てはまらないが，これらのことを念頭におき，次の対応法を心がけて診療することが望まれる．

表17-1 老化に共通する基本的な特徴

・普遍性（不可避で，すべての生体に共通して起こる）
・内在性（個体に内在し，遺伝的に規定されている）
・進行性（時間の経過とともに起こり，不可逆性）
・有害性（機能低下を伴い，生体にとって有害）

表17-2 老化の組織・形態学的な特徴

・萎縮
・非再生細胞系（神経細胞など）における細胞死
・老廃物の貯留
・細胞間物質（コラーゲンなど）の分子的変化に基づく形態変化

① わかりやすく，ていねいで十分な説明を行い，疾患に対して適切な認識が得られるようにする.
② 寛容や共感を示し，安心できる人間関係や環境を築く.
③ 患者の人格を尊重し，治療方針を理解して受け入れるまで待つ.

高齢者は生理的な老化のほか，高血圧や糖尿病，心疾患などの基礎疾患を患っている場合も多い．したがって，医療面接での既往歴の聴取は重要である．歯内治療を行う前には，医療情報の収集のみならず，服用中の薬の確認，場合によっては医科主治医への照会なども必要となろう．また，治療中のバイタルサイン（血圧，心拍数，呼吸数など）のモニタリングを行い，患者がショックを起こした場合などの応急処置も習熟しておくことが大切となる.

Ⅱ 全身疾患と歯内治療

❶ 有病者の歯内治療の留意点

全身疾患を有する患者に対する局所麻酔薬の選択，観血的処置の可否決定，抗菌薬・消炎鎮痛薬の投与に関する注意，処置時間や時間帯への配慮などは，歯内治療に限らず，一般的な歯科治療における留意点といえる．たとえば，アドレナリン含有局所麻酔薬は，高血圧患者や各種薬剤〔三環系抗うつ薬や気管支拡張薬（β_2 遮断薬）など〕を服用している患者で，血圧変動を起こしやすく注意が必要である．また，糖尿病患者では易感染性に注意し，観血的処置時は処置前に抗菌薬投与をするなど感染予防に努めるほか，低血糖発作予防のため，処置時間の短縮や診療時間帯（食後 1～2 時間）の配慮を行う.

1）不整脈（ペースメーカーなどの生体内植え込みデバイス）

不整脈のうち，洞不全症候群や伝導障害（多くの場合，房室ブロック）が原因で生じる徐脈に対する治療としてペースメーカー植え込み術を受けられた患者や，心室頻拍や心室細動のような生命にかかわる重症な頻脈に対する治療として植え込み型除細動器 implantable cardioverter defibrillator（ICD）の手術を受けられた患者が歯科を受診した際，歯科用電子機器の使用を考慮する必要がある.

歯科用電子機器はこれらペースメーカーなどの生体内植え込みデバイスに電磁干渉を与える可能性があり，機器から漏洩する外部漏電電磁界が影響する場合と，口腔内に直接通電することで影響する場合に分類される．前者は歯科用レーザーや可視光線照射器などが該当するが，これらの機器を患者から十分離して使用することで影響を減弱できるとされている．また，後者は歯内治療に直接関連する電気的根管長測定器，電気歯髄診断器やイオン導入装置などがあり，現状では原則的に使用禁忌とされているが，最新の植え込みデバイスのなかには電子機器の影響を受けないとされるものがあり，これらの歯科用電子機器の使用に関するガイドラインの確立が望まれる.

表17-3 成人におけるIEの基礎心疾患別リスクと，歯科口腔外科手技に際する予防的抗菌薬投与の推奨とエビデンスレベル

IE リスク	推奨クラス	エビデンスレベル
1．高度リスク群（感染しやすく，重症化しやすい患者）		
・生体弁，機械弁による人工弁置換術患者，弁輪リング装着例 ・IEの既往を有する患者 ・複雑性チアノーゼ性先天性心疾患（単心室，完全大血管転位，ファロー四徴症） ・体循環系と肺循環系の短絡造設術を実施した患者		B
2．中等度リスク群（必ずしも重篤とならないが，心内膜炎発症の可能性が高い患者）		
・ほとんどの先天性心疾患*1 ・後天性弁膜症*2 ・閉塞性肥大型心筋症 ・弁逆流を伴う僧帽弁逸脱	IIa	C
・人工ペースメーカ，植込み型除細動器などのデバイス植込み患者 ・長期にわたる中心静脈カテーテル留置患者	IIb	C

エビデンス評価の詳細は「CQ4：高リスク心疾患患者に対する歯科処置に際して抗菌薬投与はIE予防のために必要か？」参照

*1 単独の心房中隔欠損症（二次孔型）を除く

*2 逆流を伴わない僧帽弁狭窄症ではIEのリスクは低い

IE：感染性心内膜炎

〔日本循環器学会．感染性心内膜炎の予防と治療に関するガイドライン（2017年改訂版）．https://www.j-circ.or.jp/cms/wp-content/uploads/2020/02/JCS2017_nakatani_h.pdf．2025年1月閲覧〕

2）感染性心内膜炎 infective endocarditis（IE）

感染性心内膜炎は，多くの場合，なんらかの心疾患を有する患者がさまざまな原因により菌血症を起こした際に発症し，適切な治療が行われないと多様な合併症を引き起こし，死に至る可能性のある重篤な疾患である．

菌血症の原因として，歯科治療を含めた小手術があげられ，心内膜炎を起こしやすい患者には術前の抗菌薬投与が検討される．特に，人工弁置換，感染性心内膜炎の既往，複雑性チアノーゼ性先天性心疾患，体肺動脈短絡術の患者は，最も重症化しやすいハイリスク群であり，抗菌薬を予防投与すべきと位置づけられている（推奨クラスI，表17-3）．

また，感染性心内膜炎の予防として抗菌薬投与が強く推奨されるものは，出血を伴ったり根尖を越えるような大きな侵襲を伴う歯科処置があげられており，歯内治療領域では，外科的歯内治療だけでなく根尖病変を有する症例に対する感染根管治療も該当するものと考える．

IEの原因菌のうち，口腔由来のものとしては連鎖球菌種が多く，主要な細菌として mitis group の *Streptococcus sanguinis* や mutans group の *Streptococcus mutans* などが知られ，アモキシシリン経口投与が推奨されている．ペニシリンにアレルギーのある患者には，クリンダマイシン，アジスロマイシンやクラリスロマイシンが使用される．

心内膜炎ハイリスク患者では，歯科処置以外のリスク因子として，口腔衛生状態不良があげられ，日常的に生じる菌血症の頻度を減少させるため，正しい口腔ケアの指導を行い，定期的な歯科受診を促すことも重要である．

3）薬剤関連顎骨壊死 medication-related osteonecrosis of the jaw（MRONJ）

ビスホスホネート（BP）製剤は，骨粗鬆症や悪性腫瘍に伴う高カルシウム血症・骨転移などに広く用いられるが，BP製剤を高容量投与されている患者において難治性の顎骨壊死を生じるBP製剤関連顎骨壊死 bisphosphonate-related osteonecrosis of the jaw（BRONJ）が問題となっている．さらに，BP製剤とは骨吸収抑制の作用機序が異なるデノスマブ（Dmab）製剤や血管新生阻害薬も顎骨壊死に関与することが明らかになり，BP製剤も含め骨代謝に影響する薬剤に関連する顎骨疾患という位置づけで，薬剤関連顎骨壊死 medication-related osteonecrosis of the jaw（MRONJ）として総称されている．

MRONJ発症に関わるリスク因子のうち，BP製剤とDmab製剤（両者を合わせて，骨吸収抑制薬 antiresorptive agent；ARA）は主たる薬剤関連因子であるが，局所因子としてはこれまで抜歯など骨への侵襲的歯科治療がハイリスクとして考えられていた．しかし，近年では，骨への侵襲のみが発症の主要因ではなく，歯周病や根尖病変など顎骨に発生する感染性疾患の存在が明確なリスク因子として重視されている．ARA休薬のために抜歯が延期されると歯性・顎骨感染の進行が懸念されることから，MRONJの発症を予防する観点から，現状においては「原則として抜歯時にARAを休薬しないことを提案する」とされている．

ARAの投与が予定されている場合，抜歯をはじめとする侵襲的歯科治療は，可能な限り投与開始前に終えておくことが望ましい．また，ARA投与中の患者に対しては，通常の根管治療は可能とされるが，感染の持続がMRONJの発症リスクを高めることに留意する必要がある．高容量ARA投与中における外科的歯内治療については，治療のメリットと発症リスクを勘案し，実施の適否を検討すべきである．

❷ 根尖性歯周疾患が全身に及ぼす影響

口腔内慢性感染症がさまざまな全身疾患の引き金となる，いわゆる歯性病巣感染は，原発巣の細菌毒素や炎症性サイトカインなどの影響により二次疾患が成立すると考えられている．根尖性歯周疾患が全身に及ぼす影響としては，皮膚疾患などに関与することが示唆されており[6]，代表的なものとして，掌蹠膿疱症や肉芽腫性口唇炎（**図17-1，2**）があげられる．掌蹠膿疱症の病因は不明であるが，病巣感染の関与が示唆されており，扁桃摘出や歯内治療の有効性が報告されている．このように，歯内治療を行うことによって二次疾患が改善するという症例が数多く報告されているが，根尖性歯周疾患による二次疾患の発症機序については，まだ完全には解明されていない．

Ⅲ 高齢者・有病者と成人健常者との歯内治療の違い

歯内治療を行ううえで高齢者・有病者と成人健常者に本質的な違いはないが，高齢者の場合は前述の心理的・精神的な特徴を理解し，以下に記述する歯の形態的特徴や歯髄・歯周組織の特徴に留意して，有病者の場合は全身状態を把握したうえで，ていねいかつ慎重に治療

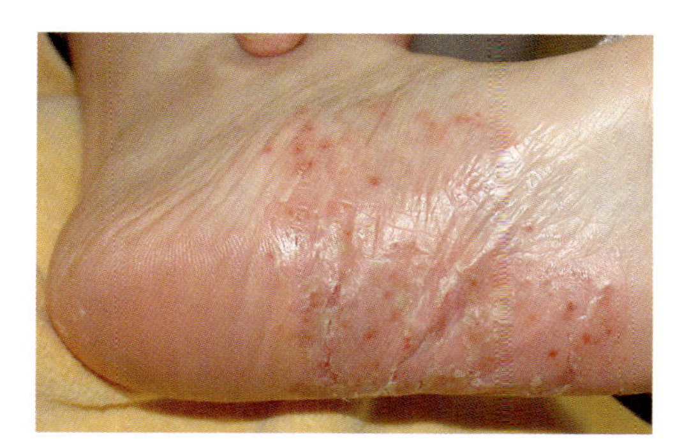

図 17-1 掌蹠膿疱症
55歳女性．足の底に無菌性小水疱形成を繰り返したため皮膚科を受診したところ，慢性歯科疾患に由来する掌蹠膿疱症が疑われ，紹介来院した．
(日本歯科大学 五十嵐勝先生のご厚意による)

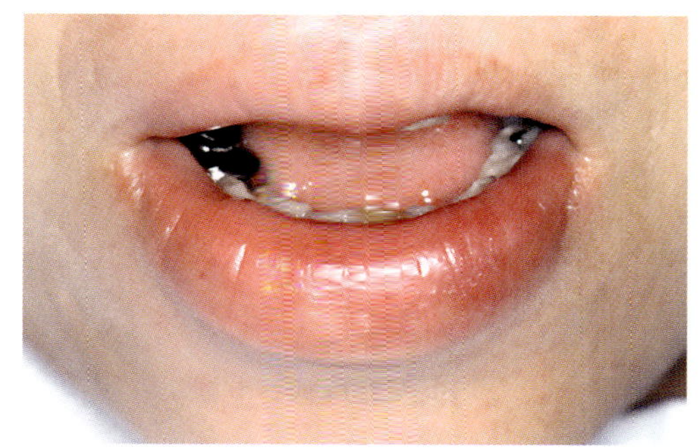

図 17-2 肉芽腫性口唇炎
50歳女性．下口唇に突発性の腫脹が発現した．「1 の慢性化膿性根尖性歯周炎が原因の肉芽腫性口唇炎の疑いと診断された．
(日本歯科大学 五十嵐勝先生のご厚意による)

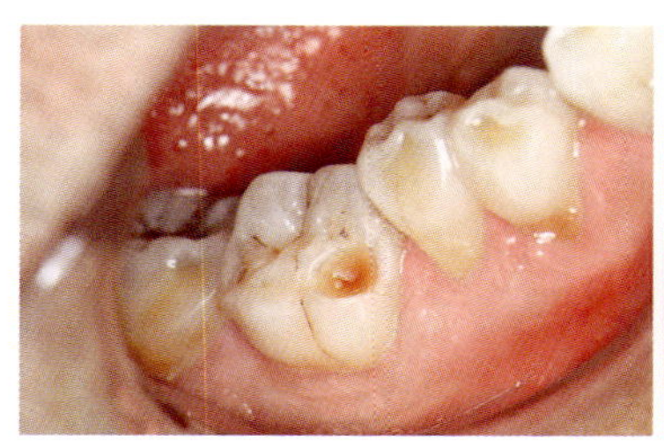

図 17-3 臼歯部の咬耗

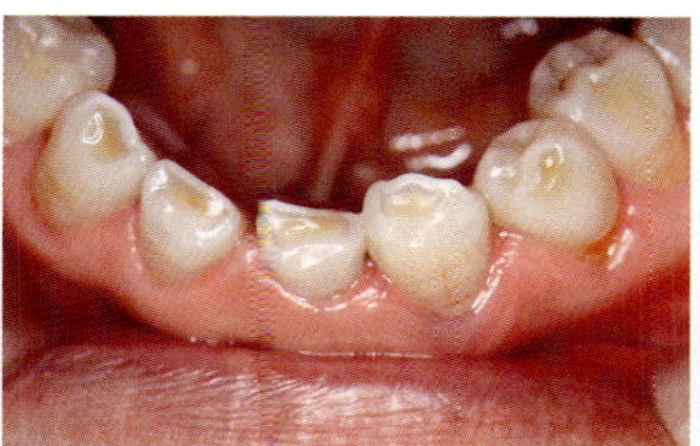

図 17-4 前歯部の咬耗

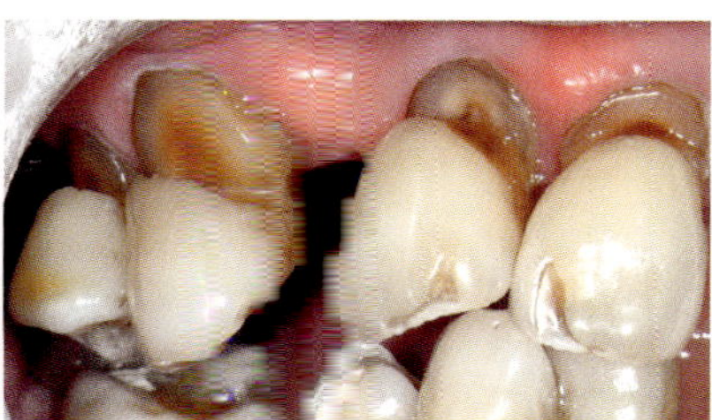

図 17-5 くさび状欠損

を行う必要がある．

Ⅳ 高齢者の歯・歯髄・歯周組織と歯内治療

❶ 高齢者における歯の形態的特徴

歯は加齢とともに形態を変えている．たとえば，臼歯の咬合面や切歯の切縁は咬耗により実質欠損を生じる(**図 17-3, 4**)．また，生理的または病的な歯の動揺により隣在歯が擦れ，隣接面のエナメル質にも摩耗がみられることがある．この変化は若年期から始まっているが，高齢者において顕著になる．唇側や頬側の歯頸部のくさび状欠損(図 17-5)や，エナメル質の破折や亀裂も高齢者によくみられる所見である．

❷ 象牙質・歯髄複合体の老化による変化

象牙質・歯髄複合体においても全身的な老化と同様の変化は起こるが，特徴的なのは，第二象牙質および修復象牙質による髄室と根管の容積の減少である．高齢者では根管は狭まり，ときにはほとんど完全に閉鎖する．歯髄腔容積の減少により歯髄への血液供給が減少すると，さらに多くの老化による変化を引き起こすと考えられる．また，根尖孔もセメント質

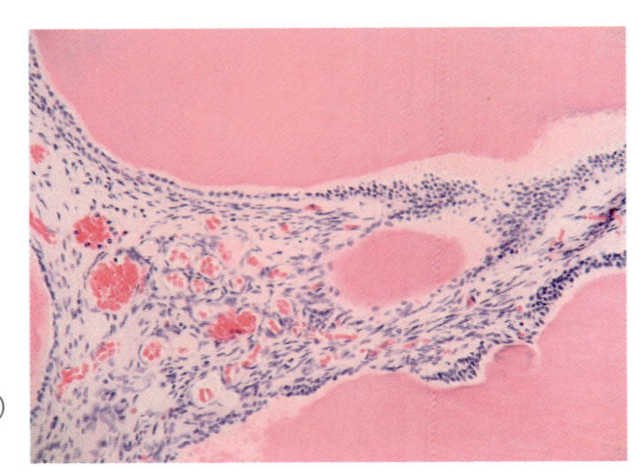

図 17-6　歯髄結石（ラット歯髄，HE 染色）
（徳島大学 稲垣裕司先生のご厚意による）

の添加により狭窄する．根尖孔より歯髄に入る動脈性の血管も，10〜20 歳では通常 3〜4 本であるが，40〜70 歳では 1 本となり，また，高齢者では歯髄腔に入った血管の分岐が減り，特に根部ではその減少が著しいとされる．

70 歳の歯髄の細胞密度は 20 歳の約半分になり，歯髄のコラーゲン線維は線維束の形成が亢進する．また，歯髄の知覚は老化により閾値が上昇する（温度などへの反応が鈍くなる）が，これは有髄神経の減少，象牙質の厚みの増加，象牙細管の狭窄・閉鎖などによるものと考えられている．

高齢者の歯髄では退行性変化（変性・萎縮・壊死）が認められることが多いとされるが，その実態は不明である．歯髄にこのような変化が起こった場合，細菌感染などに対する防御や組織修復能は低下すると考えられるため，歯髄の保存の可否など歯内治療の診断や治療法の選択に大きな影響を及ぼす．しかし，現在のところ歯髄の全部壊死を除いて確実な診断法はなく，歯髄の変性や壊死の診断法の開発は今後の歯内治療の課題となっている．

高齢者の歯髄によくみられる変性の 1 つに石灰変性がある．歯根歯髄の中央部付近にみられることが多く，散在性あるいは線状に沈着する．また，異所性の石灰化として歯髄結石(象牙質粒 denticle）がみられることも多い（**図 17-6**）．歯髄結石は髄室の根管口付近や根管内に存在することがあり，さらに象牙質壁と癒合していることも多く，歯内治療時の障害となりやすい．

歯髄は象牙質を維持しており，このような歯髄の老化による変化は，象牙質にも反映される．象牙細管では管周象牙質が連続的に形成されており，老化に伴い象牙細管の直径は減少する．したがって，高齢者では歯質の切削などによる歯髄への影響は減少するが，一方，象牙質のもろさは増大する．また，象牙芽細胞突起の萎縮や象牙芽細胞の死滅により象牙細管が空洞になることがあり，歯の研磨標本では死帯 dead tract となって現れる．このような高齢者にみられる象牙質・歯髄複合体の変化は，組織再生・修復能の低下や易感染性，歯髄壊死に陥りやすいなどの不利な特徴をもたらす一方，象牙細管の閉鎖による外来刺激の軽減や齲蝕進行の遅延ももたらす．

老化により象牙質は，より破折しやすくなると考えられている．実際，ヒト歯冠象牙質を用いた疲労試験では，若者（平均 25 歳）のほうが高齢者（平均 62 歳）より明らかに破壊されにくいことが示されている．これは老化による象牙質・歯髄複合体の含水量の低下のためと考えられるが，抜髄した歯においても象牙質の水分は9%しか異ならず，ビッカース硬さも変化しなかったという報告もある．また，象牙質のコラーゲンは代謝されないため，加齢により集積された象牙質の小さな亀裂が象牙質破折の原因とも考えられている．臨床において高齢者の歯の破折はよく遭遇するが，歯内治療の結果，歯質が菲薄になり破折したと思われるケースも多いことから，高齢者の歯内治療においても可及的に健全歯質を保存するミニマルインターベンション minimal intervention（MI）の概念が重要である．

❸ 老化による歯周組織の変化

歯肉の退縮は高齢者によくみられる変化である．歯肉退縮によりセメント質は露出し，露出したセメント質が喪失すると歯根象牙質の露出が起こり，象牙質知覚過敏症やくさび状欠損を引き起こす．

歯肉や歯根膜などの結合組織における老化は，他の組織の結合組織における変化と基本的には変わらない．すなわち老化により線維芽細胞密度は減少し，コラーゲン産生能は低下する．また老化により，コラーゲンが可溶性から不溶性に転換する割合や，その熱変性温度は高くなるとされている．

老化により歯根膜のコラーゲン線維は減少し，血管を含む間質が増大する．また，石灰沈着が起こることが報告されている．老化により歯根膜腔は減少すると考えられている一方，増加するという報告もあり，一定の見解はない．

❹ 治癒能力

1）全身的な要因

治癒には細菌などの侵襲を防御・排除する能力，そして組織を修復・再生する能力が要因となるが，前者を担うのが免疫機能である．高齢者では一般的にこの免疫機能の低下がみられる．その原因の1つとして，老化による胸腺の著しい退縮があげられる．胸腺の退縮により末梢へ供給される新規のT細胞が減少するが，これは新しい抗原に対する適応力が低下することを意味している．実際，インフルエンザなど変異を繰り返すタイプの感染に対して高齢者の抵抗性は弱く，死に至ることも多い．さらに，末梢のリンパ組織のT細胞もサイトカインの分泌能などの低下が起こり，免疫反応は低下している．抗体産生などのB細胞機能は，老化によってそれほど低下しないとされるが，B細胞機能にはT細胞が重要な役割を果たすため，高齢者では結果的にB細胞機能も低下している．実際，高齢者では口腔内の局所免疫に関与する分泌型免疫グロブリンA（sIgA）の分泌が低下している．

線維芽細胞の増殖能が老化により低下することはHayflick現象として知られるが，高齢者の歯根膜細胞（歯根膜の線維芽細胞様細胞）では，増殖能だけでなく，遊走能やコラーゲン分泌能も低下している．組織修復・再生の担い手である線維芽細胞の機能低下は組織の治癒に関与することが想定されるが，その実態はまだ明らかではない．

このように高齢者では感染に対する抵抗性や組織の治癒能力が減弱していると考えられる

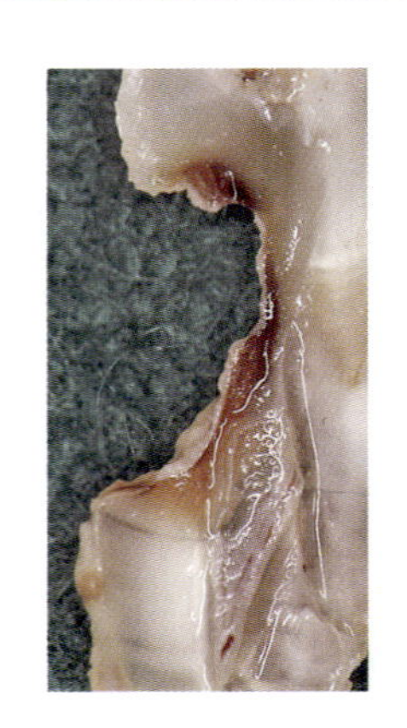

図 17-7　根面齲蝕の割断像
（徳島大学 尾崎和美先生のご厚意による）

が，実際に老化が歯髄および根尖歯周組織の治癒能力にどれくらい影響しているかは不明である．

2）局所的な要因

p.261，「象牙質・歯髄複合体の老化による変化」の項でも述べたように，歯髄腔の容積や細胞密度の低下，根尖孔の狭窄などにより，歯髄の治癒能力は低下していると考えられる．事実，平均年齢 67 歳の 100 人に水酸化カルシウム製剤で生活断髄を行ったところ，臨床的な成功率は若年者に比べても遜色はなかったが，病理学的に検討すると，個人差が大きいものの治癒速度や確実性，治癒形態において差異が認められたと報告されている[9]．しかしながら，象牙質・歯髄複合体の老化による治癒能力の変化はまだ明らかにされておらず，今後の研究が待たれる．

❺ 高齢者の歯肉退縮に継発する病態

高齢者では歯周病などにより歯根露出がみられることが多い．この場合，齲蝕はなくても側枝などの副根管，さらには根尖孔を通じて，上行性（逆行性）に歯髄炎を引き起こすことがある．また，それに続く歯髄壊死から歯内-歯周病変を起こすことがあるため，歯髄の生死の判断が重要となる．

また，露出した根面のセメント質にプラークが長期間付着すると，セメント質の脱灰と有機質の溶解が始まり，細菌侵入と組織破壊が起こり，セメント質齲蝕が発生する．臨床的に根面齲蝕ともよばれ，セメント質と象牙質が一様に脱灰されて皿状の形状を示すことが多く，側方へ拡大して環状の齲蝕となることもある．高齢者では，根面齲蝕によって根管の狭窄がより進行し複雑化する（**図 17-7**）．

❻ 高齢者の歯内治療の留意点

p.260，「高齢者・有病者と成人健常者との歯内治療の違い」に記載してあるように，高齢者の歯内治療を行ううえで特別な方法や手技はない．しかし，石灰化による髄室や根管系の狭窄が考えられるため，エックス線画像の読影に始まる歯内治療の一つひとつのステップを

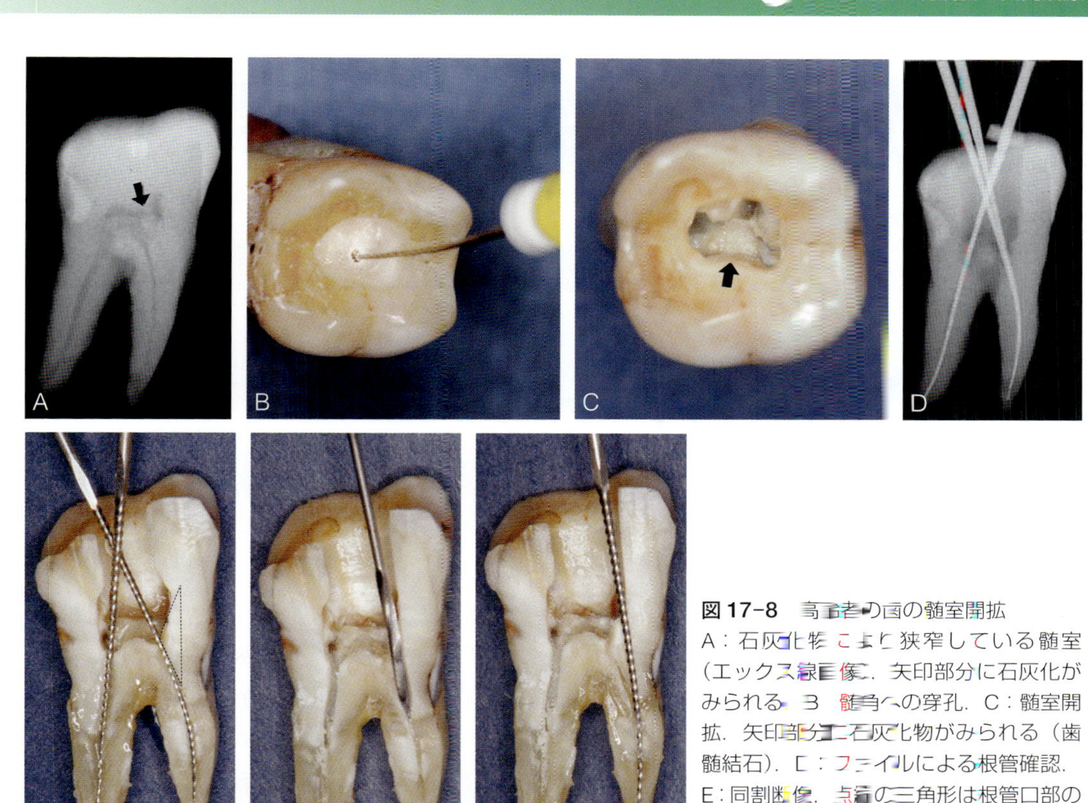

図17-8　高齢者の歯の髄室開拡
A：石灰化物により狭窄している髄室（エックス線画像）．矢印部分に石灰化がみられる．B：髄角への穿孔．C：髄室開拡．矢印部分に石灰化物がみられる（歯髄結石）．D：ファイルによる根管確認．E：同割断像．点線の三角形は根管口部の近心壁の張り出し．F：根管上部のフレアー形成．G：直線化した根管．

確実に行うことが重要となる．時間はかかるが，ていねいに行うことで，穿孔など不用意な偶発症を未然に防ぐことになり，結局は効率的な治療となる．

ここで，実際の高齢者の歯を用いて歯内治療の留意点を示す（図17-8）．歯内−歯周疾患による上行性歯髄炎で抜去した下顎右側第二大臼歯で，そのエックス線画像を**図17-8A**に示す．咬合面と遠心が齲蝕のために修復されており，髄室の狭窄がみられる．

咬合面から注意深くアクセスし，一番高い髄角を探る（**図17-8B**：穿孔部にファイルを挿入）．そして穿孔した髄角よりラウンドバーまたはスプーンエキスカベーターで天蓋を掻き上げ，窩底を傷つけないよう髄室開拡を行う．頬側近心根管の根管口部に石灰化物の沈着がみられた（**図17-8C矢印**）．

根管をエックス線画像で確認し（**図17-8A**），根管口の明示と拡大を行う．遠心根管はほぼ直線的に根尖部へアプローチできるが，近心根管は彎曲しており，根管形成時に逸脱しやすい（**図17-8D**：ファイル挿入割断像）．根管口部の近心壁（**図17-8E**の三角部分）をラルゴドリルなどで削除し，直線的な到達経路を確保する（**図17-8F**）．これにより，根尖孔部への器具到達が容易になり（**図17-8G**：直線化した根管），適切なアピカルシートの形成および確実な根管充塡が可能となる．

（中西　正，松尾敬志）

第18章 根管処置後の歯冠修復

I コロナルリーケージ

根管の拡大・形成・消毒により可及的に感染源の除去が行われた根管に対して根管充填が行われた後に，歯冠側から根管内へ微小漏洩（マイクロリーケージ）が生じ，口腔内の細菌が侵入することで根管が再感染または再汚染し根尖性歯周炎を生じることがある．この歯冠側からの漏洩をコロナルリーケージ（歯冠漏洩）という（**図18-1**，第8章「根管充填」参照）．コロナルリーケージが生じる原因としては，修復物や補綴装置の適合精度の問題以外に，根管充填後の不確実な仮封や最終修復物装着までの遅延，修復・補綴処置時の感染，合着に使用したセメントや根管充填用シーラーなどの劣化が考えられる．

間接法による支台築造では，根管充填後に支台築造が装着されるまでの期間は仮封となることから，仮封に漏洩が生じると根管内へ唾液などが侵入することになり，感染を引き起こす．仮封期間中のコロナルリーケージを抑制する方法としては，レジンコーティング材を応用することが提案されている．一方，コンポジットレジンによる直接法では，ただちに歯質と築造体との接合界面に接着性が得られることから，根管治療後の感染リスクの観点からは直接法が有利といえる．

最終修復物の装着においては，接着性レジンセメントを使用することによって，歯質および修復物とは物理的・化学的に接着性が得られ，唾液による溶解もほとんどない安定性が得られる．細菌侵入の経路となる接合界面の安定性は，二次齲蝕や修復物脱離の観点からも接

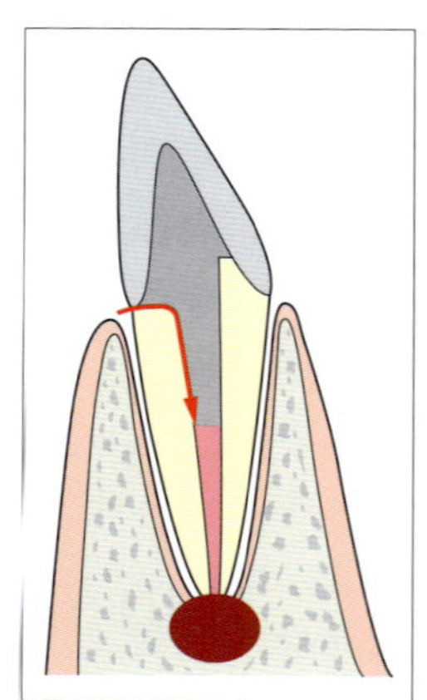

図18-1 コロナルリーケージの概念図
不適切な修復・補綴処置や材料の劣化などにより，歯冠側から根管内へのマイクロリーケージが生じ，口腔内細菌やその産生物などの侵入経路となる．

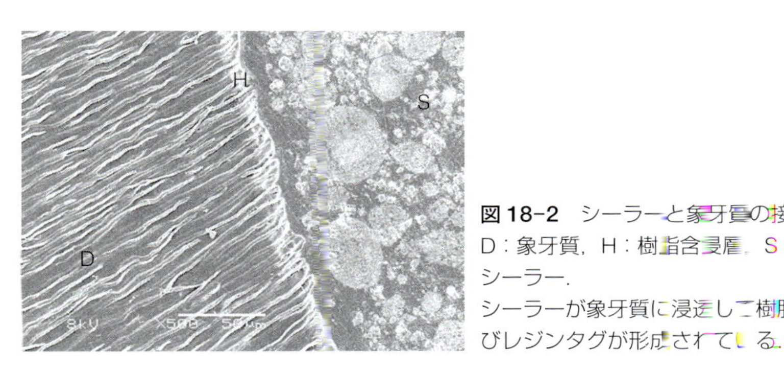

図 18-2　シーラーと象牙質の接着界面
D：象牙質，H：樹脂含浸層，S：根管充填用シーラー．
シーラーが象牙質に浸透して樹脂含浸層およびレジンタグが形成されている．

着性レジンセメントの使用が推奨される．

現在もガッタパーチャとシーラーを用いた根管充填法が主流であり，根管内まで漏洩が生じた場合には，シーラーと歯質あるいは根管充填材との封鎖性が歯冠側と根尖側とのバリアとなる．長年にわたり根管充填に用いられている酸化亜鉛ユージノール系シーラー以外に，現在ではレジン系シーラーやそのいずれにも分類されないバイオセラミックス系シーラーなどが市販されており，いずれのシーラーも根尖歯周組織に為害作用がないことに加えて，経時的な化学的安定性や封鎖性を満たすことが求められる．

例として，レジン系シーラーでは根管壁の象牙質接合界面に樹脂含浸層が観察され，シーラーが象牙質表層に浸透して硬化する（**図 18-2**）．また根管充填材であるガッタパーチャの表層を溶解・浸透して硬化するものもあり，細菌の侵入に対するバリアとなる．

コロナルリーケージのリスクを可能なかぎり下げるためには，根管充填した後も無菌的操作に配慮しながら，可及的早期に修復・補綴装置を接着性レジンセメントで装着すること，仮封においては，レジンコーティングを応用するなどの対応策を最大限に行うことといえる．根管治療を施した歯を長期にわたり機能させるためには，根管治療後の処置において，コロナルリーケージのリスクを常に考慮する必要がある．

Ⅱ　支台築造

❶　既根管治療歯に支台築造を行う際の注意点

歯髄を失い根管充填を行った歯は，歯冠部歯質の一部または多くを失っていることが多く，歯内治療に伴いさらに歯質を喪失している．このような歯に補綴装置を装着して健康な歯と同じように機能させるために，失われた歯質を人工材料で補う操作が支台築造である．

支台築造の目的として，①生活歯に比較して脆弱となった歯質の補強，②歯冠補綴装置を強固に保持するための形態の付与，③ブリッジや連結歯で平行性を確保するための便宜形態の付与，④適切なコア形態の付与による補綴装置適合性の向上，⑤補綴装置の製作に使用する貴金属の節約，などがあげられてきたが，現在では⑥根管充填の後に時間をおいて生じるコロナルリーケージを防ぐ効果，が重要視されている．

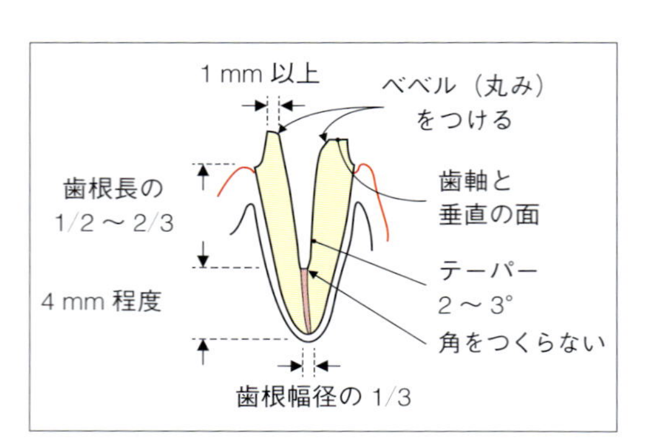

図 18-3　築造窩洞形成の基本形態

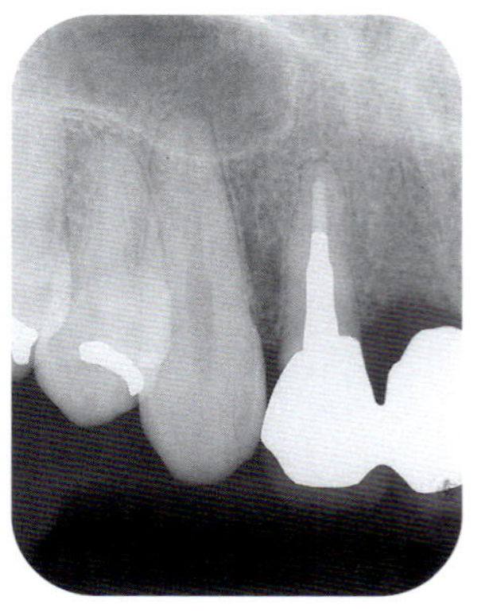

図 18-4　ポスト孔の形成が適切に行われていると思われる例

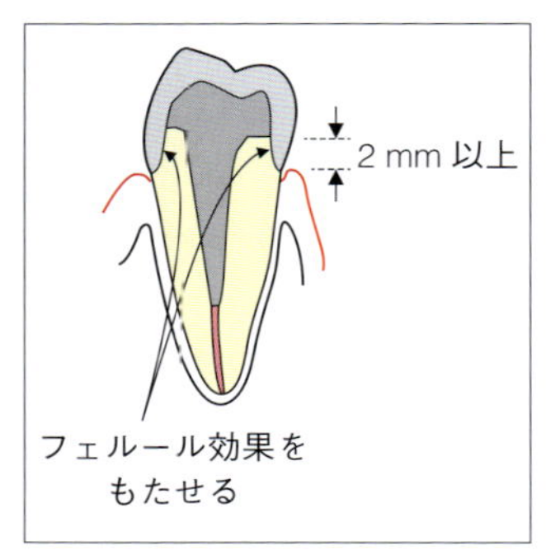

図 18-5　フェルールによる残存歯質の保護とコロナルリーケージに起因する感染源の侵入抑制

1）残存歯質（歯根）の破折防止

既根管治療歯では健全歯質の喪失や残存歯質の菲薄化が進んでいる．同時に，歯髄を失った歯では，歯髄側からの栄養供給や，象牙細管や管間象牙質への水分の供給がなくなり，脱灰歯質の再石灰化や修復象牙質の生成による歯質の強化も望めなくなる．したがって，残存歯質（歯根）の破折を防ぎ，歯としての機能を回復・維持するために，歯質の残存状態に応じて適切な支台築造を選択する必要がある．

2）ポスト形成の基準

歯質の欠損がきわめて少なく，築造材料を歯冠部歯質で保持できる場合には，ポスト形成を行うことなく築造することが可能である．築造体の維持をポストにも求める場合の，築造窩洞の基本形態を**図 18-3** に示す．ポスト孔の深さは歯根長の 1/2～2/3 もしくは歯冠長と同程度，太さは歯根幅径の 1/3，テーパーは 2～3° を標準としている．少なくとも歯槽骨頂よりも深く形成したうえで，根管充填材の緩みを防ぎ，長期にわたる封鎖性を維持するために，根管充填材を根尖側に 4 mm 程度残すことが推奨されている（**図 18-4**）．

3）健全歯質の保全（ミニマルインターベンションの導入）

既根管治療歯に歯冠補綴装置を装着するにあたり，支台歯フィニッシュラインの歯冠側に存在し，補綴装置によって抱え込まれる部分がフェルール ferrule（帯環）である（**図 18-5**）．これによって歯根の破折を防ぐ効果がフェルール効果で，フィニッシュラインの歯冠側に 2 mm 以上の歯質が全周にわたって存在することで得られるとされる．補綴装置の歯頸部辺縁（マージン）から築造体辺縁までの距離を確保することは，残存歯質（歯根）の破折を防ぐと同時に，歯冠側からの漏洩に起因する感染源の侵入（**図 18-1**）を抑制することにもつながる．

残存歯質が十分にあり，フェルールが得られる場合には，築造体の装着を通常のセメント

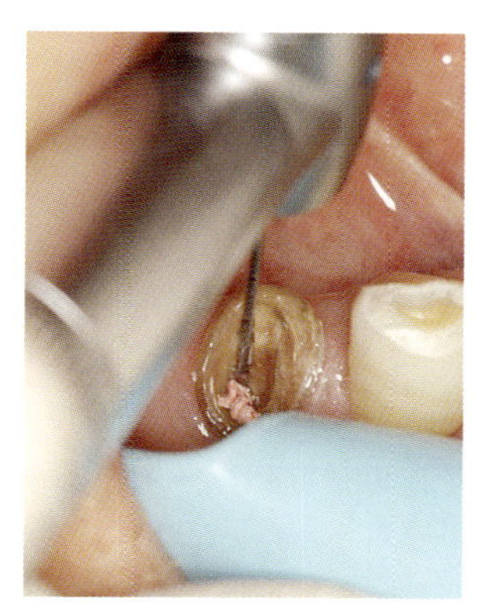

図18-6 ピーソーリーマーによるガッタパーチャの除去

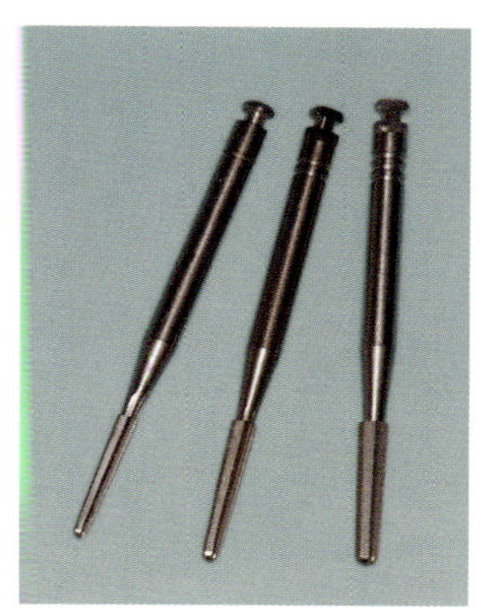

図18-7 根管形成バー
適切な径の根管形成バーを用いてポスト孔を仕上げる．

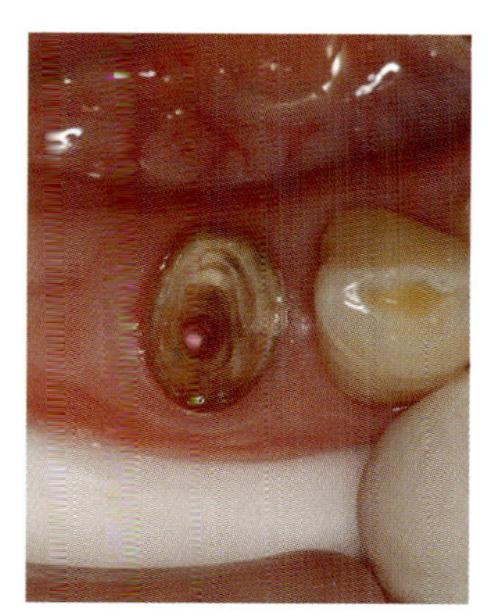

図18-8 形成された築造窩洞
ポスト孔，歯髄腔内ともに根管治療の段階から清浄に保つ．

を用いて行うことも可能であるが，得られない場合には，接着性レジンセメントの使用が推奨される．

4）根尖部の封鎖性の維持

ポスト形成に際しては，硬化したシーラーを破壊しないように，また摩擦熱によりガッタパーチャを軟化・変形させて引き抜くことがないように，配慮する必要がある．また，摩擦熱は歯根膜にも悪影響を与えうる．したがって，適切なサイズのピーソーリーマー（**図18-6**）や根管形成バー（**図18-7**）を選択して，注水下で間欠的に切削するなど，丁寧な操作が要求される．

5）歯髄腔内の清浄

歯髄腔は非常に複雑な形状をしており，根管充填後にはしばしば築造窩洞内にイスムスやフィンなどの構造が残る．これらは，感染源を含有する根管象牙質の削片などの汚染物質の貯留の場でもあることから，築造体の装着に際して，築造窩洞内の接着処理の阻害因子になるばかりでなく，経年後のコロナルリーケージの原因ともなりうる．支台築造前には，ポスト孔内とともに歯髄腔内も根管治療の段階から清浄に保つ必要がある（**図18-8**）．

間接法での支台築造において，印象採得後の築造窩洞の仮封にレジン系仮封材を用いることは，セメント系仮封材でしばしばみられる築造窩洞内への固着を避けることにつながるので，築造体の接着を円滑かつ確実に行うために有効である．

6）築造体と歯質の接着

歯冠部歯質の残存状態によっては，築造体と歯質を強力に接着して両者を一体化することによって，残存歯質を補強し，歯としての機能を回復することが可能となる．同時に，両者の接着は根管充填材の断端よりも歯冠側を閉鎖し，コロナルリーケージに起因する根尖性歯

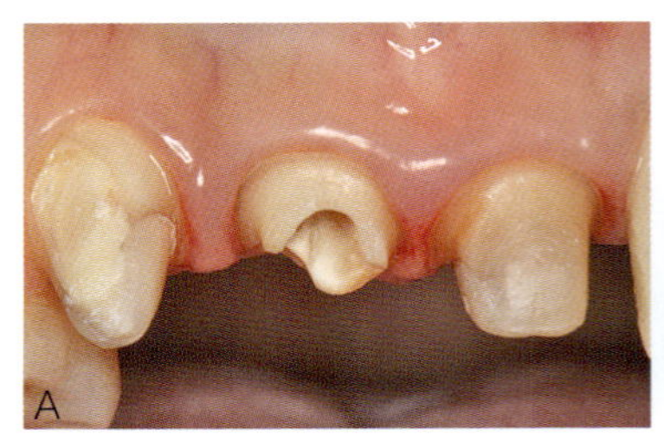

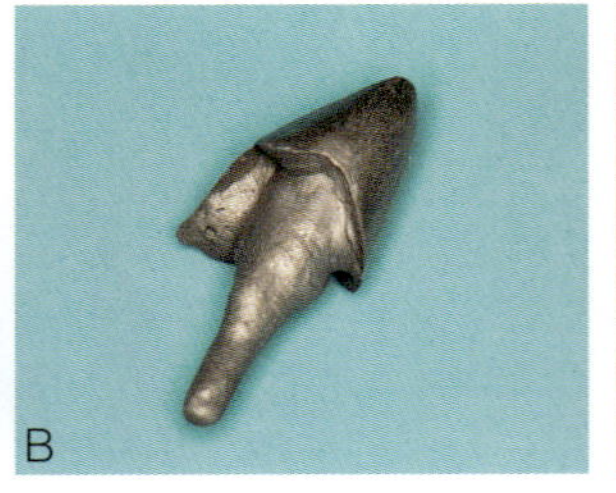

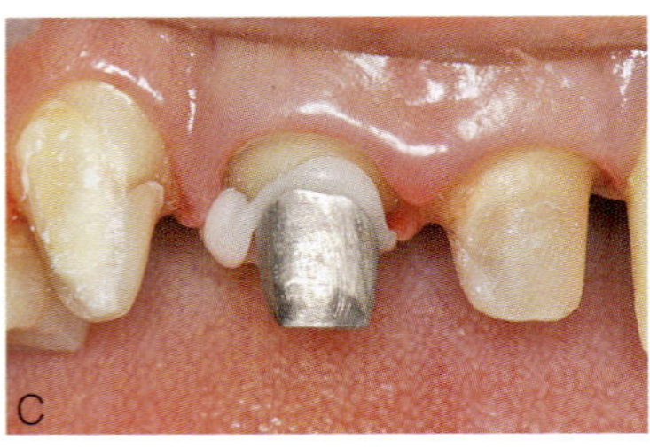

図 18-9 鋳造金属による支台築造
A：前歯部に形成した築造窩洞．B：12%金銀パラジウム合金を用いて間接法で製作した鋳造金属による支台築造体．接着のための前処理を施しておく．C：接着性レジンセメントによる装着．

周炎の惹起（再発）を防ぐことにつながる．再根管治療が必要となった症例で，ポストコアを除去するとセメント層の劣化や汚染が観察されることがある．築造体の装着（接着）を終えるまでは，根管治療を継続しているという認識で処置を行う．

❷ 鋳造金属による支台築造

鋳造金属による支台築造は間接法で行われ，築造窩洞の印象採得を行い，模型上で製作した築造体を口腔内に装着する．試適時には着脱可能であることが求められるため，アンダーカットを排し，開放型の窩洞とする必要があることから，歯質の削除量は多くなる．

金属としては，銀合金や12%金銀パラジウム合金，金合金などが用いられる．歯質と比較して金属の弾性率が高いことから，ポストの先端部や窩洞内の鋭縁部には応力集中を生じて歯質の破折につながることがあるため，築造窩洞形成の原則（**図 18-3**）を厳密に守る必要がある．一方で，12%金銀パラジウム合金で製作した築造体は，接着性レジンセメントを用いることで歯質と強固に接着することが可能であるため，両者を一体化させることができる（**図 18-9**）．歯質欠損が全周にわたり歯肉縁下に及んでいる場合には，ポストのみに維持を求めて分割築造を行うなど，接着性レジンセメントを使用することによって，あらゆる症例に適用可能な築造方法でもある．

❸ 成形材料による支台築造

支台築造に用いられる成形材料には，合着用セメントやコンポジットレジンなどがある．成形材料単独での支台築造は，歯質の欠損がきわめて少ない場合には可能であるが，その機会は限定的である．

現在の成形材料の主流はコンポジットレジンであり，多くの場合に既製ポストを併用する．既製ポストには，金属製ポストやグラスファイバーポスト，セラミックポストなど多くの種類があるが，グラスファイバーポストは弾性率が歯質のそれに近く，応力集中を生じにくいことから，現在はコンポジットレジンとグラスファイバーポストの組み合わせが主流となっている．この組み合わせで，直接法でも間接法でも使用することができる．

直接法では築造レジンの築盛を口腔内で直接行うため（**図 18-10**），既製ポストの挿入を

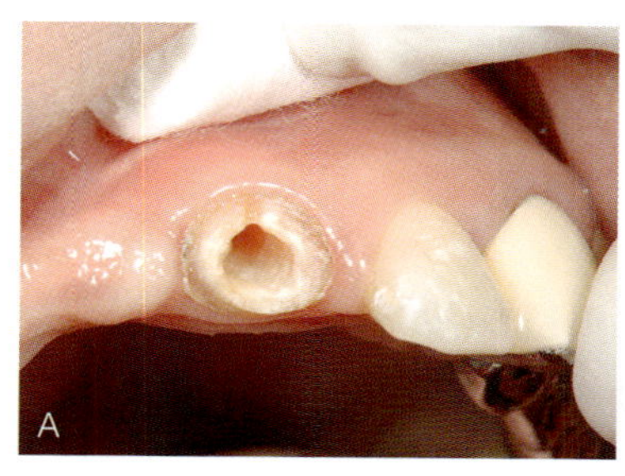

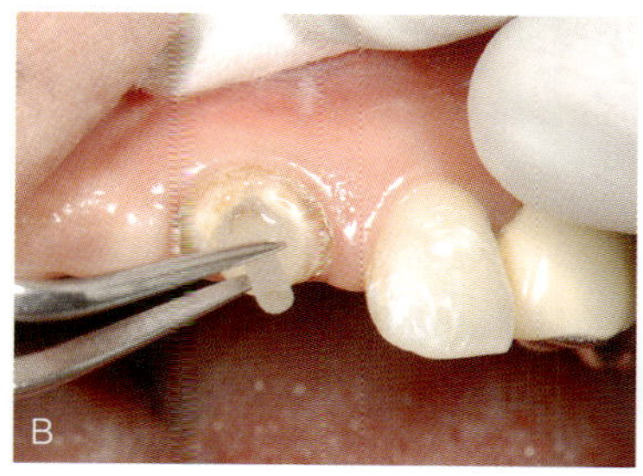

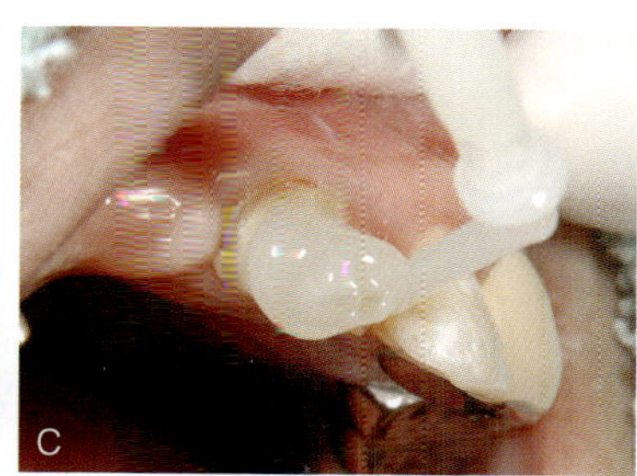

図 18-10　コンポジットレジンとグラスファイバーポストを用いた直接法による支台築造
A：前歯部に形成した直接支台築造のための窩洞．B：築造窩洞の歯質に必要な接着処理を施したうえで築造レジンを満たし，グラスファイバーポストを挿入する．C：コア部分のレジンの築盛．

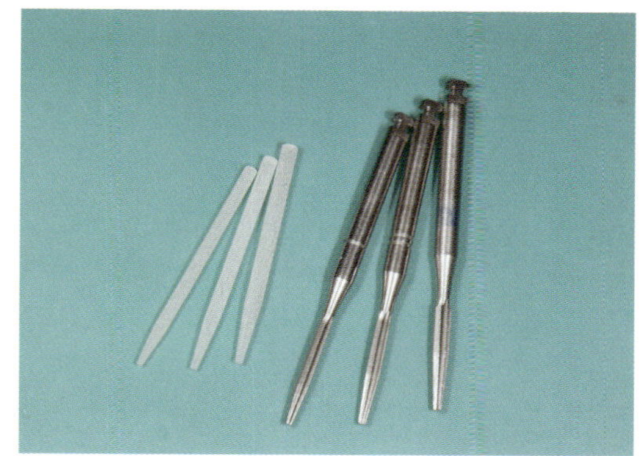

図 18-11　グラスファイバーポストとポストの形状に対応した根管形成バー

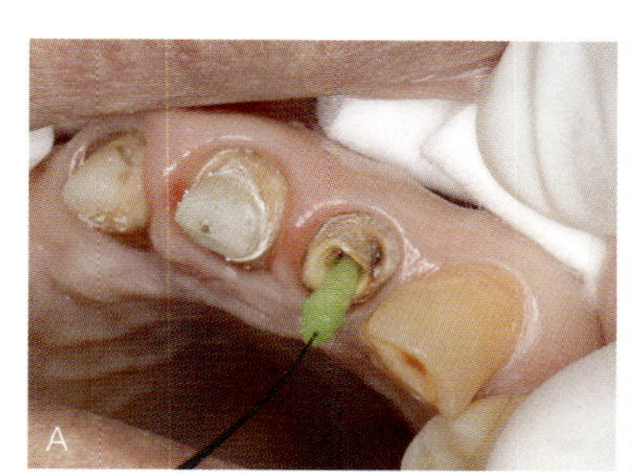

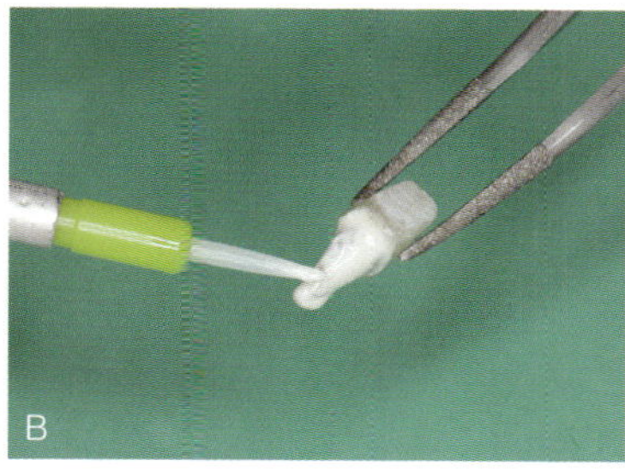

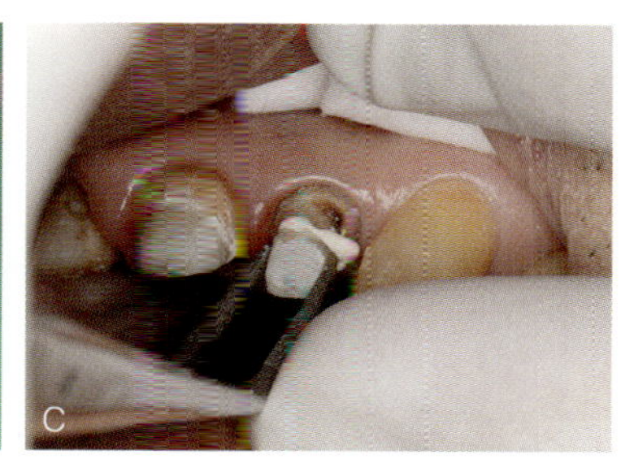

図 18-12　ファイバーコアを用いた間接法による支台築造
A：前歯部に形成した間接支台築造窩洞への接着処理．B：ファイバーコアの被着面に接着処理を施したうえで，接着性レジンセメントを盛り上げる．C：支台歯への装着．

可能にするだけの歯質を削除すれば十分であり，健全歯質を可及的に保存することができる．直接法では，新鮮な築造窩洞形成面にただちに接着処理を行うため，歯質と築造レジンの接着を確実に行うことができる．また現在は，グラスファイバーポストの形態に一致した形状の根管形成バーを組み合わせているシステム（**図 18-11**）も多く，グラスファイバーポストのポスト孔への密着性においても有利である．

一方で，築造レジンが多量に必要な場合に，一塊で築盛・重合を行った場合には，レジンの重合収縮に伴う窩壁からの剥がれ，またはレジンと歯質の接着界面に応力を残すことがあり，築造体の脱離やコロナルリーケージにつながる可能性がある．築盛量が大きい場合には，数回に分けて築盛・重合を繰り返すなどの方法により重合収縮の影響を小さくする必要がある．

間接法では，築造レジンの収縮を装着に用いる接着性レジンセメントの層で補償することができるが，歯質の削除量は鋳造金属による支台築造に準じたものとなる．強固な接着を得るためには歯質と築造体への接着処理を確実に行わなければならない（**図18-12**）．

また，残存歯質が歯肉縁下に及んでいる部分がある場合には，浸出液に対する防湿が困難であることから，間接法を用いたほうがコロナルリーケージを防ぐ意味でも好ましい．

（西谷佳浩，南　弘之）

第19章 歯内治療における安全対策

歯内治療中の偶発症は不測かつ突発的に生じるが，まったく予期せずに発生する場合と，知識不足や器具の誤った使用によって生じる場合がある．前者は注意をしても避けることは困難だが，後者は発生を未然に防ぐことができる点に大きな違いがある．歯内治療の成書には偶発症を想定した記載があり，日常臨床では，起こりうる偶発症と発生時の対応を常に念頭に置き，確実な準備と知識を身につけて診療に臨むべきである．**表19-1**に歯内治療の各ステップにおける主な偶発症を示す．

歯内治療の対象となる歯髄腔は解剖学的に複雑な形態を呈し，歯種や年齢によってもさまざまな変化が生じる．また，直視による処置が困難なことが多く，微細な器具を多用することから偶発的な事故を起こしやすい．さらに有病者や高齢者では，歯内治療が基礎疾患や体調に影響することがあるので全身的な管理にも配慮が求められる．偶発症が発生した場合は，迅速な対応をとるとともに，患者に対して，詳細な状況の説明，処置方法ならびに予測される経過を提示することが重要であり，医療訴訟などに至ることがないように，誠意ある対応に努める．本章では，注意すべき偶発症の原因と予防ならびに処置について詳述する．

表19-1 根管治療の各ステップにおける主な偶発症

髄室開拡	髄室壁（髄室側壁，髄床底）穿孔
根管口の探索，明示	髄床底穿孔 歯頸部での歯肉穿孔，歯根膜穿孔 根管内での器具破折
根管拡大・形成	根管壁穿孔 ストリップパーフォレーション 根管内での器具破折 オーバーインスツルメンテーション トランスポーテーション 器具の誤飲と気管内吸引
根管清掃	皮下気腫 根尖歯周組織への化学的刺激 口腔粘膜・顔面皮膚への化学的損傷
根管乾燥	皮下気腫
根管消毒	根尖歯周組織への化学的刺激
根管充填	根管充填材の溢出

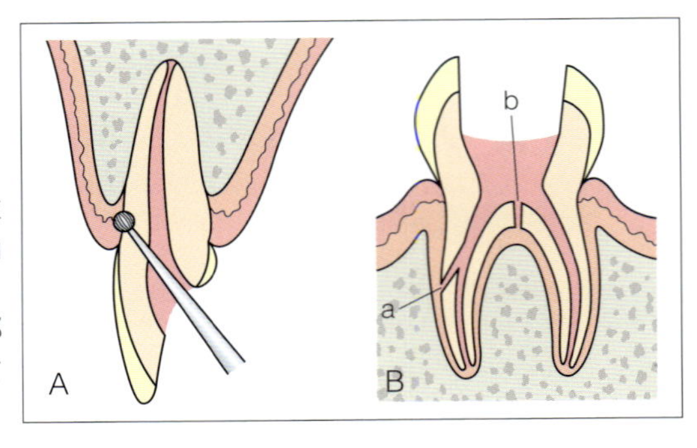

図 19-1 穿孔
A：前歯の舌側からの切削では，常に歯軸の方向に注意して切削する．不用意な切削は唇側への歯肉穿孔（歯槽外穿孔）を引き起こす．
B：根管壁穿孔（a）と大臼歯の髄床底穿孔（分岐部穿孔）（b）は歯根膜穿孔（歯槽内穿孔）に分類される．

❶ 髄室壁・根管壁の穿孔

髄室開拡や根管拡大・形成の際に，解剖学的形態や切削器具の特性を考慮せずに誤った方向に切削することで，髄室側壁，髄床底あるいは根管壁に人工的な穿孔を生じる．部位により，歯肉穿孔（歯槽外穿孔）と歯根膜穿孔（歯槽内穿孔）に分けられる．また，過剰な切削により歯質が薄くなり穿孔する場合もある．穿孔によって，歯周組織には機械的ならびに化学的損傷が生じ感染を併発することもある．根尖孔外へのオーバーインスツルメンテーションによる根尖狭窄部の破壊も，類似した状況と考えるべきである．穿孔部には，歯肉あるいは歯根膜ポリープが形成されることがあるので，早急な封鎖処置が望まれる（**図 19-1**）．

1）原因と予防

(1) 髄室壁の穿孔

髄室開拡に際しては，常に歯軸の方向を念頭に置いて，開拡部位を設定する必要がある．特に歯冠補綴装置が装着された歯は，事前にエックス線画像で歯軸の方向を必ず確認する．また，第二象牙質や修復象牙質の添加により髄室は狭小化していることが多く，高齢者においては顕著である．複根歯では天蓋と髄床底が近接することで，髄室に至った感覚が得にくくなり，無意識に髄床底を切削し穿孔することもある．さらに，象牙質添加による髄室側壁の隆起は，根管口の確認やその後の処置のために削除する必要があるが，歯頸部付近の歯質が薄い部分で穿孔を起こしやすい．根管口の探索に伴った髄床底の穿孔も，発現頻度が高いので注意する．したがって，エックス線画像を参考に，歯根の走向から歯軸の確認，髄室の位置と大きさ，根管口の位置，ならびに根管数などの解剖学的形態を確実に把握したうえで開拡部位を設定し，髄室開拡を始めなければならない．ラバーダム防湿下においても歯軸の方向を見誤りやすいので注意する．

(2) 根管壁の穿孔

彎曲や狭窄した複雑な形態の根管では，根尖への穿通や根管拡大・形成の過程で，切削器具の無理な回転運動やEDTAの多用により穿孔を生じることがある．これらの根管に対しては，細いサイズの切削器具で根管の走向状態を確認し，順次サイズを上げてピーソーリーマーやゲーツグリッデンドリルで根管口明示と根管上部のフレアー形成を行う．特に彎曲根管においては，外側壁を多めに切削し，外彎方向へ外開きにしたフレアー形成によって，根

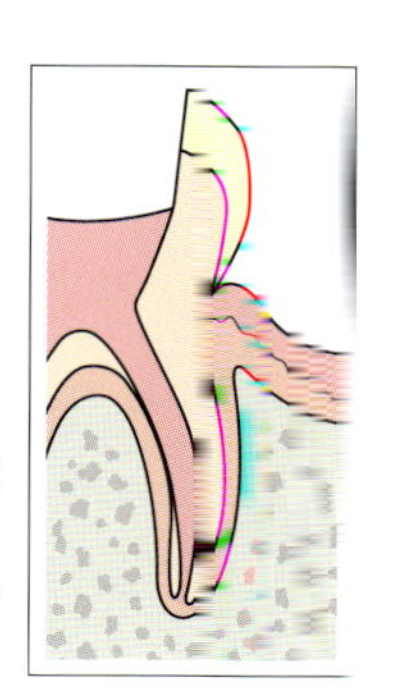

図 19-2 ストリップパーフォレーション
偏った切削や過度の切削により，根管歯質が菲薄となりストリップパーフォレーションを引き起こす．大臼歯近心根，扁平根や樋状根管では特に注意を要する．

管への直線的な器具の挿入が可能となり，後述するストリップパーフォレーション strip perforation なども回避できる．しかし，その後の歯冠補綴処置に伴う歯質の切削を考慮すると，歯槽骨頂から歯冠側ならびに根尖側の各 4 mm 部分に相当する歯頸部歯質の保存が，長期にわたる歯の保存に大きく関与することも念頭に入れて根管形成を行う．

彎曲根管の拡大・形成においては，偏った根管壁の切削に伴って，外彎部に棚状段差のレッジや，根尖部で本来の根尖孔と穿孔部が連続したジップを形成することがある．切削器具に，あらかじめ根管の彎曲に沿ったカーブを付与（precurve technique）し，リーミングよりファイリングを中心に処置を進めるとよい．また，彎曲根管内彎部における偏った切削や過度の根管拡大により根管壁が部分的に薄くなり，スリット状の穿孔であるストリップパーフォレーションを起こすことがある．特に，上顎大臼歯の近心頬側根と下顎大臼歯近心根の遠心側根管壁，上顎小臼歯や下顎切歯のように近遠心的に圧平された根管，ならびに下顎第二大臼歯における樋状根管の舌側壁は歯質が薄く注意が必要な部位である（**図 19-2**）．

根管切削器具の不適切な操作によって，彎曲根管における根尖部付近の彎曲部外彎側で偏った切削が生じ，根管の彎曲が維持されずに直線化することをトランスポーテーション transportation とよぶ．トランスポーテーションによりレッジ形成，ジップ形成ならびに根尖部の穿孔などが生じ，これらは本来の根尖孔での確実な封鎖が困難となる場合がある．

トランスポーテーションを回避するには，確実なプレカーブの付与と根管のフレアー形成が必要であり，特に早期の根管上部におけるフレアー形成や根尖部での回転操作による根管追従性の確認が重要である．しかし，これらの操作を行ってもステンレススチール製根管切削器具では根本的な解決には至らない．超弾性が特徴のニッケルチタン（Ni-Ti）製ロータリーファイルは，ステンレススチール製に比べ明らかに根管追従性が優れているが，根尖部の強い彎曲部分では内彎側に比べ外彎側で切削が多くなる傾向が認められる．

2）処　置

（1）歯肉穿孔

髄室部分の歯槽外穿孔は，歯肉を剥離して穿孔部を露出させ，修復窩洞として形態を整えてから接着性レジンセメントなどで充塡し封鎖する．状況によっては，歯肉切除や歯槽骨整形が必要になる場合もある．歯肉剥離が困難な場合は，髄室側から封鎖し，歯冠修復物で被覆

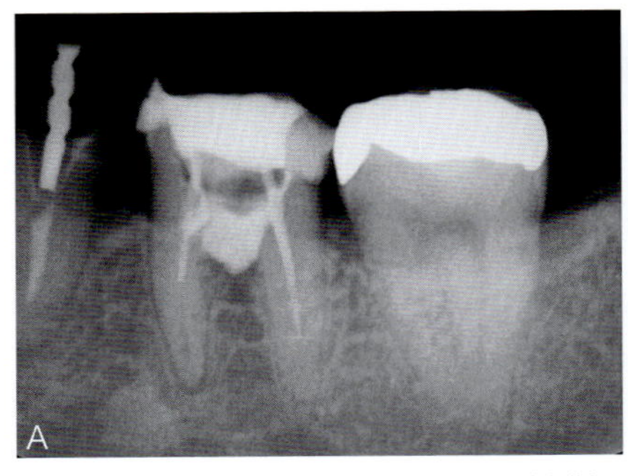

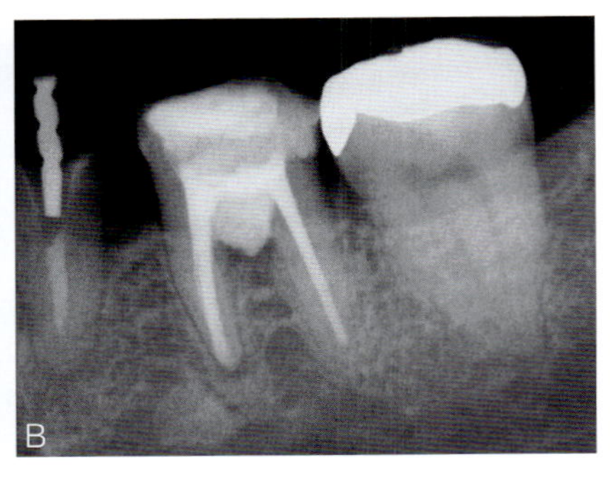

図 19-3　髄床底の穿孔と MTA の過剰充塡
A：天蓋と髄床底の近接により髄床底の切削に気づかず広範囲な穿孔を生じた．根管口を確保し，穿孔部を MTA セメントで封鎖した．分岐部歯周組織へのセメントの過剰充塡が認められる．B：処置後 1 年，経過は良好であるが，穿孔部封鎖材の過剰充塡に注意する．

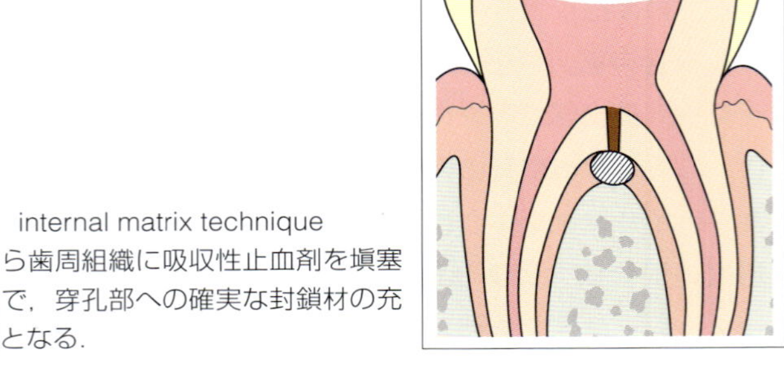

図 19-4　internal matrix technique
穿孔部から歯周組織に吸収性止血剤を塡塞することで，穿孔部への確実な封鎖材の充塡が可能となる．

する．穿孔時には，軟組織の損傷による出血を伴うことが多く，封鎖性を確保するためには止血を確認してから処置を行う．

(2) 髄床底穿孔（根分岐部穿孔）

複根歯の髄床底に穿孔を生じた場合は，根分岐部が歯周ポケットに近接しているため同部の歯周組織に感染を生じやすい．さらに，歯周ポケットと交通すると，上皮の down growth が生じ根分岐部病変を引き起こすので，可及的にすみやかな封鎖処置が必要である．陳旧性の穿孔で，根分岐部病変が認められる場合には，歯根分離法やヘミセクションの適応となることがある．

穿孔による歯周組織の損傷に伴った出血は，次亜塩素酸ナトリウム液による洗浄で挫滅組織を溶解し止血をはかるが，確実な止血が得られない場合は，局所麻酔薬や止血用アドレナリン綿球による圧迫が効果的である．封鎖材には，強化型酸化亜鉛ユージノールセメント（EBA セメント），接着性レジンセメントならびに MTA セメントが適している．封鎖材で穿孔部を被覆するのではなく，歯質の欠損部に封鎖材を確実に充塡しなければならない．そのために穿孔部の整形が必要な場合もある．封鎖材を緊密に塡塞するあまり，歯周組織へ大量に押し出すことがあるので注意する．穿孔部から局所止血剤の吸収性酸化セルロースやゼラチンスポンジを歯周組織に塡入し，隔壁を形成する方法（internal matrix technique）によって，止血がはかられるとともに過不足のない緊密な封鎖が可能となる（**図 19-3，4**）．

穿孔部に対する一連の封鎖処置は，繊細かつ正確な操作が重要である．すべての工程で歯科用実体顕微鏡を使用することで確実性が飛躍的に向上する．

(3) 根管壁の穿孔

根管壁の穿孔は，電気的根管長測定器，ペーパーポイントへの血液の付着，ならびに根管切削器具を挿入した状態でのエックス線検査などで確認する．

根管上部あるいは中央部においては，歯科用実体顕微鏡を用いることで，前述した髄床底部と同様の対応が可能である．彎曲根管の根尖部における穿孔やジップの形成は，本来の根管に対する処置を困難とすることが多く，本来の根管が未処置の場合には予後成績が大きく低下する．このため，穿孔部の対応に先立って本来の根管に対する処置を行う．細い器具の先端部のみに彎曲や屈曲を与え，根管を探索して穿通と処置を試みる．機械的処置が不可能な場合は，十分な根管洗浄と揮発性のある薬剤やイオン導入法を適用して根管消毒を行う．

根管壁の穿孔を人工根管に見立て，形態を整えた後に本来の根管とともに根管充塡を行うことがある．根管切削器具は穿孔部へ容易に誘導されるので，根管の走行を確保したうえで行うのが肝要である．根管と穿孔部に対して，同時に根管充塡を行うことが可能な場合もあるが，一般には先に穿孔部の根管充塡を行い，シーラーの硬化後に穿孔部の根管充塡材を残して根管部分の充塡材を除去し，次に本来の根管に対して根管充塡を行う．穿孔部の正確な位置の把握に加え，各工程においてエックス線画像による確認を行いながら処置を進める．根管内からの封鎖処置が困難な場合や本来の根管の処置が不可能な場合は，外科的処置が適応となることもある．

ストリップパーフォレーション（**図 19-2**）に対しては，EBA セメントや MTA セメントによる封鎖が適しているが，穿孔の位置や形態から技術的に困難な場合も少なくない．このような場合には，穿孔部に相当する部分のシーラーとして EBA セメントや MTA セメントを応用するか，生体適合性に優れたシーラーを併用して根管充塡を行う．加圧根管充塡により，封鎖材やシーラーが歯周組織へ押し出されることがあるので，低流動性の材料を選択したうえで慎重な操作が求められる．穿孔部における歯面処理が困難な場合には，接着性レジンの使用は適さない．また，根管保持の支台築造などを行う場合には，築造窩洞の形成に十分な注意が必要である．

❷ 治療用小器具の根管内破折

抜髄や根管治療では，根管切削器具をはじめとした多くの微細な器具が用いられるが，根管内での使用は強い機械的ストレスが加わるために，常に根管内破折のリスクにさらされている．根管内での器具破折は，臨床症状の消退や治癒を妨げたり遅延するだけでなく，破折片の除去に多大な時間と労力が求められる．また，破折片の除去によって，根管壁の穿孔や歯根破折を招くこともある．歯内治療の偶発症では最も頻度が高く，その後の治療や経過に大きな影響を与える．

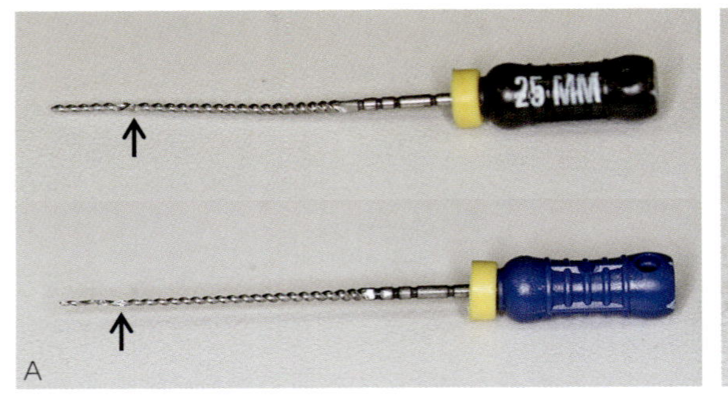

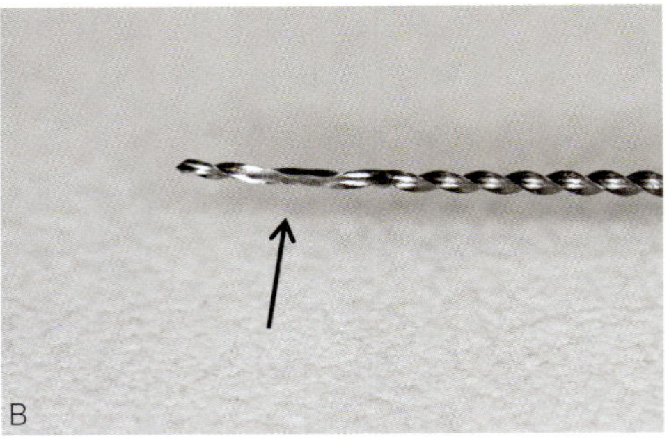

図 19-5 刃部の変形したファイル
刃部のピッチに変化（矢印）が認められる器具は使用してはならない.

1）原因と予防

根管内での器具破折は不可抗力ではなく，多くが器具の状態と操作方法に起因する．破折に至る状態には，損傷，腐食，変質あるいは材質的に劣るなどがある．特に回転運動を加えた器具や彎曲根管に使用した器具は，強い損傷が認められることが多い．捻れ，伸びあるいは折れに関しては，精密な点検作業と慎重な操作が求められる（**図 19-5**）．特に，H ファイルは回転操作を加えてはならない器具である．

(1) ニッケルチタン製ロータリーファイルにおける注意

ニッケルチタン（Ni–Ti）製ロータリーファイルは，破断トルクが小さく損傷の確認が難しいので，突発的に破折することがある．ロータリーファイルに用いるモーターには，各ファイルの特性に合わせた回転数やトルク制御，あるいは反転機構などが設定されているが，彎曲根管で上下動をせずに同位置で回転を続けると Ni–Ti 製ロータリーファイルは容易に破折する．

(2) 根管の拡大・形成時の注意

根管拡大・形成は，細いサイズから太いサイズへ，必ず順番を守って使用しなければならない．早期の太いサイズへの移行は，器具に加わる機械的ストレスが大きく破折の原因となる．また，切削片は頻繁に拭き取る．器具にわずかでも損傷があれば破棄しなければならない．

機械的ストレスを軽減するため，潤滑剤や潤滑効果のある EDTA ペーストなどが供給されている．Ni–Ti 製ロータリーファイルには EDTA ペーストの併用を基本とし，潤滑剤の併用を推奨する器種もある．潤滑剤には切削片の散乱や根尖孔外への押し出しを抑制する効果もある．

(3) 小器具の管理

根管切削器具も安全や感染防止の観点から単回使用が望ましいが，滅菌処理をして繰り返し使用することもある．Ni–Ti 製ロータリーファイルは使用回数の規定を遵守し，繰り返しの洗浄や滅菌によるダメージを考慮した厳重な器具管理が求められる．

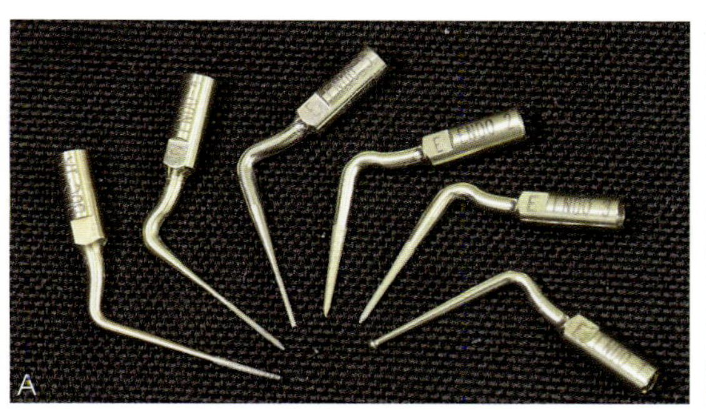

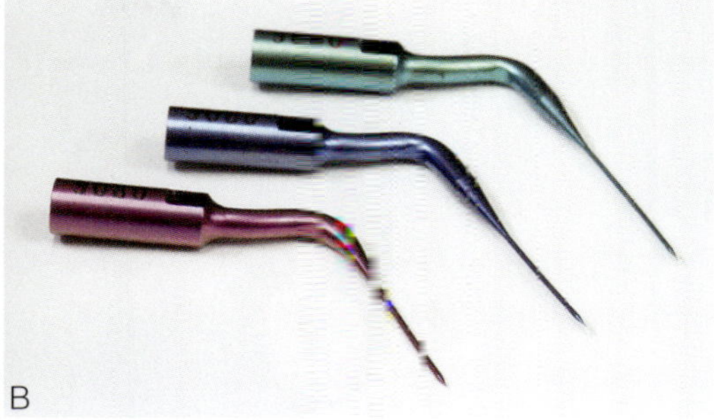

図 19-6 超音波チップ

破折片に至る根管歯質を削除する超音波チップ（A）と破折片に振動を加えるチップ（B）を適宜使用する.

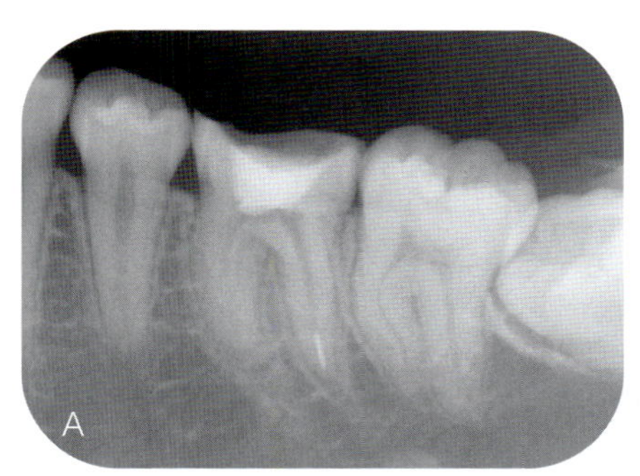

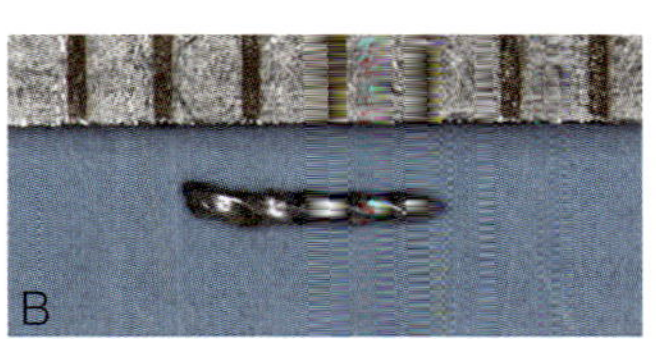

図 19-7 ファイル破折症例と超音波振動除去

⌈6 遠心根の根尖付近で破折したファイルに，超音波振動を加えることで約 3 mm の破折片を摘出した.

2）処 置

根管内破折が生じた場合は，まずエックス線検査によって破折片の位置，根管や歯周組織の状況について観察する．また，エックス線画像と破折後の器具を参考に，破折片の長さや太さなども確認する．除去の必要性を総合的に判断し，器具破折の状況と対応について患者に詳しく説明する．除去する場合には，除去後の確認のために，破折後の器具は必ず保管する．破折片の多くは非常に微細であり，除去による根管壁穿孔などの二次的な偶発症を防ぐためにも，盲目的な操作を避け，すべての工程で歯科用実体顕微鏡を使用することが望ましい．以下に破折片除去の方法を示す．

（1）超音波振動による除去

超音波チップや超音波ファイルによって，破折片断端周囲の歯質を削除し，さらに破折片に直接超音波振動を加えて歯質への食い込みをゆるめ，浮き上がらせて除去することができる．主に根管上部ならびに中央部での破折に適用するが，除去用チップなどが到達する範囲であれば，根尖付近の破折にも適用できる．振動は破折片の側面から加え，反時計方向の力を加えるように操作するのが効果的である（**図 19-6，7**）．専用の除去用超音波チップの使用が効率的だが，各チップの特性を確認して振動周波数を設定することが重要である．誤っ

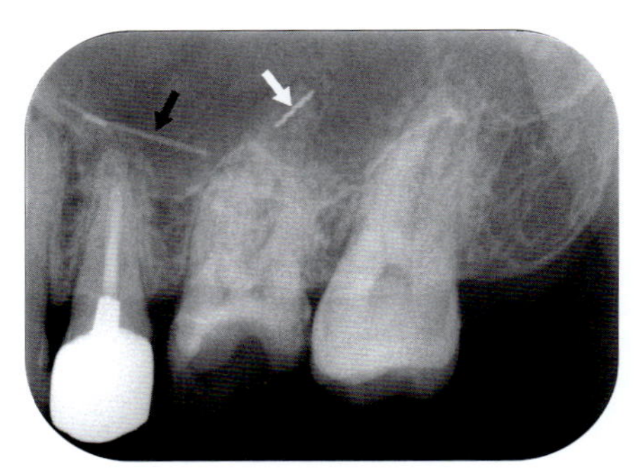

図 19-8　破折片の上顎洞内への迷入
根尖部の破折ファイル（白矢印）を除去する際に，超音波発生装置のパワー設定を誤ったため根管壁に穿孔を生じ，さらに超音波チップが破折して上顎洞に迷入した（黒矢印）．鼻腔からの自然排泄の可能性もあるが，排泄時の傷害を避けるために外科的に摘出した．

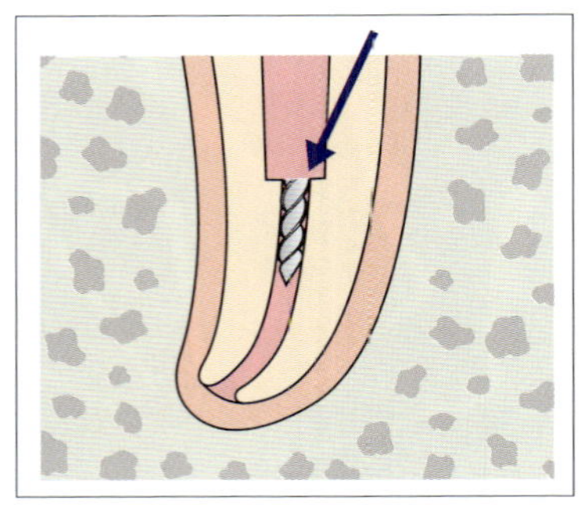

図 19-9　破折片除去のためのステージングプラットフォームの形成
破折片へ側面から超音波振動を与えるために，周囲歯質の削除を目的に，破折片よりやや大きく直線的に形成する．

た設定により，チップが根管内で破折したり根管壁穿孔を招く危険がある（**図 19-8**）．また，Ni-Ti 製ロータリーファイルの破折片は，超音波振動により根管内で破損することがあるので，周囲の歯質を十分に削除してから慎重に振動を加える必要がある．

超音波振動による破折片除去では，破折片周囲の歯質を削除するために，直線的な根管壁の削除や形態の付与が必要である（**図 19-9**）．しかし，長期の経過観察からは，これらの歯質削除に起因したと考えられる歯根破折なども報告されている．したがって，過度な歯質の削除には十分に注意するとともに無理な除去は避けるべきである．

(2) バイパス形成

破折器具に沿って，細い根管切削器具と EDTA を併用してバイパス（側副路）を形成する方法であり，根尖部根管に生じた器具破折に適用することが多い．バイパスの穿通後は，通常の根管拡大・形成，根管消毒ならびに根管充塡を行う．破折片と根管壁のわずかな隙間に形成するため，切削器具は破折片に強く接触し大きなダメージを受けることが多く，二次的な器具破折の発生には十分に注意する．歯科用実体顕微鏡下での処置では，切削器具を把持する指先が視野を妨げるので，角度のついた柄の部分を把持するマイクロファイルが有効である．根管上部や中央部で適用した際には，バイパス形成中に破折片の食い込みがゆるみ除去できることも多い．また，バイパス形成中に，破折片に超音波振動を加えることで除去できる場合がある．

(3) 外科的処置による除去

根管からの破折片除去が困難な場合や根尖孔外に破折片がある場合は，外科的処置により破折片を取り出すこととなるが，まず可及的に根管処置ならびに根管充塡を行うべきである．そして，処置後の経過が不良な場合に外科的処置を行う．その際，根尖孔外に破折片があり根尖狭窄部の破壊が疑われる場合には，破折片の除去とともに，根尖部の確実な閉鎖のために歯根尖切除法と逆根管充塡を行うべきである．残留破折片のすべてが問題を惹起する

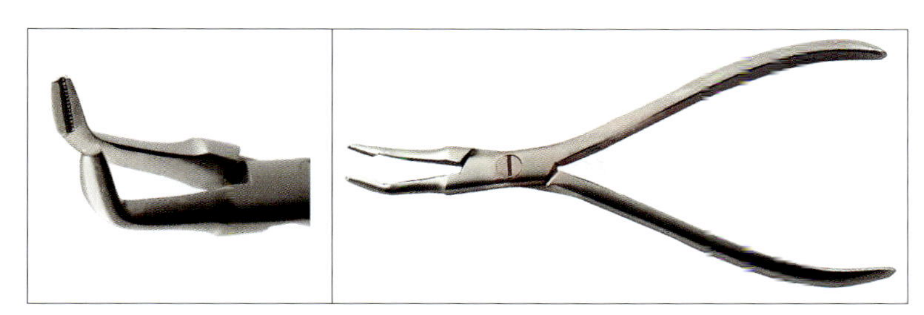

図 19-10 根管上部で破折した根管切削器具の除去に用いる根管プライヤー
先端の把持部には溝が付与されている．ダイヤモンドが電着されているタイプもある．

わけではないので，外科的処置の選択には慎重な判断が必要である．

(4) その他の除去法

マセランキット® Masserann Kit は，中空円筒状バーで破折片周囲の歯質を削除し，露出した断端を把持して引き抜く器具である．破折片などのさらなる食い込みを防ぐために，中空バーは反時計回りで歯質を切削する．現在，国内では供給が停止している．

また，根管プライヤー（**図 19-10**）は，根管上部において把持部が確保できる状態で破折したピーソーリーマーや根管切削器具などの除去に有効である．

❸ 治療用器具の誤飲と気管内吸引

歯内治療においてはラバーダム防湿が必須であり，これによって治療用器具の誤飲や気管内吸引（誤嚥）の多くを防ぐことができる．さまざまな事情によりラバーダム防湿ができない状況での治療やラバーダムクランプの試適に際しては，患者にも口腔内への器具の落下の危険性があることを説明し，細心の注意を払う必要がある．

1）原因と予防

ほとんどの事故がラバーダム防湿で防止できることから，ラバーダムクランプ装着が困難な症例では，積極的に隔壁を形成してラバーダムを装着するべきである．たとえ残存歯質が歯肉縁下の状態でも，コンポジットレジンの応用で隔壁形成は可能である（p.47，**図 4-30** 参照）．ラバーダム防湿ができない場合の簡易防湿下での治療では，常に器具の落下への対応と把持に気を配ることが大切であり，リーマーやファイルはデンタルフロスなどで結紮し誤飲防止をはかる．誤飲事故発生時の治療体位は，水平位に比べ座位の場合で明らかに少ないので，嚥下反射が低下している高齢者には治療体位にも配慮する．ラバーダム防湿に先立ってラバーダムクランプを試適する場合は，デンタルフロスなどで結紮し，落下による誤飲や気管内吸引を防止する．

2）処　置

落下器具が口腔内から発見できない場合は，ただちに胸部エックス線撮影を行い誤飲か気管内吸引かを確定する．誤飲した場合は，すぐに食道から胃に達し，2〜3日で自然に排泄さ

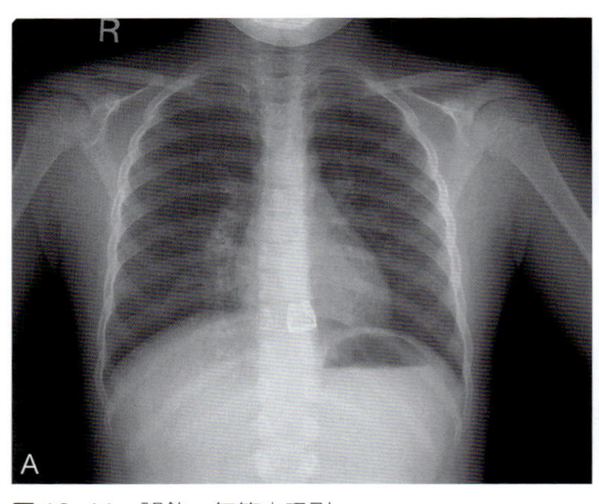

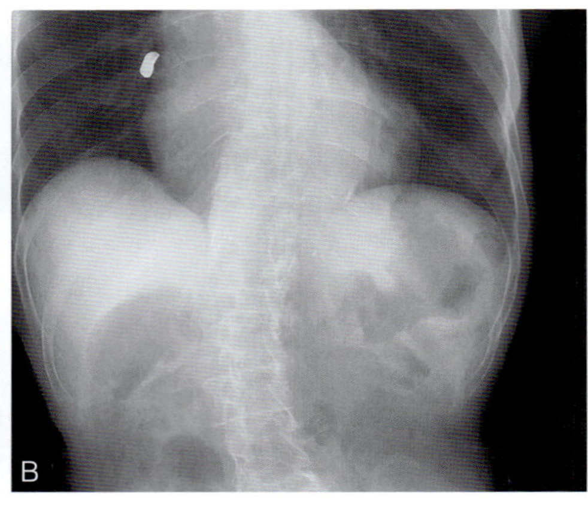

図 19-11　誤飲，気管内吸引
A：ラバーダムクランプの誤飲．試適時に誤飲したラバーダムクランプが食道から胃上部に認められる．ラバーダムクランプは自然排泄された．
B：補綴装置の気管内吸引．根管治療のために金属冠を除去した際に気管内吸引を生じた．金属冠は右肺に確認され，内視鏡下で摘出された．

れることが多い．繊維性食品を大量に摂取するように指導し，エックス線検査により経過を持続的に観察する．まれではあるが，胃や腸壁に器具が刺入し穿孔することもあるので，同じ部位に停滞するようであれば消化器専門医の受診が必要である．

器具が気管内へ吸引された場合は，激しい咳き込みと呼吸障害を伴うこともある．背部叩打法により取り出せる場合もあるが，症状を伴わない場合も含めて呼吸器や耳鼻咽喉専門医の受診が必要である．吸引した部位により，内視鏡的あるいは外科的な摘出が必要となる．いずれの場合も，患者の精神的ならびに肉体的負担は大きく，ていねいな説明と各専門医との連絡を継続する（**図 19-11**）．

❹ 皮下気腫

根尖孔から周囲骨を経て，皮下や疎性結合組織内に空気が侵入し突発的に腫脹が生じた状態を皮下気腫という．腫脹は患歯を中心に眼窩下部や頬部などの顔面に生じるが，頸部や気管周囲あるいは縦隔部にまで波及することもある．腫脹範囲や発生状況により種々の症状を示すが，多くの場合は無痛か軽度の疼痛である．腫脹部を触診すると，組織内に貯留した空気によって捻髪音を認めることがある．上顎の犬歯などの根管治療時に生じやすい．

1）原因と予防

発生原因としてはまず，不用意な根管へのエアシリンジの使用があげられる．根管乾燥を目的にエアシリンジを使用すると，圧搾空気が根尖孔から皮下組織に侵入する．特に，太い根管や拡大処置が済んだ根管，あるいは直線的な根管で発生しやすい．さらに，エアシリンジの圧搾空気には細菌や汚染物質などが含まれていることもあり，根管乾燥を目的とした使用は禁忌である．根管乾燥には，滅菌ペーパーポイントや根管用バキュームを使用する．

また，根管洗浄における根管内あるいは根尖孔外での発泡も原因としてあげられる．過酸化水素水は大量の酸素を発生するので，根管内の状況，他の洗浄液や薬剤との併用に注意する．

2）処　置

突発的な顔面の腫脹と疼痛により，患者は強い精神的な不安を覚えるため，詳細な説明が重要である．広範囲にわたる気腫は重篤な症状を併発する可能性があるので，CT 検査により気腫の範囲を確認する必要がある．通常，数日から 1 週間程度で自然に吸収されて腫脹は消退するが，侵入した空気に起因した炎症の発生を予防するため，数日から 1 週間程度の抗菌薬投与を行う．患部の圧迫や切開はまったく効果がなく，温罨法が腫脹の消退を促進する場合もある．洗浄液の発泡に起因した場合は，滅菌生理食塩液により根管内の洗浄を行う．

❺ 根管処置後の根尖性歯周炎

抜髄や感染根管治療を行った後に，急性症状（フレアアップ）を呈することがある．原因は機械的，化学的あるいは細菌学的な刺激が考えられるが，多くは複合的な刺激であることが多い．処置後 48 時間以内に生じることが多く，その発現率は 8.4％との報告がある[1)]．

1）原因と予防

(1) 機械的刺激

① オーバーインスツルメンテーション

根管治療器具を根尖孔外へ突き出し，根尖歯周組織に対して機械的に傷害を与えることで根尖性歯周炎を惹起することがある．治療に先立ち，電気的根管長測定器を用いて正しい根管長測定を行い，生理学的根尖孔を越えないように作業長を設定する．ラバーストッパーなどで器具に付与した作業長は，操作ごとに確認しなければならない．

② 過剰な根管充塡

根管充塡材が根尖孔から溢出すると，機械的あるいは化学的刺激に起因した根尖性歯周炎を惹起することがある．患者の状況と臨床症状を複合的に観察し，一過性あるいは軽度な場合は患歯を安静に保ち経過観察をする．しかし，症状に消退傾向が認められない場合は，早めに再根管充塡を行うべきである（❽「根管充塡材の溢出」参照）．

③ 咬合性外傷

根管処置により根尖歯周組織には種々の刺激が加わり，急性症状が出現しないまでも違和感や咬合痛が生じることは少なくない．したがって，処置後の患歯は安静な状態を保つ必要があり，過高な仮封による根尖歯周組織の刺激から根尖性歯周炎の惹起や増悪を防ぐために，治療後は必ず咬合状態の確認を行う．状況によって，治療中は対合歯との咬合を中断することで，良好な治療効果が得られる．

(2) 化学的刺激

① 根管洗浄液

根管洗浄に用いる次亜塩素酸ナトリウム液は，組織刺激性が強いので根尖孔外への溢出には十分注意する．また，他の薬剤と反応して刺激物を産生したり発泡する性質の薬液の使用にも注意を要する．洗浄液の根尖孔外への溢出は機械的刺激にもなり，患者に強い疼痛を与えるので慎重な操作が必要である．根尖部根管の洗浄では，歯冠方向への洗浄液の流路を確保したり，側方に開口する洗浄針や根管内吸引洗浄法などを応用したりすることも効果的である．

② 根管消毒薬

根管消毒薬には強い殺菌効果が求められるので，組織刺激性も大きく根尖孔外への溢出は特に注意する必要がある．揮発性のない薬剤は，根尖孔近くまで緊密に貼付する必要があるが，根管長を確認したうえでの操作が重要である．

長期にわたり使用されてきたホルムクレゾールは，発がん性や突然変異誘発性から使用頻度は減少したが，タンパク質凝固作用により根尖孔を封鎖することがあり，病変部の内圧の上昇や滲出液などの排出阻止によって臨床症状の発現を招くことがある．

また，仮封の際に，一塊とした仮封材を強く加圧して填塞することで，根管消毒薬が根尖孔外へ押し出されることがあるので注意する．

(3) 細菌学的刺激

根管拡大・形成の際に，根管内容物や感染歯質などが根尖孔外へ押し出されることがあり，これらに含まれた細菌や起炎物質により根尖性歯周炎が急性化あるいは惹起されることがある．処置中は，操作ごとにリーマーやファイルから切削片を拭き取り，頻繁に根管洗浄を行う．さらに，洗浄液を根管に満たして処置を行うことで，切削片などの押し出しを防ぐとともに細菌類の不活性化を促すことができる．オーバーインスツルメンテーションを起こすと，根尖歯周組織に対し高確率で細菌学的刺激も生じる．

2）処　置

第 9 章Ⅲ「急性根尖性歯周炎の緊急処置」参照．

❻ 歯性上顎洞炎

片側性上顎洞炎の約 25％が歯性上顎洞炎（歯原性粘液腫などを含む）といわれている．上顎臼歯部の根尖は上顎洞に近接しており，ときには粘膜を介して上顎洞内に突出している場合もある．歯性上顎洞炎の原因は，近接した歯の感染根管や歯周炎の進行による自然発生的なものと，不十分な根管治療による根尖性歯周炎，不用意な操作による根管切削器具の洞内への穿通や汚染物質の押し出し，ならびに抜歯に伴う洞底穿孔や歯根の洞内迷入などによる医原性のものがある．歯性上顎洞炎の発症と根管治療歴は深く関与しており，根尖性歯周炎に起因している場合は，積極的に再根管治療を行うべきである（**図 19-12**）．

再根管治療の際には，確実な根管長測定と作業長内での慎重な操作が重要であり，治療の刺激が急性上顎洞炎を引き起こす可能性もあるので，全身的な抗菌薬の投与などを考慮する．慢性歯性上顎洞炎は比較的疼痛は少ないが，急性炎では，患歯の疼痛と歯肉頬移行部の発赤や腫脹とともに膿性鼻汁や頬部痛が認められる．また，眼窩下部の拍動痛や腫脹感の発

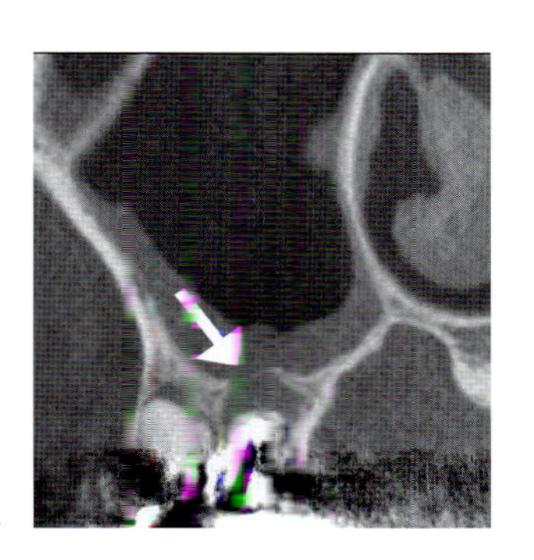

図 19-12　上顎洞穿孔の歯科用コーンビーム CT
上顎洞と根尖病変が交通し，上顎洞粘膜の肥厚が認められる．

現，ならびに発熱や倦怠感などの全身症状を伴う場合もある．通常，感染根管治療や抜歯による原因の除去とともに抗菌薬投与を行うが，上顎洞洗浄や内視鏡手術あるいは上顎洞根治手術などの適応となることもある．

⑦ 抜髄・根管処置時の全身管理

歯科治療を受診するにあたっては，ほとんどの患者が緊張状態にあり，処置に伴う不安や疼痛などの精神的あるいは身体的なストレスから，全身的な偶発症を起こしやすい．歯科治療中に生じる全身的偶発症としては，①神経性ショック（血管迷走神経反射），②過換気症候群，③局所麻酔による中毒反応，ならびに④局所麻酔薬のアレルギーなどがある．ストレスによる偶発症は，生理的反応として脳貧血様発作や過換気症候群のような循環や呼吸に異常をきたす場合と内科的な基礎疾患の急性発作や増悪を起こす場合がある．

1）神経性ショック

神経性ショックは，歯科治療中の全身的偶発症の 6〜7 割を占める．歯科治療に際しては，不安，恐怖あるいは痛みにより，交感神経が緊張して著しく血圧が上昇する．これに対抗して，副交感神経の迷走神経が緊張することで末梢血管拡張と血圧低下が生じ，脳血管血流量が減少して脳貧血様発作を起こす．無痛治療を目的に行う局所麻酔でも，乱暴な麻酔薬の注入や十分に効果が奏効していない状態での治療開始などが誘引となる．自覚症状にはめまい感，悪心，嘔気，虚脱感などがあり，他覚症状として顔面蒼白，冷汗，嘔吐，浅呼吸，徐脈，血圧下降，意識消失などが認められる．一般的には，水平位で両下肢を挙上（ショック体位）することによって 10 分程度で回復する．必要に応じて酸素吸入，血圧低下には昇圧薬，徐脈にはアトロピン硫酸塩などの薬物投与を行う．局所麻酔に際しては，表面麻酔の利用や緩徐な麻酔薬注入に努め，確実に奏効するよう 10 分程度待ってから治療を開始するのが望ましい．

2）過換気症候群

過換気症候群は，神経性ショックと同様に歯科治療のストレスにより誘発されることが多く，呼吸数や換気量の増加により，動脈血中の二酸化炭素分圧が低下することで生じる．若い女性に多く，呼吸困難感，動悸，頻脈，しびれ感，意識障害あるいはテタニー様痙攣などが認められる．発生した場合は，患者に状況をていねいに説明し，息こらえやゆっくりとした呼吸法の誘導を優先して行う．血中二酸化炭素の蓄積を目的に，紙袋などを用いた呼気の再吸入による対応が推奨されていたが，重篤な低酸素症や心筋虚血の併発も報告されており，慎重な対応が求められる．また，患者は理由不明の状況で，呼吸の困難感や窒息への恐怖感を抱いており，突然紙袋などで口や鼻を覆われると，さらに恐怖を感じパニックに陥ることもある．症状が改善されない場合には，鎮静薬の投与が有効であり，静脈内投与によってすみやかに回復する．

3）局所麻酔による中毒反応

局所麻酔による中毒反応は，大量投与により麻酔薬の血中濃度が上昇し，脳循環においても濃度が上昇するため，初期は興奮，頭痛，痙攣ならびに血圧低下が生じ，末期には徐脈や心停止などに至る場合がある．リドカインの中毒量は血中濃度5～10 μg/mLであり，健康成人における歯科麻酔薬の許容量は500 mg（アドレナリン含有）とされている．したがって，1.8 mLのカートリッジ数本では，局所麻酔薬中毒となる血中濃度に達することはない．しかし，下歯槽動脈などの血管内に誤って直接注入した場合は，きわめて少量でも中毒反応を生じることがある．全身痙攣にはジアゼパムの投与が有効である．

4）局所麻酔薬のアレルギー

局所麻酔薬のアレルギーは，使用量とは無関係に生じるが，歯科麻酔に頻用されるリドカイン塩酸塩などのアミド型での発生はまれである．しかし，歯科用リドカインに防腐剤として添加されているメチルパラベンは，パラアミノ安息香酸と構造式が類似していることから交叉過敏性があるといわれている．アレルギー症状としては，蕁麻疹，気管支痙攣ならびに不整脈などが生じる．アナフィラキシーショックを生じた際には，酸素投与，水平位，昇圧薬の投与，浮腫に対しては副腎皮質ホルモンや抗ヒスタミン薬の投与が必要となる．初診時の問診を充実させ，発生時にはバイタルサインの変化に注視し，適切な緊急処置と専門医や高次病院への搬送が必要である．

歯科局所麻酔薬の多くは，7～8万分の1アドレナリン含有の2％リドカイン塩酸塩が用いられている．最大効果は注入から約10分後に現れ20分程度持続し，その後は効果が緩やかに低下する．アドレナリンが含有されていない場合の最大効果は約15分後に認められ，効果自体も6割程度で急速に低下する．高血圧症や心疾患などの循環器疾患罹患者には，アドレナリン非含有やフェリプレシン含有の局所麻酔薬が推奨されていたが，8万分の1アドレナリン含有の局所麻酔薬でも，歯科臨床における一般的な使用量では循環動態に影響を及ぼすことはなく，必要量をゆっくり注入し，十分な時間を置いて処置を開始すれば安全性に問題はない．

5）基礎心疾患

有病者や高齢者に対しては，全身状況や基礎疾患について確実に把握したうえで治療を開始する必要がある．65歳以上の90％以上が基礎疾患を有しており，歯内治療時には体調や服用薬の摂取状況の確認が必要である．基礎心疾患などにより心臓弁や心内膜に損傷を有すると，根管治療に起因した感染性心内膜炎を生じることがあるので，処置後に微熱や全身の倦怠感が持続するような場合は専門医での検査が必要である．したがって，先天性あるいは後天性心疾患を有する患者に対しては，根管治療前に抗菌薬の予防投与を考慮する（第17章「高齢者・有病者の歯内治療」参照）．

❽ 根管充塡材の溢出

ガッタパーチャポイント（以下ポイント）やシーラーを根尖孔外へ溢出すると，根尖歯周組織に対して継続的な機械的ならびに化学的刺激となる．溢出した根管充塡材を経由して，根管内の残留細菌や汚染物質が根尖歯周組織に影響を与えることもある．いかなる材料でも，根尖孔外への溢出が良好な治癒経過につながることはない．

1）原因と予防

アピカルカラーに適合したポイントにより，根尖部根管に満たされたシーラーが根尖孔外へ押し出されることがある．挿入に際しては，歯冠方向へのシーラーの流動を導くようにゆっくりと行う．ポイントの先端にシーラーを付与して挿入することで，過度の溢出が避けられる．

2）処 置

溢出した場合は，シーラーが硬化する前に再根管充塡を行うべきである．時間が経過している場合，わずかな溢出や臨床症状が認められなければ，暫間補綴を施して経過観察を行う．溢出した部分の除去が不可能な場合は，根管内の充塡材を除去して溢出部分と切り離し，新たに根管充塡を行って確実な根管封鎖をはかる．

ポイントの溢出を防ぐには，正しい根管長の測定と抵抗形態としてのアピカルシート（アピカルストップ）の形成を確実に行い，必ず試適を行ってから充塡する．高い流動性を有する熱可塑性ガッタパーチャ材は，容易に根尖孔外へ溢出するので注意する．

❾ 根管治療薬剤による化学的損傷

歯内治療領域で用いる薬剤には強い作用を有するものが多く，根尖歯周組織への溢出や軟組織に接触することで化学的損傷を起こすことがある．

1）原因と予防

優れた殺菌効果と低い組織刺激性から根管消毒薬として推奨されている水酸化カルシウム製剤も，過剰に根尖孔外へ溢出すると根尖歯周組織に傷害を与える．したがって，不用意あるいは意図的な根尖孔外への溢出や押し出しは断じて避けなければならない．汎用性に優れた流動性の高いシリンジタイプでは，過剰分が歯冠方向へ流れ出るように排出路を確保する．

水酸化カルシウムは生体に吸収されにくく，造影成分の吸収でエックス線画像上で消失して

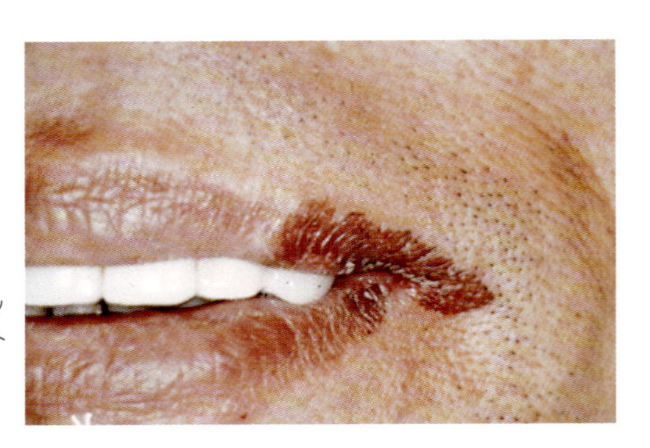

図 19-13　ラバーダム防湿下における口角部のびらん
次亜塩素酸ナトリウム液が漏洩し，ラバーダムシートを伝って口角部に溜まりびらん，変色を引き起こした．
（松本歯科大学　笠原悦男先生のご厚意による）

も，水酸化カルシウムや基材は長期にわたり組織内に貯留する．上顎洞や下歯槽管に侵入し，顔面神経麻痺や下歯槽神経麻痺など，重篤な合併症や不可逆的な神経障害を生じる可能性もある．

次亜塩素酸ナトリウム液が漏洩すると，粘膜や皮膚に化学的な傷害を引き起こす．口腔内への漏洩は口腔粘膜への傷害や咽頭部への刺激による激しい咳嗽反射を引き起こす．洗浄後の吸引の遅れや不完全なラバーダム防湿により，口角部や頬部皮膚に滞留しびらんや皮膚の変色を生じることがある（**図 19-13**）．吸引は歯冠の側面に流れ出てからではなく，髄室窩洞内部で吸引できる先端の細いバキュームチップの使用が推奨される．

また，次亜塩素酸ナトリウムによる根管洗浄の際に，強圧での注入あるいは歯冠側方向への排出が妨げられた状態で注入すると根尖孔外へ溢出する場合がある．次亜塩素酸ナトリウムが根尖歯周組織に接すると，血管の破綻や血栓の形成を生じ，炎症反応の上昇や組織壊死を引き起こし，激痛，出血，腫脹あるいは血腫などの症状を惹起することがある．根管への注入には細心の注意を払う必要がある．先端が閉口し側方に開口した洗浄針の使用なども溢出防止に効果的である．

次亜塩素酸ナトリウムの有機質溶解作用は濃度依存的であるが，抗菌効果は 0.5～5.25% において濃度依存性が認められないという報告もある．次亜塩素酸ナトリウムの特性から，低濃度でも多めに使用することで高濃度と同程度の効果が得られることから，対象歯の根尖部の状態や歯根の亀裂の有無などを十分に把握して濃度を調整する必要がある．根尖孔外へ溢出した場合には，溢出量にもよるが基本的には抗菌薬や消炎鎮痛薬を投与する．

ラバーダム防湿の適合が不十分な場合は，空隙封鎖材（コーキング材）などで隙間を確実に封鎖する．衣服の脱色や損傷を招くので，誤滴下や飛散に注意する．次亜塩素酸ナトリウム液を根管に満たして根管拡大・形成を行う場合は，潤滑効果を備えたペーストタイプの使用が搬送中の滴下や漏洩の防止に有効である．

2）処　置

組織内に水酸化カルシウムが貯留し，激しい臨床症状を伴う場合は，外科的に除去する．下歯槽管内の除去では，外科処置による顎骨壊死を併発することがある．神経麻痺に対しては，ビタミン B_{12} 製剤による薬物療法や交感神経ブロック療法（星状神経節ブロック）が行われる．

次亜塩素酸ナトリウム液が粘膜や皮膚に付着した場合は，大量の水で洗い流すが，皮膚の変色を伴った化学的損傷は時間を経てから発生することもあるので，状況によっては皮膚科専門医の受診を促すべきである．

⑩ 使用器材による組織損傷

ラバーダム防湿の際に，ラバーダムクランプによる辺縁歯肉の裂傷や歯の破折を生じることがある．局所麻酔下では患者が疼痛を訴えないために，治療終了後に組織の損傷を発見することになる．ラバーダムクランプは部位別に種々の形態が供給されているが，個々の歯への適合性を確認するために術前に試適を行う．適合状態によっては，歯面に接するラバーダムクランプビーク部の加工が必要となる．萌出途上やアンダーカットが少ない歯あるいは高い位置にまで歯間乳頭が存在する場合は，ラバーダムクランプを歯面に沿わせるように歯頸部に進め，歯肉辺縁を軽く圧迫するように装着する．クランプフォーセップスは，ラバーダムクランプが確実に歯面を把持し，歯肉などの挟み込みがないことを確認してからゆっくりと外す．装着が困難な場合は，ラバーダムクランプを隣在歯へ装着する方法などがある．

また根管治療では，器具を火焔で熱して使用する場合がある．加熱器具が軟組織に触れることで激しい火傷を負わせることになるので，患者の急な動きなども想定した慎重な取り扱いが大切である．

医療従事者や関係者は治療中の感染や負傷に十分な注意を払う必要がある．歯内治療に用いる器具は鋭利で微細なものが多く，術者が切削器具を把持した方法で，補助者にガーゼなどで拭わせる行為は非常に危険であり避けるべきである．

（細矢哲康）

参考文献

第１章　歯内治療学の目的と意義，歴史

1）Coolidge ED. Past and present concepts in endodontics. J Am Dent Associ 1960；61：676-88.
2）Grossman LI. Endodontics, 1776-1976：a bicentennial history against the background of general dentistry. J Am Dent Associ 1976；93：78-87.
3）Cruse WP, Bellizzi R. A historic review of endodontics, 1689-1963, Part 1. J Endod 1980；6：495-9.
4）Cruse WP, Bellizzi R. A historic review of endodontics, 1689-1963, Part 2. J Endod 1980；6：532-5.
5）Cruse WP, Bellizzi R. A historic review of endodontics, 1689-1963, Part 3. J Endod 1980；6：576-80.
6）Gutmann JL. History. In：Pathways of the Pulp. 4th ed（Cohen S, Burns RC eds）. Mostby；1987. p.756-82.

第２章　歯・歯周組織の構造と機能

Ⅰ　歯の硬組織の構造と発生　～　Ⅲ　歯周組織の構造と機能

1）藤田恒太郎・他．歯の解剖学．第22版．金原出版；1995.
2）安部仁晴・他編著．組織学・口腔組織学．第5版．わかば出版；2024.
3）田畑　純．口腔の発生と組織．改訂4版．南山堂；2019.
4）Nanci A ed（川崎堅三監訳）Ten Cate 口腔組織学．原著第6版．医歯薬出版；2006.
5）Jyväsjärvi E, Kniffki KD. Cold stimulation of teeth：a comparison between the responses of cat intradental A delta and C fibers and human sensation. J Physiol 1987；391：193-207

Ⅳ　歯根と歯髄腔の形態と変化

1）木ノ本喜史．歯内療法 成功への道　臨床根管解剖 基礎的知識と歯種別の臨床ポイント．ヒョーロン・パブリッチャーズ；2013.
2）特定非営利活動法人日本歯科保存学会，一般社団法人日本歯内療法学会編．歯内療法学専門用語集．第2版．医歯薬出版；2023.
3）興地隆史・他編．エンドドンティクス．第6版．永末書店；2022.
4）藤田恒太郎．歯の解剖学．第22版．金原出版；1995.
5）田畑　純．口腔の発生と組織．改訂4版．南山堂；2019.
6）磯川桂太郎・他編著．カラーアトラス口腔組織発生学．第4版．わかば書店；2016.

第３章　歯の硬組織疾患

1）Nanci A ed（川崎堅三監訳）Ten Cate 口腔組織学．原著第6版．医歯薬出版；2006．p.180-223.
2）Teaford MF et al eds. Development, Function and Evolution of Teeth. Cambridge University Press；2000. p.65-81.
3）Hargreaves KM, Berman LH eds. Pathways of the Pulp. 11th ed. Mosby；2016. 33-62, 479.
4）Scheid RC ed（前田健康監）．ウォールフェルの歯科解剖学図鑑．第8版．ガイアブックス；2014.
5）中村　洋．歯の硬組織疾患．歯内治療学．第4版（中村　洋・他編）．医歯薬出版；2012．13-30.
6）高橋和人・他．図説　歯の解剖学．第2版．医歯薬出版；1998.
7）下野正基・他．新口腔病理学．第3版．医歯薬出版；2023.
8）Olmo-Gonzalez B et al. Dental management strategies for molar incisor hypomineralization. Ped Dent J 2020；30（3）：139-54.
9）小野寺　章．歯内歯の病理組織学的研究．歯基礎誌 1971；13：428-64.
10）Absi EG, Addy M, Adams D. Dentine hypersensitivity. a study of the patency of dentinal tubules in sensitive and non-sensitive cervical dentine. J Clin Periodontal 1987；14：280-4.

第４章　歯内治療における基本術式の概要

Ⅰ　診察・検査

1）Lin J, Chandler NP. Electric pulp testing：a review. Int Endod J 2008；41：365-74.
2）Jafarzadeh H, Abott PV. Review of pulp sensibility tests. Part I：general information and thermal tests. Int Endod J 2010；43：738-62.
3）Jafarzadeh H, Abott PV. Review of pulp sensibility tests. Part II：electric pulp tests and test cavities. Int Endod J 2010；43：945-58.
4）Mainkar A, Kim SG. Diagnostic Accuracy of 5 Dental Pulp Tests：A Systematic Review and Meta-analysis. J Endod 2018；44（5）：694-702.

Ⅱ　無菌的処置法

1）須田英明．我が国における歯内療法の現状と課題．日歯内療誌 2011；32：1-10.
2）佐々木るみ子・他．歯内療法時のラバーダムは不快か？歯科医師と患者の意識調査．日歯内療誌 2006;27(1)：2-5.
3）Van Nieuwenhuysen JP, Aouar M, D'Hoore W. Retreatment or radiographic monitoring in endodontics. Int Endod J 1994；27（2）：75-81.
4）Goldfein J et al. Rubber dam use during post placement influences the success of root canal-treated teeth. J Endod 2013；39：1481-4.
5）柴　秀樹，武田克浩．無菌的処置．エンドドンティクス．第６版(興地隆史・他編)．永末書店；2022．p.94-101.
6）満田年宏，丸森英史監訳，歯科医療における感染管理のためのCDCガイドライン 2004
https://med.saraya.com/themes/gakujutsu@medical/guideline/pdf/dental.pdf．2024年11月１日アクセス)
7）Rowan NJ, Kremer T, McDonnell G. A review of Spaulding's classification system for effective cleaning, disinfection and sterilization of reusable medical devices：Viewed through a modern-day lens that will inform and enable future sustainability. Sci Total Environ 2023；878：162976. doi：10.1016/j.scitotenv.2023.162976.
8）国公立大学附属病院感染対策協議会．歯科における病院感染対策．病院感染対策ガイドライン．2018年版．じほう；2018．p.323-46.
9）長尾由実子・他．HCVあるいはHBV感染者における歯科治療時の自己申告調査．感染症誌 2008；82：213-9.
10）カボデンタルシステムズ．歯科医院におけるエアロゾル対策．
https://www.kavo.co.jp/infection_control_prevention/pdf/aerosol_measures.pdf（2024年11月１日アクセス）
11）高島征助．過酸化水素ー低温プラズマ滅菌法ー．Medical gases 2001；3（1）：9-14.
12）須貝辰生，西川真功．補綴診療で知っておくべき院内感染対策　産業界からの提言　歯科診療における感染予防　歯科用切削機の洗浄と滅菌及び歯科用給排水系デバイスの汚染対策の現状．日補綴会誌 2019;11（2）：127-34.

第５章　歯髄疾患

Ⅰ　歯髄疾患の概要　～　Ⅵ　歯髄疾患の治療方針

1）中田和彦．歯髄疾患．歯内治療学．第５版（勝海一郎・他編）．医歯薬出版；2018．p.51-71.
2）興地隆史，村松　敬．歯髄疾患．エンドドンティクス．第６版（興地隆史・他編）．永末書店；2022．36-50.
3）Berman LH, Rotstein I. Diagnosis. Cohen's Pathways of the Pulp. 12th ed（Berman LH, Hargreaves KM eds）. Elsevier；2021. p.2-33.
4）一般社団法人日本口腔顔面痛学会．非歯原性歯痛の診療ガイドライン．改訂版．2019
https://jorofacialpain.sakura.ne.jp/wordpress/wp-content/uploads/2019/08/4938ec14e5cbe40d14611b63e02a7b.pdf（2024年11月１日アクセス）

5) 滝澤慧大, 野間　昇. 痛みの診断と治療法の決定. 歯科診療のための疼痛コントロールCheckPoint(城戸幹太, 神部芳則編著). 医歯薬出版；2024. p.52-65.
6) Okeson JP. Differential diagnosis of toothache: Odontogenic versus nonodontogenic pain. Seltzer and Bender's Dental Pulp. 2nd ed (Hargreaves KM et al eds). Quitessence publishing；2012. p.447-69.
7) American Association of Endodontists. AAE Consensus Conference Recommended Diagnostic Terminology. J Endod 2009；35 (12)：1634.
8) Ricucci D, Siqueira JF (月星光博・他監訳). リクッチのエンドドントロジー. クインテッセンス出版；2017. p.19-66.

Ⅶ　歯髄疾患の治療法

1) Yoshiba K et al. Immunolocalization of fibronectin during reparative dentinogenesis in human teeth after pulp capping with calcium hydroxide. J Dent Res 1996；75 (8)：1590-7.
2) 岩久正明, 星野悦郎, 子田晃一. クリニカル・テクニック・シリーズ2 抗菌剤による新しい歯髄保存療法. ヒョーロン・パブリッシャーズ；1996. p.22-65.
3) Cox CF et al. Pulp capping of dental pulp mechanically exposed to oral microflora: a 1-2 year observation of wound healing in the monkey. J Oral Pathol 1985；14 (2)：156-68.
4) Aguilar P, Linsuwanont P. Vital pulp therapy in vital permanent teeth with cariously exposed pulp: a systematic review. J Endod 2011；37 (5)：581-7.
5) Mente J et al. Treatment outcome of mineral trioxide aggregate or calcium hydroxide direct pulp capping: long-term results. J Endod 2014；40 (11)：1746-51.
6) Okiji T, Yoshiba K. Reparative dentinogenesis induced by mineral trioxide aggregate: a review from the biological and physicochemical points of view. Int J Dent 2009；2009：1-12.
7) Bjørnada L et al. Randamized clinical trials on deep carious lesions: 5-year follow-up. J Dent Res 2017；96 (7)：747-53.
8) Qudeimat MA, Barrieshi-Nusair KM, Owais AI. Calcium hydroxide vs mineral trioxide aggregates for partial pulpotomy of permanent molars with deep caries. Eur Arch Paediatr Dent 2007；8 (2)：99-104.
9) Sjögren U et al. Factors affectin the long-term results of endodontic treatmen. J Endod 1990；16 (10)：498-504.
10) Gorni FG, Gagliani MM. The outcome of endodontic retreatment: a 2-yr follow-up. J Endod 2004；30 (1)：1-4.

Topic　生活断髄法の適応拡大の動向

1) Li Y et al. Efficacy of pulpotomy in managing irreversible pulpitis in mature permanent teeth: A systematic review and meta-analysis. J Dent 2024；144：104923.
2) Silva EJNL et al. Success rate of permanent teeth pulpotomy using bioactive materials: A systematic review and meta-analysis of randomized clinical trials. Int Endod J 2023；56：1024-41.

第6章　根尖性歯周疾患

Ⅰ　根尖性歯周疾患の概要　～　Ⅴ　根尖性歯周疾患の診査・診断

1) Bergenholtz G et al (eds) (須田英明総監訳). バイオロジーに基づいた実践歯内療法学. クインテッセンス出版；2007. p.11-21, 123-72.
2) 須田英明・他編. エンドドンティクス. 第3版. 永末書店；2004. p.46-50, 64-77, 84-8.
3) American Association of Endodontists. AAE Consensus Conference Recommended Diagnostic Terminology, J Endod 2009；35 (12)：1634.
4) Torabinejad M, Walton RE. Endodontics: Principles and Practice. 4th ed. Saunders；2009. p.68.
5) 歯科大学学長・歯学部長会議編. 歯科医学教授要綱. 平成19 (2007) 年改訂. 医歯薬出版；2008. p.106.
6) 石橋真澄. 歯内療法学. 永末書店；1986. p.169-89.
7) 鈴木賢策. 明解歯内療法学. 永末書店；1979. p.63-4, 68-9, 144-51, 153, 217-35.
8) Ingle JI, Bakland LK, Baumgartner JG. Ingle's Endodontics 6. BC Decker；2008. p.494-519.

9）戸田忠夫・他編．歯内治療学．第3版．医歯薬出版；2007．p.78-9，115-58．
10）興地隆史．歯内療法の争点―難治性根尖性歯周炎の病因と臨床．新潟歯学会誌 2006；36（2）：1-15．
11）川崎孝一，五十嵐　勝．急性根尖性歯周炎（歯根膜炎）（acute apical periodontitis）．疼痛の臨床（原　耕二・他編）．医歯薬出版；1984．p.37-54．

Ⅵ　根尖性歯周疾患の治療方針

1）Ng YL, Mann V, Gulabivala K. Tooth survival following non-surgical root canal treatment：a systematic review of the literature. Int Endod J 2010；43：171-89.
2）Tsesis I et al. Flare-ups after endodontic treatment：a meta-analysis of literature. J Endod 2008；34：1177-81.
3）Matthews DC, Sutherland S, Basrani B. Emergency management of acute apical abscesses in the permanent dentition：a systematic review of the literature. J Can Dent Assoc 2003；69：660-9.
4）中村　洋．感染根管治療の補助療法．エンドドンティクス21．改訂版（須田英明・他編）．永末書店；2004．p.222-4．

第7章　根管処置

Ⅰ　髄室開拡　～　Ⅳ　根管の化学的清掃

1）Saunders P, Saunders E．根管の拡大と形成．バイオロジーに基づいた実践歯内療法学（Bergenholtz G et al eds，須田英明総監訳）．クインテッセンス出版；2007．p.262-88．
2）小林千尋．電気的根管長測定法の開発と発展．日歯医師会誌 2010；63（2）：153-62．
3）興地隆史．歯内療法のケースアセスメントと臨床．医歯薬出版；2013．p.1[illegible]1-[illegible]8．
4）興地隆史．根管形成を考える 手用ファイルとニッケルチタンロータリーファイルのコンビネーション．東京歯医師会誌 2016；64（11）：593-600．
5）石井信之．根管形成．エンドドンティクス．第6版（興地隆史・他編）．永末書店；2022．p.130-45．
6）木村裕一・他．根管洗浄．日歯内療誌 2020；41（3）：165-72．

Ⅴ　根管の消毒（根管貼薬）　～　Ⅷ　再根管治療

1）Shuping GB. Reduction of intracanal bacteria using nickel-titanium rotary instrumentation and various medications. J Endod 2000；26（12）：751-5.
2）Friedman S, Stabholz A. Endodontic retreatment--case selection and technique. Part 1：Criteria for case selection. J Endod 1986；12（1）：28-33.
3）Spångberg LS, Langeland K. Biological effect of dental materials：1. Toxicity of root canal filling materials on Hela cells in vitro. Oral Surg Oral Med Oral Pathol 1973；35：402-14.
4）Spångberg LS, Rutberg M, Rydinge E. Biological effects of endodontic antimicrobial agents. J Endod 1979；5：166-75.
5）Byström A, Claesson R, Sundqvist G. The antimicrobial effect of camphorated paramonochlorphenol, camphorated phenol, and calcium hydroxide in the treatment of infected root canals. Endod Dent Traumatol 1985；1：170-5.
6）Lewis BB, Chester SB. Formaldehyde in dentistry：a review of mutagenic and carcinogenic potential. J Am Dent Assoc 1981；103：429-34.
7）今村英夫．歯科用薬剤による薬疹の文献的考察．The Quitessence 2009；28：1075-82．
8）Ørstavik D, Haapasalo M. Disinfection by endodontic irrigants and dressings of experimentally infected dentinal tubules. Endod Dent Traumatol 1990；6：142-9.
9）Safavi KE, Spångberg LS, Langeland K. Root canal dentinal tubule disinfection. J Endod 1990；16：207-10.
10）Shuping GB et al. Reduction of intracanal bacteria using nickel-titanium rotary instrumentation and various medications. J Endod 2000；26：751-5.
11）Safavi KE, Nichols FC. Alteration of biological properties of bacterial lipopolysaccharide by calcium hydroxide treatment. J Endod 1994；20：127-9.

12) Safavi KE, Nichols FC. Effect of calcium hydroxide on bacterial lipopolysaccharide. J Endod 1993；19：76-8.

Topic 低侵襲歯内療法

1) Silva E, Pinto K, Ferreira C et al. Current status on minimal access cavity preparations：a critical analysis and a proposal for a universal nomenclature. Int Endod 2020：53（12）；1618-35.

第８章 根管充填

Ⅰ 根管充填の目的と意義 ～ Ⅵ 即時根管充填法

1) Baugh D, Wallace J. The role of apical instrumentation in root canal treatment: a review of the literature. J Endod 2005；31（5）：333-40.
2) Ricucci D, Siqueira JF Jr. Biofilms and apical periodontitis: study of prevalence and association with clinical and histopathologic findings. J Endod 2010；36（8）：1277-88.
3) Shuping GB et al. Reduction of intracanal bacteria using nickel-titanium rotary instrumentation and various medications. J Endod 2000；26：751-5.
4) William T, James CK. Obturation of the cleaned and shaped root canal. Pathways of the Pulp. 10th ed (Hargreaves KM, Cohen S eds). Mosby；2011. p.349-88.
5) Yoo JS et al. Bacterial entombment by intratubular mineralization following orthograde mineral trioxide aggregate obturation: a scanning electron microscopy study. Int J Oral Sci 2014；6：227-32.
6) 北村和夫，勝海一郎．根管充填．日本歯内療法学会雑誌 2015；36（3）：109-20.
7) 北村和夫．根管充填―側方加圧充填法と垂直加圧充填法．歯内療法 成功への道 抜髄 Initial Treatment．治療に導くための歯髄への臨床アプローチ(木ノ本喜史編著)．ヒョーロン・パブリッシャーズ;2016．p.323-49.
8) 北村和夫．根管充填―側方加圧充填法と垂直加圧充填法．日歯評論 2015；75（6）：63-84.
9) Torabinejad M, Ung B, Kettering JD. In vitro bacterial penetration of coronally unsealed endodontically treated teeth. J Endod 1990；16：566-9.
10) Yücel AC, Ciftçi A. Effects of different root canal obturation techniques on bacterial penetration. Oral Surg Oral Med Oral Pathol Oral Radiol Endod 2006；102（4）：e88-e92.
11) Friedman CE et al. Composition and physical properties of gutta-percha endodontic filling materials. J Endod 1977；3（8）：304-8.
12) Wu MK, Van Der Sluis LW, Wesselink PR. Fluid transport along gutta-percha backfills with and without sealer. Oral Surg Oral Med Oral Pathol Oral Radiol Endod 2004；97（2）：257-62.
13) Gogos C et al. Adhesion of a new methacrylate resin-based sealer to human dentin. J Endod 2004；30：238-40.
14) Tay FR, Pashley DH. Monoblocks in root canals；a hypothetical or a tangible goal. J Endod 2007；33：391-8.
15) 北村知昭，鷲尾絢子．バイオセラミックス系根管充填材による根管充填法の変化．エンドドンティクス．第6版（興地隆史・他編）．永末書店；2022.
16) Gordon MP, Love RM, Chandler NP. An evaluation of .06 tapered gutta-percha cones for filling of .06 taper prepared curved root canals. Int Endod J 2005；38：87-96.
17) John W. Methods of filling root canals: principles and practices. Endod Topics 2005；12：2-24.
18) Senia ES et al. Rapid sterilization of gutta-percha cones with 5.25% sodium hypochlorite. J Endod 1975；1（4）：136-140.
19) Short RD, Dorn SO, Kuttler S. The crystallization of sodium hypochlorite on gutta-percha cones after the rapid-sterilization technique: an SEM study. J Endod 2003；29：670-3.
20) Gordon MP, Love RM, Chandler NP. An evaluation of .06 tapered gutta-percha cones for filling of .06 taper prepared curved root canals. Int Endod J 2005；38：87-96.
21) Buchanan LS. The continous wave of condensation technique: a convergence of conceptual and procedural advances in obturations. Dent Today 1994；13（10）：80,82,84-5.

22）Buchanan LS. The continous wave of condensation technique: 'centered' condensation of warm gutta-percha in 12 seconds. Dent Today 1996；15（1）：60-2, 64-7.
23）Lares C, elDeeb ME. The sealing ability of the Thermafil obturation technique. J Endod 1990；16：474-9.

Ⅶ　根管充塡後の治癒経過

1）Sjögren U et al. Factors affecting the long-term results of endodontic treatment. J Endod 1990；16：498-504.
2）Ray HA, Trope M. Periapical status of endodontically treated teeth in relation to the technical quality of the root canal filling and the coronal restoration. Int Endod J 1995；28：12-8.
3）興地隆史．歯内療法の争点―難治性根尖性歯周炎の病因と臨床―．新潟歯学会誌 2006；36：209-23.
4）Trabinejad M et al. Outcomes of nonsurgical retreatment and endodontic surgery: A systematic review. J Endod 2009；35：930-7.
5）Flemings CH et al. Comparison of classic endodontic techniques versus contemporary techniques on endodontic treatment success. J Endod 2010；36：414-8.
6）下野正基．歯科治療に伴う治癒の病理．新口腔病理学．第3版（下野正基　他編）．医歯薬出版；2021, 98-119.
7）NPO法人日本歯科放射線学会　診療ガイドライン委員会編．歯科用コーンビームCTの臨床利用指針(案)．2017.
http://www5.dent.niigata-u.ac.jp/~radiology/guideline/CBCT_guideline_170929.pdf（2024年11月1日アクセス）．
8）橋口　勇，前田英史．歯内療法におけるCBCTの活用．日歯内療誌 2018；39：[illegible]3-9.

第９章　緊急処置

1）藤井　彰，秋元芳明．新　妊婦・授乳婦の歯科治療と薬物療法―安心で安全な処置・処方のために．砂書房；2009. p.8-29.
2）阿部伸一．上顎骨，下顎骨は構造が違う！．顎咬合誌 2010；30（3）：246-7.
3）松島　潔．歯内治療における基本術式の概要．歯内治療学．第4版（中村　洋・他編）．医歯薬出版；2012. p.49-50.
4）赤峰昭文，吉嶺嘉人．歯髄疾患．歯内治療学．第4版（中村　洋・他編）．医歯薬出版；2012. p.78-9.
5）古市保志，森　真理．根尖性歯周疾患．歯内治療学．第4版（中村　洋・他編）．医歯薬出版；2012. p.123-4.
6）木村裕一．緊急処置．エンドドンティクス．第4版（興地隆史・他編）．永末書店；2015. p.248-53.
7）中谷　敏・他．感染性心内膜炎の予防と治療に関するガイドライン．2017年改訂版．
https://www.j-circ.or.jp/cms/wp-content/uploads/2020/02/JCS2017_na[illegible]h.pdf（2024年11月1日アクセス）

第１０章　根未完成歯の治療

1）Andreasen JO, Andreasen FM. Classification, etiology and epidemiology. In: Textbook and Color Atlas of Traumatic Injuries to the Teeth. Munksgaard；1994. p.151-77.
2）Ellis GE, Davey KW. Classification and the treatment of injuries to the teeth of children. 5th ed. Year Book Medical Publishers；1970.
3）Application of the international classification of diseases to dentistry and stomatology. IDC-DA 3rd ed. World Health Organization；1995.

Topic　Mineral Trioxide Aggregates（MTA）を用いた最新歯内療法

1）Lee S-J et al. Sealing ability of a mineral trioxide aggregate for repair of lateral root perforations. J Endod 1993；19：541-4.
2）城崎由紀．バイオセラミックス―身体の中で使用されるセラミックス―．[illegible] 2021；69：28-31.

3) American Association of Endodontists. AAE Position Statement on Vital Pulp Therapy. https://www.aae.org/wp-content/uploads/2021/05/VitalPulpTherapyPositionStatement_v2.pdf（2025 年 1 月 20 日アクセス）

第 11 章　歯根の病的吸収

1) Mueller E, Rony HB. Laboratory studies of an unusual case of resorption. J Am Dent Assoc 1930；17：326.
2) Andreasen JO. Luxation of permanent teeth due to trauma. A clinical and radiographic follow-up study of 189 injured teeth. Scand J Dent Res 1970；78（3）：273-86.
3) Andreasen JO. External root resorption：its implication in dental traumatology, paedodontics, periodontics, orthodontics and endodontics. Int Endod J, 1985；18（2）：109-18.
4) Darcey J, Qualtrough A. Resorption：part 1. Pathology, classification and aetiology. Br Dent J 2013；214（9）：439-51.
5) Darcey J, Qualtrough A. Resorption：part 2. Diagnosis and management. Br Dent J 2013；214（10）：493-509.
6) Thomas P et al. An insight into internal resorption. ISRN Dent 2014；12：759326. doi：10.1155/2014/759326.
7) Torabinejad M, Walton RE, Fouad AF. Endodontics, Principal and Practice. 5th ed. Elsevier；2015. 355-75.
8) Hargreaves KM, Berman LH. COHEN'S PATHWAYS of the PULP. 11th ed. Elsevier；2016. p.323-86.
9) Patel S et al. European Society of Endodontology position statement：External Cervical Resorption. Int Endod J 2018；51（12）：1323-6.
10) Chen Y et al. External cervical resorption-a review of pathogenesis and potential predisposing factors. Int J Oral Sci 2021；13（1）：19.
11) Blicher B et al. Resorptive Dental Diseases：Endodontics Review. 2nd ed. Quintessence Publishing；2022. p.271-87.

第 12 章　外傷歯の診断と処置

Ⅰ　外傷歯の分類　～　Ⅲ　外傷歯の治療

1) Andreasen JO, Andreasen FM. Classification, etiology and epidemiology. Textbook and color atras of traumatic injuries to the tooth. 3rd ed（Andreasen JO, Andreasen FM eds）. Munksgaard；1994. p.151-5.
2) Andreasen JO, Andreasen FM. Root resorption following traumatic dental injuries. Proc Finn dent Soc 1992；88：95-114.
3) Andreasen JO, Kristerson L. The effect of limited drying or removal of the periodontal ligament. Periodontal healing after replantation of mature permanent incisors in monkeys. Acta Odontol Scand 1981；39：1-13.
4) Nasjleti CE et al. The effect of different splining times on replantation of teeth in monkeys. Oral surg 1982；53：557-66.
5) 戸邉　修．意図的再植後の歯牙ならびに歯周組織の変化に関する実験病理学的研究—特にコンピュータ・グラフィックスを応用した再植歯の立体的観察—．日歯保誌 1990；33：772-802.
6) 袋　一仁．意図的再植法の治癒過程に関する骨形態計測学的研究．日歯保誌 1991；34：957-85.
7) 市之川　浩．意図的歯牙再植後の歯牙および周囲組織の変化に関する微細構造学的研究．日歯保誌 1995；38：63-87.

Ⅳ　失活歯の歯根破折

1) 菅谷　勉．垂直歯根破折の早期診断．日歯内療誌 2022；43（2）：69-75.
2) 富田真仁，菅谷　勉，川浪雅光．垂直歯根破折に口腔内接着法と口腔外接着・再植法を行った場合の歯周組織の治癒．日歯保誌 2002；45（5）：787-96.
3) 真坂信夫．垂直破折歯の接着保存—接着修復保存症例の長期臨床経過．接着歯学 1995；13（3）：156-70.

4) 野口　裕史，菅谷　勉，加藤　熈．縦破折した歯根の接着による治療法．第二報　接着性レジンセメントで接着・再植した場合の組織学的検討．日歯保誌 1997；40：1453-60.
5) 木村喜芳，菅谷　勉，加藤　熈．垂直歯根破折に伴う歯周組織破壊の病理組織学的研究．日歯周誌 2000；42：255-66.
6) Sugaya T et al. Periodontal healing after bonding treatment of vertical root fracture. Dent Traumatol 2001；17：174-9.
7) Hayashi M et al. Short-term evaluation of intentional replantation of vertically fractured roots reconstructed with dentin-bonded resin. J Endod 2002；28：120-4.
8) Hayashi M et al. Prognosis of intentional replantation of vertically fractured roots reconstructed with dentin-bonded resin. J Endod 2004；30：145-8.
9) 二階堂徹監．垂直歯根破折歯を救え！．クインテッセンス出版；2013．p.34-162.
10) 吉山昌宏・他．接着技法を応用した破折歯の治療術式の検討．日本歯科医学会誌 2014；33：69-73.
11) Sugaya T et al. Comparison of fracture sites and post lengths in longitudinal root fractures. J Endod 2015；41：159-63.

第 13 章　外科的歯内治療

1) 須田英明・他編．エンドサージェリーのエッセンス―アトラス・外科的歯内療法．クインテッセンス出版；2003.
2) Kim S. Color atlas of microsurgery in endodontics. Saunders；2001.
3) Molven O, Halse A, Grung B. Incomplete healing (scar tissue) after periapical surgery—radiographic findings 8～12 years after treatment. J Endod 1996；22：264-8.
4) Rubinstein RA, Kim S. Long-term follow-up of cases considered healed one year after apical microsurgery. J Endod 2002；28：378-83.
5) 月星光博．自家歯牙移植．クインテッセンス出版；1999.
6) Setzer FC et al. Outcome of endodontic surgery: a meta-analysis of the literature-Part 1: Comparison of traditional root-end surgery and endodontic microsurgery. J Endod 2010；36：1757-65.
7) Setzer FC et al. Outcome of endodontic surgery: a meta-analysis of the literature-Part 2: Comparison of endodontic microsurgical techniques with and without the use of higher magnification. J Endod 2012；38：1-10.
8) Song M, Kim E. A prospective randomized controlled study of mineral trioxide aggregate and super ethoxybenzoic acid as root-end filling materials in endodontic microsurgery. J Endod 2012；38：875-9.
9) Adorno CG, Yoshioka T, Suda H. Incidence of accessory canals in Japanese anterior maxillary teeth following root canal filling ex vivo. Int Endod J 2010；43：370-6.
10) Andreasen JO. Periodontal healing after replantation and autotransplantation of incisors in monkeys. Int J Oral Surg 1981；10：54-61.

第 14 章　歯科用実体顕微鏡を応用した歯内治療

1) Kim S et al eds. Microsurgery in Endodontics. Wiley-Blackwell；2017. p.1-232.
2) 石井　宏．世界基準の臨床歯内療法 2　外科的歯内療法　マイクロスコープを用いたモダンテクニックの実際．医歯薬出版；2017．p.1-125.
3) Hargreaves KM, Berman LH eds. Pathways of the Pulp. 11th ed. Mosby；2016.
4) 辻本恭久．マイクロスコープが変えた歯内療法―診断，治癒率アップを確実にするために．最新歯内療法の器具・器材と臨床活用テクニック（北村和夫・他編著）．ヒョーロン・パブリッシャーズ；2015．p.32-9.
5) 北村知昭．マイクロエンドをはじめよう 超！入門テキスト．医歯薬出版；2013．p.1-62.
6) 井澤常泰，三橋　純，吉岡隆知．顕微鏡歯科入門―根管治療，コンポジットレジン修復を中心に．砂書房；2005．p.7-107.

7）中川寛一．手術用実体顕微鏡と取り扱い．エンドサージェリーのエッセンス　アトラス・外科的歯内療法（須田英明・他編著）．クインテッセンス出版；2003．p.61-2.
8）竹田淳志．治療姿勢．エンドサージェリーのエッセンス　アトラス・外科的歯内療法（須田英明・他編著）．クインテッセンス出版；2003．p.63-5.

第 15 章　変色歯の漂白

1）Weiger R, Kuhn A, Löst C. In vitro comparison of various types of sodium perborate used for intracoronal bleaching of discolored teeth. J Endod 1994；20（7）：338-41.
2）Watts A, Addy M. Tooth discolouration and staining：a review of the literature. Br Dent J 2001；190（6）：309-16.
3）Attin T et al. Review of the current status of tooth whitening with the walking bleach technique. Int Endod J 2003；36（5）：313-29.
4）Plotino G et al. Nonvital tooth bleaching：a review of the literature and clinical procedures. J Endod 2008；34（4）：394-407.
5）Zimmerli B, Jeger F, Lussi A. Bleaching of nonvital teeth. A clinically relevant literature review. Schweiz Monatsschr Zahnmed 2010；120（4）：306-20.
6）Frank AC et al. Comparison of the Bleaching Efficacy of Different Agents Used for Internal Bleaching：A Systematic Review and Meta-Analysis. J Endod 2022；48（2）：171-8.
7）Kahler B. Present status and future directions-Managing discoloured teeth. Int Endod J 2022；55（Suppl 4）：922-50.
8）Carey CM. Tooth whitening：what we now know. J Evid Based Dent Pract 2014；14（Suppl）：70-6.
9）白川哲夫・他．小児歯科学．第 6 版．医歯薬出版；2023．p.78-81.
10）ポルフィリン症（指定難病 254）．難病情報センター．https://www.nanbyou.or.jp/entry/5546（2024 年 11 月 1 日アクセス）

第 16 章　歯内ー歯周疾患

1）永原隆吉，柴　秀樹．歯内・歯周疾患の診断と治療方針．日本歯科評論 2023；83（9）：30-68.
2）武田克浩，柴　秀樹．歯内ー歯周疾患への対応．マストオブ・ディフィカルトケース（北村和夫編著）．デンタルダイヤモンド；2020．p.126-31.
3）柴　秀樹，栗原英見．歯内ー歯周疾患へのアプローチ．ライフステージと歯内療法（興地隆史・他編）．DENTAL DIAMOND 増刊号．デンタルダイヤモンド；2013．p.106-13.
4）永原隆吉，武田克浩，柴　秀樹．歯内・歯周疾患について．日歯保誌 2022；65：294-304.
5）永原隆吉・他．歯内ー歯周疾患 I 型の 2 症例．日歯内療誌 2023；44：114-20.
6）石原裕一．歯内ー歯周疾患．歯内治療学．第 5 版（勝海一郎・他編）．医歯薬出版；2018.
7）Rateitschak KH et al. Color Atras of Dental Medicine, Periodontology. Thieme Medical Publishers；1989. p.311-3.
8）Herrera D et al. Acute periodontal lesions（periodontal abscesses and necrotizing periodontal diseases）and endo-periodontal lesions. J Clin Periodontol 2018；45（S20）：S78-S94.
9）Papapanou PN et al. Periodontitis：Periodontitis：Consensus report of workgroup 2 of the 2017 World Workshop on the Classification of Periodontal and Peri-Implant Diseases and Conditions. J Clin Periodontol 2018；45（S20）：S162-S170.
10）Simon JH, Glick DH, Frank AL. The relationship of endodontic-periodontic lesions. J Periodontol 1972；43（4）：202-8.
11）Lee AHC et al. Cemental tear：Literature review，proposed classification and recommendations for treatment. Int Endod J 2021；54：2044-73.
12）永原隆吉，柴　秀樹．超高齢社会だからこそ見逃せないセメント質剥離．日本歯科評論 2022；82（7）：74-94.

13）Nagahara T et al. Endodontic Approach and Periodontal Regenerative Therapy for a Mandibular Right Central Incisor Affected by a Perforation and Cemental Tear. Int J Periodontics Restorative Dent 2021；41：e205-e212.

14）Mavridou AM et al. Descriptive Analysis of Factors Associated with External Cervical Resorption. J Endod 2017；43（10）：1602-10.

第17章　高齢者・有病者の歯内治療

1）Strehler BL. Time, Cells and Aging. Academic Press；1962.

2）下山和弘．心理的・精神的な特徴．高齢者歯科診療ハンドブック（下山和弘・他編）．口腔保健協会；2010. p.27-34.

3）奥村　謙．ペースメーカ，ICD，CRT を受けた患者の社会復帰・就学・就労に関するガイドライン．2013年改訂版.
https://www.j-circ.or.jp/cms/wp-content/uploads/2020/02/JCS2013_okumura_h.pdf（2025 年 1 月 20 日アクセス）

4）日本循環器学会．感染性心内膜炎の予防と治療に関するガイドライン．2017年改訂版.
https://www.j-circ.or.jp/cms/wp-content/uploads/2020/02/JCS2017_nakatani_h.pdf（2025 年 1 月 20 日アクセス）

5）柴原孝彦・他．薬剤・ビスフォスフォネート関連顎骨壊死 MRONJ・BRONJ　最新 米国口腔顎顔面外科学会と本邦の予防・診断・治療の指針．クインテッセンス出版；2016.

6）高橋慎一．歯科と連携して診療すべき皮膚疾患．J Visual Dermatol 2017；[illegible]：1[illegible]0-5.

7）Bennet CG et al. Age changes of vascular pattern of the human dental pulp. Arch Oral Biol 1965；10：995-8.

8）Luukko K et al. Structure and functions of the dentin-pulp complex. Pathways of the Pulp. 10th ed (Hargreaves KM, Cohen S eds). Mosby；2011. p.452-503.

9）渡辺郁馬．老年者の歯髄の加齢変化とその治癒．老年歯学 1999；13：157-[illegible].

第18章　根管処置後の歯冠修復

1）丸岡令奈，二階堂徹，田上順次．レジンコーティング法によるコロナルリーケージの抑制効果．接着歯学 2006；24（3）：105-10.

2）Maruoka R et al. Coronal leakage inhibition in endodontically treated teeth using resin-coating technique. Dent Mater J 2006；25（1）：97-103.

3）Schäfer E, Zandbiglari T. Solubility of root-canal sealers in water and artificial saliva. Int Endod J 2003；36（10）：660-9.

4）Chailertvanitkul P, Saunders WP, MacKenzie D. Coronal leakage in teeth root-filled with gutta-percha and two different sealers after long-term storage. Endod Dent Traumatol 1997；13（[illegible]）：[illegible]2-[illegible].

5）小里達也．接着性レジン系ルートキャナルシーラーの理工学的性質．日歯保存誌 2011；5[illegible]（4）：233-41.

6）矢谷博文・他編．クラウンブリッジ補綴学．第 6 版．医歯薬出版；2020. p.25-[illegible]

7）會田雅啓・他編．冠橋義歯補綴学テキスト．第 5 版．永末書店；2023. p.7[illegible]-9[illegible].

8）峯　篤史．“2013 年における”歯根破折防止策の文献的考察．日補綴会誌 201[illegible]；[illegible]（1）：[illegible]-35.

9）Minami H et al. Effects of metal primers on the bonding of an adhesive resin cement to noble metal ceramic alloys after thermal cycling. J Prosthet Dent 2011；106（6）：378-[illegible].

10）木ノ本喜史．根管充填後のコロナルリーケージ～歯内療法と歯冠修復の密接な関係～．日補綴会誌 2017；9（2）：126-31.

11）Nikaido T et al. Concept and clinical application of the resin-coating technique for indirect restorations. Dent Mater J 2018；37（2）：192-6.

第19章　歯内治療における安全対策

1) Tsesis I et al. Flare-ups after Endodontic Treatment：A Meta-analysis of Literature. J Endod 2008；34：1177-81.
2) al-Omari MA, Dummer PM. Canal blockage and debris extrusion with eight preparation techniques. J Endod 1955；21：154-8.
3) Lemon RR. Nonsurgical repair of perforation defects（Internal matrix concept）. Dent Clin North Am 1992；36：439-57.
4) 興地隆史．手術用実体顕微鏡を用いた根管内破折器具の除去．新潟歯学会誌 2004；34：71-3.
5) 高橋哲哉・他．根管内破折器具の除去に関する基礎的研究―ニッケルチタン製ファイルの腐食性の検討―．日歯保存誌 2007；50：203-12.
6) 笹尾真美・他．歯科治療時の異物事故についての検討 歯科医師に対するアンケート調査から．日歯麻誌 1997；25：723-30.
7) 中嶋正博．歯科日常臨床における局所的偶発症の対策と対応．歯科医学 2008；71：26-32.
8) Tsesis I et al. Flare-ups after endodontic treatment：a meta-analysis of Literature. J Endod 2008；34：1177-81.
9) 福元康恵・他．根管内吸引を用いた根管洗浄法―洗浄効果の評価―．口病誌 2005；72：13-8.
10) 藤崎倫也・他．片側性副鼻腔陰影を認めた手術症例の検討．日鼻誌 2016；55：509-14.
11) 佐藤公則．歯性上顎洞炎の病態と内視鏡下鼻内手術の有用性．日耳鼻 2001；104：715-20.
12) 中田和彦，中村　洋．水酸化カルシウムを根尖病変内に押し出したほうが治りがよいのか？．臨床歯内療法 デンタルダイヤモンド増刊号 2008；33：156-7.
13) 藤井誠子・他．ヨードホルム・水酸化カルシウムパスタの下顎管内溢出により下歯槽神経知覚傷害を生じた1例．日口診誌 2016；29：81-5.
14) Stojicic S et al. Tissue dissolution by sodium hypochlorite：effect of concentration, temperature, agitation, and surfactant. J Endod 2010；36：1558-62.
15) Siqueira Jr JF et al. Efficacy of instrumentation techniques and irrigation regimens in reducing the bacterial population within root canals. J Endod 2002；28：181-4.

索　引

【編者略歴】

興地隆史（おきち たかし）

1984年　東京医科歯科大学歯学部卒業
1988年　東京医科歯科大学大学院修了
2001年　新潟大学歯学部附属病院教授
2003年　新潟大学大学院医歯学総合研究科教授
2015年　東京医科歯科大学（現 東京科学大学）大学院医歯学総合研究科教授，現在に至る

石井信之（いしい のぶゆき）

1983年　神奈川歯科大学歯学部卒業
2008年　神奈川歯科大学大学院教授
2013年　神奈川歯科大学大学院歯学研究科教授
2024年　神奈川歯科大学特任教授，日本歯科大学特任教授，現在に至る

前田英史（まえだ ひでふみ）

1990年　九州大学歯学部卒業
1994年　九州大学大学院修了
2015年　九州大学大学院歯学研究院教授，現在に至る

鈴木規元（すずき のりゆき）

1994年　東京医科歯科大学歯学部卒業
1998年　東京医科歯科大学大学院修了
2020年　昭和大学歯学部教授，現在に至る

本書の内容に訂正等があった場合には，弊社ホームページに掲載いたします．下記URL，または二次元コードをご利用ください．

https://www.ishiyaku.co.jp/corrigenda/details.aspx?bookcode=456930

歯内治療学　第6版　ISBN978-4-263-45693-4

1982年4月10日　第1版第1刷発行
1998年9月20日　第2版第1刷発行
2007年5月20日　第3版第1刷発行
2012年2月10日　第4版第1刷発行
2018年9月25日　第5版第1刷発行
2025年2月25日　第6版第1刷発行

編集　興地隆史
　　　石井信之
　　　前田英史
　　　鈴木規元

発行者　白石泰夫

発行所　医歯薬出版株式会社

〒113-8612　東京都文京区本駒込1-7-10
TEL.（03）5395-7638（編集）・7630（販売）
FAX.（03）5395-7639（編集）・7633（販売）
https://www.ishiyaku.co.jp/
郵便振替番号　00190-5-13816

乱丁，落丁の際はお取り替えいたします　印刷・壮光舎印刷／製本・榎本製本

Active Learning

教育法規

目　次

第１章　教育行政

＜教育法学入門＞

□□１．法の表現形式または成立形式のことを（　①　）という。（　①　）は、文章の形式で制定され、所定の手続きに基づいて定められる（　②　）と、慣習法や判例法など（　②　）の形式をとらない（　③　）とに大別される。

①法源、②成文法、③不文法。

□□２．成文法には、国家の基本法といわれる（　①　）、国家間または国際機関との合意である（　②　）、議会が所定の手続きに基づき制定する（　③　）、議会や裁判所が内部的に作成する（　④　）、行政機関が定める（　⑤　）、地方公共団体の議会が定める（　⑥　）がある。

①憲法、②条約、③法律、④規則、⑤命令、⑥条例。
※⑤には、政令（政府（内閣）が制定する命令）、府令（内閣府が制定する命令）、省令（各省庁が制定する命令）などがある

□□３．命令は、法律の規定を執行するために必要な細則を定める（　①　）命令と、法律の委任に基づいて制定される（　②　）命令に分類される。

①執行、②委任。

□□４．憲法や行政法、刑法、訴訟法など、政府の内部関係や政府と国民との関係を規律する法のことを（　①　）といい、民法や商法、会社法など、国民相互の関係を規律する法のことを（　②　）という。

①公法、②私法。

□□５．民法や商法、民事訴訟法など、民事裁判の基準となる法のことを（　①　）といい、刑法や刑事訴訟法など、刑事裁判の基準となる法のことを（　②　）という。

①民事法、②刑事法。

□□６．民法や商法、刑法など、法律関係や権利義務関係の実質的な内容を規定する法のことを（　①　）といい、民事訴訟法や刑事訴訟法など、法律関係や権利義務関係を実現するための方法や手続を定める法のことを（　②　）という。

①実体法、②手続法。

□□７．成文法は、上記５の順で上下関係があり、上位の法は下位の法に優先することを（　　　）の原則という。

上位法優位。

□□８．ある事項について一般的に規定した法を（　①　）といい、同じ事項のうち特定の場合に限定して適用される法を（　②　）という。（　①　）と（　②　）が異なる場合は、（　③　）が優先する。これを（　③　）優位の原則という。

①一般法、②特別法、③特別法。

□□９．不文法には、次のようなものがある。
（１）（　①　）法…裁判所の判決が、後の同様な事件の判決を拘束することによって法としての効力を有するようになったもの
（２）（　②　）法…一定範囲の人々の間で反復して行われるようになった行動様式などの（　②　）のうち、法としての効力を有するようになったもの

①判例、②慣習。
※①については法としての効力が認められるが、②については争いがある。

＜日本国憲法＞

□□１０．日本国憲法第２３条に定める学問の自由は、学問（　①　）の自由、学問（　①　）結果の（　②　）の自由、大学における（　③　）の自由、大学の（　④　）を保障するものであるとされる。

①研究、②発表、③教授、④自治。
※教科書検定に、検定基準に違反する場合に教科書の形態における研究結果の発表を制限するにすぎないから憲法２３条に違反しない。

□□１１．判例は、小中高等学校などの普通教育の場においても、教師が公権力によって特定の意見のみを教授することを強制されないという意味において、また、教授の具体的内容及び方法につきある程度自由な裁量が認められなければならないという意味において、一定の範囲における教授の自由が保障されるべきではあるが、完全な教授の自由を認めることは許されないとしている。これは、大学の学生と異なり児童生徒には教授内容を（　①　）がない、普通教育においては子どもの側に学校や教師を（　②　）が乏しい、教育の機会均等を図る点から（　③　）すべき強い要請があるなどいった理由による。

①批判する能力、②選択する余地、③全国的に一定水準を確保。

□□１２．「日本国憲法第２６条第１項　すべて国民は、法律の定めるところにより、その（　①　）に応じて、ひとしく（　②　）を有する。
第２項　すべて国民は、法律の定めるところにより、その（　③　）に（　④　）を受けさせる義務を負う。義務教育は、これを（　⑤　）とする。」

①能力、②教育を受ける権利、③保護する子女、④普通教育、⑤無償。
※⑤「無償」は、授業料が無償であることを意味するものとされる。

□□１３．「日本国憲法第８９条　公金その他の公の財産は、（　①　）の組織もしくは団体の使用、便益もしくは維持のため、または（　②　）に属しない（　③　）、（　④　）もしくは博愛の事業に対し、これを支出し、またはその利用に供してはならない。」

①宗教上、②公の支配、③慈善、④教育。

□□１４．上記８９条後段の立法趣旨としては、次のようなものが挙げられる。
（１）公費（　①　）防止説…教育などの私的事業に対して公金支出が行われる場合は、目的の公共性や、慈善・教育・博愛の美名に頼って、公費が（　①　）されるおそれが多いことから、その（　①　）をきたさないように当該事業を監督すべきことを要求する趣旨である
（２）（　②　）性確保説…私的事業は私人の自由に基づき（　②　）的に運営されるべきところ、公の財政援助を受けると公権力がそれを通じて事業をコントロールすることになり、事業の独自性が害される恐れがあることから、これを確保するために、公権力による干渉の危険を除こうとする趣旨である
（３）（　③　）性確保説…私人が行う教育などの事業は特定の宗教的信念に基づくことが多いので、宗教や特定の思想信条が、国の財政的援助によって教育などの事業に浸透するのを防止し、（　④　）を補完することにその趣旨がある

①濫用、②自主、③中立、④政教分離。

＜教育基本法＞

□□１５．「教育基本法前文　我々日本国民は、たゆまぬ努力によって築いてきた民主的で文化的な国家を更に発展させるとともに、世界の平和と人類の福祉の向上に貢献することを願うものである。
　我々は、この理想を実現するため、（　①　）を重んじ、真理と正義を希求し、（　②　）を尊び、豊かな人間性と創造性を備えた人間の育成を期するとともに、（　③　）し、新しい文化の創造を目指す教育を推進する。
　ここに、我々は、（　④　）の精神にのっとり、我が国の未来を切り拓く教育の基本を確立し、その振興を図るため、この法律を制定する。」

①個人の尊厳、②公共の精神、③伝統を継承、④日本国憲法。
※教育基本法は、我が国の教育の基本理念や基本原則を定めた法律である。

□□１６．「教育基本法第１条　教育は、（　①　）を目指し、平和で民主的な国家及び社会の（　②　）として必要な資質を備えた心身ともに健康な国民の育成を期して行われなければならない。」

①人格の完成、②形成者。

□□１７．「教育基本法第２条　教育は、その目的を実現するため、学問の自由を尊重しつつ、次に掲げる目標を達成するよう行われるものとする。
一　幅広い（　①　）を身に付け、真理を求める態度を養い、豊かな情操と道徳心を培うとともに、健やかな身体を養うこと。
二　（　②　）を尊重して、その（　③　）を伸ばし、創造性を培い、（　④　）の精神を養うとともに、（　⑤　）との関連を重視し、勤労を重んずる態度を養うこと。
三　正義と責任、男女の平等、自他の敬愛と協力を重んずるとともに、（　⑥　）に基づき、主体的に社会の形成に参画し、その発展に寄与する態度を養うこと。
四　生命を尊び、自然を大切にし、環境の保全に寄与する態度を養うこと。
五　（　⑦　）を尊重し、それらをはぐくんできた（　⑧　）を愛するとともに、（　⑨　）し、国際社会の平和と発展に寄与する態度を養うこと。」

①知識と教養、②個人の価値、③能力、④自主及び自律、⑤職業及び生活、⑥公共の精神、⑦伝統と文化、⑧我が国と郷土、⑨他国を尊重。

□□１８．「教育基本法第３条　国民一人一人が、自己の人格を磨き、豊かな人生を送ることができるよう、その（　①　）にわたって、あらゆる機会に、あらゆる場所において（　②　）することができ、その成果を適切に生かすことのできる社会の実現が図られなければならない。」

①生涯、②学習。

□□１９.「教育基本法第４条第１項　すべて国民は、ひとしく、その（　①　）に応じた教育を受ける（　②　）を与えられなければならず、人種、信条、性別、社会的身分、（　③　）地位または門地によって、教育上差別されない。
第２項　国及び地方公共団体は、（　④　）のある者が、その（　④　）の状態に応じ、十分な教育を受けられるよう、教育上必要な（　⑤　）を講じなければならない。
第３項　国及び地方公共団体は、能力があるにもかかわらず、（　③　）理由によって修学が困難な者に対して、（　⑥　）を講じなければならない。」

①能力、②機会、③経済的、④障害、⑤支援、⑤理由、⑥奨学の措置。

□□２０.「教育基本法第５条第１項　国民は、その保護する子に、別に法律で定めるところにより、（　①　）義務を負う。
第２項　義務教育として行われる普通教育は、各個人の有する能力を伸ばしつつ社会において（　②　）に生きる基礎を培い、また、国家及び社会の（　③　）として必要とされる基本的な資質を養うことを目的として行われるものとする。
第４項　国または地方公共団体の設置する学校における義務教育については、（　④　）しない。」

①普通教育を受けさせる、②自立的、③形成者、④授業料を徴収。

□□２１.「教育基本法第６条第１項　法律に定める学校は、公の性質を有するものであって、国、地方公共団体及び法律に定める法人のみが、これを設置することができる。
第２項　前項の学校においては、教育の目標が達成されるよう、教育を受ける者の心身の発達に応じて、（　②　）な教育が（　③　）に行われなければならない。この場合において、教育を受ける者が、学校生活を営む上で必要な（　④　）を重んずるとともに、自ら進んで学習に取り組む（　⑤　）を高めることを重視して行われなければならない。」

①公の性質、②体系的、③組織的、④規律、⑤意欲。

□□２２.「教育基本法第７条第１項　（　①　）は、学術の中心として、高い教養と専門的能力を培うとともに、深く真理を探究して新たな知見を創造し、これらの成果を広く（　②　）することにより、社会の発展に寄与するものとする。
第２項　（　①　）については、自主性、自律性その他の（　①　）における（　③　）及び（　④　）の特性が尊重されなければならない。」

①大学、②社会に提供、③教育、④研究。

□□２３.「教育基本法第８条　（　①　）の有する（　②　）及び学校教育において果たす重要な役割にかんがみ、国及び地方公共団体は、その自主性を尊重しつつ、（　③　）その他の適当な方法によって（　①　）教育の振興に努めなければならない。」

①私立学校、②公の性質、③助成。

□□２４.「教育基本法第９条　法律に定める学校の（　①　）は、自己の崇高な使命を深く自覚し、絶えず研究と修養に励み、その職責の遂行に努めなければならない。
第２項　前項の（　①　）については、その使命と職責の重要性にかんがみ、その（　②　）は尊重され、（　③　）の適正が期せられるとともに、（　④　）と（　⑤　）の充実が図られなければならない。」

①教員、②身分、③待遇、④養成、⑤研修。

□□２５.「教育基本法第１０条第１項　（　①　）その他の（　②　）は、子の教育について（　③　）責任を有するものであって、生活のために必要な（　④　）を身に付けさせるとともに、（　⑤　）を育成し、心身の調和のとれた発達を図るよう努めるものとする。
第２項　国及び地方公共団体は、家庭教育の自主性を尊重しつつ、（　②　）に対する（　⑥　）及び（　⑦　）その他の家庭教育を支援するために必要な施策を講ずるよう努めなければならない。」

①父母、②保護者、③第一義的、④習慣、⑤自立心、⑥学習の機会、⑦情報の提供。

□□２６.「教育基本法第１１条　（　①　）期の教育は、生涯にわたる人格形成の（　②　）を培う重要なものであることにかんがみ、国及び地方公共団体は、（　①　）の健やかな成長に資する良好な環境の整備その他適当な方法によって、その振興に努めなければならない。」

①幼児、②基礎。

□□２７.「教育基本法第１２条第１項　個人の要望や社会の要請にこたえ、（　①　）において行われる教育は、国及び地方公共団体によって奨励されなければならない。
第２項　国及び地方公共団体は、（　②　）、博物館、（　③　）その他の（　①　）教育施設の設置、（　④　）の施設の利用、学習の機会及び情報の提供その他の適当な方法によって（　①　）教育の振興に努めなければならない。」

①社会、②図書館、③公民館、④学校。

□□２８.「教育基本法第１３条　学校、（　①　）及び（　②　）その他の関係者は、教育におけるそれぞれの役割と責任を（　③　）するとともに、相互の（　④　）及び（　⑤　）に努めるものとする。」

①家庭、②地域住民、③自覚、④連携、⑤協力。

□□２９.「教育基本法第１４条第１項　良識ある（　①　）として必要な（　②　）的教養は、教育上（　③　）されなければならない。
第２項　法律に定める学校は、特定の（　④　）を支持し、またはこれに反対するための（　②　）教育その他（　②　）的活動をしてはならない。」

①公民、②政治、③尊重、④政党。

□□３０.「教育基本法第１５条第１項　（　①　）に関する（　②　）の態度、（　①　）に関する一般的な教養及び（　①　）の社会生活における地位は、教育上（　③　）されなければならない。
第２項　国及び地方公共団体が設置する学校は、特定の（　①　）のための（　①　）教育その他（　①　）的活動をしてはならない。」

①宗教、②寛容、③尊重。

□□３１.「教育基本法第１６条第１項　教育は、（　①　）に服することなく、この法律及び他の法律の定めるところにより行われるべきものであり、教育行政は、国と地方公共団体との適切な役割分担及び相互の協力の下、（　②　）かつ（　③　）に行われなければならない。
第２項　国は、（　④　）的な教育の（　⑤　）と（　⑥　）の維持向上を図るため、教育に関する施策を総合的に策定し、実施しなければならない。
第３項　地方公共団体は、その地域における教育の振興を図るため、その実情に応じた教育に関する施策を策定し、実施しなければならない。
第４項　国及び地方公共団体は、教育が円滑かつ継続的に実施されるよう、必要な（　⑦　）の措置を講じなければならない。」

①不当な支配、②公正、③適切、④全国、⑤機会均等、⑥教育水準、⑦財政上。

□□３２.「教育基本法第１７条第１項　政府は、教育の（　①　）に関する施策の総合的かつ（　②　）的な推進を図るため、教育の（　①　）に関する施策についての基本的な方針及び講ずべき施策その他必要な事項について、基本的な（　②　）を定め、これを（　③　）に報告するとともに、（　④　）しなければならない。」

①振興、②計画、③国会、④公表。
※本条に基づく第２期教育振興基本計画では、「自立」「協働」「創造」の３つの理念を踏まえ、「教育行政の４つの基本的方向性（ビジョン）」「８の成果目標（ミッション　」「３０の基本施策（アクション）」を定めている。

＜地方教育行政の組織及び運営に関する法律（地方教育行政法）＞

＜総 則＞

□□３３.「地方教育行政法第１条　この法律は、（　①　）の設置、学校その他の教育機関の（　②　）の身分取扱その他地方公共団体における教育行政の組織及び運営の基本を定めることを目的とする。」

①教育委員会、②職員。
※①教育に関する事務を管理執行することを目的として、地方公共団体に設置される行政委員会。

□□３４.「地方教育行政法第１条の２　地方公共団体における教育行政は、（　①　）の趣旨にのっとり、教育の（　②　）、（　③　）の維持向上及び（　④　）に応じた教育の振興が図られるよう、国との適切な役割分担及び相互の協力の下、公正かつ適正に行われなければならない。」

①教育基本法、②機会均等、③教育水準、④地域の実情。

□□３５.「地方教育行政法第１条の３　地方公共団体の長は、（　①　）に規定する基本的な方針を参酌し、その地域の実情に応じ、当該地方公共団体の教育、学術及び文化の振興に関する総合的な施策の（　②　）を定めるものとする。
第２項　地方公共団体の長は、（　②　）を定め、またはこれを変更しようとするときは、あらかじめ（　③　）において協議するものとする。」

①教育基本法、②大綱、③総合教育会議。
※各地方公共団体の教育政策の方向性を明確化させることを目的とする。

□□３６．「地方教育行政法第１条の４第１項　地方公共団体の長は、（　①　）の策定に関する協議及び次に掲げる事項についての協議並びにこれらに関する次項各号に掲げる構成員の事務の調整を行うため、総合教育会議を設けるものとする。
一　教育を行うための諸条件の整備その他の地域の実情に応じた教育、学術及び文化の振興を図るため（　②　）に講ずべき施策
二　児童、生徒等の生命または身体に現に（　③　）が生じ、またはまさに（　③　）が生ずるおそれがあると見込まれる場合等の緊急の場合に講ずべき措置
第２項　総合教育会議は、次に掲げる者をもって構成する。
一　（　④　）
二　（　⑤　）
第３項　総合教育会議は、（　④　）招集する。
第４項　（　⑤　）は、その権限に属する事務に関して協議する必要があると思料するときは、地方公共団体の長に対し、協議すべき具体的事項を示して、総合教育会議の招集を求めることができる。
第６項　総合教育会議は、（　⑥　）する。ただし、個人の秘密を保つため必要があると認めるとき、または会議の公正が害されるおそれがあると認めるときその他公益上必要があると認めるときは、この限りでない。」

①大綱、②重点的、③被害、④地方公共団体の長、⑤教育委員会、⑥公開。
※教育行政に対する地方公共団体の長の責任と役割を明確化するとともに、長と教育委員会が教育政策を共有し一貫した執行ができるようにすることを目的とする。
※⑥教育政策について公の場で議論できるようにすることを目的とする。

＜教育委員会＞

□□３７.「地方教育行政法第３条　教育委員会は、（　①　）及び（　②　）の委員をもって組織する。（以下略）」

①教育長、②４人

□□３８.「地方教育行政法第４条　教育長は、当該（　①　）の被選挙権を有する者で、人格が高潔で、教育行政に関し識見を有するもののうちから、（　①　）が、（　②　）を得て、任命する。
第２項　委員は、当該地方公共団体の長の被選挙権を有する者で、人格が高潔で、教育、学術及び文化…に関し識見を有するもののうちから、（　①　）が、（　②　）を得て、任命する。
第４項　教育長及び委員の任命については、そのうち委員の定数に一を加えた数の二分の一以上の者が同一の（　③　）に所属することとなってはならない。
第５項　（　①　）は、第２項の規定による委員の任命に当たつては、委員の年齢、性別、職業等に（　④　）が生じないように配慮するとともに、委員のうちに（　⑤　）…である者が含まれるようにしなければならない。」

①地方公共団体の長、②議会の同意、③政党、④著しい偏り、⑤保護者。
※①後掲の同法第７条と併せて、地方公共団体の長の任命責任を明確化した規定である。
※⑤親権を行う者及び未成年後見人をいう。

□□３９.「地方教育行政法第５条第１項　教育長の任期は（　①　）とし、委員の任期は（　④　）とする。（以下略）」

①３年、②４年。

□□４０.「地方教育行政法第６条　教育長及び委員は、地方公共団体の（　①　）もしくは（　③　）、…または地方公共団体の常勤の（　③　）…と兼ねることができない。」

①議会の議員、②長、③職員

□□４１.「地方教育行政法第７条第１項　地方公共団体の（　①　）は、教育長もしくは委員が心身の故障のため職務の遂行に堪えないと認める場合または職務上の義務違反その他教育長もしくは委員たるに適しない非行があると認める場合においては、当該地方公共団体の（　②　）を得て、その教育長または委員を（　③　）することができる。
第２項　地方公共団体の（　①　）は、教育長及び委員のうち（一定数以上）の者が既に所属している政党に新たに所属（した）教育長または委員…を直ちに（　③　）するものとする。」

①長、②議会の同意、③罷免。

□□４２.「地方教育行政法第８条第１項　地方公共団体の長の選挙権を有する者は、政令で定めるところにより、その総数の（　①　）…以上の者の連署をもって、その代表者から、当該地方公共団体の長に対し、教育長または委員の（　②　）することができる。」

①３分の１、②解職を請求。

□□４３.「地方教育行政法第１０条　教育長及び委員は、当該地方公共団体の（　①　）及び（　②　）の同意を得て、辞職することができる。」

①長、②教育委員会。

□□４４.「地方教育行政法第１３条第１項　教育長は、教育委員会の会務を（　①　）し、教育委員会を（　②　）する。」

①総理、②代表。

□□４５.「地方教育行政法第１４条第１項　教育委員会の会議は、（　①　）が招集する。
第７項　教育委員会の会議は、（　②　）する。ただし、人事に関する事件その他の事件について、（　①　）または委員の発議により、出席者の３分の２以上の多数で議決したときは、これを（　②　）しないことができる。」

①教育長、②公開。

□□４６.「地方教育行政法第２１条第１項　教育委員会は、当該地方公共団体が処理する教育に関する事務で、次に掲げるものを管理し、及び執行する。
一　教育委員会の所管に属する第３０条に規定する学校その他の教育機関…の（　①　）、管理及び（　②　）に関すること。
二　教育委員会の所管に属する学校その他の教育機関の用に供する財産…の管理に関すること。
三　教育委員会及び教育委員会の所管に属する学校その他の教育機関の（　③　）その他の人事に関すること。
四　学齢生徒及び学齢児童の就学並びに生徒、児童及び幼児の（　④　）、（　⑤　）及び（　⑥　）に関すること。
五　教育委員会の所管に属する学校の組織編制、（　⑦　）、学習指導、生徒指導及び職業指導に関すること。
六　（　⑧　）その他の教材の取扱いに関すること。
七　校舎その他の施設及び教具その他の設備の整備に関すること。
八　校長、教員その他の教育関係職員の研修に関すること。
九　校長、教員その他の教育関係職員並びに生徒、児童及び幼児の保健、（　⑨　）、厚生及び福利に関すること。
十　教育委員会の所管に属する学校その他の教育機関の環境衛生に関すること。
十一　（　⑩　）に関すること。
十二　青少年教育、女性教育及び公民館の事業その他社会教育に関すること。
十三　スポーツに関すること。
十四　文化財の保護に関すること。
十五　ユネスコ活動に関すること。
十六　教育に関する法人に関すること。
十七　教育に係る調査及び基幹統計その他の統計に関すること。
十八　所掌事務に係る広報及び所掌事務に係る教育行政に関する相談に関すること。
十九　前各号に掲げるもののほか、当該地方公共団体の区域内における教育に関する事務に関すること。」

①設置、②廃止、③職員の任免、④入学、⑤転学、⑥退学、⑦教育課程、⑧教科書、⑨安全、⑩学校給食。

□□４７.「地方教育行政法第２２条　（　①　）は、大綱の策定に関する事務のほか、次に掲げる教育に関する事務を管理し、及び執行する。
一　（　②　）に関すること。
二　（　③　）に関すること。
三　（　④　）に関すること。
四　教育財産を取得し、及び処分すること。
五　教育委員会の所掌に係る事項に関する契約を結ぶこと。
六　前号に掲げるもののほか、教育委員会の所掌に係る事項に関する予算を執行すること。」

①地方公共団体の長、②大学、③幼保連携型認定こども園、④私立学校。

□□４８.「地方教育行政法第３３条第１項　教育委員会は、法令または条例に違反しない限度において、その所管に属する学校その他の教育機関の施設、設備、組織編制、教育課程、教材の取扱その他学校その他の教育機関の管理運営の基本的事項について、必要な（　①　）を定めるものとする。この場合において、当該（　①　）で定めようとする事項のうち、その実施のためには新たに予算を伴うこととなるものについては、教育委員会は、あらかじめ当該（　②　）に協議しなければならない。
第２項　前項の場合において、教育委員会は、学校における（　③　）の使用について、あらかじめ、教育委員会に届け出させ、または教育委員会の承認を受けさせることとする定めを設けるものとする。」

①教育委員会規則、②地方公共団体の長、③教科書以外の教材。

第２章　学校運営

＜学校教育法＞

□□４９.「学校教育法第１条　この法律で、学校とは、（　①　）、（　②　）、（　③　）、義務教育学校、（　④　）、中等教育学校、特別支援学校、（　⑤　）及び高等専門学校とする。」

①幼稚園、②小学校、③中学校、④高等学校、⑤大学。
※義務教育学校とは、いわゆる小中一貫校である。
※中等教育学校とは、いわゆる中高一貫校である。

□□５０.「学校教育法第２条第１項　学校は、（　①　）、（　②　）及び…（　③　）のみが、これを設置することができる。」

①国、②地方公共団体、③学校法人。

□□５１.「学校教育法第３条　学校を設置しようとする者は、学校の種類に応じ、（　①　）の定める設備、編制その他に関する（　②　）に従い、これを設置しなければならない。」

①文部科学大臣、②設置基準。

□□５２.「学校教育法第四条第１項　次の各号に掲げる学校の設置廃止（等）は、それぞれ当該各号に定める者の（　①　）を受けなければならない。（以下略）
一　公立または私立の大学及び高等専門学校　（　②　）
二　市町村の設置する高等学校、中等教育学校及び特別支援学校　都道府県の教育委員会
三　私立の幼稚園、小学校、中学校、義務教育学校、高等学校、中等教育学校及び特別支援学校　（　③　）
第２項　前項の規定にかかわらず、同項第一号に掲げる学校を設置する者は、次に掲げる事項を行うときは、同項の（　①　）を受けることを要しない。この場合において、当該学校を設置する者は…あらかじめ、（　②　）に（　④　）なければならない。
一　大学の学部もしくは大学院の研究科または…大学の学科の設置であつて、当該大学が授与する学位の種類及び分野の変更を伴わないもの
二　大学の学部もしくは大学院の研究科または…大学の学科の廃止（以下略）
第３項　（　②　）は、前項の（　④　）…に係る事項が、設備、授業その他の事項に関する法令の規定に適合しないと認めるときは、その（　④　）をした者に対し、必要な措置をとるべきことを命ずることができる。」

①認可、②文部科学大臣、③都道府県知事、④届け出。

□□５３.「学校教育法第６条　学校においては、（　　　）を徴収することができる。ただし、国立または公立の小学校及び中学校（等）の義務教育については、これを徴収することができない。」

授業料。

□□５４.「学校教育法第１２条　学校においては、別に法律で定めるところにより、幼児、児童、生徒及び学生並びに（　①　）の健康の保持増進を図るため、（　②　）を行い、その他その保健に必要な措置を講じなければならない。」

①職員、②健康診断。

□□５５.「学校教育法第１３条第１項　第４条第１項各号に掲げる学校が次の各号のいずれかに該当する場合においては、それぞれ同項各号に定める者は、当該学校の（　①　）を命ずることができる。
一　法令の規定に故意に違反したとき
二　法令の規定によりその者がした命令に違反したとき
三　（　②　）以上授業を行わなかったとき」

①閉鎖、②６ヶ月。

□□５６.「学校教育法第１６条　（　①　）は、次条に定めるところにより、子に（　②　）の普通教育を受けさせる義務を負う。」

①保護者、②９年。
※①親権者または未成年後見人をいう。
※但し、病弱、発育不完全その他やむを得ない事由のため、就学困難と認められる子の保護者に対しては、市町村の教育委員会は、文部科学大臣の定めるところにより、当該義務を猶予または免除することができる（同第１８条）。なお、その他やむを得ない事由には、経済的事由は含まれない（同第１９条参照）。

□□５７.「学校教育法第１９条　（　①　）理由によって、就学困難と認められる学齢児童または学齢生徒の保護者に対しては、（　②　）は、必要な援助を与えなければならない。」

①経済的、②市町村。
※本条の対象となる保護者は、生活保護法第６条第２項に定める要保護者、及び市町村教育委員会がこれに準ずる程度に困窮していると認める者である。

□□５８.「学校教育法第２１条　義務教育として行われる普通教育は、教育基本法…に規定する目的を実現するため、次に掲げる目標を達成するよう行われるものとする。
一　学校内外における社会的活動を促進し、自主、自律及び協同の精神、（　①　）、公正な判断力並びに（　②　）に基づき（　③　）に社会の形成に参画し、その発展に寄与する態度を養うこと。
二　学校内外における自然体験活動を促進し、生命及び自然を尊重する精神並びに環境の保全に寄与する態度を養うこと。
三　我が国と郷土の現状と歴史について、正しい理解に導き、（　④　）を尊重し、それらをはぐくんできた我が国と郷土を愛する態度を養うとともに、進んで（　⑤　）の理解を通じて、他国を尊重し、国際社会の平和と発展に寄与する態度を養うこと。
四　（　⑥　）の役割、生活に必要な衣、食、住、情報、産業その他の事項について基礎的な理解と技能を養うこと。
五　（　⑦　）に親しませ、生活に必要な（　⑧　）を正しく理解し、使用する基礎的な能力を養うこと。
六　生活に必要な数量的な関係を正しく理解し、処理する基礎的な能力を養うこと。
七　生活にかかわる自然現象について、観察及び実験を通じて、（　⑨　）的に理解し、処理する基礎的な能力を養うこと。
八　健康、（　⑩　）で幸福な生活のために必要な習慣を養うとともに、運動を通じて体力を養い、心身の調和的発達を図ること。
九　生活を明るく豊かにする音楽、美術、文芸その他の芸術について基礎的な理解と技能を養うこと。
十　（　⑪　）についての基礎的な知識と技能、勤労を重んずる態度及び個性に応じて将来の（　⑫　）する能力を養うこと。」

①規範意識、②公共の精神、③主体的、④伝統と文化、⑤外国の文化、⑥家族と家庭、⑦読書、⑧国語、⑨科学、⑩安全、⑪職業、⑫進路を選択。
※普通教育とは、全国民に共通の一般的・基礎的な教育であって、職業的（専門学校等）・専門的（大学等）教育ではないものをいい、初等（小学校）・中等（中学校）・高等（高校）の各普通教育に区分される。このうち、初等と中等の普通教育を国の負担で行う義務教育としている。

<幼稚園等>

□□５９.「学校教育法第２２条　幼稚園は、義務教育及びその後の教育の（　①　）を培うものとして、幼児を（　②　）し、幼児の健やかな成長のために適当な環境を与えて、その心身の発達を助長することを目的とする。」

①基礎、②保育。

□□６０.「学校教育法第２３条　幼稚園における教育は、前条に規定する目的を実現するため、次に掲げる目標を達成するよう行われるものとする。
一　健康、安全で幸福な生活のために必要な基本的な（　①　）を養い、身体諸機能の調和的発達を図ること。
二　（　②　）を通じて、喜んでこれに参加する態度を養うとともに家族や身近な人への信頼感を深め、自主、自律及び協同の精神並びに（　③　）の芽生えを養うこと。
三　身近な社会生活、生命及び自然に対する興味を養い、それらに対する（　④　）と態度及び（　⑤　）の芽生えを養うこと。
四　日常の会話や、絵本、童話等に親しむことを通じて、（　⑥　）を正しく導くとともに、（　⑦　）を理解しようとする態度を養うこと。
五　音楽、身体による表現、造形等に親しむことを通じて、豊かな感性と表現力の芽生えを養うこと。」

①習慣、②集団生活、③規範意識、④正しい理解、⑤思考力、⑥言葉の使い方、⑦相手の話。

□□６１.「学校教育法第２４条　幼稚園においては、第２２条に規定する目的を実現するための教育を行うほか、幼児期の教育に関する各般の問題につき、（　①　）及び（　②　）その他の関係者からの（　③　）に応じ、必要な（　④　）及び（　⑤　）を行うなど、家庭及び地域における幼児期の教育の支援に努めるものとする。」

①保護者、②地域住民、③相談、④情報の提供、⑤助言。

□□６２.「学校教育法第２６条　幼稚園に入園することのできる者は、（　①　）から、（　②　）の始期に達するまでの幼児とする。」

①満３歳、②小学校就学。

□□６３.認定こども園とは、（　①　）に基づく（　②　）に基づき設立された施設であり、（　③　）と（　④　）の機能をあわせもち、地域における子育て支援も行う施設である。

①認定こども園法、②認可、③幼稚園、④保育所。

□□６４．認定こども園は、次のようなタイプに分類される。
（１）（ ① ）型…（ ② ）と（ ③ ）が連携して、一体的な運営を行うことにより、認定こども園としての機能を果たすタイプ
（２）（ ④ ）型…（ ② ）が、保育を必要とする子どものための保育時間を確保するなど、保育所的な機能を備えて認定こども園としての機能を果たすタイプ
（３）（ ⑤ ）型…（ ③ ）が、保育を必要とする子ども以タトの子どもも受け入れるなど幼稚園的な機能を備えることで認定こども園としての機能を果たすタイプ
（４）（ ⑥ ）型…幼稚園・保育所いずれの認可もない地域の教育・保育施設が、認定こども園として必要な機能を果たすタイプ

①幼保連携、②認可幼稚園、③認可保育所、④幼稚園、⑤保育所、⑥地方裁量。

□□６５．地域型保育給付とは、施設よりも少人数の単位（原則１９人以下）で、３歳未満の子どもを預かる事業であり、次のように分類される。
（１）（ ① ）保育…少人数（定員６～１９人）を対象に、家庭的保育に近い雰囲気のもと保育を行う
（２）（ ② ）保育…少人数（定員５人以下）を対象に、家庭的な雰囲気のもとで、きめ細かな保育を行う
（３）（ ③ ）保育…会社の事業所の保育施設などで、従業員の子どもと地域の子どもを一緒に保育を行う
（４）（ ④ ）保育…障害や疾病などで個別のケアが必要な場合や、施設が無くなった地域で保育を維持する必要がある場合などに、保護者の自宅で１対１の保育を行う

①小規模、②家庭的、③事業所内、④居宅訪問型。

□□６６．子どものための教育・保育給付を受けようとする保護者は、市区町村から（ ① ）の認定及び（ ② ）の認定を受ける必要がある。これらの認定については、次のような要素が考慮される。
（１）保育が必要な事由…保護者の就労、疾病、障害、同居または長期入院等している親族の介護・看護、災害復旧、（ ③ ）、（ ④ ）、就学、（ ⑤ ）のおそれがあるなどの事由に該当することが必要
（２）保育の必要量…保護者がフルタイムで就労することをを想定した利用時間（最長（ ⑥ ）時間）と、パートタイムでの就労を想定した利用時間（最長（ ⑦ ）時間）に基づき判断される
（３）優先利用…（ ⑧ ）や（ ⑨ ）などは、保育の優先的な利用が必要と判断されることがある

①教育標準時間、②保育の必要性、③妊娠出産、④求職活動、⑤虐待やＤＶ、⑥１１、⑦８、⑧ひとり親家庭、⑨生活保護世帯。

□□６７．上記の認定は、次の区分に分けられる。
（１）１号認定…（　①　）を希望する満（　②　）歳以上の子ども
（２）２号認定…（　③　）に該当する満（　②　）歳以上の子ども
（３）３号認定…（　③　）に該当する満（　②　）歳未満の子ども

①教育、②３、③保育を必要とする事由。

□□６８．上記認定を受けた後、公立保育所・幼稚園・認定こども園・地域型保育給付の利用を希望する保護者は（　①　）と契約を締結し、私立保育所の利用を希望する場合は（　②　）と契約を締結する。

①施設・事業者、②市区町村。
※①この場合の利用者負担額（応能負担）は、施設・事業者による法定代理受領となる（施設・事業者が徴収する）。
※②この場合の利用者負担額（応能負担）は市区町村が徴収し、市町村から保育所へ委託費として支払われる。

<小学校>

□□６９.「学校教育法第２９条　小学校は、心身の発達に応じて、義務教育として行われる普通教育のうち（　①　）なものを施すことを目的とする。
同第３０条第１項　小学校における教育は、前条に規定する目的を実現するために必要な程度において第２１条各号に掲げる目標を達成するよう行われるものとする。
第２項　前項の場合においては、（　②　）にわたり学習する基盤が培われるよう、（　①　）な知識及び技能を習得させるとともに、これらを（　③　）して課題を解決するために必要な思考力、判断力、表現力その他の能力をはぐくみ、（　④　）に学習に取り組む態度を養うことに、（　⑤　）用いなければならない。」

①基礎的、②生涯、③活用、④主体的、⑤特に意を。

□□７０.「学校教育法第３１条　小学校においては、前条第１項の規定による目標の達成に資するよう、教育指導を行うに当たり、児童の（　①　）的な学習活動、特にボランティア活動など社会奉仕（　①　）活動、自然（　①　）活動その他の（　①　）活動の（　②　）に努めるものとする。この場合において、社会教育関係団体その他の関係団体及び関係機関との（　③　）に十分配慮しなければならない。」

①体験、②充実、③連携。

□□７１.「学校教育法第３２条　小学校の修業年限は、（　①　）とする。」

６年。

□□７２.「学校教育法第３４条第１項　小学校においては、（　①　）の（　②　）を経た（　③　）または文部科学省が著作の名義を有する（　③　）を使用しなければならない。
第２項　前項…以外の図書その他の教材で、有益適切なものは、これを使用することができる。（以下略）」

①文部科学大臣、②検定、③教科用図書。

□□７３.「学校教育法第３５条第１項　市町村の（　①　）は、次に掲げる行為の１または２以上を（　②　）行う等性行不良であって他の児童の教育に妨げがあると認める児童があるときは、その保護者に対して、児童の（　③　）を命ずることができる。
一　他の児童に傷害、心身の苦痛または財産上の損失を与える行為
二　職員に傷害または心身の苦痛を与える行為
三　施設または設備を損壊する行為
四　授業その他の教育活動の実施を妨げる行為
第２項　市町村の（　①　）は、前項の規定により（　③　）を命ずる場合には、あらかじめ（　④　）を聴取するとともに、（　⑤　）及び期間を記載した文書を交付しなければならない。」

①教育委員会、②繰り返し、③出席停止、④保護者の意見、⑤理由。
※③出席停止には、性行不良を理由とする本条に基づく場合と、感染症予防を目的とする学校保健安全法第１９条等に基づく場合がある。
※③市町村の教育委員会は、出席の命令に係る児童の出席停止の期間における学習に対する支援その他の教育上必要な措置を講ずるものとする（同第４項）。

□□７４.「学校教育法第３８条　（　①　）は、その区域内にある学齢児童を就学させるに必要な小学校を設置（　②　）。」

①市町村、②しなければならない。

□□７５.「学校教育法第４０条第１項　市町村は、（小学校等の設置等を）（　①　）または（　②　）と認めるときは、小学校（等）の設置に代え、学齢児童の全部または一部の教育事務を、他の市町村（等）に（　③　）することができる。」

①不可能、②不適当、③委託。

□□７６.「学校教育法第４１条　（　①　）が、（小学校の設置等の）負担に堪えないと（　②　）の教育委員会が認めるときは、（　②　）は、その（　①　）に対して、必要な補助を与えなければならない。」

①町村、②都道府県。

□□７７.「学校教育法第４２条　小学校は、文部科学大臣の定めるところにより当該小学校の教育活動その他の学校運営の状況について（　①　）を行い、その結果に基づき学校運営の改善を図るため必要な措置を講ずることにより、その教育水準の向上に努めなければならない。
同第４３条　小学校は、当該小学校に関する（　②　）及び（　③　）その他の関係者の理解を深めるとともに、これらの者との連携及び協力の推進に資するため、当該小学校の教育活動その他の学校運営の状況に関する（　④　）を積極的に提供するものとする。」

①評価、②保護者、③地域住民、④情報。

□□７８.「学校教育法第４４条　私立の小学校は、（　　　）の所管に属する。」

都道府県知事。

□□７９.公立義務教育諸学校の学級編制及び教職員定数の標準に関する法律では、小学校における学級編成について、次のように定めている。
（１）同学年の児童で編制する学級…１年生は（　①　）人
２年生から６年生は（　②　）人
（２）２つ学年の児童で編制する学級（複式学級）…（　③　）人
（３）特別支援学級…（　④　）人

①３５、②４０、③１６、④８。
※③１年生を含む場合は８人となる。
※なお、各学校の状況に応じて弾力的な運用も認められている。

<中学校>

□□８０．「学校教育法第４５条　中学校は、小学校における教育の（　①　）に、心身の発達に応じて、（　②　）として行われる普通教育を施すことを目的とする。
同第４６条　中学校における教育は、前条に規定する目的を実現するため、第２１条各号に掲げる目標を達成するよう行われるものとする。
同第４７条　中学校の修業年限は、（　③　）とする。」

①基礎の上、②義務教育、③３年。

※各種事項については、概ね小学校に関する規定である同法第２９条以下に準ずる。

□□８１．公立義務教育諸学校の学級編制及び教職員定数の標準に関する法律では、中学校における学級編成について、次のように定めている。
（１）同学年の生徒で編制する学級…（　①　）人
（２）２つ学年の児童で編制する学級（複式学級）…（　③　）人
（３）特別支援学級…（　④　）人

①４０、②８、④８。
※③１年生を含む場合は８人となる。
※なお、各学校の状況に応じて弾力的な運用も認められている。

＜高等学校＞

□□８２.「学校教育法第５０条　高等学校は、中学校における教育の（　①　）に、心身の発達及び（　②　）に応じて、（　③　）な普通教育及び（　④　）教育を施すことを目的とする。」

①基礎の上、②進路、③高度、④専門。

□□８３.「学校教育法第５１条　高等学校における教育は、前条に規定する目的を実現するため、次に掲げる目標を達成するよう行われるものとする。
一　義務教育として行われる普通教育の成果を更に発展拡充させて、豊かな人間性、創造性及び健やかな身体を養い、国家及び社会の（　①　）として必要な資質を養うこと。
二　社会において果たさなければならない使命の自覚に基づき、個性に応じて将来の（　②　）を決定させ、一般的な（　③　）を高め、（　④　）な知識、技術及び技能を習得させること。
三　個性の確立に努めるとともに、社会について、広く深い理解と健全な（　⑤　）を養い、社会の発展に寄与する態度を養うこと。」

①形成者、②進路、③教養、④専門的、⑤批判力。

□□８４.高等学校には、（　①　）制の課程のほか、（　②　）制、（　③　）制の課程を置くことができる。修業年限は、（　①　）制の課程については（　④　）とし、（　②　）制・（　③　）制の課程については（　④　）以上とする。

①全日、②定時、③通信、④３年。

※各種事項については、概ね小学校に関する規定である同法第２９条以下に準ずる。

<特別支援学校・特別支援教育>

□□８５．「学校教育法第７２条　特別支援学校は、（　①　）障害者、（　②　）障害者、（　③　）障害者、（　④　）者または病弱者…に対して、幼稚園、小学校、中学校または高等学校に（　⑤　）教育を施すとともに、障害による学習上または生活上の（　⑥　）し（　⑦　）を図るために必要な知識技能を授けることを目的とする。」

①視覚、②聴覚、③知的、④肢体不自由、⑤準ずる、⑥困難を克服、⑦自立。

□□８６．「学校教育法第７６条第１項　特別支援学校には、（　①　）部及び（　②　）部を置かなければならない。（以下略）
第２項　特別支援学校には、…（　③　）部または（　④　）部を置くことができ…る。」

①小学、②中学、③幼稚、④高等。
※特別支援学校の教育課程については学校教育法施行規則第１２６条から第１２９条参照。当該教育課程については、障害の状況に応じて弾力的な編成及び実施を認めてられていることにつき同第１３０条及び第１３１条参照。

□□８７．「学校教育法第８０条　（　　　）は、…特別支援学校を設置しなければならない。」

都道府県。

□□８８.「学校教育法第８１条第１項　幼稚園、小学校、中学校、義務教育学校、高等学校及び中等教育学校においては、次項各号のいずれかに該当する幼児、児童及び生徒その他教育上（　①　）を必要とする幼児、児童及び生徒に対し、文部科学大臣の定めるところにより、障害による学習上または生活上の困難を克服するための教育を行うものとする。
第２項　小学校、中学校、義務教育学校、高等学校及び中等教育学校には、次の各号のいずれかに該当する児童及び生徒のために、（　②　）を置くことができる。
一　知的障害者
二　肢体不自由者
三　身体虚弱者
四　弱視者
五　難聴者
六　その他障害のある者で、（　②　）において教育を行うことが適当なもの
第３項　前項に規定する学校においては、疾病により療養中の児童及び生徒に対して、（　②　）を設け、または教員を（　③　）して、教育を行うことができる。」

①特別の支援、②特別支援学級、③派遣。
※【参照】「学校教育法施行規則第１３８条　小学校、中学校若しくは義務教育学校または中等教育学校の前期課程における特別支援学級に係る教育課程については、特に必要がある場合は、…、特別の教育課程によることができる。
同第１３９条　前条の規定により特別の教育課程による特別支援学級においては、文部科学大臣の検定を経た教科用図書を使用することが適当でない場合には、当該特別支援学級を置く学校の設置者の定めるところにより、他の適切な教科用図書を使用することができる。」

□□８９.「学校教育法施行規則第１４０条　小学校、中学校もしくは義務教育学校または中等教育学校の前期課程において、次の各号のいずれかに該当する児童または生徒（特別支援学級の児童及び生徒を除く。）のうち当該障害に応じた特別の指導を行う必要があるものを教育する場合には、…、特別の教育課程によることができる。
一　言語障害者
二　自閉症者
三　情緒障害者
四　弱視者
五　難聴者
六　（　②　）
七　（　③　）
八　その他障害のある者で、この条の規定により特別の教育課程による教育を行うことが適当なもの」

①特別、②学習障害者、③注意欠陥多動性障害者。

□□９０．公立義務教育諸学校の学級編制及び教職員定数の標準に関する法律では、特別支援学校の小学部・中学部における学級編成については、１学級（　①　）人（重複障害学級については（　②　）人）と定めている。

①６、②３。

＜大 学＞

□□９１.「学校教育法第８３条第１項　大学は、学術の（　①　）として、広く知識を授けるとともに、深く専門の学芸を（　②　）し、知的、道徳的及び応用的能力を展開させることを目的とする。」

①中心、②教授研究。

□□９２.「学校教育法第８５条　大学には、（　　　）を置くことを常例とする。ただし、当該大学の教育研究上の目的を達成するため有益かつ適切である場合においては、（　　　）以外の教育研究上の基本となる組織を置くことができる。」

学部。

□□９３.「学校教育法第８６条　大学には、（　①　）において授業を行う学部または（　②　）による教育を行う学部を置くことができる。」

①夜間、②通信。

□□９４.「学校教育法第８７条第１項　大学の修業年限は（原則として）（　①　）とする。（以下略）
第２項　（　②　）…、（　③　）…、（　④　）を履修する課程のうち臨床に係る実践的な能力を培うことを主たる目的とするものまたは（　⑤　）を履修する課程については、…、その修業年限は（　⑥　）とする。」

①４年、②医学、③歯学、④薬学、⑤獣医学、⑥６年。
※なお、大学に３年以上在学した者等が、卒業の要件として当該大学の定める単位を優秀な成績で修得したと認める場合には、上記の規定にかかわらず、その卒業を認めることができる（同８９条）。

□□９５.「学校教育法第９０条第１項　大学に入学することのできる者は、（　①　）もしくは中等教育学校を卒業した者もしくは通常の課程による（　②　）の学校教育を修了した者…または文部科学大臣の定めるところにより、これと同等以上の学力があると認められた者とする。」

①高等学校、②１２年。

□□９６．「学校教育法第９３条第１項　大学に、教授会を置く。
第２項　教授会は、学長が次に掲げる事項について決定を行うに当たり意見を述べるものとする。
一　学生の入学、卒業及び課程の修了
二　（　①　）
三　前二号に掲げるもののほか、教育研究に関する重要な事項で、教授会の意見を聴くことが必要なものとして（　②　）が定めるもの
第３項　教授会は、前項に規定するもののほか、（　②　）（等）がつかさどる教育研究に関する事項について審議し、及び、（　②　）等の求めに応じ（　③　）を述べることができる。」

①学位の授与、②学長、③意見。

□□９７．「学校教育法第９４条　大学について…設置（　①　）（等）を定める場合には、文部科学大臣は、（　②　）等…に（　③　）しなければならない。
同第９５条　大学の設置の（　④　）（等）…を行う場合には、文部科学大臣は、（　②　）等…に（　③　）しなければならない。」

①基準、②審議会、③諮問、④認可。

□□９８．「学校教育法第９８条　公立または私立の大学は、（　　　）の所轄とする。」

文部科学大臣。

□□９９．「学校教育法第１０４条第１項　大学…を卒業した者に対し（　①　）の学位を、大学院…の課程を修了した者に対し（　②　）または（　③　）の学位を…授与するものとする。
第３項　短期大学は、文部科学大臣の定めるところにより、短期大学を卒業した者に対し（　④　）の学位を授与するものとする。」

①学士、②修士、③博士、④短期大学士。
※④短期大学は、第８３条第１項に規定する目的に代えて、深く専門の学芸を教授研究し、職業または実際生活に必要な能力を育成することを主な目的とする大学であるとされる（同法第１０８条参照）。

□□１００.「学校教育法第１０９条第１項　大学は、その教育研究水準の向上に資するため、文部科学大臣の定めるところにより、当該大学の教育及び研究、組織及び運営並びに施設及び設備（次項において「教育研究等」という。）の状況について自ら（　①　）及び（　②　）を行い、その結果を（　③　）するものとする。
第２項　大学は、前項の措置に加え、当該大学の教育研究等の総合的な状況について、政令で定める期間ごとに、…（　④　）機関…による…（　④　）…を受けるものとする。（以下略）」

①点検、②評価、③公表、④認証評価。

□□１０１.「学校教育法第１０３条　大学は、（　①　）の成果の普及及び活用の促進に資するため、その（　①　）活動の状況を（　②　）するものとする。」

①教育研究、②公表。

＜高等専門学校＞

□□１０２.「学校教育法第１１５条第１項　高等専門学校は、深く専門の学芸を（　①　）し、（　②　）に必要な能力を育成することを目的とする」

①教授、②職業。

□□１０３.「学校教育法第１１７条　高等専門学校の修業年限は、（　　　）とする。（以下略）。」

５年。

□□１０４.「学校教育法第１２１条　高等専門学校を卒業した者は、（　　　）と称することができる。」

準学士。

＜専修学校＞

□□１０５.「学校教育法第１２４条　第１条に掲げるもの以外の教育施設で、（　①　）もしくは（　②　）に必要な能力を育成し、または教養の向上を図ることを目的として…組織的な教育を行うもの…は、（　③　）学校とする。（以下略）」

①職業、②実際生活、③専修。

□□１０６. 専修学校には、次のように分けられる（学校教育法第１２５条以下参照）。
（１）（　①　）課程…（　②　）等を卒業した者等に対して、（　②　）等における教育の基礎の上に、心身の発達に応じて上記の教育を行う
（２）（　③　）課程…（　④　）等を卒業した者等に対して、（　④　）等における教育の基礎の上に、上記の教育を行う
（３）（　⑤　）課程…上記（１）（２）以外

①高等、②中学校、③専門、④高等学校、⑤一般。
※学校教育法第１２５条以下参照。

□□１０７. 上記（１）を置く専修学校は（　①　）と称することができ、上記（２）を置く専修学校は、（　②　）と称することができる。

①高等専修学校、②専門学校。
※学校教育法第１２６条参照。

□□１０８. 私立の専修学校の設置や廃止等については、（　①　）の（　②　）を受けなければならない。

①都道府県知事、②認可。
※学校教育法第１３０条第１項参照。

<その他>

□□１０９．「学校教育法第１３５条第１項　専修学校、各種学校その他第１条に掲げるもの以外の教育施設は、同条に掲げる学校の名称または大学院の（　　　）。」

名称を用いてはならない。

□□１１０．「学校教育法第１３７条　学校教育上（　①　）、学校には、社会教育に関する施設を附置し、または学校の施設を社会教育その他公共のために（　②　）ことができる。」

①支障のない限り、②利用させる。

□□１１１．「学校教育法第１３９条　文部科学大臣がする大学または高等専門学校の設置の認可に関する処分またはその不作為については、（　①　）をすることが（　②　）。」

①審査請求、②できない。

＜学校運営協議会＞

□□１１２.「地方教育行政法第４７の５条第１項　教育委員会は、教育委員会規則で定めるところにより、その所管に属する学校のうちその指定する学校…の運営に関して協議する機関として、当該指定学校ごとに（　①　）を置くことができる。
第２項　（　①　）の委員は、当該指定学校の所在する（　②　）、当該指定学校に在籍する生徒、児童または幼児の（　③　）（等）について、（　④　）が任命する。
第３項　指定学校の（　⑤　）は、当該指定学校の運営に関して、教育課程の編成その他…について基本的な方針を作成し、当該指定学校の（　①　）の（　⑥　）を得なければならない。
第４項　学校運営協議会は、当該指定学校の運営に関する事項…について、（　④　）または（　⑤　）に対して、意見を述べることができる。
第５項　学校運営協議会は、当該指定学校の職員の（　⑦　）その他の任用に関する事項について、当該職員の任命権者に対して意見を述べることができる。（以下略）」

①学校運営協議会、②地域の住民、③保護者、④教育委員会、⑤校長、⑥承認、⑦採用。

※①学校運営協議会を通じて、保護者及び地域住民が一定の権限と責任のもとに学校運営に参画することで、これらのニーズを学校運営に反映させ、かつ、地域の創意工夫を活かした特色ある学校づくりを進めることで地域の活性化につなげることなどを目的とする。
なお、学校教育法施行規則第４９条の学校評議員制度における学校評議員は、あくまで学校運営に対して意見を述べるだけであり、学校運営に直接関与することはできない。

※①当該協議会を設置する学校においても、通常の学校運営については校長の権限と責任の下にある。また、ある事項に関して協議会と校長との間に相違があるにおいて、協議会の承認を得られない場合でも、校長は当該事項に関する運営を行うことができるが、このような状況が継続する場合は、教育委員会による指導や指定の取消しが行われることがある。

※②③保護者や地域住民以外に、当該学校の校長や教職員、大学教員などの有識者、社会教育関係者などが委員となりうる。なお、委員は地方公務員特別職となる。

※⑦当該学校の職員全員が対象となるが、意見を述べることができるのは採用や転任、昇任などに関してであり、懲戒処分や分限処分などについては対象外である。

＜学校評議員制度＞

□□１１３．学校教育法施行規則第４９条に基づき、設置者の定めるところによって、各学校に（　①　）を置くことができる。（　①　）は、当該学校の職員や教育委員会以外の者で教育に関する理解及び識見を有するもののうちから、（　②　）の推薦により、当該学校の設置者が委嘱する。（　①　）は、（　②　）の求めに応じ、学校運営に関し（　③　）ことができる。

①学校評議員、②校長、③意見を述べる。
※①学校が地域住民の信頼に応え、家庭や地域と連携協力して一体となって子どもの健やかな成長を図っていくためには、今後、より一層地域に開かれた学校づくりを推進していく必要がある。こうした開かれた学校づくりを一層推進していくため、保護者や地域住民等の意向を把握・反映し、その協力を得るとともに、学校運営の状況等を周知するなど学校としての説明責任を果たしていく観点から、学校や地域の実情等に応じて、その設置者の判断により、学校に学校評議員を置くことができる。
※②学校評議員は、校長の学校運営に関する権限と責任を前提として、校長の求めに応じて意見を述べることができる。また、校長は、自らの判断により必要と認める場合に意見を求めることができる。
※③学校評議員に意見を求める事項としては、例えば、学校の教育目標や計画、教育活動の実施、学校と地域の連携の進め方などといった学校運営の基本方針や重要な活動に関する事項が想定されるが、具体的にどのような事項に関し意見を求めるかについては、校長自らが判断することができる。

第３章　教職員

＜教職員の配置・職務＞

□□１１４.「学校教育法第２７条第１項　幼稚園には、（　①　）、（　②　）及び教諭を置かなければならない
第２項　幼稚園には、前項に規定するもののほか、（　③　）、（　④　）教諭、（　⑤　）教諭、（　⑥　）教諭、（　⑦　）教諭、事務職員、養護助教諭その他必要な職員を置くことができる。
第３項　第１項の規定にかかわらず、（　③　）を置くときその他特別の事情のあるときは、（　②　）を置かないことができる。」

①園長、②教頭、③副園長、④主幹、⑤指導、⑥養護、⑦栄養。
※①園長は、園務をつかさどり、所属職員を監督する（同条第４項）。
※②教頭は、園長（副園長を置く幼稚園にあつては、園長及び副園長）を助け、園務を整理し、及び必要に応じ幼児の保育をつかさどる（同条第６項）。
※③副園長は、園長を助け、命を受けて園務をつかさどる（同条第５項）。
※④主幹教諭は、園長（及び副園長）及び教頭を助け、命を受けて園務の一部を整理し、並びに幼児の保育をつかさどる（同条第７項）。
※⑤指導教諭は、幼児の保育をつかさどり、並びに教諭その他の職員に対して、保育の改善及び充実のために必要な指導及び助言を行う（同条第８項）。
※⑦栄養教諭は、児童の栄養の指導および管理をつかさどる（同条第９項）。児童生徒が健全な食生活を自ら営むことができる知識・態度を養うため、学校給食で摂取する食品と健康の保持増進との関連性の指導や、食に関して特別の配慮を要する児童生徒への個別的な指導など、学校給食を活用した食に関する実践的な指導を行う（学校給食法第１０条参照）。
※特別の事情のあるときは、第１項の規定にかかわらず、教諭に代えて助教諭または講師を置くことができる（同条第１０項）。

□□１１５.「学校教育法第３７条第１項　小学校には、（　①　）、（　②　）、教諭、（　③　）教諭及び事務職員を置かなければならない。
第２項　小学校には、前項に規定するもののほか、（　④　）、（　⑤　）教諭、（　⑥　）教諭、（　⑦　）教諭その他必要な職員を置くことができる。
第３項　第１項の規定にかかわらず、（　④　）を置くときその他特別の事情のあるときは（　②　）を、（　③　）をつかさどる（　⑤　）教諭を置くときは（　③　）教諭を、特別の事情のあるときは事務職員を、それぞれ置かないことができる。」

①校長、②教頭、③養護、④副校長、⑤主幹、⑥指導、⑦栄養。
※①校長は、校務をつかさどり、所属職員を監督する（同条第４項）。
※②教頭は、校長（及び副校長）を助け、校務を整理し、及び必要に応じ児童の教育をつかさどる（同条第７項）。また、教頭は、校長（及び副校長）に事故があるときは校長の職務を代理し、校長（副校長）が欠けたときは校長の職務を行う（同条第８項）。
※③養護教諭は、児童の養護をつかさどる（同条第１２項）。
※④副校長は、校長を助け、命を受けて校務をつかさどる（同条第５項）。また、副校長は、校長に事故があるときはその職務を代理し、校長が欠けたときはその職務を行う（同条第６項）。
※⑤主幹教諭は、校長（及び副校長）及び教頭を助け、命を受けて校務の一部を整理し、並びに児童の教育をつかさどる（同条第９項）。
※⑥指導教諭は、児童の教育をつかさどり、並びに教諭その他の職員に対して、教育指導の改善及び充実のために必要な指導及び助言を行う（同条第１０項）。
※⑦栄養教諭は、児童の栄養の指導及び管理をつかさどる（同条第１３項）。

□□１１６.「学校教育法第６０条第１項　高等学校には、（　①　）、（　②　）、教諭及び事務職員を置かなければならない。
第２項　高等学校には、前項に規定するもののほか、（　③　）、主幹教諭、指導教諭、（　④　）教諭、栄養教諭、養護助教諭、実習助手、技術職員その他必要な職員を置くことができる。
第３項　第１項の規定にかかわらず、副校長を置くときは、教頭を置かないことができる。」

①校長、②教頭、③副校長、④養護。

□□１１７.「学校教育法第９２条第１項　大学には（　①　）、（　②　）、（　③　）、（　④　）、助手及び事務職員を置かなければならない。ただし、教育研究上の組織編制として適切と認められる場合には、（　③　）、（　④　）または助手を置かないことができる。
第２項　大学には、前項のほか、副学長、学部長、（　⑤　）、技術職員その他必要な職員を置くことができる。
第３項　学長は、校務をつかさどり、所属職員を統督する。」

①学長、②教授、③准教授、④助教、⑤講師。
※高等専門学校についても同様（同法第１２０条参照）。

＜主任・主事制度＞

□□１１８．学校教育法施行規則第４３条以下では、調和のとれた学校運営が行われるためにふさわしい（　①　）の仕組みを整えることを目的として主任・主事制度について規定している。主任等は、独立した職種ではなく、指導教諭または教諭に対して（　①　）を命じる（　②　）として選任される。なお、当該主任の担当する校務を整理する主幹教諭を置く場合や、特別の事情があるときは置かないことができる。

①校務分掌、②職務命令。

□□１１９．主任等には次のようなものがある。

（１）（　①　）主任…校長の監督を受け、教育計画の立案その他の教務に関する事項について連絡調整、指導・助言を担当する

（２）（　②　）主任…校長の監督を受け、当該学年の教育活動に関する事項について連絡調整、指導・助言を担当する

（３）（　③　）主事…校長の監督を受け、学校における保健に関する事項の管理を担当する

（４）事務主任…校長の監督を受け、事務を担当する

（５）（　④　）指導主事…校長の監督を受け、（　④　）指導に関する事項をつかさどり、当該事項について連絡調整、指導・助言を担当する

（６）（　⑤　）指導主事…校長の監督を受け、生徒の職業選択の指導その他の（　⑤　）の指導に関する事項をつかさどり、当該事項について連絡調整、指導・助言を担当する

①教務、②学年、③保健、④生徒、⑤進路。

※①学校教育法施行規則第４４条第４項。

※②学校教育法施行規則第４５条。

※③学校教育法施行規則第４６条。

※④学校教育法施行規則第７０条。

※⑤学校教育法施行規則第７１条。

※上記（３）については、養護教諭を充てることもできる。

※上記（４）の設置は任意である。また、（５）（６）は中学校以上の学校に設置される。

<司書教諭・学校司書>

□□１２０.「学校図書館法第５条第１項　学校には、学校図書館の専門的職務を掌らせるため、（　①　）教諭を（　②　）。」

①司書、②置かなければならない。
※②但し、同法付則より、１１学級以下の学校については、当面任意設置となっている。

□□１２１.「学校図書館法第６条第１項　学校には、…学校図書館の運営の改善及び向上を図り、児童または生徒及び教員による学校図書館の利用の一層の促進に資するため、専ら学校図書館の職務に従事する…（　①　）を（　②　）ならない。」

①学校司書、②置くよう努めなければ。
※①学校司書は、教育公務員ではなく一般地方公務員である。

＜校長の職務＞

□□１２２．一般に、校長の職務権限としては、次の「４管理２監督」が挙げられる。
（１）「４管理」…学校（　①　）の管理、所属職員の管理、学校（　③　）の管理、
　　　　　　　　学校（　④　）の管理
（２）「２監督」…所属職員の（　④　）上の監督、所属職員の（　⑤　）上の監督

①教育、②施設、③事務、④職務、⑤身分。
※校長の具体的な職務については次のとおり。
・学校運営関連…職員会議の主宰（学校教育法施行規則４８条）、学校の施設・設備の管理や、学校施設の目的外使用の許可（学校管理規則等）
・教職員関連…勤務場所を離れての研修の承認（教育公務員特例法２２条２項）、所属職員の進退に関する意見具申（地方教育行政法第３９条）、校内人事や校務分掌の決定、所属職員への出張・研修命令、職員の勤務時間の割振り（学校管理規則や条例等）、年次有給休暇や病気休暇、特別休暇等の承認、振替休日や代休日の指定（学校管理規則及び各条例等）
・教育課程関連…教育課程の編成・実施や、年間指導計画の策定（学習指導要領総則等）、授業終始の時刻の決定（学校教育法施行規則第６０条）、指導要録や出席簿の作成（同第２４条以下）
・児童生徒関連…出席状況の把握（学校教育法施行令第１９条）、就学猶予や免除を受けた子の編入学の決定（同第３５条）、高等学校等の進学先への調査書等の送付（同第７８条）、進学や転学に際しての指導要録の写し等の作成と送付（同第２４条）、全課程修了者の教育委員会への通知（学校教育法施行令第２２条）、課程修了・卒業認定、卒業証書の授与（学校教育法施行規則第５７条以下）、懲戒、退学・停学等の決定（同第２６条）
・学校安全関連…非常変災等による臨時休業の決定と報告（学校教育法施行規則第６３条）、児童生徒の健康診断の実施（学校保健安全法第１３条）、感染症防止のための出席停止（同第１９条）

□□１２３．学校教育法施行規則第２０条以下では、校長（学長及び高等専門学校の校長を除く）の資格要件として、次のように定めている。
（１）教育職員免許法による教諭の（　①　）免許状または（　②　）免許状を有し、かつ、教育に関する一定の職種に（　③　）以上就いていたこと
（２）教育に関する一定の職種に（　④　）以上就いていたこと
（３）上記（１）（２）の資格を有する者と同等の資質を有すると認められること

①専修、②１種、③５年、④１０年。
※上記（１）（２）の「一定の職種」とは、学校教育法の学校等の教員、専修学校の校長、学校事務職員、教育行政担当職員などをいう。
※上記（２）の場合は、教員免許状は不要である。
※上記（３）は、いわゆる民間人校長のことをいう（同規則第２２条参照）。

<副校長>

□□１２４．「学校教育法第３７条第５項　副校長は、校長を（　①　）、命を受けて校務を（　②　）。
第６項　副校長は、校長に事故があるときはその職務を（　③　）し、校長が欠けたときはその職務を行う。この場合において、副校長が２人以上あるときは、あらかじめ校長が定めた順序で、その職務を（　③　）し、または行う。」

①助け、②つかさどる、③代理。
※副校長は、校長のリーダーシップのもと，組織的・機動的な学校運営が行われることを目的とする。
※①「校長を助け」るとは、校長の職務全般について補佐することをいう。
※②「命を受けて校務をつかさどる」とは、校長から命を受けた範囲内で、校長と同様に自らの権限と責任において校務を処理することをいい、校長の命を受けて、校長以外の所属職員に職務命令を発することもできる。
※③副校長が代理で行った行為は、校長が行った行為であるとされ、当該行為の責任は校長にあるものとされる。なお、代決とは、校長が直接職務を遂行することができない場合で、緊急を要する際に、校長に委任された専決事項について、副校長が校長に代わって処理することをいう。また、専決とは、校長の職務のうち、比較的軽易な事項について、校長の判断により副校長が校長に代わって処理することをいう。

＜教 頭＞

□□１２５.「学校教育法第３７条第７項　教頭は、校長（…及び副校長）を（　①　）、（　②　）し、及び必要に応じ（　③　）をつかさどる。
第８項　教頭は、校長（…及び副校長）に事故があるときは校長の職務を（　④　）し、校長（…及び副校長）が欠けたときは校長の職務を行う。この場合において、教頭が二人以上あるときは、あらかじめ校長が定めた順序で、校長の職務を（　④　）し、または行う。」

①助け、②校務を整理、③児童の教育、④代理。
※①「校長を助ける」とは、校長の行う職務全般について直接補佐することをいい、校長の命を受けて、所属職員に対して職務命令を発することもできる。
※②「校務を整理する」とは、学校運営上必要な一切の事項が円滑に行われるように総合的に調整することをいう。
※④教頭が代理で行った行為は、校長が行った行為であるとされ、当該行為の責任も校長にあるものとされる。なお、代決とは、校長が直接職務を遂行することができない場合で、緊急を要する際に、校長に委任された専決事項について、教頭が校長に代わって処理することをいう。また、専決とは、校長の職務のうち、比較的軽易な事項について、校長の判断により教頭が校長に代わって処理することをいう。

<職員会議>

□□１２６.「学校教育法施行規則第４８条第１項　小学校には、設置者の定めるところにより、（　①　）の職務の円滑な執行に資するため、（　②　）を置くことができる。
第２項　（　②　）は、（　①　）が（　③　）する。」

①校長、②職員会議、③主宰。
※②かつては、職員会議について法令上明確でなかったこともあって、職員会議の本来の機能が発揮されなかったり、あるいは職員会議が学校の意思決定機関であるかのごとく捉えられ校長がその職責を果たせないといった例が多くみられたことから、職員会議の運営の適正化を図ることを目的として、本条及び文部事務次官通知「学校教育法施行規則等の一部を改正する省令の施行について」によって、職員会議の位置づけとその意義及び役割が明確化された。
※③校長は、職員会議について必要な一切の処置をとる権限を有しており、校長自らが職員会議を管理し運営するという意味。

＜地方公務員法＞

□□１２７.「地方公務員法第２７条第１項　すべて職員の（　①　）及び（　②　）については、公正でなければならない。
第２項　職員は、この法律で定める事由による場合でなければ、その意に反して、（　③　）され、もしくは（　④　）されず、この法律または条例で定める事由による場合でなければ、その意に反して、（　⑤　）されず、また、条例で定める事由による場合でなければ、その意に反して（　⑥　）されることがない。
第３項　職員は、この法律で定める事由による場合でなければ、懲戒処分を受けることがない。」

①分限、②懲戒、③降任、④免職、⑤休職、⑥降給。
※①「分限」とは公務員としての身分が保障される限界のことをいい、③④⑤⑥を「分限処分」という（同法第２８条参照)。
※③「降任」とは、現職より下位の職に任命する処分のことをいう。
※④「免職」とは、職員としての身分を失わせることをいう。
※⑤「休職」とは、現職の地位を保有させつつも一定期間職務に従事させないことをいう。

□□１２８.「地方公務員法第２８条第１項　職員が、次の各号に掲げる場合のいずれかに該当するときは、その意に反して、これを降任し、または免職することができる。
一　人事評価または勤務の状況を示す事実に照らして、（　①　）がよくない場合
二　（　②　）の故障のため、職務の遂行に支障があり、またはこれに堪えない場合
三　前二号に規定する場合のほか、その職に必要な（　③　）を欠く場合
四　職制もしくは定数の改廃または予算の減少により（　④　）または過員を生じた場合
第２項　職員が、左の各号の一に該当する場合においては、その意に反してこれを休職することができる。
一　（　②　）の故障のため、長期の休養を要する場合
二　刑事事件に関し（　⑤　）された場合」

①勤務実績、②心身、③適格性、④廃職、⑤起訴。
※分限処分としての免職（分限免職）は、懲戒処分としての免職（懲戒免職）と異なり、職務上の義務違反や個人の責任などは問われないので、退職手当などを受けることができる。
※上記第２項第１号については、教育公務員特例法第１４条参照。

□□１２９.「地方公務員法第２９条第１項　職員が次の各号の一に該当する場合においては、これに対し（　①　）として（　②　）、減給、停職または免職の処分をすることができる。
一　この法律（や）…この法律に基づく条例（など）に（　③　）した場合
二　（　④　）上の義務に（　③　）し、または（　④　）を（　⑤　）場合
三　全体の奉仕者たるにふさわしくない非行のあった場合」

①懲戒処分、②戒告、③違反、④職務、⑤怠った。
※①懲戒処分は、任命権者が当該職員の意に反して下す処分のことであり、懲戒処分として、免職・停職・減給・戒告が規定されている。また、法令上の規定に基づかない事実上の処分として訓告（口頭または文書で注意をする処分)、厳重注意、始末書の提出、諭旨免職（本人の納得の上で退職を申し出させること）などの処分が行われている。
※②戒告とは、員の服務義務違反の責任を確認し、その将来を戒める処分のことをいう。

□□１３０．分限処分と懲戒処分には、次のような相異があるとされる。
（１）分限処分は公務の能率の維持や向上などを目的とするのに対し、懲戒処分は、規律保持や公務遂行の秩序の維持を目的とする。
（２）分限処分は、一定期間（　①　）している状態を対象とするのに対し、懲戒処分は個々の行為や状態を対象とする
（３）分限処分は（　②　）としての意味を有しないのに対し、懲戒処分は義務違反に対する（　②　）としての意味を有する

①継続、②制裁。

□□１３１.「地方公務員法第４９条第１項　任命権者は、職員に対し、（　①　）その他その意に反すると認める（　②　）な処分を行う場合においては、その際、その職員に対し処分の（　③　）を記載した説明書を交付しなければならない。」

①懲戒、②不利益、③事由。

□□１３２.「地方公務員法第４９条の２第１項　前条第１項に規定する処分を受けた職員は、人事委員会または公平委員会に対してのみ（　①　）をすることができる。同法第４９条の３　前条第１項に規定する（　①　）は、処分があったことを知った日の翌日から起算して（　②　）以内にしなければならず、処分があった日の翌日から起算して（　③　）を経過したときは、することができない。」

①審査請求、②３ヶ月、③１年。

□□１３３.「地方公務員法第３０条　すべて職員は、（　①　）として（　②　）のために勤務し、かつ、職務の遂行に当つては、全力を挙げてこれに専念しなければならない。」

①全体の奉仕者、②公共の利益。

□□１３４．「地方公務員法第３２条　職員は、その職務を遂行するに当たって、（　①　）、条例、地方公共団体の規則及び地方公共団体の機関の定める規程に従い、かつ、上司の（　②　）に忠実に従わなければならない。」

①法令、②職務上の命令（職務命令）。

※当該職務命令に違反したときは、同法第２９条に基づき懲戒処分の対象となりうる。

※【参照】「地方教育行政法第４３条第２項　県費負担教職員は、その職務を遂行するに当たって、法令、当該市町村の条例及び規則並びに当該市町村委員会の定める教育委員会規則及び規程…に従い、かつ、市町村委員会その他職務上の上司の職務上の命令に忠実に従わなければならない。」

□□１３５．上記②の成立要件として次のようなものが挙げられる。
（１）職務命令が、法律上または事実上不可能な内容のものではないこと
（２）職務命令が、当該職員の職務（　①　）に関する内容のものであること
（３）権限ある（　②　）による発令であること

①範囲内、②職務上の上司。

※（１）職務命令を受けた教職員が、当該命令は違法または不当であると考えたとしても、行政の統一性や能率性及び公務員関係の秩序維持の見地から、職務命令は一応適法の推定を受け、受命公務員を拘束する以上、当該命令が重大かつ明白な瑕疵があることから明らかに無効である場合を除き、当該教職員は当該職務命令に従わなければならない。

※②所属する学校の校長、副校長、教頭、主幹教諭がこれに該当するが、指導教諭や主任は該当しない。

※②県費負担教職員については、市町村教育委員会がこれに該当する。

□□１３６．「地方公務員法第３３条　職員は、その職の（　①　）を傷つけ、または職員の職全体の（　②　）となるような行為をしてはならない。」

①信用、②不名誉。

□□１３７．「地方公務員法第３４条　職員は、職務上知り得た（　①　）ならない。その職を（　②　）も、また、同様とする。」

①秘密を漏らしては、②退いた後。

※ ex.児童生徒の指導要録や、入試に関する記録、健康診断の記録、児童生徒やその家庭に関するの個人情報など。

※なお、児童虐待防止法第６条第１項の通告義務に関する規定は、本条の規定に優先するため、本条に規定する守秘義務違反とはならない。

□□１３８.「地方公務員法第３５条　職員は、法律または条例に特別の定がある場合を除く外、その（　①　）及び職務上の注意力の（　②　）をその職責遂行のために用い、当該地方公共団体がなすべき責を有する職務にのみ従事しなければならない。」

①勤務時間、②すべて。
※本条に定める職務専念義務が免除される場合としては、承認研修、許可を受けた兼職・兼業、勤務時間中に行う組合活動や適法な交渉、休職・停職、分限処分、懲戒処分、休暇・休日等による場合などがある。

□□１３９.「地方公務員法第３６条第１項　職員は、政党その他の政治的団体の結成に（　①　）し、もしくはこれらの団体の役員となってはならず、またはこれらの団体の構成員となるように、もしくはならないように（　②　）をしてはならない。
第２項　職員は、特定の政党その他の政治的団体または特定の内閣もしくは地方公共団体の執行機関を支持し、またはこれに反対する目的をもって、あるいは公の選挙または投票において特定の人または事件を支持し、またはこれに反対する目的をもって、次に掲げる（　③　）行為をしてはならない。ただし、当該職員の属する地方公共団体の（　④　）において、第一号から第三号まで及び第五号に掲げる（　③　）行為をすることができる。
一　公の選挙または投票において投票をするように、またはしないように（　②　）をすること。
二　署名運動を企画し、または主宰する等これに積極的に（　①　）すること。
三　寄附金その他の金品の募集に（　①　）すること。
四　文書または図画を地方公共団体または特定地方独立行政法人の庁舎…、施設等に掲示し、または掲示させ、その他地方公共団体または特定地方独立行政法人の庁舎、施設、資材または資金を利用し、または利用させること。
五　前各号に定めるものを除く外、条例で定める（　③　）行為（以下略)」

①関与、②勧誘運動、③政治的、④区域外。
※④については後述の教育公務員特例法第１８条参照。

□□１４０．「地方公務員法第３７条第１項　職員は、地方公共団体の機関が代表する使用者としての住民に対して同盟罷業、怠業その他の（　①　）行為をし、または地方公共団体の機関の活動能率を低下させる（　②　）的行為をしてはならない。また、何人も、このような（　③　）な行為を企て、またはその遂行を共謀し、そそのかし、もしくはあおってはならない。」

①争議、②怠業、③違法。

※【参考】「地方公務員法第５２条第１項　この法律において「職員団体」とは、職員がその勤務条件の維持改善を図ることを目的として組織する団体またはその連合体をいう。

第３項　職員は、職員団体を結成し、もしくは結成せず、またはこれに加入し、もしくは加入しないことができる。ただし、…「管理職員等」…と管理職員等以外の職員とは、同一の職員団体を組織することができず、管理職員等と管理職員等以外の職員とが組織する団体は、この法律にいう「職員団体」ではない。

第５項　警察職員及び消防職員は、職員の勤務条件の維持改善を図ることを目的とし、かつ、地方公共団体の当局と交渉する団体を結成し、またはこれに加入してはならない。」

□□１４１．「地方公務員法第３８条第１項　職員は、任命権者の（　①　）を受けなければ、商業、工業または金融業その他（　②　）を目的とする私企業…を営むことを目的とする会社その他の団体の役員その他人事委員会規則…で定める地位を兼ね、もしくは自ら（　②　）企業を営み、または（　③　）を得ていかなる事業もしくは事務にも従事してはならない。
同法第２４条第３項　職員は、他の職員の職を兼ねる場合においても、これに対して（　④　）を受けてはならない。」

①許可、②営利、③報酬、④給与。

※本条の例外規定として、後述の教育公務員特例法第１７条第１項参照。

＜教育公務員特例法＞

□□１４２.「教育公務員特例法第１条　この法律は、教育を通じて国民全体に奉仕する（　①　）の職務とその責任の（　②　）に基づき、（　①　）の任免、人事評価、給与、分限、懲戒、服務及び研修等について規定する。
同第２条第１項　この法律において「（　①　）」とは、（　③　）のうち、…学校教育法第（　④　）に規定する学校及び…（　⑤　）であって地方公共団体が設置するもの…の学長、校長（園長）、教員及び部局長並びに教育委員会の専門的教育職員をいう。
同第２条第２項　この法律において「教員」とは、公立学校の教授、准教授、助教、副校長（副園長）、教頭、主幹教諭…、指導教諭、教諭、助教諭、養護教諭、養護助教諭、栄養教諭、主幹保育教諭、指導保育教諭、保育教諭、助保育教諭及び講師…をいう。」

①教育公務員、②特殊性、③地方公務員、④１条、⑤幼保連携型認定こども園。
※①②③公立学校の教員も地方公務員法の適用を受けるが、その特殊性から特例法が規定されている。

□□１４３. 教育公務員特例法第１１条では、公立学校の教員の（　①　）や（　②　）は、次の者による（　③　）によって行うとしている。
（１）公立大学…（　④　）
（２）公立小中高等学校等…（　⑤　）及び（　⑥　）
（３）幼保連携型認定こども園…（　⑤　）及び（　⑦　）

①採用、②昇任、③選考、④学長、⑤校長（園長）、⑥教育委員会の教育長、
⑦地方公共団体の長。

□□１４４.「教育公務員特例法第１３条　公立小学校等の校長及び教員の給与は、これらの者の職務と責任の特殊性に基づき（　　　）で定めるものとする。」

条例。
※なお、公立の小学校、中学校、義務教育学校、高等学校、中等教育学校、特別支援学校、幼稚園及び幼保連携型認定こども園を以下「公立小学校等」（大学等以外の公立学校）といい、公立小学校等の教諭、助教諭、保育教諭、助保育教諭及び講師を以下「教諭等」という。

□□１４５.「教育公務員特例法第１４条第１項　公立学校の校長及び教員の休職の期間は、結核性疾患のため長期の休養を要する場合の休職においては、満（　①　）とする。ただし、任命権者は、特に必要があると認めるときは、予算の範囲内において、その休職の期間を満（　②　）まで延長することができる。
第２項　前項の規定による休職者には、その休職の期間中、給与の（　③　）を支給する。」

①２年、②３年、③全額。

□□１４６.「教育公務員特例法第１７条第１項　教育公務員は、（　①　）に関する他の職を（　②　）、または（　①　）に関する他の事業もしくは事務に従事することが本務の遂行に（　③　）と任命権者…において認める場合には、給与を受け、または受けないで、その職を（　②　）、またはその事業もしくは事務に従事することができる。」

①教育、②兼ね、③支障がない。
※本条は、地方公務員法第３８条第１項及び第２４条第３項の例外規定である。一般地方公務員と異なり、教育公務員は兼職・兼業に際して人事委員会が定める許可基準によらずに、任命権者の判断で許可することができる。また、一般地方公務員は重複して給与を受け取ることが禁止されるのに対し、教育公務員については重複して給与を受けることが認められている。

□□１４７.「教育公務員特例法第１８条第１項　公立学校の教育公務員の（　①　）行為の制限については、当分の間…（　②　）公務員の例による。」

①政治的、②国家。
※地方公務員法第３６条第２項では、当該職員の属する地方公共団体の区域外における一定の政治的行為を認めているが、教育公務員の場合は、教育が特定の地域に止まるものではなく、国民全体に対する責任が問われる性質のものであることから、国家公務員法第１０２条を適用し、当該教育公務員の勤務地以外の地域における政治的行為も禁止している。但し、教育公務員が同法に違反しても、同法の罰則規定（３年以下の懲役または１００万円以下の罰金）は適用されない（教育公務員特例法１８条第２項)。
※【参考】「国家公務員法第１０２条第１項　職員は、政党または政治的目的のために、寄附金その他の利益を求め、もしくは受領し、または何らの方法を以てするを問わず、これらの行為に関与し、あるいは選挙権の行使を除く外、人事院規則で定める政治的行為をしてはならない。
第２項　職員は、公選による公職の候補者となることができない。
第３項　職員は、政党その他の政治的団体の役員、政治的顧問、その他これらと同様な役割をもつ構成員となることができない。」
※【参考】「義務教育諸学校における教育の政治的中立の確保に関する臨時措置法第３条　何人も、教育を利用し、特定の政党その他の政治的団体…の政治的勢力の伸長または減退に資する目的をもって、学校教育法 に規定する学校の職員を主たる構成員とする団体…の組織または活動を利用し、義務教育諸学校に勤務する教育職員に対し、これらの者が、義務教育諸学校の児童または生徒に対して、特定の政党等を支持させ、またはこれに反対させる教育を行うことを教唆し、またはせん動してはならない。」
※【参考】「公職選挙法第１３７条　教育者（学校教育法…に規定する学校及び就学前の子どもに関する教育、保育等の総合的な提供の推進に関する法律…に規定する幼保連携型認定こども園の長及び教員をいう。）は、学校の児童、生徒及び学生に対する教育上の地位を利用して選挙運動をすることができない。」

＜研修等＞

□□１４８．教育公務員特例法第２１条以下では、教育公務員に対する次のような研修について規定している。

（１）（　①　）研修…採用から（　②　）以内の教諭等を対象とする研修

（２）（　③　）経験者研修…在職期間が（　③　）に達した教諭等を対象とする研修

（３）（　④　）研修…児童等に対する指導が不適切であると認定された教諭等に対する研修

①初任者、②１年、③１０年、④指導改善。

※①初任者研修について文部科学省は、教員に必要な素養等に関する指導や初任者の授業を観察しての指導、授業を初任者に見せての指導などの校内研修を週１０時間以上・年間３００時間以上行うこととし、かつ、教育センターなどでの講義や演習、企業や福祉施設等での体験、社会奉仕体験や自然体験にかかわる研修、青少年教育施設等での宿泊研修などの校外研修を年間２５日以上実施することとしている。

□□１４９．任命権者は、上記（３）の研修を受けた者の児童等に対する指導の改善の程度に関する（　①　）を行わなければならず、指導の改善が不十分でなお児童等に対する指導を適切に行うことができないとされた教諭等に対しては、（　②　）その他の必要な措置を講ずるものとする。

①認定、②免職。

□□１５０．上記（４）の対象となる指導が不適切な教員とは、知識や技術、指導方法その他教員として求められる資質や能力に問題があるため、日常的に児童生徒への指導を行わせることが適当ではない教諭等のうち、研修によって指導の（　①　）者であり、かつ、ただちに（　②　）等の対象にならない者をいう。

①改善が見込まれる、②分限処分。

※文部科学省「指導が不適切な教員に対する人事管理システムのガイドライン」参照。

□□１５１．「教育公務員特例法第２５条の２第３項　任命権者は、指導改善研修を実施するに当たり、指導改善研修を受ける者の能力、適性等に応じて、その者ごとに指導改善研修に関する（　①　）を作成しなければならない。
第４項　任命権者は、指導改善研修の終了時において、指導改善研修を受けた者の児童等に対する指導の改善の程度に関する（　②　）を行わなければならない。
第５項　任命権者は、第１項及び前項の（　②　）に当たっては、…教育学、医学、心理学その他の児童等に対する指導に関する専門的知識を有する者及び当該任命権者の属する都道府県または市町村の区域内に居住する（　④　）…である者の意見を聴かなければならない。」

①計画書、②認定、③保護者。

□□１５２．「教育公務員特例法第２５条の３　任命権者は、前条第４項の認定において指導の改善が（　①　）でなお児童等に対する指導を適切に行うことができないと認める教諭等に対して、（　②　）その他の必要な措置を講ずるものとする。」

①不十分、②免職。

□□１５３．教員研修の服務上の取扱いについては、次のように分類される。
（１）（　①　）研修…初任者研修や１０年経験者研修などの任命権者が行う法定研修や、校長などの服務監督権者が職務命令として参加を命じた場合の当該研修
（２）（　②　）研修…教育公務員特例法第２２条第２項に基づき、校長等の承認を受けて、職務専念義務を免除されて行う研修
（３）自主研修…各教員が勤務時間外に行う自主的な研修

①職務、②職専免。
※①職務命令として研修への参加を命じられた場合、特段の理由なくこれに参加しないときは、職務命令違反となって懲戒処分の対象となる。
※②教員に職専免研修の権利が付与されるものではないので、校長が当該承認を行うかどうかは、校務運営上の支障の有無や職務との関係、研修内容や実施態様等から総合的に判断することになる。校務や授業に支障がないことからといって校長は承認しなければならないわけではない。

□□１５４．教育公務員特例法第２６条は、教育公務員が、（　①　）を取得するために、（　②　）の課程に在学しこれを履修するための（　②　）修学休業の取得することを認めている。

①専修免許状、②大学院。
※大学院修学休業をしている期間については、給与は支給されない。

<勤務時間等>

□□１５５．公立学校の教員の勤務時間については、地方公務員法第２４条第６項及び地方教育行政法第４２条に基づき、各都道府県の条例等で定められており、休憩時間を除いて１日（　①　）、１週間（　②　）とされている。

①１日７時間４５分、②３８時間４５分
※【参考】「（国家公務員）一般職の職員の勤務時間、休暇等に関する法律第５条第１項　職員の勤務時間は、休憩時間を除き、１週間当たり３８時間４５分とする。」

□□１５６．公立の義務教育諸学校等の教育職員の給与等に関する特別措置法第６条では、管理職を除く教育職員を正規の勤務時間を超えて勤務させる場合は、政令で定める基準に従い条例で定める場合に限るものとしている。これを受けて、公立の義務教育諸学校等の教育職員を正規の勤務時間を超えて勤務させる場合等の基準を定める政令では、次のように定めている。
（１）教育職員については、原則として時間外勤務を（　①　）ものとすること。
（２）教育職員に対し時間外勤務を命ずる場合は、次に掲げる業務に従事する場合であって臨時または緊急のやむを得ない必要があるときに限るものとすること。
イ　校外（　②　）その他生徒の（　②　）に関する業務
ロ　修学旅行その他学校の（　③　）に関する業務
ハ　（　④　）会議に関する業務
ニ　（　⑤　）の場合、児童または生徒の指導に関し緊急の措置を必要とする場合その他やむを得ない場合に必要な業務

①命じない、②実習、③行事、④職員、⑤非常災害。
※②～⑤を「超勤４項目」という。
※超勤を命じられた場合でも、一般公務員とは異なり時間外勤務手当は支給されないが、この場合、校長・副校長・教頭以外の教員を対象に「教職調整額」（給料月額の４％相当額を基準として条例で定められる額）が支給される（同特措法第３条）。

＜教員免許＞

□□１５７．教育職員免許法第３条第１項は、「教育職員は、この法律により授与する各相当の免許状を有する者でなければならない。」として（　①　）主義を採用しているが、その例外として次のようなものがある。

（１）特別（　②　）制度…都道府県教育委員会に届け出ることにより、相当する免許状を持たない者であっても、教科の領域の一部や小学校のクラブ活動等を担当する（　②　）に充てることができる

（２）他校種免許状による専科担任…中学校・高等学校教諭の免許状を持つ者は、小学校の相当する教科や総合的な学習の時間、外国語活動の教授や実習を担任することができる。また、高校の専門教科等の教諭の免許状を持つ者は、中学校の相当する教科と総合的な学習の時間の教授・実習を担任することができる

（３）（　③　）学校の教員…幼稚園・小学校・中学校・高等学校の教諭の免許状を持つ者は、当分の間、（　③　）学校の相当する各部の（主幹・指導）教諭または講師となることができる

（４）免許外教科担任の許可…中学校・高等学校において、特定の教科を担任できる教員を採用することができない場合に、当該学校の校長および主幹教諭等の申請により、都道府県教育委員会は１年以内の期間に限り、当該教科の免許状を持たない主幹教諭等が当該教科を担任することを許可することができる（同法附則第２項）。

（５）養護教諭による保健の教科の教授…養護教諭の免許状を持つ者で３年以上養護をつかさどる主幹または養護教諭として勤務したことがある者は、（　④　）の教科の教授を担任することができる

（６）中等教育学校の教員…中学校・高等学校（　⑤　）の免許状を持つ者は、当分の間、中等教育学校の前期または後期課程における（主幹・指導）教諭または講師となることができる

（７）義務教育学校の教員…小学校・中学校（　⑤　）の免許状を持つ者は、当分の間、義務教育学校の前期または後期課程における教員となることができる

①相当免許状、②非常勤講師、③特別支援、④保健、⑤いずれか。
※（１）教育職員免許法第３条の２参照。
※（２）教育職員免許法第１６条の５、同法施行規則第６６条の３参照。
※（３）教育職員免許法附則第１６項参照。
※（４）教育職員免許法附則第２項参照。
※（５）教育職員免許法附則第１７項参照。
※（６）教育職員免許法附則第１５項参照。
※（７）教育職員免許法附則第２０項参照。

□□１５８.「教育職員免許法第４条第１項　免許状は、（　①　）免許状、（　②　）免許状及び（　③　）免許状とする。
第２項　（　①　）免許状は、学校（義務教育学校、中等教育学校及び幼保連携型認定こども園を除く。）の種類ごとの教諭の免許状、養護教諭の免許状及び栄養教諭の免許状とし、それぞれ（　④　）免許状、（　⑤　）免許状及び（　⑥　）免許状（高等学校教諭の免許状にあっては、（　④　）免許状及び（　⑤　）免許状）に区分する。
第３項　（　②　）免許状は、学校（幼稚園、義務教育学校、中等教育学校及び幼保連携型認定こども園を除く。）の種類ごとの教諭の免許状とする。
４　（　③　）免許状は、学校（義務教育学校、中等教育学校及び幼保連携型認定こども園を除く。）の種類ごとの助教諭の免許状及び養護助教諭の免許状とする。」

①普通、②特別、③臨時、④専修、⑤１種、⑥２種。
※①全国の学校で有効であり、その期間は１０年である（同法第９条第１項参照）。
※②社会的経験を有する者に教育職員検定を経て授与される免許である。授与された都道府県内の学校でのみ有効であり、その期間は１０年である（同法第９条第２項参照）。
※③普通免許状を有する者を採用することができない場合に限って、教育職員検定を経て授与される免許状である。授与された都道府県内の学校でのみ有効であり、その期間は３年である（同法第９条第３項参照）。

□□１５９.「教育職員免許法第９条の２第１項　免許管理者は、普通免許状または特別免許状の有効期間を、その満了の際、その免許状を有する者の申請により（　①　）することができる。
第３項　第１項の規定による（　①　）は、その申請をした者が当該普通免許状または特別免許状の有効期間の満了する日までの文部科学省令で定める（　②　）以上の期間内において免許状（　①　）講習の課程を修了した者である場合または知識技能その他の事項を勘案して免許状（　①　）講習を受ける必要がないものとして文部科学省令で定めるところにより免許管理者が認めた者である場合に限り、行うものとする。
第４項　第１項の規定により（　①　）された普通免許状または特別免許状の有効期間は、（　①　）前の有効期間の満了の日の翌日から起算して（　③　）を経過する日の属する年度の末日までとする。」

①更新、②２年、③１０年。
※当該教員免許更新制は、教員として必要な資質能力が保持されるよう、定期的に最新の知識技能を身につけることで、教員が自信と誇りを持って教壇に立ち、社会の尊敬と信頼を得ることを目的とするものであり、不適格教員の排除を目的とするものではない。
※教育職員免許法第９条の３第３項及び免許状更新講習規則第９条では、現職教員（指導改善研修中の者を除く）や教員採用内定者、教育委員会や学校法人などが作成した臨時任用（非常勤）教員リストに登載されている者、過去に教員として勤務した経験のある者などが当該更新講習の対象者となるとしている。
※当該制度が導入された平成２１年３月３１日以前に授与された（旧）免許状については有効期間の定めはないが、修了確認期限（当該更新制導入後に当該免許状保有者が３５歳・４５歳・５５歳のいずれかの時点で最初に迎える年度末後１０年経過までの時点）までに免許状更新請習修了確認を受けなければ当該免許状は効力を失う（同法附則第２条）。
※②有効期間満了日（修了確認期限）の２年２ヵ月前から２ヵ月前までの間に、文部科学省が認定した大学等で３０時間以上の免許状更新講習を受講・修了した後、免許管理者（都道府県教育委員会）に更新（修了確認）の申請をする（講習免除者であっても申請手続きは必要）。なお、指導改善研修中である教員や、休職中、産休・育休・介護休暇中あるいは病気休暇中である場合、また、地震や積雪その他の自然現象により交通が困難である場合や、海外派遣中、専修免許状取得のため大学等に在籍中である場合などは、免許状の有効期間（修了確認期限）が延長される。

□□１６０. 教育職員免許法施行規則第６１条の４では、免許状更新講習の受講を（　①　）される者について、次のように規定している。

（１）校長、副校長、教頭、主幹教諭（幼保連携型認定こども園の主幹養護教諭及び主幹栄養教諭を含む）、指導教諭、主幹保育教諭または指導保育教諭など

（２）指導主事、社会教育主事その他教育委員会において学校教育または社会教育に関する専門的事項の指導等に関する事務に従事している者として免許管理者が定める者

（３）免許状更新講習の講師

（４）学校における学習指導、生徒指導等に関し、（　②　）顕著な功績があった者に対する表彰等であって免許管理者が指定したものを受けた者

（５）その他前同法各号に掲げる者と同等以上の（　③　）の知識技能を有する者として、文部科学大臣が別に定める者　など

①免除、②特に、③最新。

□□１６１. 免許状更新講習規則第４条では、免許状更新講習の内容について、次のように規定している。なお、（１）（２）については（　①　）時間以上、（３）については（　②　）時間以上の講習であることが求められている。

（１）必修領域…国の（　③　）や世界の教育の動向、教員としての子ども観・教育観等についての省察、子どもの発達に関する脳科学・心理学等における最新の知見（特別支援教育に関するものを含む）、子どもの（　④　）の変化を踏まえた課題

（２）選択必修領域…学校を巡る近年の状況の変化、学習指導要領の改訂の動向等、法令改正及び国の審議会の状況等、様々な問題に対する組織的対応の必要性、学校における（　⑤　）上の課題、教科（　⑥　）的な視点からの教育活動の改善を支える教育課程の編成・実施・評価及び改善の一連の取組、学習指導要領等に基づき育成すべき資質及び能力を育むための習得・活用及び探究の学習過程を見通した指導法の工夫及び改善、教育相談（いじめ及び不登校への対応を含む）、進路指導及びキャリア教育、学校や家庭及び（　⑦　）の連携及び協働、道徳教育、英語教育、国際理解及び異文化理解教育、教育の情報化（情報通信技術を利用した指導及び情報教育（情報モラルを含む）等）、その他文部科学大臣が必要と認める内容

（３）選択領域…幼児・児童・生徒に対する教科指導及び生徒指導上の課題

①６、②１８、③教育政策、④生活、⑤危機管理、⑥横断、⑦地域。

※（１）必修領域とは、全ての受講者が受講する領域をいう。

※（２）選択必修領域とは、受講者が所有する免許状の種類、勤務する学校の種類または教育職員としての経験に応じ、選択して受講する領域をいう。

※（３）選択領域とは、受講者が任意に選択して受講する領域をいう。

□□１６２．「教育職員免許法第１０条第１項　免許状を有する者が、次の各号のいずれかに該当する場合には、その免許状はその（　①　）。
一　第５条第１項第３号、第４号または第７号に該当するに至つたとき。
二　公立学校の教員であって（　②　）の処分を受けたとき。
三　公立学校の教員であって、地方公務員法…第２８条第１項第１号または第３号に該当するとして（　③　）の処分を受けたとき。」

①効力を失う、②懲戒免職、③分限免職。
※①教員免許状が失効する場合は、上記のには非違行為等による懲戒免職や分限免職等による場合と、更新講習を受講・修了しなかった場合とがある。前者の場合は速やかに免許状を免許管理者に返納しなければならず、その後３年間は新たな免許状の授与を受けることはできないのに対し、後者の場合は更新講習を受講し修了確認を受ければ有効な免許状の授与を受けることができる。
※【参照】「教育職員免許法第５条第１項　普通免許状は、別表…に定める基礎資格を有し、かつ、大学（等）において別表…に定める単位を修得した者またはその免許状を授与するため行う教育職員検定に合格した者に授与する。ただし、次の各号のいずれかに該当する者には、授与しない。
一　１８歳未満の者
二　高等学校を卒業しない者（通常の課程以外の課程におけるこれに相当するものを修了しない者を含む。）。ただし、文部科学大臣において高等学校を卒業した者と同等以上の資格を有すると認めた者を除く。
三　成年被後見人または被保佐人
四　禁錮以上の刑に処せられた者
五　第１０条第１項第２号または第３号に該当することにより免許状がその効力を失い、当該失効の日から３年を経過しない者
六　第１１条第１項から第３項までの規定により免許状取上げの処分を受け、当該処分の日から３年を経過しない者
七　日本国憲法施行の日以後において、日本国憲法またはその下に成立した政府を暴力で破壊することを主張する政党その他の団体を結成し、またはこれに加入した者」

□□１６３．教育職員免許法第１１条は、免許管理者は、教員が、（　①　）免職や（　②　）処分の事由に相当する事由により（　③　）されたと認められるときは、その免許状を取り上げなければならないと定めている。

①懲戒、②分限、③解雇。
※当該取り上げ処分の日から３年を経過しない者には、新たな免許状を授与することはできない（同法第５条第１項第６号参照）。

第４章　児童生徒

＜就学等＞

□□１６４．学校教育法施行令第１条では、市町村の教育委員会は、当該市町村の区域内に住所を有する学齢児童及び学齢生徒について、当該市町村の（　①　）に基づいて（　②　）を編製しなければならないと規定している。（　②　）とは、学齢児童生徒の保護者の（　③　）の発生や消滅、履行状況を把握し、（　④　）の完全実施の確保を目的とする帳簿のことをいう。

①住民基本台帳、②学齢簿、③就学義務、④完全実施。

□□１６５．学校教育法施行令第５条第１項は、市町村の教育委員会は、翌学年の初めから小学校、中学校、義務教育学校、中等教育学校または特別支援学校に就学させるべき就学予定者のうち、（　①　）以外の者について、その保護者に対し、翌学年の初めから（　②　）前までに、小学校、中学校または義務教育学校の（　③　）を通知しなければならないと規定している。また、同第２項では、市町村の教育委員会は、当該市町村の設置する小学校及び義務教育学校の数の合計数が二以上である場合または当該市町村の設置する中学校…及び義務教育学校の数の合計数が二以上である場合においては、前項の通知において当該就学予定者の就学すべき小学校、中学校または義務教育学校を指定しなければならないとしている。

①認定特別支援学校就学者、②２ヶ月、③入学期日、④指定。
※①視覚障害者、聴覚障害者、知的障害者、肢体不自由者または病弱者（身体虚弱者を含む）で、その障害が、第２２条の３の表に規定する程度のもののうち、当該市町村の教育委員会が、その者の障害の状態、その者の教育上必要な支援の内容、地域における教育の体制の整備の状況その他の事情を勘案して、その住所の存する都道府県の設置する特別支援学校に就学させることが適当であると認める者をいう。これについては、第１８条の２において、市町村の教育委員会は、当該障害者等について、当該通知をしようとするときは、その保護者及び教育学、医学、心理学その他の障害のある児童生徒等の就学に関する専門的知識を有する者の意見を聴くものとすると定めている。
※【参考】「学校教育法施行規則第３２条第１項　市町村の教育委員会は、学校教育法施行令第５条第２項…の規定により就学予定者の就学すべき小学校、中学校又は義務教育学校（次項において「就学校」という。）を指定する場合には、あらかじめ、その保護者の意見を聴取することができる。この場合においては、意見の聴取の手続に関し必要な事項を定め、公表するものとする。」
第２項　市町村の教育委員会は、学校教育法施行令第５条第２項の規定による就学校の指定に係る通知において、その指定の変更についての同令第８条に規定する保護者の申立ができる旨を示すものとする。」

□□１６６．「学校教育法施行令第１９条　小学校、中学校、義務教育学校、中等教育学校及び特別支援学校の（　①　）は、常に、その学校に在学する学齢児童または学齢生徒の（　②　）を明らかにしておかなければならない。」

①校長、②出席状況。

□□１６７．「学校教育法施行令第２０条　小学校、中学校、義務教育学校、中等教育学校及び特別支援学校の校長は、当該学校に在学する学齢児童または学齢生徒が、休業日を除き引き続き（　①　）間出席せず、その他その出席状況が良好でない場合において、その出席させないことについて保護者に（　②　）がないと認められるときは、速やかに、その旨を当該学齢児童または学齢生徒の住所の存する市町村の教育委員会に（　③　）しなければならない。
同第２１条　市町村の教育委員会は、前条の通知を受けたときその他当該市町村に住所を有する学齢児童または学齢生徒の保護者が（学校教育）法第１７条第１項または第２項に規定する義務を怠っていると認められるときは、その保護者に対して、当該学齢児童または学齢生徒の出席を（　④　）しなければならない。」

①７日、②正当な理由、③通知、④督促。

＜懲戒等＞

□□１６８．児童生徒等への懲戒は、次の２つに大別される。
（１）（　①　）としての懲戒…児童生徒等を実際に叱ったり、一定時間廊下に立たせたりするなど、（　②　）効果を伴わない懲戒行為
（２）（　②　）効果を伴う懲戒…退学や停学など、その懲戒対象となる児童生徒等が学校等で授業等を受けられる等といった（　②　）な地位や権利に変動を生じさせる懲戒行為

①事実行為、②法的。
※①は校長も含む教員が行うことができるが、②は校長のみ行うことができる。
※①児童生徒に肉体的苦痛を与えるものでない限り、注意、叱責、居残り、別室指導、起立、宿題、清掃、学校当番の割当て、文書指導などがある。
※学校教育法第３５条に規定されている性行不良による児童生徒の出席停止は、懲戒として行われるものではなく、学校の秩序を維持し他の児童生徒の義務教育を受ける権利を保障することを目的とする措置である。文部科学省初等中等教育局長通知「問題行動を起こす児童生徒に対する指導について」では、問題の生徒を教室外に退去させることについて、単に授業に遅刻したことや、授業中学習を怠けたこと等を理由として、児童生徒を教室に入れずまたは教室から退去させ、指導を行わないままに放置することは、義務教育における懲戒の手段としては許されないとする一方、授業中に当該児童生徒を教室内に入れずまたは教室から退去させる場合であっても、その児童生徒のために当該授業に代わる指導が別途行われるのであれば、懲戒の手段としてこれを行うことは差し支えないとしている。その上で、児童生徒が学習を怠り、喧騒その他の行為により他の児童生徒の学習を妨げるような場合には、他の児童生徒の学習上の妨害を排除し教室内の秩序を維持するため、やむを得ず教室外に退去させることはそもそも懲戒に当たらず、教育上必要な措置として差し支えないとされている。

□□１６９．「学校教育法第１１条　校長及び教員は、（　①　）必要があると認めるときは、文部科学大臣の定めるところにより、児童、生徒及び学生に（　②　）を加えることができる。ただし、（　③　）を加えることはできない。」

①教育上、②懲戒、③体罰。

□□１７０.「学校教育法施行規則第２６条第１項　（　①　）及び教員が児童等に懲戒を加えるに当たっては、児童等の心身の発達に応ずる等（　②　）をしなければならない。
第２項　懲戒のうち、（　③　）、（　④　）及び訓告の処分は、（　①　）が行う。
第３項　前項の（　③　）は、公立の小学校、中学校…、義務教育学校または特別支援学校に在学する学齢児童または学齢生徒を除き、次の各号のいずれかに該当する児童等に対して行うことができる。
一　性行不良で改善の見込がないと認められる者
二　学力劣等で成業の見込がないと認められる者
三　正当の理由がなくて出席常でない者
四　学校の秩序を乱し、その他学生または生徒としての本分に反した者
第４項　第２項の（　④　）は、学齢児童または学齢生徒に対しては、行うことができない。」

①校長、②教育上必要な配慮、③退学、④停学。
※①大学にあっては、学長の委任を受けた学部長を含まれる。
※②懲戒は、単なる制裁ではなく、学校の規律保持と生徒指導の一環として行われる教育上の措置であり、教育的効果を持つものとなるような配慮が求められる。
※③義務教育を保障する観点から、公立義務教育諸学校に在学する学齢児童生徒に対しては行うことができないとされ、停学についても義務教育を受ける権利を保障すべく、国公私立を問わず、義務教育諸学校の児童生徒については行うことはできないとされている。

□□１７１．文部科学省初等中等教育局通知「体罰の禁止及び児童生徒理解に基づく指導の徹底について」では、体罰について、「体罰は、学校教育法第１１条において（　①　）されており、校長及び教員は、児童生徒への指導に当たり、（　②　）も体罰を行ってはならない。体罰は、（　③　）であるのみならず、児童生徒の心身に深刻な悪影響を与え、教員等及び学校への信頼を失墜させる行為である。」としている。

①禁止、②いかなる場合、③違法行為。

□□１７２．文部科学省初等中等教育局通知「体罰の禁止及び児童生徒理解に基づく指導の徹底について」では、懲戒と体罰の区別について、「教員等が児童生徒に対して行った懲戒行為が体罰に当たるかどうかは、当該児童生徒の年齢、健康、心身の発達状況、当該行為が行われた場所的及び時間的環境、懲戒の態様等の諸条件を（　①　）的に考え、個々の事案ごとに判断する必要がある。この際、単に、懲戒行為をした教員等や、懲戒行為を受けた児童生徒・保護者の（　②　）のみにより判断するのではなく、諸条件を（　③　）的に考慮して判断すべきである。」としている。

①総合、②主観、③客観。

□□１７３．文部科学省初等中等教育局通知「体罰の禁止及び児童生徒理解に基づく指導の徹底について」では、児童生徒の暴力行為等への対応について、「児童生徒から教員等に対する暴力行為に対して、教員等が防衛のためにやむを得ずした有形力の行使は、もとより教育上の措置たる懲戒行為として行われたものではなく、これにより身体への侵害または肉体的苦痛を与えた場合は体罰には該当しない。また、他の児童生徒に被害を及ぼすような暴力行為に対して、これを制止したり、目前の危険を回避したりするために（　①　）した有形力の行使についても、同様に体罰に当たらない。これらの行為については、（　②　）または（　③　）等として（　④　）または（　⑤　）の責めを免れうる。」としている。

①やむを得ず、②正当防衛、③正当行為、④刑事上、⑤民事上。

□□１７４．違法な体罰を行った教員は、次のような責任を問われることがある。
（１）（　①　）上の責任…暴行罪や傷害罪、監禁罪など刑法上の犯罪が成立しうる
（２）（　②　）上の責任…児童生徒の保護者から（　③　）を請求されうる

①刑事、②民事、③不法行為による損害賠償。

□□１７５．違法な体罰を行った教員が、公立学校の教員である場合は、上記の責任は次のようになる。
（１）（　①　）の責任…上記（１）と同様
（２）（　②　）の責任…国家賠償法第１条第１項に基づき、（　③　）が当該児童生徒側に対して賠償責任を負う
地方公務員法第３２条の法令等の遵守義務違反あるいは同法第３３条信用失墜行為に該当すれば（　④　）の対象となる

①刑事、②行政、③地方公共団体、④懲戒処分。

□□１７６．上記（２）の場合に関して、国家賠償法第１条第２項に、当該教員（公務員）に対して直接損害賠償を請求することは（　①　）が、当該教員に（　②　）または（　③　）があるときは、地方公共団体は当該教員に対して（　④　）を行使することができるとしている。

①できない、②故意、③重大な過失（重過失）、④求償権。

□□１７７．違法な体罰を行った教員が、私立学校の教員であった場合、当該学校は、次の規定に基づく責任を負うことがある。
「民法第７１５条第１項　ある事業のために他人を（　①　）する者は、（　②　）者がその事業の執行について第三者に加えた（　③　）する責任を負う。ただし、（　①　）者が（　②　）者の（　④　）及びその事業の（　⑤　）について相当の注意をしたとき、または相当の注意をしても損害が生ずべきであったときは、この限りでない。
第３項　前２項の規定は、（　①　）者…から（　②　）者に対する（　⑥　）の行使を妨げない。」

①使用、②被用、③損害を賠償、④選任、⑤監督、⑥求償権。
※本条に基づき使用者が負う責任を「使用者責任」という。

＜いじめ防止対策推進法＞

□□１７８.「いじめ防止対策推進法第１条　この法律は、いじめが、いじめを受けた児童等の教育を受ける権利を（　①　）し、その心身の健全な成長及び人格の形成に（　②　）な影響を与えるのみならず、その生命または身体に（　②　）な（　③　）を生じさせるおそれがあるものであることに鑑み、児童等の尊厳を保持するため、いじめの防止等（いじめの防止、いじめの（　④　）及びいじめへの対処をいう。以下同じ。）のための対策に関し、基本理念を定め、国及び地方公共団体等の（　⑤　）を明らかにし、並びにいじめの防止等のための対策に関する基本的な方針の策定について定めるとともに、いじめの防止等のための対策の基本となる事項を定めることにより、いじめの防止等のための対策を総合的かつ効果的に推進することを目的とする。」

①著しく侵害、②重大、③危険、④早期発見、⑤責務。

□□１７９.「いじめ防止対策推進法第２条第１項　この法律において「いじめ」とは、児童等に対して、当該児童等が在籍する学校に在籍している等当該児童等と一定の（　①　）にある他の児童等が行う（　②　）的または（　③　）的な影響を与える行為（（　④　）を通じて行われるものを含む。）であって、当該行為の対象となった児童等が（　⑤　）を感じているものをいう。」

①人的関係、②心理、③物理、④インターネット、⑤心身の苦痛。

□□１８０.「いじめ防止対策推進法第３条第１項　いじめの防止等のための対策は、いじめが（　①　）の児童等に関係する問題であることに鑑み、児童等が安心して学習その他の活動に取り組むことができるよう、学校の（　②　）を問わずいじめが行われなくなるようにすることを旨として行われなければならない。
第２項　いじめの防止等のための対策は、（　①　）の児童等がいじめを行わず、及び他の児童等に対して行われるいじめを認識しながらこれを（　③　）することがないようにするため、いじめが児童等の心身に及ぼす影響その他のいじめの問題に関する児童等の理解を深めることを旨として行われなければならない。
第３項　いじめの防止等のための対策は、いじめを受けた児童等の生命及び心身を（　④　）することが特に重要であることを認識しつつ、国、地方公共団体、学校、（　⑤　）、家庭その他の関係者の連携の下、いじめの問題を（　⑥　）することを目指して行われなければならない。」

①全て、②内外、③放置、④保護、⑤地域住民、⑥克服。

□□１８１.「いじめ防止対策推進法第４条　児童等は、（　　　）。」

いじめを行ってはならない。

□□１８２．「いじめ防止対策推進法第８条　学校及び学校の（　①　）は、基本理念にのっとり、当該学校に在籍する児童等の保護者、地域住民、（　②　）その他の関係者との連携を図りつつ、学校全体でいじめの防止及び早期発見に取り組むとともに、当該学校に在籍する児童等がいじめを受けていると思われるときは、適切かつ迅速にこれに対処する（　③　）。」

①教職員、②児童相談所、③責務を有する。

□□１８３．「いじめ防止対策推進法第１３条　学校は、いじめ防止基本方針または地方いじめ防止基本方針を参酌し、その学校の（　①　）に応じ、当該学校におけるいじめの防止等のための対策に関する基本的な（　②　）を定めるものとする。」

①実情、②方針。

□□１８４．「いじめ防止対策推進法第１４条第１項　地方公共団体は、いじめの防止等に関係する機関及び団体の連携を図るため、条例の定めるところにより、学校、教育委員会、児童相談所、法務局または地方法務局、都道府県（　①　）その他の関係者により構成されるいじめ問題対策連絡協議会を（　②　）。」

①警察、②置くことができる。

□□１８５．「いじめ防止対策推進法第１５条第１項　学校の設置者及びその設置する学校は、児童等の豊かな情操と（　①　）心を培い、心の通う対人交流の能力の素地を養うことがいじめの（　②　）に資することを踏まえ、全ての教育活動を通じた（　①　）教育及び（　③　）等の充実を図らなければならない。」

①道徳、②防止、③体験活動。

□□１８６．「いじめ防止対策推進法第１６条第１項　学校の設置者及びその設置する学校は、当該学校におけるいじめを（　①　）するため、当該学校に在籍する児童等に対する（　②　）その他の必要な措置を講ずるものとする。
第３項　学校の設置者及びその設置する学校は、当該学校に在籍する児童等及びその保護者並びに当該学校の教職員がいじめに係る（　③　）を行うことができる体制…を整備するものとする。」

①早期に発見、②定期的な調査、③相談。

□□１８７．「いじめ防止対策推進法第１８八条第２項　学校の設置者及びその設置する学校は、当該学校の教職員に対し、いじめの防止等のための対策に関する（　①　）の実施その他のいじめの防止等のための対策に関する資質の向上に必要な措置を（　②　）的に行わなければならない。」

①研修、②計画。

□□１８８.「いじめ防止対策推進法第２２条　学校は、当該学校におけるいじめの防止等に関する措置を実効的に行うため、当該学校の（　①　）の教職員、心理、福祉等に関する（　②　）的な知識を有する者その他の関係者により構成されるいじめの防止等の対策のための（　③　）を置くものとする。」

①複数、②専門、③組織。

□□１８９.「いじめ防止対策推進法第２３条第１項　学校の教職員、地方公共団体の職員その他の児童等からの（　①　）に応じる者及び児童等の保護者は、児童等からいじめに係る（　①　）を受けた場合において、いじめの事実があると（　②　）ときは、いじめを受けたと（　②　）児童等が在籍する学校への（　③　）その他の適切な措置をとるものとする。
第２項　学校は、前項の規定による（　③　）を受けたときその他当該学校に在籍する児童等がいじめを受けていると（　②　）ときは、速やかに、当該児童等に係るいじめの事実の有無の（　④　）を行うための措置を講ずるとともに、その結果を当該学校の設置者に（　⑤　）するものとする。
第３項　学校は、前項の規定による事実の（　④　）によりいじめがあったことが（　④　）された場合には、いじめをやめさせ、及びその（　⑥　）を防止するため、当該学校の（　⑦　）の教職員によって、心理、福祉等に関する専門的な知識を有する者の協力を得つつ、いじめを受けた児童等またはその保護者に対する（　⑧　）及びいじめを行った児童等に対する（　⑨　）またはその保護者に対する（　⑩　）を（　⑪　）的に行うものとする。
第６項　学校は、いじめが（　⑫　）行為として取り扱われるべきものであると認めるときは所轄（　⑬　）と連携してこれに対処するものとし、当該学校に在籍する児童等の生命、身体または財産に（　⑭　）が生じるおそれがあるときは直ちに所轄（　⑬　）に（　③　）し、適切に、援助を求めなければならない。」

①相談、②思われる、③通報、④確認、⑤報告、⑥再発、⑦複数、⑧支援、⑨指導、⑩助言、⑪継続、⑫犯罪、⑬警察署、⑭重大な被害。
※学校は、第３項の場合において必要があると認めるときは、いじめを行った児童等についていじめを受けた児童等が使用する教室以外の場所において学習を行わせる等いじめを受けた児童等その他の児童等が安心して教育を受けられるようにするために必要な措置を講ずるものとする（同法第４項）。
※学校は、当該学校の教職員が第３項の規定による支援または指導もしくは助言を行うに当たっては、いじめを受けた児童等の保護者といじめを行った児童等の保護者との間で争いが起きることのないよう、いじめの事案に係る情報をこれらの保護者と共有するための措置その他の必要な措置を講ずるものとする（同法第５項）。

□□１９０.「いじめ防止対策推進法第２５条　校長及び教員は、当該学校に在籍する児童等がいじめを行っている場合であって教育上必要があると認めるときは、学校教育法第１１条の規定に基づき、適切に、当該児童等に対して（　　　）を加えるものとする。」

懲戒。

□□１９１．「いじめ防止対策推進法第２６条　市町村の教育委員会は、いじめを行った児童等の保護者に対して学校教育法第３５条第１項…の規定に基づき当該児童等の（　①　）を命ずる等、いじめを受けた児童等その他の児童等が（　②　）して教育を受けられるようにするために必要な措置を速やかに講ずるものとする。」

①出席停止、②安心。

□□１９２．「いじめ防止対策推進法第２８条　学校の設置者またはその設置する学校は、次に掲げる…「重大事態」…に対処し、及び当該重大事態と同種の事態の発生の防止に資するため、速やかに、当該学校の設置者またはその設置する学校の下に（　①　）を設け、（　②　）の使用その他の適切な方法により当該重大事態に係る（　③　）を（　④　）にするための調査を行うものとする。
一　いじめにより当該学校に在籍する児童等の生命、心身または財産に重大な被害が生じた（　⑤　）があると認めるとき。
二　いじめにより当該学校に在籍する児童等が相当の期間学校を欠席することを余儀なくされている（　⑤　）があると認めるとき。
第２項　学校の設置者またはその設置する学校は、前項の規定による調査を行ったときは、当該調査に係るいじめを受けた児童等及びその保護者に対し、当該調査に係る重大事態の（　③　）等その他の必要な情報を適切に（　⑥　）するものとする。」

①組織、②質問票、③事実関係、④明確、⑤疑い、⑥提供。

□□１９３．「いじめ防止対策推進法第３０条第１項　地方公共団体が設置する学校は、第２８条第１項各号に掲げる場合には、当該地方公共団体の教育委員会を通じて、（　①　）が発生した旨を、当該地方公共団体の（　②　）に報告しなければならない。
第２項　前項の規定による報告を受けた地方公共団体の（　②　）は、当該報告に係る（　①　）への対処または当該（　①　）と同種の事態の発生の防止のため必要があると認めるときは、附属機関を設けて（　③　）を行う等の方法により、第２８条第１項の規定による調査の結果について（　③　）を行うことができる。
第３項　地方公共団体の（　②　）は、前項の規定による（　③　）を行ったときは、その結果を（　④　）に報告しなければならない。」

①重大事態、②長、③調査、④議会。

□□１９４．「いじめ防止対策推進法第３４条　学校の（　①　）を行う場合においていじめの防止等のための対策を取り扱うに当たっては、いじめの事実が（　②　）されず、並びにいじめの実態の把握及びいじめに対する措置が適切に行われるよう、いじめの早期発見、いじめの再発を防止するための取組等について適正に（　①　）が行われるようにしなければならない。」

①評価、②隠蔽。

第５章　教育課程

＜学習指導要領＞

□□１９５．（　①　）とは、（　②　）的に一定の教育水準を確保することを目的として、各学校で教育課程（カリキュラム）を編成する際の基準のことをいう。（①　）では、小学校、中学校、高等学校等ごとに、各教科等の目標や大まかな教育内容を定めている。

①学習指導要領、②全国。
※また、学校教育法施行規則では、小・中学校の教科等の年間の標準授業時数等が定められており、各学校では、学習指導要領及び年間の標準授業時数等を踏まえ、地域や学校の実態に応じた教育課程（カリキュラム）を編成している。

□□１９６．上記①の学習指導要領には、法的拘束力はあるか。

ある。各学校は、教育課程（カリキュラム）の編成にあたっては、学習指導要領に基づいて行うのが原則である。但し、学習指導要領に示す教科等の目標や内容等は、大綱的なものとなっており、各学校の事情を踏まえ、特色ある教育活動を進めることができるようになっている。また、学習指導要領に示された内容は、全ての児童生徒に対して確実に指導しなければならない最低基準を示すものであるから、児童生徒の学習状況などに応じて、学習指導要領に示していない内容を加えることなども可能である。

<教育課程>

□□197．（　①　）とは、学校教育の目的や目標を達成するために、教育の内容を児童生徒の心身の発達に応じ、授業時間数との関連において総合的に組織した学校の（　②　）のことをいう。

①教育課程（カリキュラム）、②教育計画。
※【参考】「学校教育法施行規則第５０条第１項　小学校の教育課程は、国語、社会、算数、理科、生活、音楽、図画工作、家庭及び体育の各教科…、道徳、外国語活動、総合的な学習の時間並びに特別活　動によって編成するものとする。
第２項　私立の小学校の教育課程を編成する場合は、前項の規定にかかわらず、宗教を加えることができる。この場合においては、宗教をもって前項の道徳に代えることができる。
同第５１条　小学校…の各学年における各教科、道徳、外国語活動、総合的な学習の時間及び特別活動のそれぞれの授業時数並びに各学年におけるこれらの総授業時数は、別表第一に定める授業時数を標準とする。
同第５２条　小学校の教育課程については、この節に定めるもののほか、教育課程の基準として文部科学大臣が別に公示する小学校学習指導要領によるものとする。」
※【参考】「学校教育法施行規則第７２条　中学校の教育課程は、国語、社会、数学、理科、音楽、美術、保健体育、技術・家庭及び外国語の各教科（以下本章及び第七章中「各教科」という。）、道徳、総合的な学習の時間並びに特別活動によって編成するものとする。
同第７３条　中学校…の各学年における各教科、道徳、総合的な学習の時間及び特別活動のそれぞれの授業時数並びに各学年におけるこれらの総授業時数は、別表第二に定める授業時数を標準とする。
同第７４条　中学校の教育課程については、この章に定めるもののほか、教育課程の基準として文部科学大臣が別に公示する中学校学習指導要領によるものとする。」
※【参考】「学校教育法施行規則第８３条　高等学校の教育課程は、別表第三に定める各教科に属する科目、総合的な学習の時間及び特別活動によって編成するものとする。
同第８４条　高等学校の教育課程については、この章に定めるもののほか、教育課程の基準として文部科学大臣が別に公示する高等学校学習指導要領によるものとする。
同第８５条　高等学校の教育課程に関し、その改善に資する研究を行うため特に必要があり、かつ、生徒の教育上適切な配慮がなされていると文部科学大臣が認める場合においては、文部科学大臣が別に定めるところにより、前２条の規定によらないことができる。」

□□１９８．上記の例外として、特別の教育課程によることができる場合としては、次のようなものがある。

（１）（　①　）開発学校制度…教育課程の改善に資する（　①　）を行うため特に必要があり、かつ、児童生徒の教育上適切な配慮がなされていると文部科学大臣が認める場合においては、学校教育法施行規則の規定によらないで教育課程を編成することができる

（２）教育課程（　②　）校制度…学校や地域の実態に照らし、より効果的な教育を実施するため、学校や地域の特色を生かした特別の教育課程を編成して教育を実施する必要があり、かつ、教育基本法及び学校教育法の規定等に照らして適切であって、児童生徒の教育上適切な配慮がなされているものと文部科学大臣が定める基準を満たしている場合においては、学校教育法施行規則の規定によらないで教育課程を編成することができる

（３）（　③　）児童生徒を対象とした教育課程の特例…学校生活への適応が困難であるため相当の期間にわたって小学校・中学校・高等学校を欠席しており、かつ、引き続き欠席すると認められる児童生徒に対して、その実態に配慮した特別の教育課程を編成・実施する必要があると文部科学大臣が認める場合においては学校教育法施行規則の規定によらないことができる

（４）（　④　）指導が必要な児童生徒を対象とした教育課程の特例…（　④　）に通じない児童生徒のうち、その（　④　）の能力に応じた特別の指導を行う必要がある者を教育する場合には、特別の教育課程によることができる

（５）（　⑤　）の教育課程の特例…小学校・中学校等の（　⑤　）において、とくに必要がある場合には，特別の教育課程によることができる

（６）（　⑥　）による指導を行う場合の教育課程の特例…小学校・中学校の（　⑥　）に在籍する児童生徒で、障害に応じた特別の指導を行う必要がある場合には、特別の教育課程によることができる

①研究、②特例、③不登校、④日本語、⑤特別支援学級、⑥通級（通常学級）。
※①学校教育法施行規則第５５条。
※②同規則第５５条の２。
※③同規則第５６条。
※④同規則第５６条の２及び５６条の３。
※⑤同規則第１３８条及び１３９条。
※⑥同規則第１４０条。

<教材等>

□□１９９．学校教育法第３４条等により、小学校・中学校・高等学校等においては、文部科学大臣の（　①　）を経た（　②　）または文部科学省が著作の名義を有する（　②　）を使用しなければならないとしているが、（　②　）以外の図書その他の教材で（　③　）なものを使用することも認められている。

①検定、②教科用図書（教科書）、③有益適切。

※【参照】「教科書の発行に関する臨時措置法第２条第１項　この法律において「教科書」とは、小学校、中学校、義務教育学校、高等学校、中等教育学校及びこれらに準ずる学校において、教育課程の構成に応じて組織排列された教科の主たる教材として、教授の用に供せられる児童または生徒用図書であつて、文部科学大臣の検定を経たものまたは文部科学省が著作の名義を有するものをいう。」

□□２００．文部科学省初等中等教育局通知「学校における補助教材の適切な取扱いについて」では、補助教材を使用する際の留意点として、次のような点を指摘している。

（１）教育基本法や学校教育法、学習指導要領等の（　①　）従っていること

（２）使用される学年の児童生徒の心身の発達の（　②　）に即していること

（３）多様な見方や考え方のできる事柄や未確定な事柄を取り上げる場合には、特定の見方や考え方に（　③　）取り扱いとならないことに留意すること

（４）補助教材の購入に関して保護者等に経済的負担が生じる場合は、その負担が（　④　）なものとならないよう留意すること

①趣旨、②段階、③偏った、④過重。

※補助教材の使用に関する地方行政組織法第３３条第２項参照。

□□２０１．著作権法第３５条第１項では、学校その他の教育機関における複製等について、「学校その他の教育機関（（　①　）を目的として設置されているものを除く。）において教育を担任する者及び授業を受ける者は、その授業の過程における使用に供することを目的とする場合には、必要と認められる限度において、公表された著作物を（　②　）することができる。ただし、当該著作物の種類及び用途並びにその複製の（　③　）及び態様に照らし著作権者の利益を不当に害することとなる場合は、この限りでない。」と定めている。

①営利、②複製、③部数。

＜指導要録等＞

□□２０２．「学校教育法施行規則第２４条第１項　（　①　）は、その学校に在学する児童等の（　②　）を作成しなければならない。
第２項　（　①　）は、児童等が進学した場合においては、その作成に係る当該児童等の（　②　）の抄本または写しを作成し、これを進学先の校長に（　③　）しなければならない。
第３項　（　①　）は、児童等が転学した場合においては、その作成に係る当該児童等の（　②　）の写し…を転学先の校長（等）に（　③　）しなければならない。」

①校長、②指導要録、③送付。
※②学校教育法施行令第３１条に規定する児童等の学習及び健康の状況を記録した書類の原本をいう。指導要録には次のような事項を記載する。
・学籍に関する記録…児童生徒の氏名や住所、入学や転入学及び進学先、保護者氏名、学校名、校長や担任名など
・指導に関する記録…各教科等の観点別学習状況及び評定、外国語活動や総合的な学習の時間及び特別活動の各記録、行動の記録のほか、総合所見および指導上参考となる諸事項、出欠の記録など

□□２０３．「学校教育法施行規則第２８条第１項　学校において備えなければならない表簿は、概ね次のとおりとする。
一　学校に関係のある法令
二　学則、日課表、教科用図書配当表、学校医執務記録簿、学校歯科医執務記録簿、学校薬剤師執務記録簿及び学校日誌
三　職員の名簿、履歴書、出勤簿並びに担任学級、担任の教科または科目及び時間表
四　指導要録、その写し及び抄本並びに出席簿及び健康診断に関する表簿
五　入学者の選抜及び成績考査に関する表簿
六　資産原簿、出納簿及び経費の予算決算についての帳簿並びに図書機械器具、標本、模型等の教具の目録
七　往復文書処理簿
第２項　前項の表簿…は、別に定めるもののほか、（　①　）間保存しなければならない。ただし、指導要録及びその写しのうち入学、卒業等の学籍に関する記録については、その保存期間は、（　②　）間とする。」

①５年、②２０年。

第６章　学校安全

＜学校保健安全法＞

□□２０４.「学校保健安全法第１条　この法律は、学校における（　①　）等及び（　②　）の健康の保持増進を図るため、学校における（　③　）管理に関し必要な事項を定めるとともに、学校における教育活動が（　④　）な環境において実施され、児童生徒等の（　④　）の確保が図られるよう、学校における（　④　）管理に関し必要な事項を定め、もって学校教育の円滑な実施とその成果の確保に資することを目的とする。」

①児童生徒、②職員、③保健、④安全。

□□２０５.「学校保健安全法第７条　学校には、健康診断、（　①　）、保健指導、救急処置その他の保健に関する措置を行うため、（　②　）を設けるものとする。
同第８条　学校においては、児童生徒等の心身の健康に関し、（　①　）を行うものとする。

①健康相談、②保健室。

□□２０６.「学校保健安全法第９条　養護教諭その他の職員は、相互に（　①　）して、健康相談または児童生徒等の健康状態の日常的な観察により、児童生徒等の心身の状況を（　②　）し、健康上の問題があると認めるときは、遅滞なく、当該児童生徒等に対して必要な（　③　）を行うとともに、必要に応じ、その（　④　）に対して必要な助言を行うものとする。」

①連携、②把握、③指導、④保護者。

□□２０７.「学校保健安全法第１１条　市町村の（　①　）は、学校教育法第１７条第１項の規定により翌学年の初めから同項に規定する学校に就学させるべき者で、当該市町村の区域内に住所を有するものの就学に当たつて、その（　②　）を行わなければならない。
同第１２条　市町村の（　①　）は、前条の（　②　）の結果に基づき、（　③　）を勧告し、保健上必要な助言を行い、及び学校教育法第１７条第１項に規定する義務の猶予若しくは免除または（　④　）への就学に関し指導を行う等適切な措置をとらなければならない。」

①教育委員会、②健康診断、③治療、④特別支援学校。

□□２０８.「学校保健安全法第１３条第１項　学校においては、毎学年（　①　）に、児童生徒等（通信による教育を受ける学生を除く。）の（　②　）を行わなければならない。」

①定期、②健康診断。

※①必要があるときは、臨時に行うことができる（同法第２項）。

※【参照】「学校保健安全法施行規則第５条第１項　法第１３条第１項の健康診断は、毎学年、６月３０日までに行うものとする。ただし、疾病その他やむを得ない事由によって当該期日に健康診断を受けることのできなかつた者に対しては、その事由のなくなった後すみやかに健康診断を行うものとする。

同第６条第１項　法第１３条第１項の健康診断における検査の項目は、次のとおりとする。

一　身長及び体重

二　栄養状態

三　脊柱及び胸郭の疾病及び異常の有無並びに四肢の状態

四　視力及び聴力

五　眼の疾病及び異常の有無

六　耳鼻咽頭疾患及び皮膚疾患の有無

七　歯及び口腔の疾病及び異常の有無

八　結核の有無

九　心臓の疾病及び異常の有無

十　尿

十一　その他の疾病及び異常の有無

第２項　前項各号に掲げるもののほか、胸囲及び肺活量、背筋力、握力等の機能を、検査の項目に加えることができる。」

□□２０９.「学校保健安全法第１４条　学校においては、前条の健康診断の結果に基づき、疾病の（　①　）処置を行い、または（　②　）を指示し、並びに運動及び作業を（　③　）する等適切な措置をとらなければならない。」

①予防、②治療、③軽減。

□□２１０.「学校保健安全法第１５条第１項　学校の設置者は、毎学年（　①　）に、学校の（　②　）の健康診断を行わなければならない。」

①定期、②職員。

※①必要があるときは、臨時に行うことができる（同法第２項）。

※②当該健康診断の結果に基づき、治療を指示し、及び勤務を軽減する等適切な措置をとらなければならない（同法第１６条）。

□□２１１.「学校保健安全法第１８条　学校の設置者は、この法律の規定による（　①　）を行おうとする場合その他政令で定める場合においては、（　②　）と連絡するものとする。」

①健康診断、②保健所。

※【参考】「学校保健安全法施行令第５条　法第１８条の政令で定める場合は、次に掲げる場合とする。

一　法第１９条の規定による出席停止が行われた場合

二　法第２０条の規定による学校の休業を行つた場合」

□□２１２.「学校保健安全法第１９条　校長は、（　①　）にかかっており、かかっている疑いがあり、またはかかるおそれのある児童生徒等があるときは、政令で定めるところにより、（　②　）させることができる。

同第２０条　学校の設置者は、（　①　）の予防上必要があるときは、臨時に、学校の全部または一部の（　③　）を行うことができる。」

①感染症、②出席を停止、③休業。

※③全部の休業を「学校閉鎖」、一部の閉鎖を「学級閉鎖」ということがある。

※【参考】「学校保健安全法施行令第６条第１項　校長は、法第１９条の規定により出席を停止させようとするときは、その理由及び期間を明らかにして、幼児、児童または生徒にあってはその保護者に、高等学校の生徒または学生にあっては当該生徒または学生にこれを指示しなければならない。

※【参考】「学校保健安全法施行規則第１９条　令第６条第２項の出席停止の期間の基準は、前条の感染症の種類に従い、次のとおりとする。

一　第一種の感染症にかかつた者については、治癒するまで。

二　第二種の感染症（結核及び髄膜炎菌性髄膜炎を除く。）にかかった者については、次の期間。ただし、病状により学校医その他の医師において感染のおそれがないと認めたときは、この限りでない。

イ　インフルエンザ（特定鳥インフルエンザ及び新型インフルエンザ等感染症を除く。）にあっては、発症した後五日を経過し、かつ、解熱した後二日（幼児にあつては、三日）を経過するまで。

ロ　百日咳にあっては、特有の咳が消失するまで又は五日間の適正な抗菌性物質製剤による治療が終了するまで。

ハ　麻しんにあっては、解熱した後三日を経過するまで。

ニ　流行性耳下腺炎にあっては、耳下腺、顎下腺又は舌下腺の腫脹　が発現した後五日を経過し、かつ、全身状態が良好になるまで。

ホ　風しんにあっては、発しんが消失するまで。

ヘ　水痘にあっては、すべての発しんが痂皮化するまで。

ト　咽頭結膜熱にあつては、主要症状が消退した後二日を経過するまで。

三　結核、髄膜炎菌性髄膜炎及び第三種の感染症にかかった者については、病状により学校医その他の医師において感染のおそれがないと認めるまで。（以下略）」

□□２１３.「学校保健安全法第２６条　学校の設置者は、児童生徒等の安全の確保を図るため、その設置する学校において、（　①　）、（　②　）、（　③　）等…により児童生徒等に生ずる危険を（　④　）し、及び事故等により児童生徒等に危険または危害が現に生じた場合…において適切に（　⑤　）することができるよう、当該学校の施設及び設備並びに管理運営体制の整備充実その他の必要な措置を講ずるよう努めるものとする。」

①事故、②加害行為、③災害、④防止、⑤対処。

□□２１４.「学校保健安全法第２７条　学校においては、児童生徒等の安全の確保を図るため、当該学校の施設及び設備の安全（　①　）、児童生徒等に対する（　②　）を含めた学校生活その他の（　③　）における安全に関する（　④　）、（　⑤　）の研修その他学校における安全に関する事項について（　⑥　）を策定し、これを実施しなければならない。」

①点検、②通学、③日常生活、④指導、⑤職員、⑥計画。
※【参照】「学校保健安全法施行規則第２８条第１項　法第２７条の安全点検は、他の法令に基づくもののほか、毎学期一回以上、児童生徒等が通常使用する施設及び設備の異常の有無について系統的に行わなければならない。
同第２９条　学校においては、前条の安全点検のほか、設備等について日常的な点検を行い、環境の安全の確保を図らなければならない。」

□□２１５.「学校保健安全法第２８条　（　①　）は、当該学校の施設または設備について、児童生徒等の安全の確保を図る上で（　②　）となる事項があると認めた場合には、遅滞なく、その（　③　）を図るために必要な措置を講じ、または当該措置を講ずることができないときは、当該学校の設置者に対し、その旨を申し出るものとする。」

①校長、②支障、③改善。

□□２１６.「学校保健安全法第２９条第１項　学校においては、児童生徒等の安全の確保を図るため、当該学校の実情に応じて、危険等発生時において当該学校の職員がとるべき措置の具体的内容及び（　①　）を定めた（　②　）…を作成するものとする。
第２項　校長は、危険等発生時（　②　）の職員に対する（　③　）、（　④　）の実施その他の危険等発生時において職員が適切に対処するために必要な措置を講ずるものとする。
第３項　学校においては、事故等により児童生徒等に危害が生じた場合において、当該児童生徒等及び当該事故等により（　⑤　）その他の心身の健康に対する影響を受けた児童生徒等その他の関係者の心身の健康を回復させるため、これらの者に対して必要な支援を行うものとする。（以下略）」

①手順、②対処要領、③周知、④訓練、⑤心理的外傷。
※②いわゆる「危機管理マニュアル」である。

□□２１７.「学校保健安全法第３０条　学校においては、児童生徒等の安全の確保を図るため、児童生徒等の（　①　）との連携を図るとともに、当該学校が所在する地域の実情に応じて、当該地域を管轄する（　②　）その他の関係機関、地域の安全を確保するための活動を行う団体その他の関係団体、当該地域の（　③　）その他の関係者との連携を図るよう努めるものとする。」

①保護者、②警察署、③住民。

※なお、安全教育については、次の資料を参照。
・文部科学省（2013）「学校防災のための参考資料「生きる力」を育む防災教育の展開」
・文部科学省（2009）「「生きる力」をはぐくむ学校での安全教育」

<学校事故>

□□２１８．一般に「学校事故」とは、学校の教育活動中に、教職員などの教育活動の実施について責任を有する者の（　①　）または（　②　）により発生した事故、または、学校の施設設備の設置管理の（　③　）が原因で発生した事故のことをいう。

①故意、②過失、③瑕疵。

□□２１９．学校事故を発生させた教員には、次のような責任を問われることがある。
（１）（　①　）上の責任…業務上過失致死傷罪など刑法上の犯罪が成立しうる
（２）（　②　）上の責任…児童生徒の保護者から（　③　）を請求されうる

①刑事、②民事、③不法行為による損害賠償。

□□２２０．学校事故を発生させた教員が、公立学校の教員である場合は、上記の責任は次のようになる。
（１）（　①　）の責任…上記（１）と同様
（２）（　②　）の責任…国家賠償法第１条第１項に基づき、（　③　）が当該児童生徒側に対して賠償責任を負う
地方公務員法第３２条の法令等の遵守義務違反あるいは同法第３３条信用失墜行為に該当すれば（　④　）の対象となる

①刑事、②行政、③地方公共団体、④懲戒処分。

□□２２１．上記（２）の場合に関して、国家賠償法第１条第２項は、当該教員（公務員）に対して直接損害賠償を請求することは（　①　）が、当該教員に（　②　）または（　③　）があるときは、地方公共団体は当該教員に対して（　④　）を行使することができるとしている。

①できない、②故意、③重大な過失（重過失）、④求償権。

□□２２２．学校事故を発生させた教員が、私立学校の教員であった場合、当該学校は、次の規定に基づく責任を負うことがある。
「民法第７１５条第１項　ある事業のために他人を（　①　）する者は、（　②　）者がその事業の執行について第三者に加えた（　③　）する責任を負う。ただし、（　①　）者が（　②　）者の（　④　）及びその事業の（　⑤　）について相当の注意をしたとき、または相当の注意をしても損害が生ずべきであったときは、この限りでない。
第３項　前２項の規定は、（　①　）者…から（　②　）者に対する（　⑥　）の行使を妨げない。」

①使用、②被用、③損害を賠償、④選任、⑤監督、⑥求償権。
※本条に基づき使用者が負う責任を「使用者責任」という。

□□２２３．独立行政法人日本スポーツ振興センター法第１５条第１項第７号では、学校の管理下における児童生徒等の（　①　）・（　②　）・（　③　）・（　④　）について、当該児童生徒等の保護者（または）学生（等）に対して、災害共済給付として、（　⑤　）、（　③　）見舞金または（　④　）見舞金の支給を行うことを規定している。

①負傷、②疾病、③障害、④死亡、⑤医療費。
※【参考】「独立行政法人日本スポーツ振興センター法施行令第５条第１項　災害共済給付に係る災害は、次に掲げるものとする。
一　児童生徒等の負傷でその原因である事由が学校の管理下において生じたもの。ただし、療養に要する費用が五千円以上のものに限る。
二　学校給食に起因する中毒その他児童生徒等の疾病でその原因である事由が学校の管理下において生じたもののうち、文部科学省令で定めるもの。ただし、療養に要する費用が五千円以上のものに限る。
三　第一号の負傷又は前号の疾病が治った場合において存する障害のうち、文部科学省令で定める程度のもの
四　児童生徒等の死亡でその原因である事由が学校の管理下において生じたもののうち、文部科学省令で定めるもの
五　前号に掲げるもののほか、これに準ずるものとして文部科学省令で定めるもの
第２項　前項第一号、第二号及び第四号において「学校の管理下」とは、次に掲げる場合をいう。
一　児童生徒等が、法令の規定により学校が編成した教育課程に基づく授業を受けている場合
二　児童生徒等が学校の教育計画に基づいて行われる課外指導を受けている場合
三　前二号に掲げる場合のほか、児童生徒等が休憩時間中に学校にある場合その他校長の指示または承認に基づいて学校にある場合
四　児童生徒等が通常の経路及び方法により通学する場合
五　前各号に掲げる場合のほか、これらの場合に準ずる場合として文部科学省令で定める場合」

<学校給食法>

□□２２４.「学校給食法第２条　学校給食を実施するに当たつては、(　①　) 諸学校における教育の目的を実現するために、次に掲げる目標が達成されるよう努めなければならない。
一　適切な栄養の摂取による健康の保持増進を図ること。
二　日常生活における食事について正しい理解を深め、健全な食生活を営むことができる (　②　) を培い、及び望ましい (　③　) を養うこと。
三　学校生活を豊かにし、明るい社交性及び協同の精神を養うこと。
四　食生活が自然の恩恵の上に成り立つものであることについての理解を深め、生命及び自然を尊重する精神並びに環境の保全に寄与する態度を養うこと。
五　食生活が食にかかわる人々の様々な活動に支えられていることについての理解を深め、勤労を重んずる態度を養うこと。
六　我が国や各地域の優れた (　④　) な食文化についての理解を深めること。
七　食料の生産、流通及び消費について、正しい理解に導くこと。」

①義務教育、②判断力、③食習慣、④伝統的。

□□２２５.「学校給食法第４条　義務教育諸学校の設置者は、当該義務教育諸学校において学校給食が実施されるように (　　　)。」

努めなければならない。
※【参考】「学校給食法第６条　義務教育諸学校の設置者は、その設置する義務教育諸学校の学校給食を実施するための施設として、二以上の義務教育諸学校の学校給食の実施に必要な施設（以下「共同調理場」という。）を設けることができる。」

□□２２６.「学校給食法第８条第１項　(　①　) は、児童または生徒に必要な栄養量その他の学校給食の内容及び学校給食を適切に実施するために必要な事項…について維持されることが望ましい基準（…「(　②　) 基準」という。）を定めるものとする。
同第９条第１項　(　①　) は、学校給食の実施に必要な施設及び設備の整備及び管理、調理の過程における衛生管理その他の学校給食の適切な衛生管理を図る上で必要な事項について維持されることが望ましい基準（…「(　③　) 基準」という。）を定めるものとする。」

①文部科学大臣、②学校給食実施、③学校給食衛生管理。

□□２２７.「学校給食法第１１条第１項　学校給食の実施に必要な施設及び設備に要する経費並びに学校給食の運営に要する経費のうち政令で定めるものは、義務教育諸学校の（　①　）の負担とする。
第２項　前項に規定する経費以外の学校給食に要する経費（以下「学校給食費」という。）は、学校給食を受ける児童または生徒の学校教育法第１６条に規定する（　②　）の負担とする。」

①設置者、②保護者。

<食育基本法>

□□２２８.「食育基本法第６条　食育は、広く国民が（　①　）、（　②　）、（　③　）、地域その他のあらゆる機会とあらゆる場所を利用して、食料の生産から消費等に至るまでの食に関する様々な（　④　）活動を行うとともに、自ら食育の推進のための活動を実践することにより、食に関する理解を深めることを旨として、行われなければならない。」

①家庭、②学校、③保育所、④体験。

※【参考】「食育基本法第２０条　国及び地方公共団体は、学校、保育所等において魅力ある食育の推進に関する活動を効果的に促進することにより子どもの健全な食生活の実現及び健全な心身の成長が図られるよう、学校、保育所等における食育の推進のための指針の作成に関する支援、食育の指導にふさわしい教職員の設置及び指導的立場にある者の食育の推進において果たすべき役割についての意識の啓発その他の食育に関する指導体制の整備、学校、保育所等または地域の特色を生かした学校給食等の実施、教育の一環として行われる農場等における実習、食品の調理、食品廃棄物の再生利用等様々な体験活動を通じた子どもの食に関する理解の促進、過度の痩身または肥満の心身の健康に及ぼす影響等についての知識の啓発その他必要な施策を講ずるものとする。」

□□２２９.「食育基本法第７条　食育は、我が国の（　①　）のある優れた食文化、地域の特性を生かした食生活、環境と調和のとれた食料の生産とその消費等に配意し、我が国の食料の需要及び供給の状況についての国民の理解を深めるとともに、食料の生産者と消費者との交流等を図ることにより、（　②　）の活性化と我が国の（　③　）の向上に資するよう、推進されなければならない。」

①伝統、②農産漁村、③食糧自給率。

＜アレルギー疾患対策基本法＞

□□２３０．「アレルギー疾患対策基本法第９条　（　①　）、児童福祉施設、老人福祉施設、障害者支援施設その他（　②　）十分に療養に関し必要な行為を行うことができない児童、高齢者または障害者が居住しまたは滞在する施設…の設置者または管理者は、国及び地方公共団体が講ずるアレルギー疾患の重症化の予防及び症状の軽減に関する啓発及び知識の普及等の施策に協力するよう努めるとともに、その設置しまたは管理する学校等において、アレルギー疾患を有する児童、高齢者または障害者に対し、適切な（　③　）的、福祉的または（　④　）的配慮をするよう努めなければならない。」

①学校、②自ら、③医療、④教育。
※【参考】「アレルギー疾患対策基本法第２条　この法律において「アレルギー疾患」とは、気管支ぜん息、アトピー性皮膚炎、アレルギー性鼻炎、アレルギー性結膜炎、花粉症、食物アレルギーその他アレルゲンに起因する免疫反応による人の生体に有害な局所的または全身的反応に係る疾患であって政令で定めるものをいう。」
※【参考】「アレルギー疾患対策基本法第１８条第２項　国は、アレルギー疾患を有する者に対しアレルギー疾患医療を適切に提供するための学校等、職場等と医療機関等との連携協力体制を確保すること、学校等の教員または職員、事業主等に対するアレルギー疾患を有する者への医療的、福祉的または教育的援助に関する研修の機会を確保すること、アレルギー疾患を有する者及びその家族に対する相談体制を整備すること、アレルギー疾患を有する者についての正しい理解を深めるための教育を推進することその他のアレルギー疾患を有する者の生活の質の維持向上のために必要な施策を講ずるものとする。」

巻末資料

＜教育基本法の施行について＞

※文部科学事務次官通知１８文科総第２７０号

第１　法律の概要

１　特に前文を設け、本法制定の趣旨等を明らかにしたこと。

２　教育の目的及び目標について、旧法にも規定されている「人格の完成」等に加え、「公共の精神」や「伝統と文化の尊重」など、今日重要と考えられる事柄を新たに規定したこと。また、教育に関する基本的な理念として、生涯学習社会の実現と教育の機会均等を規定したこと。（第１章（第１条から第４条まで）関係）

３　教育の実施に関する基本について定めることとし、旧法にも規定されている義務教育、学校教育及び社会教育等に加え、大学、私立学校、家庭教育、幼児期の教育並びに学校、家庭及び地域住民等の相互の連携協力について新たに規定したこと。（第２章（第５条から第１５条まで）関係）

４　教育行政における国と地方公共団体の役割分担、教育振興基本計画の策定等について規定したこと。（第３章（第１６条及び第１７条）関係）

５　この法律に規定する諸条項を実施するため、必要な法令が制定されなければならない旨を規定したこと。（第４章（第１８条）関係）

第２　前文及び各条の趣旨及び内容

１　前文

本法制定の趣旨等を明らかにするため、旧法と同様に前文を置き、教育において、個人の尊厳を重んじるべきことなどを引き続き規定する一方、新たに、公共の精神を尊び、豊かな人間性と創造性を備えた人間の育成を期することや、伝統を継承し、新しい文化の創造を目指す教育を推進することを規定したこと。

２　教育の目的（第１条関係）

（１）趣旨

教育の根本的な目的について、旧法第１条に引き続き規定したこと。

（２）内容

教育は、人格の完成を目指し、平和で民主的な国家及び社会の形成者として必要な資質を備えた心身ともに健康な国民の育成を期して行われなければならないこと。

３　教育の目標（第２条関係）

（１）趣旨

教育の目的を実現するため、今日重要と考えられる具体的な事柄を、下記の五つに整理し、規定したこと。なお、教育の目的を実現するに当たっての重要な配慮事項として、学問の自由の尊重を旧法に引き続き規定したこと。また、旧法第５条の男女共学については、その趣旨が定着したことから規定していないが、同条にいう男女の敬重等については、下記３において、「男女の平等」及び「自他の敬愛と協力」を規定したこと。

（２）内容

教育は、その目的を実現するため、学問の自由を尊重しつつ、次に掲げる目標を達成するよう行われるものとすること。

1　幅広い知識と教養を身に付け、真理を求める態度を養い、豊かな情操と道徳心を培うとともに、健やかな身体を養うこと。
2　個人の価値を尊重して、その能力を伸ばし、創造性を培い、自主及び自律の精神を養うとともに、職業及び生活との関連を重視し、勤労を重んずる態度を養うこと。
3　正義と責任、男女の平等、自他の敬愛と協力を重んずるとともに、公共の精神に基づき、主体的に社会の形成に参画し、その発展に寄与する態度を養うこと。
4　生命を尊び、自然を大切にし、環境の保全に寄与する態度を養うこと。
5　伝統と文化を尊重し、それらをはぐくんできた我が国と郷土を愛するとともに、他国を尊重し、国際社会の平和と発展に寄与する態度を養うこと。

4　生涯学習の理念（第３条関係）

（1）趣旨

科学技術の進歩や社会構造の変化、高齢化の進展や自由時間の増大などに伴って重要となっている生涯学習の理念について、新たに規定したこと。

（2）内容

国民一人一人が、自己の人格を磨き、豊かな人生を送ることができるよう、その生涯にわたって、あらゆる機会に、あらゆる場所において学習することができ、その成果を適切に生かすことのできる社会の実現が図られなければならないこと。

5　教育の機会均等（第４条関係）

（1）趣旨

教育における差別の禁止や国及び地方公共団体による奨学の措置について、旧法第３条に引き続き規定するとともに、障害のある者に対する支援について新たに規定したこと。

（2）内容

1　すべて国民は、ひとしく、その能力に応じた教育を受ける機会を与えられなければならず、人種、信条、性別、社会的身分、経済的地位又は門地によって、教育上差別されないこと。
2　国及び地方公共団体は、障害のある者が、その障害の状態に応じ、十分な教育を受けられるよう、教育上必要な支援を講じなければならないこと。
3　国及び地方公共団体は、能力があるにもかかわらず、経済的理由によって修学が困難な者に対して、奨学の措置を講じなければならないこと。

6　義務教育（第５条関係）

（1）趣旨

保護する子に教育を受けさせる保護者の義務及び義務教育の無償について、旧法第４条に引き続き規定するとともに、義務教育の目的や、国及び地方公共団体の役割と責任について、新たに規定したこと。旧法第４条において「９年」と規定していた義務教育の期間については、時代の要請に応じて柔軟に対応することができるよう、別に法律で定めることとしたこと。なお、学校教育法（昭和２２年法律第２６号）第２２条及び第３９条により、義務教育の期間は９年とされている。

（2）内容

1　国民は、その保護する子に、別に法律で定めるところにより、普通教育を受けさせる義務を負うこと。
2　義務教育として行われる普通教育は、各個人の有する能力を伸ばしつつ社会において自立的に生きる基礎を培い、また、国家及び社会の形成者として必要とされる基本的な資質を養うことを目的として行われるものとすること。
3　国及び地方公共団体は、義務教育の機会を保障し、その水準を確保するため、適切な役割分担及び相互の協力の下、その実施に責任を負うこと。
4　国又は地方公共団体の設置する学校における義務教育については、授業料を徴収しないこと。

7　学校教育（第６条関係）

（１）趣旨

学校の設置者について、旧法第６条第１項に引き続き規定するとともに、学校教育の基本的な役割や、学校教育において、規律を守ることや真摯に学習に取り組む意欲を高めることが重要である旨について、新たに規定したこと。

（２）内容

1　法律に定める学校は、公の性質を有するものであって、国、地方公共団体及び法律に定める法人のみが、これを設置することができること。
2　法律に定める学校においては、教育の目標が達成されるよう、教育を受ける者の心身の発達に応じて、体系的な教育が組織的に行われなければならないこと。この場合において、教育を受ける者が、学校生活を営む上で必要な規律を重んずるとともに、自ら進んで学習に取り組む意欲を高めることを重視して行われなければならないこと。

8　大学（第７条関係）

（１）趣旨

知識基盤社会における大学の役割の重要性や、大学の固有の特性にかんがみ、大学の基本的な役割等について、新たに規定したこと。

（２）内容

1　大学は、学術の中心として、高い教養と専門的能力を培うとともに、深く真理を探究して新たな知見を創造し、これらの成果を広く社会に提供することにより、社会の発展に寄与するものとすること。
2　大学については、自主性、自律性その他の大学における教育及び研究の特性が尊重されなければならないこと。

9　私立学校（第８条関係）

（１）趣旨

私立学校の果たす役割の重要性にかんがみ、その振興等について、新たに規定したこと。

（２）内容

私立学校の有する公の性質及び学校教育において果たす重要な役割にかんがみ、国及び地方公共団体は、その自主性を尊重しつつ、助成その他の適当な方法によって私立学校教育の振興に努めなければならないこと。

１０　教員（第９条関係）

（１）趣旨

教員の使命や職責、待遇の適正等について、旧法第６条第２項に引き続き規定するとともに、教員の養成と研修の充実等について新たに規定し、独立した条としたこと。

（２）内容

1　法律に定める学校の教員は、自己の崇高な使命を深く自覚し、絶えず研究と修養に励み、その職責の遂行に努めなければならないこと。

2　法律で定める学校の教員については、その使命と職責の重要性にかんがみ、その身分は尊重され、待遇の適正が期せられるとともに、養成と研修の充実が図られなければならないこと。

１１　家庭教育（第１０条関係）

（１）趣旨

すべての教育の出発点である家庭教育の重要性にかんがみ、その役割や支援等について、新たに規定したこと。

（２）内容

1　父母その他の保護者は、子の教育について第一義的責任を有するものであって、生活のために必要な習慣を身に付けさせるとともに、自立心を育成し、心身の調和のとれた発達を図るよう努めるものとすること。

2　国及び地方公共団体は、家庭教育の自主性を尊重しつつ、保護者に対する学習の機会及び情報の提供その他の家庭教育を支援するために必要な施策を講ずるよう努めなければならないこと。

１２　幼児期の教育（第１１条関係）

（１）趣旨

幼児期の教育の重要性にかんがみ、その振興等について、新たに規定したこと。

（２）内容

幼児期の教育は、生涯にわたる人格形成の基礎を培う重要なものであることにかんがみ、国及び地方公共団体は、幼児の健やかな成長に資する良好な環境の整備その他適当な方法によって、その振興に努めなければならないこと。

１３　社会教育（第１２条関係）（略）

１４　学校、家庭及び地域住民等の相互の連携協力（第１３条関係）

（１）趣旨

教育の目的を実現する上で、学校、家庭及び地域住民等の相互の連携協力が重要であることにかんがみ、新たに規定したこと。

（２）内容

学校、家庭及び地域住民その他の関係者は、教育におけるそれぞれの役割と責任を自覚するとともに、相互の連携及び協力に努めるものとすること。

１５　政治教育（第１４条関係）（略）

１６　宗教教育（第１５条関係）（略）

１７　教育行政（第１６条関係）

（１）趣旨

教育が不当な支配に服してはならない旨を旧法第１０条に引き続き規定するとともに、教育がこの法律及び他の法律の定めるところにより行われるべき旨について、新たに規定したこと。また、教育行政について、公正かつ適正に行われなければならない旨、国及び地方公共団体のそれぞれの役割分担と責任及び財政上の措置について、新たに規定したこと。

（２）内容

１　教育は、不当な支配に服することなく、この法律及び他の法律の定めるところにより行われるべきものであり、教育行政は、国と地方公共団体との適切な役割分担及び相互の協力の下、公正かつ適正に行われなければならないこと。

２　国は、全国的な教育の機会均等と教育水準の維持向上を図るため、教育に関する施策を総合的に策定し、実施しなければならないこと。

３　地方公共団体は、その地域における教育の振興を図るため、その実情に応じた教育に関する施策を策定し、実施しなければならないこと。

４　国及び地方公共団体は、教育が円滑かつ継続的に実施されるよう、必要な財政上の措置を講じなければならないこと。

１８　教育振興基本計画（第１７条関係）

（１）趣旨

本法に規定された教育の目的や理念等を具体化するためには、教育の振興に関する施策を総合的、体系的に位置付け、実施することが必要であることにかんがみ、教育振興基本計画について、新たに規定したこと。（以下略）

<学校教育法等の一部を改正する法律について>　※文部科学事務次官通知１９文科初第５３６号

第一　改正法の概要（略）

第二　留意事項

第１　幼稚園に関する事項について
第２４条において、幼稚園は家庭及び地域における幼児期の教育の支援に努めるものとする旨規定しているが、具体的には、幼稚園の人材や施設・設備、これまで蓄積してきた幼児期の教育に関する知見や経験を活かしつつ、幼児期の教育に関する情報提供や相談窓口の開設、親子登園の実施、園庭の開放などを行うことが考えられること。
また、第２５条の「幼稚園の教育課程その他の保育内容に関する事項」とは、教育課程と、地域の実態や保護者の要請により教育課程に係る教育時間外に行われる教育活動であること。

第２　小学校等における「教科」の用語について
改正前の学校教育法第２０条等における「教科」は、各教科に加えて、道徳、特別活動等を含めた教育課程と同義であることを明確にするため「教育課程」と改めたものであり、改正前の「教科」の意味を変更するものではないこと。

第３　学校の評価に関する事項について
第４２条及びその準用規定により、小学校等は、文部科学大臣の定めるところにより学校運営の状況について評価を行い、その結果に基づき学校運営の改善を図るため必要な措置を講ずることとしているが、「文部科学大臣の定め」については、教職員による自己評価や、保護者や地域住民らによる評価の実施と公表の在り方などについて今後さらに検討を深め、省令において規定することとしていること。

第４　大学等の履修証明に関する事項について
第１０５条の履修証明の規定については、大学等における社会人等を対象とした様々な学習機会の提供の一層の促進を図る観点から、制度上の位置付けを明確化したものであり、現在各大学等が実施している様々な取組を制約するものではないこと。また、「文部科学大臣の定め」の内容については、特別の課程の編成等のため適当な体制を整えることや、当該課程の内容及び方法等をあらかじめ公表することなどについて今後さらに検討を深め、省令において規定することとしていること。

第５　副校長等の職の設置に関する事項について
１　今回の改正は、校長のリーダーシップの下、組織的・機動的な学校運営が行われるよう、学校の組織運営体制や指導体制の充実を図るため、新たな職として副校長（幼稚園においては、副園長。以下同じ。）、主幹教諭、指導教諭を置くことができることとしたものであること。
副校長等は、任意に設置することができる職であり、その設置については、学校や地域の状況を踏まえ、適切に判断されるものであること。
２　新たに設置される職の職務等については、以下のとおりであること。
１　副校長
副校長の職務が、校長（幼稚園においては、園長。以下同じ。）から命を受けた範囲で校務の一部を自らの権限で処理することができるものであること。一方、教頭の職務は、校長を助けることの一環として校務を整理するにとどまるものであること。なお、副校長も授業などの具体的教育活動を行い得るものであること。ただし、副校長が児童生徒の教育をつかさどる場合には、各相当学校の教諭の相当免許状を有している必要があること。副校長と教頭を併せて置く学校においては、教頭は校長及び副校長を補佐する立場にあること。

2　主幹教諭

主幹教諭の職務が、命を受けて担当する校務について一定の責任を持って取りまとめ、整理し、他の教諭等に対して指示することができるものであること。一方、主任は、教諭等をもって充てるものであり、その職務は、校長の監督を受け、担当する校務に関する事項について連絡調整及び指導、助言に当たるものであること。

3　指導教諭

指導教諭は、学校の教員として自ら授業を受け持ち、所属する学校の児童生徒等の実態等を踏まえ、他の教員に対して教育指導に関する指導、助言を行うものであること。一方、指導主事は、教育委員会事務局の職員として当該教育委員会が所管する学校全体の状況を踏まえ、各学校の校長や指導教諭も含めた教員を対象として、教育課程、学習指導その他学校教育に関する専門的事項について、指導、助言を行うものであること。

3　副校長等の任用に当たっては、適切な選考を実施し、それぞれの職にふさわしい者を任用すること。また、選考の基準を要綱等で定め、公表することなどを通じて、適正かつ公正な選考が行われるよう努めること。

4　副校長等の職が適切に機能し、各教職員の適切な役割分担と協力の下で教育活動や校務運営が円滑かつ効果的に行われるよう、適正な校務分掌を整えること。

5　副校長等の新たな職の設置に当たっては、平成１９年３月２９日の中央教育審議会答申「今後の教員給与の在り方について」を踏まえ、各地方公共団体等において、その適切な処遇について検討を行われたいこと。

6　教育公務員特例法第１３条第１項により、公立幼稚園の園長、副園長、教頭、主幹教諭、指導教諭、教諭、助教諭、養護教諭、養護助教諭、栄養教諭及び講師（以下「幼稚園教員」という。）の給与については、条例に基づきその職務と責任の特殊性にふさわしい給料表が適用されるべきものであり、また同条第２項により幼稚園教員は義務教育等教員特別手当の支給対象者となっている。さらに、公立の義務教育諸学校等の教育職員の給与等に関する特別措置法第３条により、幼稚園教員（校長、副校長及び教頭を除く。）、実習助手及び寄宿舎指導員に対しては教職調整額を支給しなければならないこととされている。各都道府県においては、設置する学校の幼稚園教員について上記の給与上の措置を適切に講ずるとともに、給与上これらの措置が講じられていない市町村に対して、幼稚園教員の給与制度に則り、十分な指導をされたいこと。

7　今後、副校長等の職の設置に伴い、副校長の資格や主幹教諭を置く場合における当該主幹教諭が担当する校務に関する事項を担当する主任の取扱い、副校長等に係る義務教育費国庫負担金の算定根拠等について、政省令において規定することとしていること。

第６　関係法令の整備について（略）

<地方教育行政の組織及び運営に関する法律の一部を改正する法律について>

※文部科学事務次官通知１９文科初第５３５号

第一　改正法の概要（略）

第二　留意事項

１　教育委員会の責任体制の明確化

（１）地方教育行政の基本理念の明確化

今回の改正は、教育基本法第１６条において、教育行政は、国と地方公共団体との適切な役割分担及び相互の協力の下、公正かつ適正に行われなければならないことなどが規定されたことを踏まえ、地方公共団体における教育行政の基本理念を明確化し、地方公共団体における教育行政の中心的な担い手である教育委員会がより高い使命感をもって責任を果たしていくことができるようにする趣旨から行うものであること。

（２）教育長に委任することができない事務の明確化

１　今回の改正は、委員で構成する教育委員会が自ら管理し、及び執行すべき事務を教育長に委任することができない事務として明確化し、教育委員会が自ら責任を持って事務を管理し、及び執行するようにする趣旨から行うものであること。

２　今回の改正を踏まえ、その施行日（平成２０年４月１日）までに、法第２６条第１項に基づく教育委員会の権限に属する事務の一部を教育長に委任する教育委員会規則において法第２６条第２項各号に掲げる事務を教育長に委任している教育委員会においては、当該教育委員会規則の見直しを行うこと。

３　今回の改正は、法第２６条第２項各号に掲げる事務以外の事務について、教育長に委任することを促進する趣旨ではないこと。したがって、当該事務については、従前どおり、各教育委員会の判断により、教育長に委任しないとすることができること。

（３）教育に関する事務の管理及び執行の状況の点検及び評価

１　今回の改正は、教育委員会がその権限に属する事務の管理及び執行の状況について点検及び評価を行い、その結果に関する報告書を議会に提出し、公表することにより、効果的な教育行政の推進に資するとともに、住民への説明責任を果たしていく趣旨から行うものであること。

２　現在、すでに各教育委員会において、教育に関する事務の管理及び執行の状況について自ら点検及び評価を行い、その結果を議会に報告するなどの取組を行っている場合には、その手法を活用しつつ、適切に対応すること。

３　点検及び評価を行う際、教育に関し学識経験を有する者の知見の活用を図ることについては、点検及び評価の客観性を確保するためのものであることを踏まえ、例えば、点検及び評価の方法や結果について学識経験者から意見を聴取する機会を設けるなど、各教育委員会の判断で適切に対応すること。

２　教育委員会の体制の充実

（１）市町村の教育行政の体制の整備及び充実

１　今回の改正は、地域の教育の振興を図る上で住民に最も身近な市町村の果たす役割が今後一層重要となるが、特に人口規模が小さい市町村の教育委員会の事務局体制が十分ではないことを踏まえ、教育委員会の共同設置（地方自治法第２５２条の７）のほか、一部事務組合（地方自治法第２８４条第２項）などを活用して市町村における教育行政の体制の整備及び充実を進める趣旨から行うものであること。

2　都道府県教育委員会においては、域内の市町村教育委員会に対し、教育行政の体制の整備及び充実に活用できる制度の内容についての助言や市町村間の連携に関する好事例の情報収集・提供等に努めること。

（2）市町村教育委員会の指導主事の設置の努力義務化

今回の改正は、特に人口規模が小さい市町村の教育委員会の事務局において指導主事の設置が進んでいないことを踏まえ、法第１９条第１項において、都道府県教育委員会の事務局に指導主事、事務職員及び技術職員を置かなければならないことを改めて明確にした上で、同条第２項において、それに準じて、市町村教育委員会の事務局に、指導主事その他の職員を置くことを規定し、指導主事の設置に努めることを明確にしたものであること。

（3）教育委員の責務の明確化及び研修の推進

1　今回の改正は、教育委員会を構成する委員が、自らの重要な責任を自覚するとともに、その職務遂行に必要な知識を得られるようにし、教育委員会がより高い使命感をもってその責任を果たしていくことができるようにする趣旨から行うものであること。

2　都道府県教育委員会においては、域内の市町村教育委員会の委員の研修の実施及びその内容の充実等に努めること。

3　教育における地方分権の推進

（1）教育委員の数の弾力化

1　今回の改正は、教育委員会が地域の実情に応じて、多様な地域住民の意向を教育行政に一層反映することができるよう、教育委員会の委員を増員すること等ができるようにする趣旨から行うものであること。

2　委員を６人以上又は３人以上とする条例は、改正法施行前においても制定することができる（ただし、その施行は改正法施行後とする必要がある）こと。また、当該条例を制定した場合、その規定に基づき増員する委員の任命について、改正法施行前に議会の同意を得ておくことができる（ただし、その発令は条例の施行後とする必要がある）こと。なお、従前のとおり、委員の数を５人とする場合は、条例の制定は必要ないこと。

3　委員を増員する場合の委員の任期の定め方については、政令において定める予定であること。

（2）教育委員への保護者の選任の義務化

1　今回の改正は、現に子どもを教育している者である保護者の意向が教育行政に適切に反映されるようにする趣旨から行うものであること。保護者とは、親権を行う者及び未成年後見人をいうものであるが、実際に当該地域で教育を受けている子どもの保護者の意向が反映できるようにすることが望ましいこと。

2　地方公共団体の長は、「委員の任命に当たって」は、委員のうちに保護者が含まれるようにしなければならないこととしたこと。したがって、改正法施行の際に委員のうち保護者である者が含まれていないことや保護者であった委員が任期途中で保護者ではなくなり、委員のうちに保護者である者が含まれなくなったことをもって、直ちに違法となるものではないこと。

3　改正法施行の際、委員のうちに保護者である者が含まれていない教育委員会を置く地方公共団体の長にあっては、改正法施行後初めて委員を任命する際に保護者である者を委員に任命する必要があること。また、保護者であった委員が任期途中で保護者ではなくなり、委員のうちに保護者である者が含まれなくなった場合には、その後初めて委員を任命する際に保護者である者を委員に任命する必要があること。

（3）スポーツ及び文化に関する事務の所掌の弾力化（略）

（４）県費負担教職員の同一市町村内の転任（略）

４　教育における国の責任の果たし方

１　今回の改正による法第４９条の「是正の要求」及び法第５０条の「指示」の規定は、地方自治法が定める自治事務に対する国の関与の基本原則に則り、教育委員会が十分に責任を果たせない場合に、憲法で保障する国民の権利を守るため、文部科学大臣が必要最小限の関与を行うものであること。

２　法第４９条の「是正の要求」及び法第５０条の「指示」を受けた教育委員会は、不服がある場合には、地方自治法第２５０条の１３の規定により国地方係争処理委員会に対して審査の申出ができること。

３　法第４９条の「是正の要求」を受けた教育委員会は、是正・改善のために必要な措置を講じなければならないこと。その際、どのような措置を行うかは教育委員会の裁量に委ねられているが、文部科学大臣が講ずべき措置の内容を示して要求していることを踏まえて、速やかに是正・改善のための取組を行うこと。

４　法第５０条の「指示」を受けた教育委員会は、指示された具体的措置内容についてそのまま従う義務が生じること。

５　法第５０条の２の趣旨は、法第４９条の「是正の要求」及び法第５０条の「指示」の内容を、教育委員の任命に責任を有する地方公共団体の長や議会に通知することにより、当該地方公共団体において長が教育委員会に支援を行う等適切に事態に対処することを期待するものであること。

６　教育委員会の事務の適正な執行のためには、教育委員会はもとより、地方公共団体の長や議会の役割が重要であり、地方公共団体は自律的に地方自治の本旨に沿った機能を発揮することが求められていること。

５　私立学校に関する教育行政

１　今回の改正は、都道府県教育委員会が有する学校教育に関する専門的知見を都道府県知事が活用することができる旨を規定したものであり、私立学校に対する都道府県知事の権限を変更するものではないこと。

２　都道府県知事が都道府県教育委員会に対し、学校教育に関する専門的事項について助言又は援助を求める際には、その具体の運用に当たっては、都道府県知事は私立学校と協議するものとし、教育委員会は都道府県知事に対して助言又は援助を行う際、私立学校の自主性を尊重するなど、適切な配慮を行うこと。

３　私立学校の法律上の義務の確実な履行を担保できるよう、都道府県知事部局においては、学校教育に関する専門的知識を有する者を配置するなどその体制の充実を図ること。

<教育職員免許法及び教育公務員特例法の一部を改正する法律について>

※文部科学事務次官通知１９文科初第５４１号

第一　改正法の概要（略）

第二　留意事項

第１　教育職員免許法の一部改正関係

教育職員免許法の一部改正に係る留意事項については、今後、教育職員免許法関係省令の改正等を行う際、その内容等とあわせて別途通知する予定であること。

第２　教育公務員特例法の一部改正関係

１　総括的な事項について

（１）第２５条の２及び第２５条の３の措置の公正かつ適正な運用について

第２５条の２及び第２５条の３の措置は、全国的な教育水準の確保の観点から、指導が不適切な教員に対する人事管理に関する所要の手続について法律上規定したものであり、その趣旨を踏まえ、各任命権者においては、指導が不適切な教員に対する人事管理システムのより一層公正かつ適正な運用に努めること。

（２）第２５条の２及び第２５条の３の措置と分限処分との関係について

１　第２５条の２及び第２５条の３の措置が設けられたことにより、分限処分の要件には何ら変更が生ずるものではないこと。

２　第２５条の２及び第２５条の３の措置は、児童生徒への指導が不適切な教員が指導に当たることがないよう、各任命権者が、より適切に対応することができるようにする趣旨から設けられたものであり、教員として適格性に欠ける者や勤務実績が良くない者等、分限免職、分限降任又は分限休職に該当する者（地方公務員法第２８条第１項各号又は第２項各号に該当する者）については、当該処分を的確かつ厳正に行うべきであること。

３　指導を適切に行うことができない原因が、精神疾患に基づく場合には、本措置の対象にはならないものであって、医療的観点に立った措置や分限処分等によって対応すべきものであること。

（３）教育委員会規則の制定又は改正について

各任命権者においては、第２５条の２第５項及び第６項において教育委員会規則で規定することとなっている事項のほか、指導が不適切な教員に対する人事管理システムに関し必要と認める事項があれば、教育委員会規則に規定すること。なお、文部科学省においては、指導が不適切な教員に対する人事管理システムに関するガイドラインを作成し、各任命権者の参考となるよう、情報提供を行う予定であること。

２　「指導が不適切である」ことの認定について（第２５条の２第１項関係）

第２５条の２第１項の「指導が不適切である」ことに該当する場合には、様々なものがあり得るが、具体的な例としては、下記のような場合が考えられること。各教育委員会においては、これらを参考にしつつ、教育委員会規則で定める手続に従い、個々のケースに則して適切に判断すること。

１　教科に関する専門的知識、技術等が不足しているため、学習指導を適切に行うことができない場合（教える内容に誤りが多かったり、児童等の質問に正確に答え得ることができない等）

２　指導方法が不適切であるため、学習指導を適切に行うことができない場合（ほとんど授業内容を板書するだけで、児童等の質問を受け付けない等）
３　児童等の心を理解する能力や意欲に欠け、学級経営や生徒指導を適切に行うことができない場合（児童等の意見を全く聞かず、対話もしないなど、児童等とのコミュニケーションをとろうとしない等）

３　指導改善研修について（第２５条の２第１項関係）

第２５条の２第１項において、任命権者に対して、指導改善研修をしなければならない義務の対象としているのは、公立の小学校、中学校、高等学校、中等教育学校、特別支援学校及び幼稚園の教諭、助教諭及び講師としていること。

校長、園長、副校長、副園長、教頭、主幹教諭、指導教諭、養護教諭、栄養教諭及び養護助教諭等については、任命権者に対して指導改善研修の実施を義務付ける対象から除いているが、このことは、各任命権者において必要があれば、これらの者に対して指導改善研修を実施することを妨げるものではないこと。

また、指導が不適切であると認定された教員が、指導改善研修を受講している期間中において、当該教員が、地方公務員法第２８条第１項各号又は第２項各号に該当する場合には、当該教員に対し分限処分を行うことは妨げられないこと。

なお、地方公務員法第２９条第１項の規定による停職中の者に対して、指導改善研修の受講を命ずることはできないこと。

４　指導改善研修の実施期間について（第２５条の２第２項関係）

第２５条の２第２項の「特に必要があると認めるとき」とは、当初に定められた指導改善研修の期間の終了時において、再度研修を行うことにより当該教諭の指導の改善の余地が見込まれる場合を想定していること。なお、指導改善研修の実施期間に関し、必要がある場合には、教育委員会規則等の見直しを行うこと。

５　指導改善研修に関する計画書について（第２５条の２第３項関係）

第２５条の２第３項の計画書の作成に当たっては、指導が不適切であることの内容や程度等が様々であることから、画一的な研修ではなく、個々の教員が抱えている問題の内容や程度等に応じた研修を実施するようにすること。

６　指導が不適切な教員の認定の手続について（第２５条の２第５項関係）

第２５条の２第５項により、各任命権者は、教育委員会規則において、専門家等からの意見聴取に関して必要な事項について規定する必要があること。

「その他児童等に対する指導に関する専門的知識を有する者」としては、退職教員、地域の校長会関係者、地域の教育長協議会関係者などを想定していること。

任命権者は、専門家等の意見を参考としつつ、最終的には、自らの権限と責任に基づいて、公正かつ適正に指導が不適切な教員の認定を行うこと。

指導が不適切な教員の認定における専門家等からの意見聴取に当たっては、総合的に審査・調整する必要があることや認定作業の迅速化を図ることから、会議を実施してこれらの者から意見聴取するよう努めること。

なお、専門家等は、教職員の人事等に関する情報を知りうる立場にあることから、一般職の公務員と同様に、任期中及び任期終了後において守秘義務を負うことが必要であるため、各任命権者は、教育委員会規則に、専門家等からの意見聴取に関して必要な規定を整備する際に、あわせて守秘義務に関する規定を設けること。

7　認定の手続に関する教育委員会規則について（第２５条の２第６項関係）

第２５条の２第６項により、指導が不適切な教員の認定や指導改善研修等が公正かつ適正に実施されるよう、教育委員会規則において、事実の確認の方法や認定の手続に関し必要な事項を定めるに当たっては、あわせて対象となる教員本人から書面又は口頭により意見を聴取する機会を設けることについての規定を設けること。

「事実の確認の方法」については、各任命権者において適切に規定すべきものであるが、例えば、学校での指導の実態、児童生徒又は保護者等からの苦情等の記録、校長の注意等の改善方策の成果などについて、校長等による日常的な観察、指導主事等が学校訪問した際の観察又は事情聴取などの方法を想定している。

また、「その他認定に必要な手続」については、同様に、各任命権者において適切に規定すべきものであるが、例えば、

1　校長から任命権者に対して行う、指導が不適切な教員に関する報告及び指導が不適切な教員に対する人事管理システムへの申請の手続、

2　専門家等の意見聴取を含めた、指導が不適切な教員の認定の手続、

3　専門家等の意見聴取を含めた、指導改善研修終了時における認定の手続、

などを想定している。

なお、県費負担教職員については、服務監督権者である市町村教育委員会は、校長から指導が不適切と思われる教員について報告を受けた場合、適切な指導・助言を行うとともに、必要があると判断した時は、任命権者である都道府県教育委員会に対して指導が不適切な教員に対する人事管理システムへの申請を行うようにすること。

8　政令で定める事項について（第２５条の２第７項関係）

第２５条の２第７項の政令で定める事項については、指導改善研修の対象から除く者を定めることを予定していること。

9　指導改善研修後の措置について（第２５条の３関係）

「免職その他の必要な措置」について、「免職」とは、地方公務員法第２８条第１項による「免職」を指し、「その他の必要な措置」とは、地教行法第４７条の２第１項による「県費負担教職員の免職及び都道府県の職への採用」、地方公務員法第１７条第１項の「転任」、「指導改善研修の「再受講」などを想定していること。

１０　附則第６条について

指定都市以外の市町村の教育委員会において、当該教育委員会が任命権を有する教諭等（幼稚園の教諭等を含む。）の中に児童等に対する指導が不適切な者がいる場合には、当該市町村教育委員会も第２５条の２及び第２５条の３の「任命権者」に該当し、第２５条の２及び第２５条の３の措置を講じなければならないこととなる。

しかし、現在、指定都市以外の市町村の教育委員会においては、必ずしも指導が不適切な教員の人事管理システムが十分に整備されているわけではなく、その整備には一定の期間を要するものと考えられる。

このことから、附則第６条においては、指導が不適切な教員の人事管理システムが整備されるまでの間、第２５条の２第１項の指導改善研修に代えて「これに準ずる研修その他必要な措置」を講ずるよう義務付けたものであること。

「これに準ずる研修その他必要な措置」とは、例えば、

1　都道府県や他の市町村で実施している指導改善研修への参加の要請及び派遣、

2　大学等への派遣

など を想定している。

１１　地教行法附則第２７条について（略）

＜学校教育法施行規則の一部を改正する省令の公布について＞

※文部科学事務次官通知２７文科高第１１８７号

第１　改正の概要

１　卒業の認定に関する方針等の策定

（１）大学は，当該大学，学部又は学科若しくは課程（大学院にあっては，当該大学院，研究科又は専攻）ごとに、その教育上の目的を踏まえて、次のアからウまでの方針（大学院にあっては、ウの方針に限る。）を定めるものとすること。（第１６５条の２第１項関係）

　ア　卒業の認定に関する方針

　イ　教育課程の編成及び実施に関する方針

　ウ　入学者の受入れに関する方針

（２）（１）のイの方針を定めるに当たっては、アの方針との一貫性の確保に特に意を用いなければならないものとすること。（同条第２項関係）

２　卒業の認定に関する方針等の公表

大学は、１の（１）により定める方針を公表するものとすること。（第１７２条の２第１項第１号関係）

３　その他

その他所要の規定の整備を行うこと。（同項第４号関係）

第２　留意事項

１　今回の改正は、各大学等における三つの方針について、その策定及び公表を法令上位置付けたものであり、本改正省令の施行日である平成２９年４月１日以降、全ての大学等において、三つの方針が策定・公表されている必要があること。

なお、高等専門学校については、学校教育法施行規則（昭和２２年文部省令第１１号）第１７９条の規定により大学に係る規定が準用され、大学と同様の扱いとなること。

２　今回の改正に合わせて、中央教育審議会大学分科会大学教育部会において、各大学が三つの方針を策定・公表する際の参考指針として「「卒業認定・学位授与の方針」（ディプロマ・ポリシー）、「教育課程編成・実施の方針」（カリキュラム・ポリシー）及び「入学者受入れの方針」（アドミッション・ポリシー）の策定及び運用に関するガイドライン」（平成２８年３月３１日。以下「ガイドライン」という。）（別添３）が策定されており、各大学等においては、これも参考として取り組むことが期待される。

なお、今回の改正で規定される「卒業の認定に関する方針」、「教育課程の編成及び実施に関する方針」及び「入学者の受入れに関する方針」は、それぞれガイドラインにいう「卒業認定・学位授与の方針」、「教育課程編成・実施の方針」及び「入学者受入れの方針」と同じ意味内容を指すものであること。

３　大学院については入学者受入れの方針の策定・公表のみが規定されているが、これは改正前における同様の規定（第１７２条の２第１項第４号）について、今般の改正の際に整理を行ったものであり、従前の規定の趣旨から変更はないこと。

なお、大学院においても、それぞれの自主的・自律的な判断に基づき、課程の修了の認定に関する方針や教育課程の編成及び実施に関する方針の策定に積極的に取り組むことが期待されること。

第３　施行期日

本通知に係る省令については，平成２９年４月１日から施行することとしたこと。

＜参考文献（文献ガイド）＞

青山学院教育法研究会『大学・学校・教育 法律実務ガイド 現場の諸問題を法律と判例で解決する』（第一法規、2014 年）

伊藤良高・大津尚志・永野典詞・荒井英治郎『教育と法のフロンティア』（晃洋書房、2015 年）

坂田仰『学校現場における教育法規実践学【上巻】 学校トラブル－生徒指導・保護者対応編』（教育開発研究所、2015 年）

坂田仰『学校現場における教育法規実践学【下巻】 学校トラブル－教職員・地域対応編』（教育開発研究所、2015 年）

坂田仰・河内祥子・黒川雅子・山田知代『新訂第２版 図解・表解 教育法規』（教育開発研究所、2016 年）

坂田仰・黒川雅子『補訂版 事例で学ぶ”学校の法律問題”』（教育開発研究所、2014 年）

坂田仰・山田知代『学校を取り巻く法規・制度の最新動向』（教育開発研究所、2016 年）

下村哲夫『新版 教師のための法律相談１２か月』（学陽書房、2000 年）

神内聡『学校内弁護士 学校現場のための教育紛争対策ガイドブック』（日本加除出版、2016 年）

坂東司朗・羽成守『新版 学校生活の法律相談』（学陽書房、2008 年）

菱村幸彦『管理職のためのスクール・コンプライアンス ここが問われる学校の法的責任』（ぎょうせい、2010 年）

堀切忠和『改訂 教職員のための学校の危機管理とクレーム対応 －いじめ防止対策推進法の施行を受けて－』（日本加除出版、2014 年）

山口卓男『新しい学校法務の実践と理論 教育現場と弁護士の効果的な連携のために』（日本加除出版、2014 年）

Active Learning 教育法規

平成29年３月４日　初版第１刷発行
平成30年９月13日　初版第２刷発行

著　者　岡野大輔

発行所　ブックウェイ
〒670-0933　姫路市平野町62
TEL.079（222）5372
FAX.079（244）1482
https://bookway.jp

印刷所　小野高速印刷株式会社

ISBN978-4-86584-225-8